Sensible Cooking Mook

매일 맛있게 먹는

반찬 밑반찬

삼성출판사

Sensible Cooking Mook

즐겁고 건강이 넘치는 생활을 위한 요리

바쁘게 지나쳐 가는 매일매일의 생활 속에서 우리는 맛있고 영양가 있는 음식을 대하므로써 생활을 재충전해 나가는 기쁨을 누립니다. 하지만 매일매일의 식탁을 준비해 본 사람이라면 누구나 어떤 반찬, 어떤 국을 올려야 하는지 고민하게 됩니다. 이런 고민을 해결하기 위해 삼성 Sensible Cooking Mook는 요리를 처음 만들어 보려는 미혼 여성·남성이나 새댁 또는 맞벌이를 하는 아내를 위해 손수 요리를 준비해야 하는 남성이 쉽게 만들 수 있는 다양한 메뉴에서부터 시작합니다. 또 프로 주부들도 알차게 응용할 수 있는 매일 먹는 반찬, 맛깔스런 국·찌개, 손님 초대 요리까지 풍부한 메뉴를 담았고, 요리는 물론 조리 과정까지 선명한 사진으로 곁들였습니다. 또 요리 준비 과정과 반드시 알아두어야 하는 조리 포인트와 상식까지 한 권에 꼼꼼히 담아 누구나 부담없이 책장을 넘기다 보면 매일매일 색다르고 활기찬 식탁을 만들 수 있을 것입니다.

삼성 Sensible Cooking Mook 는

• 매 단원마다 음식에 대한 이론 페이지를 따로 마련해 실질적인 도움이 되도록 하고, 가나다 순서 외에 재료별과 조리별로 찾아보기를 넣어 재료를 최대한 활용하고 좀더 다양한 음식을 만들어 볼 수 있도록 하였습니다.

• 요리 하나하나마다 응용 요리와 쿠킹 센스, 조리 메모, 식품 상식 코너를 마련해 요리는 물론 식단 구성의 방법과 활용까지 폭을 넓힐 수 있게 했습니다.

삼성 Sensible Cooking Mook의 약속

• 재료의 분량은 4인분을 기준으로 했으며, 혼자서 먹는 요리의 경우는 1인분을 기준으로 했습니다.

• 칼로리는 제시된 재료의 양에 맞추어 1인분을 기준으로 산출했습니다.

• 계량은 1작은술(t.s)=5cc, 1큰술(T.S)=15cc(3작은술), 1컵=200cc(16큰술)로 했습니다. 계량 기구가 적절하게 갖추어져 있지 않은 경우에 1컵은 우유팩 200㎖를 활용하면 되고 1큰술의 경우에는 성인의 밥 숟가락으로 한 숟가락, 1작은술일 경우에는 커피를 탈 때 사용하는 스푼으로 하나면 됩니다.

• 요리 레시피에 많이 사용되는 소금·설탕 약간의 경우에는 계량 스푼으로 하면 1/5작은술 정도이고 손가락으로 하면 엄지와 검지, 중지 세 손가락으로 가볍게 쥐었을 때 잡히는 정도의 양입니다.

• 다진 파 1큰술을 계량 스푼 없이 재고 싶을 때는 굵게 파를 썰어 성인의 밥 숟가락으로 수북이 한 숟가락 정도면 됩니다. 다진 마늘 1작은술은 마늘 1쪽 반 개 정도를 다진 분량입니다.

• 간장·식초·기름·맛술 같은 액체를 계량할 때 1큰술은 성인 밥 숟가락으로 1½ 숟가락 정도이며 커피를 타는 티스푼으로 계량할 때는 6스푼 정도입니다. 또한 액체를 계량할 때는 스푼에 찰랑거릴 정도로 찬 상태를 재야 합니다. 1작은술은 밥 숟가락으로 ½ 숟가락, 티스푼으로 2½ 숟가락이 되면 적당한 양이 됩니다.

• 국물을 넣을 때의 기준인 자작할 정도라는 것은 재료의 표면이 국물 밖으로 보일락말락한 상태이고, 듬뿍 넣는다는 것은 재료가 떠 다닐 수 있는 상태입니다. 재료가 잠길 정도로 넣는 것은 재료가 잠겨 보이지 않는 상태를 말합니다.

contents

김치·밑반찬

김치

밑반찬

contents

전자 레인지
압력솥
오븐 요리

전자 레인지 요리

STUDY

요 리 메 모

압력솥 요리

STUDY

요 리 메 모

contents

손님 초대 요리

STUDY

365일 가족들의 입맛을 되살려 주는 재료별 요리 백과

매일 먹는 반찬

야채 반찬

색깔 곱고 상큼한 야채 요리,
좀더 싱싱하고 맛있게 만들어 즐겨요

🍴 야채 반찬으로 식탁을 풍성하게

야채에 비타민과 무기질이 풍부하다는 것은 누구나 아는 상식. 뿐만 아니라 다양한 풍미·향·색 등으로 식탁을 한껏 풍성하게 해 준다. 요즘은 대부분의 야채를 계절에 관계 없이 사계절 모두 즐길 수 있지만, 그 맛과 영양이 가장 우수한 제철 야채로 반찬을 만들어서 계절 감이 물씬 풍기는 식탁을 차려 보자.

🍴 열매 · 잎 · 뿌리 야채

즐겨 먹는 야채는 식물의 어느 부위를 식용으로 이용하느냐에 따라 열매 야채 · 잎 야채 · 뿌리 야채로 나눌 수 있다.
열매 야채는 껍질을 벗길 필요 없이 깨끗이 씻은 다음 모양 내어 썰면 손질이 끝난다. 잎 야

채는 잎과 줄기를 꼼꼼하게 씻는 것이 포인트. 주로 데쳐서 무치거나 채썰어 드레싱을 끼얹어 먹는다.
뿌리 야채는 다른 야채에 비해 조직이 단단하여 오래 익히거나 조림에 많이 이용된다. 손질할 때도 껍질을 벗겨 먹는 것이 대부분으로 칼 외에 야채 깎는 전용 도구인 필러를 이용하면 훨씬 손쉽게 깎을 수 있다.

대표적인 열매 야채들. 피망과 고추는 칼로 속의 씨를 긁어 낸 다음 사용한다. 물에 살짝 담갔다가 흔들면 씨가 더 잘 빠진다.

감자와 무·당근 같은 뿌리 야채들은 깨끗이 씻은 다음 껍질을 벗겨 내고 조리한다.

잎 야채들은 물에 깨끗이 씻어야 한다. 양배추나 배추 같은 야채는 가운데의 심을 도려 낸 다음 조리한다.

기본 야채, 이렇게 골라요

- **무**
  - 모양이 둥글고 균일한 것을 고른다.
  - 껍질에 윤기가 돌고 속살에 물기가 가득한 것이 싱싱하다.
  - 두들겼을 때 통통 소리가 나는 것은 속에 바람이 든 무일 가능성이 높다.
  - 잎사귀가 푸르고 싱싱하며 하얀 것을 고르며 머리쪽이 누런 것은 오래된 것이기 쉽다.
  - * 속이 비지 않은 무를 고르는 방법
  무잎을 잘라 보았을 때 그 단면에 파란 생기가 흐르는 것은 싱싱한 것이지만 단면이 하얗게 된 것은 속이 빈 것이다.
- **감자**
  - 모양이 동글동글하고 매끈한 것이 좋다.
  - 감자눈이 적고 얕게 박혀 있어야 한다.
  - 까칠까칠한 표면, 푸르스름한 빛이 돌고 껍질에 군데군데 반점이 있는 것은 피한다.
- **미나리**
  - 잎이 싱싱하고 줄기가 고른 것이 좋다.
  - 미나리만의 독특한 향이 강한 것을 고른다.
- **호박**
  - 표면에 윤기가 돌며 매끄러운 것이 좋다.
  - 몸체가 단단하며 검푸른 것이 좋다.
  - 몸체가 꼬불꼬불, 울퉁불퉁한 것은 피하도록 한다.
- **당근**
  - 모양이 쭉 고르고 통통한 것이 좋다.
  - 붉은 색이 선명하고 표면이 매끄럽다.
  - 뿌리나 싹이 많이 자란 것, 물기가 바짝 말라 있는 것은 오래된 것이니 피하도록 한다.
- **오이**
  - 길이가 20cm 정도로 짧고, 굵은 것이 달다.
  - 표면의 눈이 거칠면서 뾰족하게 튀어나온 것과 색이 짙고 꼭지가 싱싱한 것이 좋다.

야채 보관, 싱싱하고 안전하게

방금 따낸 신선한 야채로 조리를 해야 맛과 영양을 100% 살린 음식을 즐길 수 있다는 것은 누구나 아는 사실. 하지만 한 번에 먹을 양만큼 구입하기란 쉽지 않다. 따라서 야채에 맞는 저장법을 알아두어 신선도를 유지하도록 한다.

상온에서 보관하는 야채

냉장고의 야채실이 신선도를 유지하는 최상의 방법은 아니다. 의외로 상온에서 보관해야 오래 두고 먹을 수 있는 것들이 많다. 특히 대파·가지·오이·당근·무·감자·우엉·고구마·양파·토란 등 부피가 큰 야채들은 상온에서 저장하는 게 낫다.

상온에서 야채 보관할 때 유의할 점

- 공기가 직접 닿지 않게 한다. 우엉의 경우 잔뿌리

는 제거하고 신문지에 싸서 보관하고, 감자는 스티로폼 상자에 모래와 함께 넣어 밀봉하는 것이 좋다.
- 건조하지 않도록 하되 습기도 차지 않도록 주의한다. 비닐 봉지에 넣어서 보관하는 경우 봉지에 구멍을 뚫어서 습기가 차는 것과 건조되는 것을 동시에 막아준다.

자주 쓰는 기본 야채의 냉장 보관 요령

- 시들고 상하기 쉬운 잎 채소를 보관할 때: 누런 잎을 뜯어 낸 다음 신문지에 싸서 세운 상태로 보관한다. 시금치의 경우 살짝 데쳐서 냉수에 잠깐 동안 담근 다음 물기를 짜내고 냉동실에 보관해도 좋다.
- 콩나물을 보관할 때: 밀폐 용기에 물을 가득 채우고 콩나물을 넣어 냉장실에 보관하면 5~6일은 보관이 가능하다.
- 양배추를 보관할 때: 가운데의 심 부분을 도려 내고

젖은 종이로 채운 다음 랩으로 싼다. 그리고 냉장실에 넣어 두면 최소한 1주일 정도는 보관할 수가 있다.
- 무와 오이를 보관할 때: 구입하면 바로 잎사귀를 떼어 내고 랩으로 싼 다음 꼭 세워서 보관해야 한다. 오이는 호흡할 수 있도록 비닐 봉지나 랩에 싸서 구멍을 뚫은 다음 냉장고에 보관한다.

냉장고에 넣지 말아야 할 야채 · 과일

생강·마늘·키위·바나나 등은 통풍이 잘 되는 실온에서 보관하는 것이 훨씬 안전하다.

채소와 과일을 무조건 냉장고에 보관한다고 해서 싱싱하게 보관할 수 있는 것은 아니다. 향미 채소나 열대 과일은 상온에서 보관하도록 한다.

🌱 야채 밑손질 하기

씻기

먼저 야채에 묻어 있는 흙을 조심스럽게 털어
낸 다음 흐르는 물에 살살 흔들어 씻는다. 포
인트는 흐르는 깨끗한 물에 여러 번 헹궈 주어
야 한다는 것이다.

재료따라 꼭 필요한 조리 전 밑손질

· 물에 담갔다가 쓴다

감자 : 볶기
전에 물에 담
갔다가 전분
기를 씻어 내
야 질척거리
지 않는다.
고구마 : 물에
담가야 갈변을 막을 수 있다.
콩 · 팥 : 하룻밤 정도 물에 담가 불려야 좋다.
콜리플라워: 물에 담가 지저분한 것들을 제거
한다.
양파 : 생으로 이용할 때 물에 담갔다 건지면
매운 맛과 냄새를 없앨 수 있다.
더덕: 껍질을 벗겨 물에 담궈 아린 맛을 없앤다.
· 소금으로 깨끗이 씻는다

오이 : 껍질에
소금을 뿌린
다음 씻으면
훨씬 깨끗하
고 색깔도 선
명하다.
도라지: 소금
으로 주무르면 아린 맛이 가신다.
· 식초에 담갔다가 쓴다
우엉 · 연근: 손질한 다음 식촛물에 담그면 떫
은 맛을 없앨 수 있다.
· 살짝 삶은 다음 조리한다
토란: 소금으로 씻은 다음 살짝 삶으면 점액이
제거된다.
죽순: 쌀뜨물에 삶으면 떫은 맛이 가신다.
버섯: 느타리나 생표고버섯은 볶기 전에 끓는
물에 데쳐서 수분을 뺀다.

🌱 야채 조리 하나, 데치기

· 야채를 데치면 좋은 점
1 딱딱하고 질긴 재료를 부드럽게 해준다.

2 떫고 아린
맛을 없앤다.
3 색깔을 선
명하게 한다.
4 재료에 남
아 있는 수분
을 없앤다.

· 데칠 때 유의할 점
1 재료를 물로 씻은 다음 물기를 충분히 뺀다.
2 끓는 물은 넉넉히 쓴다.
3 불은 반드시 강한 불로 한다.
4 뚜껑을 열고 삶는다.

🌱 야채 조리 둘, 볶음

· 말린 나물은 삶은 다음 볶는다

호박이나 오
이 등 무른 야
채는 소금에
살짝 절였다
가 적당히 물
기를 짠 다음
볶아야 아작
아작 씹는 맛이 좋다. 말린 나물은 충분한 물
에 무르도록 삶은 다음 건져서 볶는다.
· 볶을 때의 기본 양념
색깔이 있는 나물의 경우 깨소금 · 참기름 · 다
진 파 · 마늘에 국간장으로 간한다. 흰색 나물
의 경우 색이 살도록 국간장 대신 소금으로 간
하면 좋다.
· 참기름이나 들기름으로 볶으면 고소하다
보통 식용유를 많이 쓰지만 참기름이나 들기
름을 쓰면 훨씬 고소하고 맛이 깔끔하다.
· 설탕은 넣지 않는다
나물을 볶을 때는 설탕을 넣지 않는 것이 기
본. 하지만 쓴맛이 강한 도라지나 취나물에 설
탕을 살짝 넣어 주면 한결 맛깔스럽다.

🍄 CHECK CHECK

푸른 야채 파릇하게 데치기
시금치 · 쑥갓 · 미나리 등의 푸른잎 채소를 데칠 때는 색
을 잘 살리는 것이 포인트. 이를 위해서는
1 야채를 깨끗이 씻어서 물기를 뺀다.
2 큰 냄비에 물을 넉넉히 붓고 끓여 소금을 넣는다.
3 야채를 가지런히 모아 뿌리 쪽부터 물에 넣는다.
4 야채의 위 · 아래를 바꿔서 열이 고루 닿도록 한다.
5 살짝 데쳐지면 재빨리 찬물에 헹구어 물기를 꼭 짠다.

🌱 야채 조리 셋, 튀김

· 재료의 물기를 완전히 없앤다
깨끗이 손질한 야채는 체에 건져서 물기를 뺀
다음 종이 타월 등으로 물기를 완전히 없앤다.
그리고 감자나 고구마는 물에 담가서 전분기
를 없앤 다음 튀겨야 눅눅하지 않다.
· 재료를 썰 때는 너무 두껍지 않게 한다
감자 · 고구마 · 당근 등은 껍질을 벗기고 얄팍
하게 썰어 튀긴다. 이 때 튀김옷을 따로 입히
지 않아도 깔끔하다.
· 튀김옷을 입히기 전에 밀가루를 입힌다
물기를 제거한 야채에 밀가루를 입혀 튀김옷
이 잘 입혀지도록 한다.
· 야채는 한 번만 튀긴다
잘 익지 않는 고기와는 달리 야채는 중간 온도
인 170~180℃에서 온도가 내려가지 않도록
유의하여 한 번만 튀긴다.

🌱 야채 조리 넷, 무침

생으로 무칠 때

· 깨끗이 손
질한 야채는
먹기 직전에
무쳐야 맛이
가장 좋다.
· 손으로 조
물조물 무쳐
야 양념이 고루 밴다.
· 초고추장 양념을 쓸 경우에는 양념장을 만
들어 무친다. 식초를 넣을 때는 식초로 먼저
맛을 들인 다음 고춧가루 · 간장을 넣어야 재
료에 신맛이 잘 밴다.

데쳐서 무칠 때
· 시금치
물이 끓으면 살짝 데친 다음 찬물에 헹궈 물기
를 꼭 짠 다음 양념을 넣고 버무린다.
· 콩나물
콩나물을 데칠 때는 뚜껑을 열지 말고 푹 무르
도록 끓이는 것이 포인트. 콩나물 200g에 물
⅓컵과 약간의 소금을 함께 넣어 데친다. 다
익으면 건져서 양념한다.
· 노각
노각처럼 수분이 많은 야채의 경우 물기를 꼭
짠 다음 양념한다.

아작아작 씹히는 시원한 맛이 더위에 지친 입맛을 살리는

노각 무침

재료 · 4인분

노각(늙은 오이) 1개 · 소금 약간 · 양념장(실파 1뿌리, 마늘 3쪽, 고추장 2큰술, 설탕 ½큰술, 참기름 1큰술, 깨소금 1큰술)

이렇게 준비하세요

1 노각은 흐르는 물에 깨끗이 씻어서 물기를 닦아 낸 다음 반으로 갈라, 씨가 많이 들어 있는 속을 숟가락으로 말끔하게 파내고 껍질을 벗긴다.

2 껍질을 벗긴 노각은 연필 두께로 길쭉길쭉하게 썰어서 소금을 약간 뿌려 절여 둔다.

3 실파는 물에 씻어 깨끗이 다듬은 다음 잘게 송송 썬다. 마늘은 껍질을 벗기고 곱게 다져 놓는다.

이렇게 만들어요

4 소금에 절인 노각은 마른 베보자기에 싸서 물기를 꼭 짠다. 물기가 있으면 아작아작한 맛이 없다.

5 오목한 그릇에 다진 마늘, 송송 썬 실파와 고추장 · 설탕 · 참기름 · 깨소금을 넣고 섞어 양념장을 만든다.

6 상에 놓기 전에 껍질을 벗겨 소금에 절여 둔 노각을 양념장에 넣고 골고루 버무린다.

POINT

노각은 속을 말끔히 파내고 길게 썰어 소금에 절였다가 베보자기로 싸서 물기를 짠다.

양념장을 만들어 노각을 넣고 양념이 잘 배도록 골고루 버무린다.

여름철의 대표적인 야채, 노각

오이가 늙어서 빛이 누렇게 된 것을 노각이라고 한다. 노각은 수분이 많은 것 외에 영양가가 뛰어난 점은 없지만 상쾌한 맛과 향 때문에 여름철의 식욕을 돋우는 데 그만이다. 또 알칼리성 식품이라는 점에서 권할 만하다. 소금에 절인 노각은 깨끗한 베보자기에 싸서 무거운 돌로 눌러 놓거나 손으로 물기를 꼭 짜내야 아작아작한 맛이 난다.

오이 손질하기

오이의 독특한 쓴맛을 없애려면 오이를 도마 위에 얹어 놓고 소금을 뿌려 앞뒤로 눌러 가며 굴린 다음 대충 물에 씻어서 소금기를 없앤 후 요리한다. 또 속 부분은 맛이 좋지 않고 쓴맛도 강하므로 세로로 반을 갈라 숟가락 등을 이용하여 속을 긁어 내고 사용한다.

69 Kcal

오이 생채 · 더덕 생채

● 오이 생채

재료 · 4인분

오이 2개 · 소금 약간 · 통깨 1작은술 · 양념장(파 1뿌리, 마늘 3쪽, 고추장 1큰술, 고춧가루 ½큰술, 설탕 2작은술, 식초 1큰술, 깨소금 ½큰술)

이렇게 만들어요

1 오이는 소금으로 문질러 깨끗이 씻어서 길이로 2등분한 다음 어슷어슷하게 썰어 소금을 약간 뿌려 둔다.
2 파 · 마늘은 깨끗이 씻어서 손질한 뒤 곱게 다진다.
3 소금에 절여 둔 오이를 깨끗한 베보자기에 싸서 물기를 꼭 짠다.
4 파 · 마늘 · 고추장 · 고춧가루 · 설탕 · 식초 · 깨소금 등을 한데 섞어 양념장을 만든다.
5 준비한 오이에 양념장을 넣고 주물러 무친 다음 그릇에 예쁘게 담고 통깨를 뿌린다.

● 더덕 생채

재료 · 4인분

더덕 200g · 상추 약간 · 양념장(파 1뿌리, 마늘 2쪽, 고추장 2큰술, 설탕 2작은술, 참기름 ½큰술, 깨소금 ½큰술)

이렇게 만들어요

1 깨끗이 손질한 더덕을 길게 반으로 갈라 방망이로 자근자근 두드린 다음 물에 담가 쓴맛을 우려 낸다.
2 파 · 마늘은 손질하여 곱게 다진다.
3 물에 담가 둔 더덕을 건져 물기를 꼭 짜고 잘게 찢는다.
4 파 · 마늘 다진 것과 고추장 · 설탕 · 참기름 · 깨소금을 섞어 양념장을 만든다.
5 준비한 더덕에 양념장을 넣어 잘 주물러 무친 다음 상추를 밑에 깔고 그릇에 담아 낸다.

생채는 먹기 직전에 버무린다

무침 요리의 최종 과정은 소스나 양념을 넣고 버무리는 일인데, 그 이전의 과정으로 데치거나 절이는 절차가 필요할 때가 있다. 이럴 경우에 오랫동안 푹 데치거나 절이면 재료가 가진 상큼한 맛을 잃게 되므로 조리 시간에 주의한다. 또 미리부터 무치거나 버무려 놓으면 양념 속의 간이나 설탕의 삼투압 작용으로 재료의 수분이 빠져 나와 음식에 물기가 지나치게 많아지고 맛이 싱거워질 뿐만 아니라 재료의 독특한 맛도 없어진다. 그러므로 양념이나 소스를 따로 담아 내어 상에서 직접 버무리는 것도 좋고, 그렇지 않으면 상에 내기 직전에 버무려 물기가 많아지기 전에 먹는 것이 좋다.

POINT

더덕 생채

더덕은 반으로 갈라 칼자루나 방망이를 이용하여 자근자근 두들겨 살을 곱게 펴 준다. **1**

물에 담가 쓴맛을 우려 낸 더덕을 건져 물기를 꼭 짜고 잘게 찢는다. **3**

준비한 더덕에 양념장을 넣어 잘 무친 다음 상추를 밑에 깔고 그릇에 담아 낸다. **5**

20 Kcal

쌉쌀하면서도 달짝지근한 맛이 일품이라 손님상에 제격인

더덕 구이

 재료 · 4인분

더덕 200g · 참기름 1큰술 · 통깨 약간 · 진간장 1큰술 · 식용유 약간 · 양념 고추장(파 ½ 뿌리, 마늘 2쪽, 고추장 2큰술, 고춧가루 1작은술, 참기름 1작은술, 깨소금 2작은술)

 이렇게 준비하세요

1 더덕은 껍질을 깨끗이 벗긴 다음 말끔히 씻어 놓는다.

2 손질한 더덕을 길이로 2, 3쪽으로 저며 갈라서 방망이로 자근자근 두들겨 얇게 편 다음 찬물에 담가 떫은 맛을 우려 내고 깨끗한 베보자기에 싸서 물기를 말끔히 걷어 낸다.

3 파는 잘 다듬어 깨끗이 씻은 후 곱게 다지고, 마늘도 깨끗이 손질하여 다진다.

4 정량의 참기름과 진간장을 섞어 물기를 걷어 낸 더덕 앞뒤에 고루 바른 다음 잠시 재어 둔다.

5 곱게 다진 파 · 마늘에 정량의 고추장 · 고춧가루 · 참기름 · 깨소금 · 물 2큰술을 함께 넣고 고루 섞어 양념 고추장을 만든다.

 이렇게 만들어요

6 재어 두었던 더덕을 석쇠에 올려 어느 정도 익을 때까지 서서히 굽는다.

7 한 번 구운 더덕에 양념 고추장을 골고루 바른 다음 석쇠에 쿠킹 포일을 깔고 기름을 약간 두른 후 타지 않게 약한 불에서 구워 낸다.

8 구운 더덕을 적당한 길이로 잘라 가지런히 그릇에 담은 후 통깨를 살짝 뿌려서 낸다.

P O I N T

더덕을 방망이로 두들겨 얇게 편다.

더덕에 참기름 · 진간장을 고루 바른다.

재어 둔 더덕을 석쇠에다 서서히 굽는다.

양념 고추장을 고루 발라 한 번 더 굽는다.

 더덕을 맛있게 구우려면

더덕은 대개 2~8월에 걸쳐 채취하는데, 백삼이라 불릴 만큼 칼슘 · 인 · 섬유질 등의 영양이 풍부하며 폐와 신장 · 위장을 튼튼하게 해주는 사포닌이 들어 있다. 더덕 특유의 쓴맛을 우려 내리려면 껍질을 벗겨 깨끗이 씻어 물에 담갔다가 쓴다. 특히 3~4월이 지나 늦게 캔 더덕은 여러 날 물에 담가 우려야 한다. 구울 때는 처음부터 양념 고추장을 바르고 구우면 더덕이 익기 전에 양념이 타 버려 맛이 덜하므로 참기름과 진간장으로 양념한 후 구워서 대강 익힌 후 양념장을 바르고 다시 한 번 더 굽는다.

98 Kcal

배추 겉절이

재료 · 4인분

배추 1포기 · 당근 1개 · 실파 2뿌리 · 풋고추 2개 · 붉은고추 1개 · 소금 적당량 · 양념장(고춧가루 4큰술, 마늘 3쪽, 진간장 1큰술, 새우젓 1큰술, 설탕 1큰술, 깨소금 1큰술)

이렇게 준비하세요

1 배추는 뿌리 쪽을 잘라 내고 칼로 쭉쭉 찢어서 소금을 뿌려 절인다.

2 당근은 껍질을 벗겨 내고 1×5cm 크기로 얄팍하게 썬다.

3 실파는 뿌리를 잘라 내고 씻어서 4cm 길이로 썰고, 풋고추는 어슷어슷하게 썰어서 물에 헹궈 씨를 털어 낸다. 붉은고추도 풋고추와 같이 썰어 씨를 뺀다. 마늘은 곱게 다진다.

이렇게 만들어요

4 배추가 알맞게 절여지면 물에 여러 번 헹군 다음 건져 물기를 뺀다.

5 고춧가루에 진간장을 넣어 갠 다음 마늘 · 설탕 · 깨소금과 새우젓을 섞어 양념장을 만든다.

6 넓은 그릇에 배추 · 당근 · 풋고추 · 붉은고추 · 실파를 담고 양념장을 넣어 잘 버무려 낸다.

채소는 물기를 잘 빼야 맛있게 무쳐져요

물기가 많아서 질척질척한 채소 무침은 맛이 없다. 갖은 양념이 채소에 배어들지 않고 국물에 다 녹아 버리기 때문에 물기를 잘 빼는 것이 무엇보다 중요하다. 시금치 등은 주먹을 쥐어 물기를 두어 번 짜낸 다음 간장을 치고, 헝겊으로 다시 한 번 눌러 물기를 뺀다. 배추처럼 물기 많은 채소는 데쳐서 소쿠리 같은 데에 담고 소금을 뿌려 잠시 놓아 두었다 손으로 눌러 물기를 뺀다.

POINT

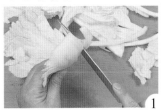
배추는 뿌리 쪽을 잘라 내고 칼로 쭉쭉 찢어서 소금을 뿌려 절인다.

당근은 깨끗이 씻어 껍질을 벗겨 내고 얄팍하게 썬다.

실파는 뿌리를 자르고 씻어서 4cm 길이로 썰고, 풋고추는 어슷하게 썰어 씨를 뺀다.

배추가 알맞게 절여지면 물에 여러 번 헹군 다음 건져 물기를 뺀다.

양념과 새우젓을 섞어 양념장을 만든다.

넓은 그릇에 배추 · 당근 · 풋고추 · 붉은고추 · 실파를 담고 양념장을 넣어 버무린다.

68Kcal

제철 채소를 햇볕에 말려 두었다가 향긋한 향을 살려 무친

대보름 나물

재료 · 4인분

말린 가지 100g · 말린 호박 100g · 고구마 줄기 200g · 토란 줄기 100g · 시래기 100g · 취나물 100g · 소금, 진간장, 식용유 적당량 · 갖은 양념(파 1뿌리, 마늘 1통, 깨소금 적당량, 참기름 적당량)

이렇게 준비하세요

1 말린 가지 · 말린 호박 · 고구마 줄기 · 토란 줄기는 따뜻한 물에 담가 하룻밤쯤 불린다.

2 시래기는 끓는 물에 넣고 잠깐 삶아 짧게 잘라 둔다. 취나물도 끓는 물에 삶은 뒤 찬물에 담가 쓴맛을 뺀다.

3 파는 깨끗이 씻고 마늘은 껍질을 벗겨 곱게 다진다.

이렇게 만들어요

4 고구마 줄기와 시래기 · 취나물은 진간장과 갖은 양념으로 버무린 다음 냄비에 넣고 볶다가 물을 넣어 뚜껑을 덮고 잠깐 익혀 양념이 잘 배어들게 한다.

5 가지와 토란 줄기 · 호박은 소금으로 간하여 갖은 양념으로 버무린 다음 냄비에 넣고 볶다가 물을 넣어 뚜껑을 덮고 잠깐 익혀 양념이 잘 배어들게 한다.

POINT

말린 가지와 말린 호박 · 고구마 줄기 · 토란 줄기는 따뜻한 물에 담가 불린다.

취나물과 시래기 나물은 끓는 물에 넣고 삶아서 물기를 빼둔다.

고구마 줄기 · 시래기 · 취나물은 진간장과 갖은 양념으로 버무려 냄비에 넣고 볶는다.

가지 · 토란 줄기 · 호박은 소금으로 간해 갖은 양념으로 버무려 냄비에 넣고 볶는다.

나물을 맛있게 조리하려면

시금치 등의 푸른잎 채소를 끓는 물에 데치면 엽록소가 파괴되어 누르스름해진다. 푸른색과 모양을 그대로 살려 데치려면 끓는 물에 약간의 소금을 넣고 뿌리 부분부터 넣어 잎사귀도 넣고 난 후에 채소가 물 밖으로 나오지 않도록 눌러 놓고 젓가락으로 아래위를 바꾸면서 데친다. 이때 센 불에 뚜껑을 덮지 않고 재빨리 데쳐 낸다. 살짝 데쳐지면 찬물에 헹구어 식힌 다음 물기를 뺀다. 무칠 때는 양념을 넣고 가볍게 무쳐야 모양이 흐트러지지 않는다. 참기름은 꼭 마지막에 넣는다. 참기름은 미리 넣으면 나물에 간이 배는 것을 방해한다.

대보름 나물

대보름에 먹는 묵은 나물이란 가지 · 고구마 줄기 · 고비 · 고사리 · 시래기 · 취 · 말린 호박 등으로 가을에 말려 두었던 나물들을 데쳐서 갖은 양념하여 볶은 것이다. 예전에는 묵은 나물 9가지로 즐겼는데 요즘은 시금치 · 도라지 · 숙주 등 생채소 나물을 함께 먹기도 한다.

854 Kcal

삼색 나물

재료 · 4인분

도라지 200g · 시금치 200g · 고사리 200g · 소금 적당량
· 양념장(파 1뿌리, 마늘 1통, 소금 적당량, 진간장 적당량,
깨소금 약간, 참기름 약간)

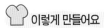
이렇게 만들어요

1 파 · 마늘을 곱게 다져 양념장을 만들어 놓는다.
2 도라지는 가늘게 찢어 소금으로 주물러 씻은 다음
여러 번 물에 씻어 소금으로 간한다. 팬을 달구어 살짝
볶은 다음 양념장($\frac{1}{3}$)을 넣고 볶아 낸다.
3 고사리는 다듬어서 끓는 소금물에 넣고 살짝 삶아 헹군 다음
물기를 꼭 짠다. 진간장으로 간하여 양념장($\frac{1}{3}$)을 넣고 볶아 낸다.
4 시금치는 깨끗이 다듬어 소금을 약간 넣고 파랗게 데친 다음 헹구어
물기를 짠 다음 양념장($\frac{1}{3}$)으로 잘 주물러 무친다.

도라지 손질하기
통도라지는 껍질을 벗기고 잘게 쪼개, 소금을 넣고 문질러 씻어 쓴맛을 뺀 다
음 찬물에 헹군 뒤 쓴다. 또 끓는 소금물에 데쳐 찬물에 담갔다가 써도 되며
나물을 할 때는 끓는 물에 살짝 데쳐 쓰고 전을 부칠 때는 두들겨서 쓴다.

74 Kcal

무채 나물

재료 · 4인분

무 $\frac{1}{3}$개 · 마늘 2쪽 · 실파 1뿌리 · 실고추 약간 · 소금,
깨소금 적당량씩

이렇게 만들어요

1 무는 빛깔이 하얀 것으로 준비하여 껍질을 말
끔하게 벗긴 다음 0.5㎝ 두께로 굵직굵직하게
채썬다.
2 마늘은 껍질을 벗겨 곱게 다지고, 실파는 깨끗
이 손질하여 잘게 송송 썬다.
3 채썬 무를 냄비에 담고 물을 무의 $\frac{1}{3}$ 정도 되게 부
어 무르게 삶는다.
4 삶은 무의 물기를 빼고 넓은 그릇에 담은 다음 다진 마
늘 · 깨소금 · 소금을 넣고 가볍게 뒤섞는다.
5 그릇에 무채 나물을 살살 담고 송송 썬 실파와 실고추를 얹는다.

108 Kcal

약한 불에서 살짝 익히면 고소한 맛이 일품인

애호박전 · 조갯살전

재료 · 2인분

애호박 ½개 · 조갯살 200g · 붉은고추 2개 · 실파 2뿌리 · 달걀 2개
· 밀가루 ½컵 · 소금 약간 · 식용유 3큰술

이렇게 만들어요

1 애호박은 도톰하게 통썰기하여 소금을 뿌려 밑간해
둔다. 조갯살은 연한 소금물에 살살 흔들어 씻어서 소
쿠리에 건져 물기를 빼놓는다.
2 붉은고추는 꼭지를 떼고 반으로 가른 다음 씨를 빼고
너무 잘지 않게 다진다. 실파는 깨끗이 다듬어서 씻은
다음 가늘게 송송 썬다.
3 달걀은 풀어서 소금을 약간 넣고 잘 섞어 놓는다.
4 조갯살의 물기가 완전히 빠지면 밀가루를 뿌려 가볍게 버무
리고 애호박은 표면에 밀가루를 묻혀 놓는다.
5 프라이팬에 기름을 두르고 달군 다음 조갯살을 한 숟가락씩 떠서 푼
달걀에 담갔다가 지진다. 호박도 푼 달걀에 담갔다가 지진다. 이때 위
에다 먹음직스럽게 실파와 붉은 고추를 조금씩 얹는다.
6 전과 함께 내놓을 간장은 간장(2큰술) · 식초(1큰술) · 설탕(1작은
술)에 잣가루나 깨소금을 넣는다.

324 Kcal

기름에 살짝 볶아 아작아작 씹히는 맛이 좋은

호박 양념장 무침

104 Kcal

재료 · 4인분

애호박 1개 · 식용유 2큰술 · 파 ½뿌리 · 마늘 2쪽 · 국간장 1
큰술 · 새우젓 국물 1큰술 · 고춧가루 1큰술 · 깨소금 약간 · 참
기름 약간

이렇게 만들어요

1 호박은 가늘고 연한 것으로 준비하여 깨끗이 씻어 물기를
없앤 다음 도톰하게 통썰기한다.
2 프라이팬에 기름을 두르고 뜨거워지면 통썰기한 호박을 얹
어 알맞게 익도록 지져 낸다.
3 파와 마늘을 다지고 정량의 국간장과 새우젓 국물을 섞은 후
고춧가루 · 깨소금 · 참기름을 넣어 양념장을 만든다.
4 지진 호박을 그릇에 펴서 담고 양념장을 조금씩 위에 끼얹어 상에
낸다.

비타민이 풍부한 호박에 짭짤하게 새우젓으로 간을 한

애호박 새우젓 볶음

 재료 · 4인분

애호박 1개 · 파 ½뿌리 · 마늘 2쪽 · 새우젓 1큰술 · 소금 적당량 · 실고추 약간 · 참기름 적당량 · 식용유 1큰술

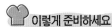 **이렇게 준비하세요**

1 애호박은 가늘고 연한 것으로 준비하여 깨끗이 씻은 다음 꼭지는 잘라 내고 길이로 2등분하여 얄팍얄팍하게 반달썰기한 후 소금을 뿌려 살짝 절인다.

2 파는 깨끗이 손질하여 뿌리 쪽만 잘게 다지고 마늘도 곱게 다진다.

3 새우젓은 건더기를 건져서 곱게 다진 다음 다시 젓국과 함께 섞어 놓는다.

이렇게 만들어요

4 소금에 절인 호박은 베보자기에 싸서 물기를 꼭 짠다. 물기가 남아 있으면 맛이 떨어진다.

5 프라이팬에 기름을 두르고 뜨겁게 달군 다음 호박과 다진 파 · 마늘을 넣어 센 불에서 재빨리 볶고, 새우 젓을 넣어 간을 맞춘다.

6 참기름을 뿌려 가볍게 뒤 섞은 다음 그릇에 담고 실고 추를 얹는다.

61 Kcal

P O I N T

애호박은 얄팍얄팍하게 반달썰기한 후 소금을 뿌려 살짝 절인다.

팬을 달구어 호박과 파 · 마늘을 센 불에서 볶다가 새우젓으로 간을 맞춘다.

껍질콩 볶음

재료 · 4인분

껍질콩 100g · 쇠고기 80g · 표고버섯 4개 · 양파 ½개 · 소금, 설탕 약간씩 · 식용유 1큰술 · 갖은 양념(파 ½뿌리, 마늘 2쪽, 진간장 1큰술, 참기름 2작은술, 깨소금 2작은술, 설탕 1작은술, 후춧가루 약간)

이렇게 만들어요

① 껍질콩은 연한 것으로 준비하여 양 끝을 잘라 내고 심줄을 벗겨 낸 다음 끓는 물에 소금을 넣고 데쳐서 2~3cm 길이로 어슷하게 썬다.

② 양파도 깨끗이 손질하여 채썰고 갖은 양념에 넣을 파와 마늘은 다진다.

③ 쇠고기는 가늘게 채썰고 표고버섯은 물에 불려 기둥을 떼고 채썰어 한데 섞어 갖은 양념을 한다. 팬에 기름을 두르고 뜨겁게 달구어 양념해 둔 쇠고기와 표고버섯을 넣어 볶다가 껍질콩 · 양파를 넣어 함께 볶으며 소금과 설탕으로 양념한다.

호박은 기름에 볶는 것이 가장 효과적

호박은 동글하고 가름한 모양의 토종 호박과 길쭉하고 오이처럼 생긴 개량종 호박, 넓적한 청동 호박이 있다. 호박의 주성분은 당분이지만 카로틴과 비타민 A도 다량 함유되어 있고, 비타민 A·B·C도 풍부하다. 비타민 A가 특히 많아 기름에 볶아 먹으면 카로틴의 흡수율이 높아 효율적이다. 또 소화 흡수가 잘 되기 때문에 위장이 허약하고 몸이 여윈 사람, 당뇨병 환자나 비만 환자에게 좋고 부기가 있는 산모에게 특히 좋다.

선명한 빛깔이 예쁘고 말캉하게 씹히는 맛도 좋은 여름 반찬

가지 볶음

 재료 · 4인분

가지 2개 · 깻잎 5장 · 돼지고기 80g · 붉은고추 1개 · 마늘 2쪽 · 된장 1큰
술 · 청주 1큰술 · 깨소금 2작은술 · 후춧가루, 참기름 약간씩 · 식용유 1큰술

이렇게 준비하세요

1 가지는 싱싱한 것으로 준비하여 깨끗이 씻어서 1cm 두께로 어슷어
슷하게 썰고, 깻잎은 흐르는 물에 1장씩 씻어 물기를 뺀 다음 돌돌 말
아서 1cm 두께로 썬다.
2 돼지고기는 잘게 다져 놓고, 붉은고추는 꼭지를 떼어 내고 반 갈라
씨를 털어 낸 다음 가늘게 채썬다. 마늘은 껍질을 벗겨 다진다.
3 오목한 그릇에 된장을 담고 청주와 물을 넣어 걸쭉하게 만든다.

이렇게 만들어요

4 프라이팬에 기름을 두르고 뜨겁게 달군 다음 다진 마늘과 붉은고추
를 넣어 볶다가 돼지고기도 함께 넣어 볶는다.
5 고기가 적당히 볶아지면 걸쭉하게 푼 된장과 깨소금 · 후춧가루를
넣어 잠깐 끓인 다음 불을 세게 하여 썰어 둔 가지와 깻잎을 넣고 가
볍게 뒤섞으며 볶는다.
6 가지와 깻잎의 숨이 죽고 간이 골고루 배면 참기름을 뿌리고 다시
한 번 뒤섞은 다음 불에서 내린다.

 가지의 선택과 조리 포인트

가지는 7~8월이 제철이지만 가을에 마지막 거둬 들일 때의 것이 제일 달고
맛있고, 큰 것보다는 작은 것이 더 맛이 좋다. 조리할 때는 밑손질 후 물에 담
가 아린 맛을 뺀다. 또 수분을 잘 흡수하므로 찔 때는 꼭지를 떼고 길이로 반
을 자른 다음 가지의 흰 부분이 위로 향하도록 안쳐서 뚜껑을 덮고 찐다. 너
무 찌면 흐물거려 씹히는 맛이 없어지므로 김이 나면 뚜껑을 열고 젓가락으
로 찔러 쏙 들어갈 정도면 불에서 내린다.

가지 무침

재료 · 4인분
가지 2개 · 붉은고추 1개 · 실파 1뿌리 · 마늘 3
쪽 · 국간장 2작은술 · 깨소금 1큰술 · 식초 1큰
술 · 참기름 2작은술

이렇게 만들어요
① 가지는 꼭지를 떼고 길게 반으로 잘라 찜통에 찐 다음 채반에 널어 식힌다.
② 붉은고추와 실파는 다지듯이 잘게 썰고 마늘은 곱게 다진다.
③ 식힌 가지를 적당한 크기로 죽죽 찢어 잘게 썬 붉은고추와 실파, 다진 마늘을
넣고 깨소금 · 식초 · 청장 · 참기름으로 양념하여 무친다.

POINT

4

5

프라이팬을 뜨겁게 달군 다음 잘게 다진 돼
지고기를 달라붙지 않도록 잘 저어 주면서
볶는다.

돼지고기가 익으면 걸쭉하게 푼 된장을 넣
어 끓인 다음 어슷어슷하게 썬 가지와 깻잎
을 넣고 볶는다.

124 Kcal

케일 부침

 재료 · 4인분

케일 2줄기 · 밀가루 1컵 · 우유 1컵 · 달걀 1개 · 소금, 식용유 적당량씩 · 초간장(진간장 2큰술, 식초 1큰술, 깨소금 적당량)

 이렇게 준비하세요

1 케일은 연한 잎으로 준비하여 깨끗이 씻어서 물기를 뺀 다음, 줄기는 잘라 내고 잎만 2cm 정도 폭으로 길게 썬다.

2 밀가루와 소금을 섞어서 체에 친 다음 달걀을 깨뜨려 넣고 우유를 부어 멍울지지 않도록 반죽한다.

 이렇게 만들어요

3 프라이팬에 식용유를 두르고 뜨겁게 달군 다음 준비해 놓은 밀가루 반죽을 한 국자씩 떠 넣어 얇게 편다. 그 위에 케일 썬 것을 가지런히 얹고, 다시 밀가루 반죽을 위에 얹는다.

4 케일 부침을 앞뒤로 뒤집어 노릇하게 부친 다음 마름모 모양으로 썰어 접시에 담는다. 진간장 · 식초 · 깨소금을 섞어서 초간장을 만들어 케일 부침과 함께 낸다.

POINT

케일은 깨끗이 씻어서 물기를 뺀 다음, 줄기는 잘라 내고 잎만 2cm 폭으로 길게 썬다.

팬에 식용유를 두르고 달궈 반죽을 펴고 케일을 얹고 다시 반죽을 얹어 부친다.

208 Kcal

감자채 볶음

재료 · 4인분
감자 3개 · 당근 ½개 · 피망 1개 · 소금, 후춧가루 약간씩 · 식용유 2큰술

이렇게 만들어요

① 감자는 껍질을 벗겨 채썬 다음 찬물에 여러 번 헹구고 잠시 물에 담갔다가 소쿠리에 건져 물기를 완전히 뺀다.

② 당근은 4~5cm 길이로 토막내어 감자와 같은 굵기로 채썰고 피망도 꼭지를 떼고 속을 털어 낸 다음 가늘게 채썬다.

③ 프라이팬에 기름을 넉넉히 두르고 뜨겁게 달군 다음 감자를 넣어 볶다가 소금을 넣고 고루 섞으면서 볶는다. 감자가 어느 정도 익으면 당근을 넣어 볶다가 피망도 함께 볶는다. 소금과 후춧가루를 넣어 양념한다.

양념은 미리 준비해 두는 것이 시간 절약의 요령

어느 요리에나 빠지지 않고 들어가는 양념은 미리 손질해서 냉장고에 보관하면 매우 빠르게 요리를 할 수 있다. 파는 씻은 다음 요리에 자주 쓰이는 모양새에 따라 채썰거나 다지는 등 2~3가지로 다듬어 둔다. 마늘은 라면 봉지나 비닐 봉지에 넣고 다져서 통에 보관하고 생강도 즙을 짜놓는다. 양파도 잘게 다져서 작은 통에 보관해 두면 필요할 때마다 바로 꺼내 쓸 수 있어 편리하다. 달걀지단이나 으깬 감자, 데친 나물 등도 한꺼번에 많이 만들어서 1회분씩 랩에 싸서 냉동시켜 두면 편하다. 또 음식을 만들 때 가장 많이 쓰이는 소금 · 간장 · 후추 · 설탕 · 식초 · 참기름 등 6가지 기본 양념은 어떤 요리를 하든지 꼭 들어가므로 떨어지지 않도록 한다.

곱게 간 감자로 지져 쫄깃쫄깃하고 담백한 맛이 일품인

감자 지짐이

 재료 · 4인분

감자 6개 · 붉은고추 2개 · 풋고추 2개 · 대파 1뿌리 · 소금, 식용유 적당량씩

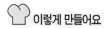 **이렇게 만들어요**

1 감자는 껍질을 깨끗이 벗겨 엷은 소금물에 잠깐 동안 담갔다가 건져서 강판에 곱게 간다.

2 붉은고추 · 풋고추는 반으로 갈라 씨를 털어 내고 곱게 채썬다.

3 대파는 깨끗이 다듬어 씻은 뒤 가늘게 어슷썰기한다.

4 감자 간 것에 썰어 놓은 붉은고추 · 풋고추 · 대파를 넣고 소금으로 간을 맞추어 잘 섞는다.

5 프라이팬에 기름을 두르고 뜨겁게 달구어지면 감자 반죽을 조금씩 둥글게 펴서 지진다. 한 면이 노릇하게 익으면 뒤집어 누르면서 다른 한 면도 마저 익힌다.

6 접시에 모양내어 담고 초간장이나 양념장을 곁들여 낸다.

 감자 싹을 없애고 조리하세요

감자의 싹에는 솔라닌이라는 독소가 들어 있으므로 싹이 난 감자를 요리할 때는 반드시 싹 주위를 말끔히 도려 낸다. 감자는 보관할 때 밀폐시키지 말고 상온에서 보관하는 것이 좋으며, 사과를 한두 개 같이 넣어 두면 효소의 작용으로 감자 싹이 자라지 않게 된다.

238 Kcal

식어서 쫀득쫀득할 때 먹으면 제맛이 나는 옛 맛의

장 떡

 재료 · 4인분

밀가루 2컵 · 고추장 1큰술 · 된장 1큰술 · 고춧가루 2작은술 · 풋고추 2개 · 붉은고추 2개 · 파 1뿌리 · 깻잎 10장 · 소금 약간 · 식용유 적당량

 이렇게 만들어요

1 붉은고추 · 풋고추는 반으로 갈라 씨를 털어 낸 후 다지듯이 잘게 썰고, 파도 비슷하게 썰어 놓는다.

2 깻잎은 흐르는 물에 씻어 줄기를 떼어 내고 돌돌 말아서 채썬다.

3 물 2컵에 밀가루 · 고추장 · 된장 · 고춧가루를 넣고 잘 푼 다음 소금으로 간한다.

4 반죽을 체에 거른 후 야채를 넣고 고루 섞는다.

5 기름 두른 프라이팬에 반죽을 조금씩 떠 넣고 얇게 펴 익힌다. 윗면의 반죽이 거의 익으면 뒤집어 꾹꾹 누르면서 골고루 익힌다.

389 Kcal

여러 가지 맛을 한꺼번에 즐길 수 있는 푸짐한 한 끼 반찬

야채 베이컨 볶음

재료·4인분

마른 새우 60g · 양배춧잎 4장 · 표고버섯 6개 · 양파 1개 · 부추 60g · 당근 ½ 개 · 베이컨 5조각 · 마늘 3쪽 · 식용유 2큰술 · 소금, 후춧가루, 설탕 적당량씩

이렇게 준비하세요

1 마른 새우는 베보자기에 싸서 비벼 가시를 없앤 후 미지근한 물에 담가 불려 놓는다.

2 양배춧잎은 흐르는 물에 깨끗하게 씻어서 4×2cm 정도 크기로 네모지게 썰고, 표고버섯은 물에 불렸다가 기둥을 떼어 낸 다음 4쪽으로 썰어 놓는다.

3 양파는 껍질을 벗겨 깨끗이 씻은 다음 굵게 채썰고, 당근은 껍질을 벗기고 깨끗이 손질하여 양배춧잎 크기로 썬다.

4 부추는 흐르는 물에 깨끗이 씻어서 물기를 거둔 다음 5cm 길이로 가지런히 썬다. 베이컨은 잘게 썰어 놓고 마늘은 껍질을 벗겨서 곱게 다진다.

이렇게 만들어요

5 프라이팬에 기름을 두르고 뜨겁게 달군 다음 베이컨과 마늘을 넣어 재빨리 휘저으면서 볶는다.

6 베이컨이 어느 정도 볶아지면 준비한 새우와 당근·양배추·양파를 넣어 센 불에서 볶다가 표고버섯과 부추도 함께 넣어서 빨리 볶는다.

7 재료들이 알맞게 익으면 소금·후춧가루·설탕을 약간씩 골고루 넣어 맛을 낸다. 볶음 요리에서는 재료가 80% 정도 볶아졌을 때 조미료를 넣는 것이 가장 적당하다.

POINT

베이컨은 잘게 썰고, 부추는 잎부분에 신경 써서 흐르는 물에 깨끗하게 씻는다.

베이컨과 마늘을 볶은 다음 단단한 야채부터 무른 것 순으로 볶아 낸다.

야채는 딱딱한 순서대로 볶는 것이 요령
야채를 볶을 때는 볶는 순서를 정해 놓고 센 불에서 단시간 내에 볶아야 한다. 파·생강·마늘·고추 등 향미료를 먼저 넣은 다음 당근·양파 등 딱딱한 야채 순서대로 넣고 볶는다. 나중에는 말린 버섯을 넣고 마지막으로 시금치·양배추·부추 등 쉽게 볶아지는 야채 순으로 볶는다. 여기에 고기나 생선이 들어가는 요리는 미리 기름 등에 데치거나 삶은 다음 볶는다.

178 Kcal

피망 잡채

재료·4인분
피망 6개 · 붉은피망 1개 · 쇠고기 100g · 마늘 2쪽 · 파 ½뿌리 · 진간장 1큰술 · 통깨 2작은술 · 참기름 2작은술 · 소금, 후춧가루 약간씩 · 식용유 2큰술

이렇게 만들어요
① 피망과 붉은피망은 깨끗이 손질하여 꼭지를 떼어 내고 반으로 나누어 속과 씨를 털어 내고 적당한 두께로 채썬다. 마늘과 파는 잘게 다진다.
② 쇠고기는 살코기로 준비해 피망과 비슷한 굵기로 채썰어, 다진 파·마늘·진간장·참기름·통깨·후춧가루를 넣고 주물러 양념한다.
③ 프라이팬에 기름을 넉넉하게 두르고 뜨겁게 달군 다음 양념한 쇠고기를 넣어 볶다 피망과 붉은피망을 차례로 넣고 센 불에서 재빨리 볶아 낸다.
④ 소금과 후춧가루를 뿌려 조미하고 접시에 담아 낸다.

톡 쏘는 매콤한 겨자가 입맛을 당기는

콩나물 겨자 무침

 재료 · 4인분

콩나물 150g · 햄 70g · 피망 1개 · 붉은피망 1개 · 겨자 1큰술 · 진간장 1큰술 · 식초 1작은술 · 설탕 2작은술 · 참기름 1작은술 · 소금 약간

 이렇게 만들어요

1 콩나물은 꼬리를 잘라 내고 손질한 다음 깨끗이 씻어 소금을 약간 넣고 비린내가 나지 않게 뚜껑을 덮고 삶아 차게 식힌다.
2 햄은 4cm 정도 길이로 굵직하게 채썰고, 피망과 붉은피망은 반을 갈라 씨를 뺀 다음 햄과 같은 크기로 채썰어 놓는다.
3 겨자를 되직하게 개어 뜨거운 냄비 뚜껑 위에 10분쯤 엎어 두었다가 진간장 · 설탕 · 식초를 넣어 잘 저은 후 참기름을 넣는다.
4 콩나물 · 햄 · 피망을 합하여 겨자장으로 가볍게 무친다.

콩나물을 데칠 때는
콩나물은 뿌리 부분에 아스파라긴산이 듬뿍 들어 있고 머리 부분에는 양질의 단백질이 많이 함유되어 있으므로 흐르는 물에 씻어 그대로 조리하는 것이 좋다. 또 물에 오랫동안 담가 두면 비타민 C가 줄고, 삶을 때도 단시간에 데쳐야 아미노산과 비타민 C가 새는 것을 막을 수 있다.

219 Kcal

상큼한 야채와 부드러운 고기 맛이 어우러진

미나리 숙주 초나물

 재료 · 4인분

쇠고기 100g · 미나리 100g · 당근 ½개 · 숙주 100g · 진간장 2작은술 · 설탕 1큰술 · 식초 2큰술 · 소금 약간 · 식용유 ½큰술 · 실고추 약간

 이렇게 만들어요

1 쇠고기는 얇게 저며 가늘게 썰어서 진간장 · 설탕(1작은술)으로 양념한다.
2 미나리는 잎을 떼고 줄기 부분만 적당한 길이로 썰고, 당근은 가늘게 채썬다. 숙주는 손질하여 씻는다.
3 팬에 기름을 두르고 뜨겁게 달구어 양념한 쇠고기를 넣어 볶는다.
4 숙주 · 당근 · 미나리는 각각 팔팔 끓는 물에 소금을 조금 넣고 데쳐 내 찬물에 헹군다.
5 볶은 쇠고기, 숙주 · 당근 · 미나리를 실고추와 함께 섞은 다음 소금 · 설탕 · 식초를 넣고 골고루 버무린다.

72 Kcal

은근하고 독특한 풍미가 솔솔 풍기는 야채 볶음

표고버섯 볶음

 재료 · 4인분

표고버섯 10개 · 쇠고기 100g · 붉은고추 2개 · 풋고추 2개 · 마늘 2쪽 · 진간장 2큰술 · 후춧가루 약간 · 설탕 2작은술 · 식용유 적당량 · 참기름, 깨소금, 소금 약간씩

이렇게 준비하세요

1 표고버섯은 생표고버섯으로 준비하여 기둥을 떼어 내고 깨끗이 손질한 다음 끓는 물에 넣어 데친다. 데친 표고버섯은 찬물에 2, 3차례 헹구고 깨끗한 베보자기에 싸서 물기를 말끔히 걷어 낸다.
2 붉은고추와 풋고추는 깨끗이 씻어서 꼭지는 잘라 내고 길이로 반을 갈라 씨를 털어 낸 다음 가늘게 채썬다.
3 물기를 걷어 낸 표고버섯은 적당한 굵기로 채썰고, 쇠고기도 표고버섯과 비슷한 굵기로 채썰어 놓는다.
4 마늘은 깨끗이 손질하여 곱게 다진다.

이렇게 만들어요

5 프라이팬에 기름을 두르고 뜨겁게 달군 다음 표고버섯과 쇠고기를 넣어 볶다가 정량의 진간장 · 후춧가루 · 설탕 · 다진 마늘을 넣고 양념한다.
6 고기가 완전히 익으면 채썬 풋고추 · 붉은고추를 넣고 가볍게 뒤섞으며 잠깐 더 볶은 다음 소금을 넣어 간을 맞추고, 참기름 · 깨소금도 약간씩 넣어 맛을 낸다.

POINT

1
표고버섯은 기둥을 떼고 끓는 물에 넣어 살짝 데쳐 찬물에 헹군다.

3
표고버섯의 물기를 걷어 내고 적당한 굵기로 채썬 다음 쇠고기와 야채도 채썬다.

6
표고버섯과 고기를 넣어 볶다가 양념을 하고 야채는 맨 마지막에 넣어 잠깐 볶는다.

표고버섯 손질하기

표고버섯은 비타민 B_2가 비교적 많으며 생표고버섯에는 햇빛을 쬐면 비타민 D가 되는 성분과 콜레스테롤을 저하시키는 성분이 들어 있어 영양면에서도 좋은 식품이다.

생표고버섯과 말린 표고버섯의 두 가지 형태가 있는데 생표고버섯은 찌개 · 잡채 · 튀김 등에 주로 쓰이고, 말린 것은 조림 · 비빔밥 · 볶음 등에 쓰인다. 말린 표고버섯은 물에 씻은 다음 충분히 불려야 제맛이 나는데 이때 기둥을 눌러 보아 딱딱한 것이 없으면 잘 불려진 것이다. 급할 때는 기둥을 잘라 내고 미지근한 물에 담가 설탕을 넣으면 빨리 불려진다.

생표고버섯은 물에 씻으면 향이 날아가므로 마른 수건으로 닦아만 내고 바로 조리한다.

버섯 류는 그 자체의 맛과 향기가 뛰어나므로 짧은 시간에 씻어 조리할 때 다른 양념을 많이 쓰지 않아야 특유의 맛이 난다.

110 Kcal

열량이 높지 않아 미용 건강 식품으로도 손꼽히는

도토리묵 무침

재료 · 4인분

도토리묵 2모 · 쑥갓 100g · 양념장(붉은고추 1개, 풋고추 1개, 파 1뿌리, 마늘 3쪽, 진간장 2큰술, 고춧가루 1큰술, 깨소금 ½큰술, 설탕 ½큰술, 참기름 1큰술)

이렇게 준비하세요

1 도토리묵은 표면이 매끈하고 윤기있는 것을 골라 깨끗이 씻어 삼각형 모양이 되도록 대각선으로 자른 다음 무늬칼을 이용하여 먹기에 적당한 두께로 썬다.
2 쑥갓은 흐르는 물에 잎을 펼치듯이 하여 깨끗이 씻은 다음 건져서 물기를 뺀다. 줄기는 떼어 버리고 잎부분만 준비해 놓는다.
3 붉은고추와 풋고추는 길게 반으로 갈라 씨를 털어 낸 다음 가늘게 채썰어 둔다.
4 파 · 마늘은 깨끗이 손질하여 곱게 다진다.

이렇게 만들어요

5 진간장에 다진 파 · 마늘과 고춧가루 · 깨소금 · 설탕 · 참기름을 넣어 골고루 섞은 다음, 채썰어 놓은 붉은고추와 풋고추를 넣어 양념장을 만든다.
6 접시에 쑥갓을 한 켜 깔고 양념장을 끼얹으면서 썰어 놓은 도토리묵을 모양내어 담고 맨 위에 쑥갓으로 다시 장식한다.

POINT

도토리묵은 깨끗이 씻어 대각선으로 자른 다음 무늬칼로 적당한 두께로 썬다.

양념장을 따로 만들어 묵 위에 끼얹어 묵이 부서지지 않도록 한다.

음식 맛은 온도에 따라 달라진다

음식의 기본 맛은 온도에 따라 달라진다. 짠맛은 온도가 높을수록 강도가 둔해진다. 그래서 뜨거울 때 맛이 좋았던 요리가 식으면 짜게 느껴지는 경우가 생기므로 간을 할 때 주의한다. 그리고 단맛은 체온과 비슷할 때 가장 강하고 이보다 더 뜨겁거나 차지면 약해진다.
신맛은 온도에 관계없이 대개 일정하지만 아주 차면 강하게 느껴지는 것이 보통이다. 냉장고에 넣어 둔 사과가 더욱 시게 느껴지는 것도 이 때문인데, 음식 맛을 낼 때는 이런 변화를 잘 참작해야 한다.

재료의 모양을 돋보이게 하는 무늬칼

보기 좋은 음식이 맛도 좋다는 말대로 맛있게 조리한 음식을 시각적으로 아름답게 꾸미는 일도 소홀히 할 수 없는 음식 만들기의 한 부분이다. 묵 요리는 무늬칼을 이용하여 썰면 모양도 예쁠 뿐 아니라 젓가락으로 집었을 때 묵이 미끄러지지 않아서 먹기에도 편하다.

155 Kcal

진간장을 넣고 서서히 조려야 간이 폭 배어 맛있어요

곤약 조림

재료 · 4인분

곤약 ⅓모 · 쇠고기 40g · 붉은고추 ½개 · 실파 1뿌리 · 진간장 1큰술 · 청주 1작은술 · 설탕 1작은술 · 식용유 약간 · 고기 밑간(진간장 1작은술, 청주 약간, 생강 ⅓쪽)

이렇게 준비하세요

1 곤약은 깨끗이 씻어 끓는 물에 넣고 10분 정도 삶아 물기를 뺀다.
2 삶은 곤약은 3×4㎝ 크기, 1㎝ 두께로 썰어서 가로 세로로 잘게 칼집을 넣는다.
3 붉은고추는 깨끗이 씻어 꼭지를 떼어 낸 다음 얇팍하게 통썰기하여 씨를 대충 턴다.
4 실파는 껍질을 벗겨 송송 썰고, 쇠고기는 얇게 저며 썬 다음 채썬다. 썰어 놓은 고기는 진간장 · 청주와 강판에 간 생강즙을 넣어 잰다.

이렇게 만들어요

5 프라이팬에 기름을 넉넉히 두르고 뜨겁게 달구어지면 곤약과 쇠고기를 넣어 충분히 볶은 다음 붉은고추도 함께 넣고 볶는다.
6 어느 정도 볶아지면 진간장과 청주 · 설탕으로 양념하고 뚜껑을 덮어 약한 불에서 서서히 조린다.
7 곤약에 간이 충분히 배면 썰어 놓은 실파를 넣어 나무주걱으로 저어 준 다음 불에서 내린다.

POINT

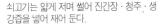

쇠고기는 얇게 저며 썰어 진간장 · 청주 · 생강즙을 넣어 재어 둔다.

곤약은 끓는 물에 넣고 삶아 물기를 뺀 뒤 잘게 칼집을 넣어 쇠고기와 함께 볶는다.

시금치 감자 오믈렛

재료 · 4인분
시금치 200g · 베이컨 4조각 · 감자 2개 · 달걀 6개 · 버터 2큰술 · 소금, 후춧가루 약간씩

이렇게 만들어요
① 시금치는 잎사귀만을 골라 소금물에 데친 후 찬물에 헹궈 물기를 짜고 다진다. 감자는 껍질을 벗겨 얄팍하게 통썰기하고, 베이컨은 잘게 썬다.
② 팬에 버터를 녹여 감자를 넣고 노릇하게 볶은 후 소금 · 후춧가루를 뿌린다. 베이컨도 볶아 기름기를 뺀다.
③ 달걀을 깨뜨려 잘 푼 다음 시금치 · 감자 · 베이컨을 넣어 섞고, 소금 · 후춧가루로 맛을 낸다.
④ 버터 두른 팬을 뜨겁게 달구어 재료를 붓고 뭉치지 않게 잘 펴고 위까지 완전히 익도록 뚜껑을 덮고 익힌다.

249Kcal

고소하고 부드러운 맛의 으깬 두부는 소화도 잘 돼요

두부 새우젓 찜

231 Kcal

재료 · 4인분

두부 2모 · 새우젓 1큰술 · 마늘 2쪽 · 양파 ½개 · 풋고추 1개 · 달걀 1개 · 실고추 약간 · 참기름 1작은술 · 소금, 후춧가루 약간씩

이렇게 준비하세요

1 두부는 깨끗한 베보자기에 싸서 물기를 꼭 짠 다음 칼등으로 곱게 으깬다.

2 마늘은 껍질을 벗겨 곱게 다지고 양파도 깨끗이 손질한 후 마늘과 같이 다져 놓는다.

3 풋고추는 꼭지를 떼고 반을 갈라서 씨를 말끔히 털어 낸 다음 잘게 다진다. 실고추는 깨끗이 손질해 둔다.

4 달걀은 오목한 그릇에 깨뜨려 넣고 소금과 후춧가루를 약간씩 넣고 잘 풀어 놓는다.

이렇게 만들어요

5 으깬 두부를 그릇에 담고 다진 마늘과 양파를 섞어 넣은 다음 새우젓으로 알맞게 간을 맞춘다.

6 냄비에 물을 조금 넣고 팔팔 끓인 다음 양념한 두부를 얌전하게 퍼 담고 약하고 뭉근한 불에서 은근하게 찐다. 중탕을 해도 좋다.

7 두부가 적당히 쪄지면 다진 풋고추를 얹고, 풀어 둔 달걀도 두부 위에 골고루 끼얹은 다음 실고추와 참기름을 넣어 뚜껑을 덮고 약한 불에서 잠시 더 찐다.

두부 냉채

재료 · 4인분
두부 1모 · 오이 1개 · 햄 200g · 소금 약간 · 양념장(마늘 3쪽, 식초 3큰술, 진간장 1큰술, 참기름 약간)

이렇게 만들어요

① 두부는 단단한 것으로 준비하여 2등분한 다음 소금을 약간 넣은 끓는 물에 살짝 데쳐 찬물에 담가 식힌다. 데친 두부는 깨끗한 베보자기에 싸서 지긋이 눌러 물기를 뺀 후 1×4㎝ 크기로 도톰하게 썰어 냉장고에 넣어 둔다.

② 오이는 싱싱한 것으로 골라 칼등으로 껍질을 대강 긁어 낸 후 얄팍얄팍하게 어슷썰기한 다음 가늘게 채썬다. 찬물에 담갔다 건져 물기를 빼고 차게 한다.

③ 햄도 오이와 같은 길이로 곱게 채썰어 차게 해 놓는다.

④ 마늘은 잘게 다진다.

⑤ 물 1큰술을 넣어 정량의 양념을 넣고 골고루 섞어 양념장을 만든다.

⑥ 그릇에 차게 식힌 두부 · 오이 · 햄을 가지런히 담고 양념장을 끼얹어 상에 내거나 양념장을 따로 곁들인다.

POINT

5

두부를 으깨 물기를 짠 다음 다진 마늘과 양파를 넣어 섞은 다음 새우젓으로 간을 한다.

7

약한 불에서 두부를 찌다가 풀어 둔 달걀을 골고루 끼얹었고 실고추와 참기름을 넣는다.

물엿을 넣어 노릇노릇하고 윤기 있게 조린 밥반찬

두부 조림

재료 · 4인분

두부 1모 · 녹말가루 5큰술 · 마늘 1쪽 · 실파 1뿌리 · 진간장 3큰술 · 식용유 5큰술 · 물엿 1큰술 · 멸치 국물 ½컵 · 소금 약간

이렇게 준비하세요

1 두부는 살짝 물에 씻어서 두 손으로 가볍게 눌러 물기를 뺀 다음 5× 3cm 크기, 1cm 두께로 도톰하게 썰어 소금을 약간 뿌려 밑간을 해둔다.

2 실파는 다듬어 씻어서 송송 썰고, 마늘은 곱게 다져 놓는다.

이렇게 만들어요

3 그릇에 녹말가루를 펴놓고 밑간했던 두부를 얹어 앞뒤로 가루를 묻힌다. 두부는 부서지기 쉬우므로 1개씩 놓아 조심스럽게 묻힌다.

4 프라이팬에 기름을 넉넉히 두르고 달구어, 준비된 두부를 얹어 앞뒤로 뒤집어 가면서 노릇노릇하게 지진다.

5 멸치 국물에 다진 마늘, 진간장 · 물엿을 섞어서 냄비에 담고 중불에서 끓이다가 국물이 걸쭉하게 되면 노릇하게 지져 놓은 두부를 넣어 조린다.

6 국물이 자작하게 졸아들고 두부에 윤기가 돌면 송송 썰어 두었던 실파를 넣고 살며시 섞은 다음 불에서 내리고 접시에 보기 좋게 담아 낸다.

POINT

두부는 두 손으로 눌러 물기를 빼고 소금으로 밑간을 한 두부에 녹말가루를 입혀 수분을 없애 준다.

기름을 넉넉히 두르고 프라이팬을 충분히 달군 다음 녹말가루 옷을 입힌 두부를 살짝 지진다.

냄비에 멸치 국물과 다진 마늘, 진간장 · 물엿을 넣어 끓이다가 기름에 지진 두부를 넣어 국물이 자작해질 때까지 약한 불에서 조린다.

두부 요리
포인트

두부는 단백질과 칼슘등의 영양이 풍부한 데다 딱딱한 콩에 비해 조리하기 편하고 소화가 잘 되어 많은 사랑을 받는 식품이다.

단, 금방 상하는 식품이므로 오래 두고 먹어서는 곤란하다. 가급적 하루를 넘기지 말고 그날 사서 바로 조리하도록 하는데 부득이 보관해야 할 때는 냉수에 푹 담가 냉장고에 두고 물을 자주 갈아 준다.

두부를 포장한 채 그대로 두면 이수 현상에 의해 물기가 빠지고 부피도 줄어들어 맛이 나빠지므로 빨리 포장 용기에서 꺼내 조리하기 직전까지 물에 담가 놓는 것이 좋다. 두부를 익힐 때는 조림 국물에 소금을 약간 넣으면 딱딱해지지 않아 좋다.

318 Kcal

돼지고기와 두부를 매콤하게 볶아 밥반찬으로는 그만인

두부 고추장 볶음

재료 · 4인분

두부 2모 · 돼지고기 100g · 붉은고추 2개 · 대파 1뿌리 · 완두 2큰술 · 실파 1뿌리 · 생강 1쪽 · 육수 ⅔컵 · 마늘 3쪽 · 진간장 2큰술 · 고추장 2큰술 · 설탕 1큰술 · 녹말가루 1큰술 · 식용유 2큰술 · 소금 적당량

이렇게 준비하세요

1 두부는 조금 큼직하게 깍둑썰기한 후 끓는 물에 소금을 약간 넣고 데쳐 물기를 뺀다.
2 돼지고기는 살코기로 준비하여 곱게 다진다.
3 붉은고추 1개는 송송 썰고, 나머지 1개와 마늘 · 생강 · 대파는 손질하여 다진다. 실파도 송송 썬다.
4 완두는 소금을 약간 넣은 끓는물에 살짝 데쳐 낸다.
5 녹말가루는 같은 양의 물에 풀어 놓는다.

이렇게 만들어요

6 팬에 식용유를 두르고 뜨겁게 달구어 다져 놓은 생강 · 마늘 · 대파와 붉은고추를 넣어 달달 볶다가 준비한 돼지고기를 넣고 볶는다.
7 돼지고기가 완전히 익으면 육수 · 진간장 · 고추장 · 설탕을 그릇에 담아 고루 섞어서 붓고, 자글자글 끓을 때 데쳐 놓은 두부를 넣는다.
8 재료가 어우러져 끓고 두부에 간이 고루 배면 풀어 놓은 녹말 가루를 넣어 익힌다. 불에서 내리기 직전에 완두와 붉은고추, 실파를 넣고 살살 젓는다.

POINT

1

두부는 깍둑썰기한 후 끓는 물에 소금을 약간 넣고 살짝 데친다.

6

프라이팬을 달군 다음 양념을 넣어 볶다가 준비한 다진 돼지고기를 넣어 볶는다.

7

돼지고기가 완전히 익으면 육수 · 진간장 · 고추장 · 설탕을 고루 섞어 붓고 데쳐 놓은 두부를 넣는다.

8

재료가 어우러져 끓고 두부에 간이 고루 배면 풀어 놓은 녹말가루를 넣어 고루 뒤섞어 준다.

두부의 물기를 빨리 빼려면

두부 튀김이나 두부 스테이크를 할 때 두부에 밴 물기를 빨리 빼려면 내열성 그릇에 얹어 놓고 전자 레인지에 넣는다. 약 1분 정도 가열하면 물기가 알맞게 빠진다. 또 물기 없는 깨끗한 행주나 거즈로 두부를 말아 싼 다음 그 위에 무게가 나가는 물건을 약 2시간 정도 올려놓으면 물기가 제거된다.

만두 속에 들어갈 두부라면 깨끗한 행주나 거즈에 싸서 손으로 약간 눌러 짜는 정도면 충분하다. 이 때 사용할 두부에는 약간 물기가 남아 있어야 부드럽고 제맛이 나기 때문이다.

303 Kcal

으깬 두부 튀김

재료 · 4인분

두부 2모 · 새우살 150g · 파 1뿌리 · 붉은고추 2개 · 달걀 1개 · 생강 ½쪽 · 녹말 가루 2큰술 · 소금 2작은술 · 후춧가루 약간 · 식용유 3컵

이렇게 준비하세요

1 두부는 깨끗한 베보자기에 싸서 물기를 꼭 짠 후 곱게 으깬다.
2 파는 깨끗이 씻어 곱게 다지고, 생강은 강판에 갈아서 즙을 낸다. 붉은고추는 반으로 갈라 씨를 뺀 후 곱게 다진다.
3 새우는 껍질을 벗기고 대꼬챙이로 내장을 빼낸 후 곱게 다진다.
4 달걀을 깨뜨려 잘 풀어 놓는다.

이렇게 만들어요

5 으깬 두부에 다진 새우살과 파 · 붉은고추, 생강즙을 넣고 잘 버무린 다음 소금 · 후춧가루로 간을 한다. 여기에 푼 달걀과 녹말가루를 넣어 다시 잘 섞는다.
6 버무린 재료를 한입 크기로 떼어 동글동글하게 빚는다.
7 튀김 냄비에 기름을 붓고 중온(170℃)으로 가열되면 두부 빚은 것을 넣어 연한 갈색이 나도록 튀겨 낸다.

두부는 깨끗한 베보자기에 싸서 물기를 꼭 짠 후 곱게 으깬다.

으깬 두부에 새우살과 양념을 넣고 잘 버무린 후 한입 크기로 떼어 동그랗게 빚는다.

기름을 중온으로 가열해 두부를 넣고 노릇하게 튀겨지면 건져 낸다.

두부 카레 볶음

재료 · 1인분

두부 ½모 · 쇠고기 50g · 양파 ½개 · 풋고추 1개 · 가지 ½개 · 마늘 2쪽 · 생강 ½쪽 · 토마토 케첩 2큰술 · 월계수잎 1장 · 카레 가루 ½큰술 · 식용유 약간 · 소금, 후춧가루 약간

이렇게 만들어요

① 두부는 끓는 물에 데쳐 사방 1.5cm 크기로 깍둑썰기한다. 가지는 도톰하게 은행잎썰기하고, 쇠고기는 기름기 없는 사태로 준비해 다진다.
② 양파 · 풋고추 · 마늘 · 생강은 곱게 다진다.
③ 기름 두른 팬을 달구어 다진 양파를 넣고 볶다가 쇠고기와 마늘 · 생강 · 소금 · 후춧가루를 넣어 함께 볶는다.
④ 고기가 익으면 가지 · 토마토 케첩 · 월계수잎 · 카레 가루 · 물 3큰술을 넣어 끓이다, 가지가 익으면 두부 · 풋고추를 넣어 볶는다.

314 Kcal

생선·해물 반찬

영양이 풍부하고 감칠맛나는 해물로
신선하고 풍성한 식탁을 차려요

저지방 저칼로리 식품, 생선

생선은 쇠고기나 돼지고기에 비해 평균 지방 함유율이 7~8%(살코기는 2%) 정도로 저지방, 저칼로리 식품이다. 또한 몸의 세포와 에너지를 구성하는 단백질을 많이 포함한다. 단순히 단백질이 많은 식품이라기보다는 양질의 단백질을 함유한 우수한 식품으로 다이어트나 미용, 성인병 예방에도 그만이다.

흰살 생선과 등푸른 생선

지방분이 적고 비린내가 적어 맛이 담백하고 산뜻한 민어 · 광어 · 대구 · 명태 · 도미 · 가자미 등의 흰살 생선은 튀김이나 회 · 매운탕이나 맑은 찌개거리로 널리 이용된다. 또한 살이 부드러워 노약자나 임산부 · 환자를 위한 영양식으로도 좋다.

등푸른 생선은 두뇌 발달을 촉진시키는 DHA가 풍부하고 값이 저렴하여 매일 반찬으로 안성맞춤이다. 고등어 · 꽁치 · 청어 · 정어리 등이 대표적이며 지방이 많으므로 조림 등 진한 맛의 요리에 좋다.

구석구석 깔끔하게 생선 손질하기

· 비늘이나 가시는 없앤다
한 손으로 생선을 잡고 꼬리에서 머리 쪽으로 긁어 낸다. 이 때 쓰고 남은 무토막으로 생선을 문지르면 비늘이 무에 박혀 훨씬 간편하게 비늘을 제거할 수 있다. 전갱이처럼 몸 한가운데 길쭉하게 난 가시는 칼로 도려 낸다.

· 머리를 잘라 낸다
통째로 조리하는 경우 외에는 보통 생선의 머리는 잘라 낸다. 잔 생선은 아가미 바로 옆에서 똑바로, 보통은 머리부터 가슴 지느러미까지 살짝 비스듬하게 잘라 낸다.

· 내장 · 아가미는 깨끗하게 긁어 낸다
통째로 이용하는 생선은 아가미를 손으로 벌려 속을 끄집어 낸 다음 배에 칼집을 넣어 칼끝으로 내장을 긁어 낸다.
머리를 잘라 낸 생선은 머리에서 꼬리 쪽으로 배를 비스듬하게 자른 다음 살을 살짝 들어 올려 내장을 긁어 낸다.

· 젓가락 · 손 · 칼 끝으로 깨끗이 씻는다
아가미와 내장이 있던 부위를 집중적으로 씻어야 하는데 손가락이나 칼 끝을 넣어 구석구석 깔끔하게 씻어 낸다.

· 씻은 생선은 채반에서 물기를 뺀다
손질이 끝난 생선은 체에 밭쳐서 물기를 쪽 빼야 한다.
밑이 막힌 그릇에 담아 놓는 것은 금물. 반드시 밑이 뚫린 체나 채반에 담아 물이 고여 비린내가 나지 않도록 한다.

싱싱한 생선 한눈에 알아보기

· 눈이 볼록하고 맑아야 한다
일반적으로 가장 쉽게 생선의 신선도를 알아보려면 눈을 살펴보면 된다. 눈이 맑고 깨끗한 것이 신선한 생선이고 희뿌옇고 탁한 것은 신선도가 떨어지는 생선이다.

· 아가미가 선명한 붉은 빛이다
아가미 속이 가지런하고 붉은 빛을 띠는 것이 신선한 생선이고 암갈색을 띠고 아가미결도 쭉쭉 갈라져 있다면 문제가 있는 생선이다.

· 눌렀을 때 탱탱한 탄력이 느껴진다
비늘이 빽빽하게 차 있고 윤기가 나야 하며 살을 눌러 보았을 때 탄력감이 느껴져야 한다. 또한 배를 눌렀을 때 내장이 흐물거리지 않고 단단하게 찬 느낌이 드는 것이 신선하다.

· 비린내가 나는 것은 곤란하다
비린내도 신선한 생선 고르기의 한 방법이다. 상한 생선일수록 비린내가 심한 것일수록 냄새를 맡아서 비린내가 덜 나는 것을 고른다.

· 포장된 생선은 물이 생겼는지 살핀다
팩에 들어 있는 생선은 신선도를 구별하기가 어렵다. 이 때 팩 안의 물기를 눈여겨 보는 것이 좋다. 팩 안에 물기나 김이 서려 있는 것은 오래된 것일 확률이 높다. 단, 새우는 냉동식품을 선택하는 것이 오히려 안전하다.

생선 비린내 손쉽게 해결하기

팔팔 끓인 물 한 바가지면 OK
깨끗하게 밑손질한 생선을 그릇에 담고 냄비에 팔팔 끓인 물을 끼얹는다. 표면이 희게 되면 바로 냉수에 담가 식힌 다음 물기를 뺀다. 이렇게 하면 비린내와 함께 생선 특유의 끈적한 점액이나 여분의 지방까지 없앨 수 있다.

굵은 소금으로 간단히 해결
소금 뿌리기 생선을 물이 잘 빠지는 채반에 놓고 전체에 골고루 소금을 뿌린다. 소금의 양은 흰살 생선이나 포뜬 생선의 경우 좀 적게, 푸른 빛이 도는 생선이나 살이 두꺼운 생선을 적당히 뿌린다.

소금물에 담그기 뿌리는 방법 외에도 바닷물과 거의 비슷한 농도(3.3%)의 소금을 만들어 생선을 담가

생선에 끓는 물을 끼얹었다가 표면이 희게 되면 냉수에 담가 식힌다.

생선을 소쿠리에 담고 소금을 뿌려 준다.

둔다. 토막내지 않는 작은 생선을 손질할 때 이용하면 효과적인 방법으로 생선에 부드럽게 소금간이 되어 씹히는 맛이 그만이다.

섬세하고 작은 생선의 경우 바닷물과 같은 농도의 소금물에 담근다.

🐟 솜씨 요리로 그만인 새우와 오징어

· 싱싱한 새우 고르기
살아 있는 것이 최고지만 그렇지 않은 경우에는 몸이 투명하게 보이고 껍질이 단단해 보이는 것을 선택한다. 몸의 색깔이 탁한 것은 오래된 것이므로 피한다. 냉동 새우는 표면이 건조하지 않고 색이 붉은 갈색을 띠고 있지 않은 것을 고른다.

· 새우 손질하기
새우를 손질할 때는 묽은 소금물에 깨끗이 씻어 건져서 등 쪽의 내장을 대꼬챙이로 빼내고 머리를 떼어 낸 다음 껍질을 벗긴다. 요리의 종류에 따라 창자만 빼고 갈라 쓰기도 하므로 요리의 목적에 맞게 손질한다.

새우를 손질할 때 꼭 알아야 할 것은 꼬리 부분에 물이 괴어 있으면 튀김 요리의 경우 기름이 튈 수 있으니 칼로 꼬리 끝을 간추려 자르고 속에 있는 물을 엄지 손가락과 둘째 손가락으로 훑어 낸다.

새우를 빛깔 좋게 삶으려면 새우가 잠길 만한 물에 소금과 식초 약간을 넣고 재빨리 삶아 소쿠리에 건져서 완전히 익힌 다음에 껍질을 벗긴다.

· 신선한 오징어 고르기
검붉고 껍질이 질기며 내장이 흐물거려 터질 것 같은 것이나 몸통이 허옇거나 어두운 갈색을 띠는 것은 신선하지 않은 것이다. 등쪽이 약간 푸르고 흑갈색으로 빛나면서 몸통이 두툼한 것으로 골라야 신선하다.

· 오징어 꼼꼼히 손질 하기

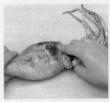

오징어를 손질할 때는 몸통에서 다리를 분리시키면서 내장까지 함께 빼 낸다.

껍질을 벗길 때는 소금으로 문질러 벗기든지 마른 행주로 벗기면 잘 벗겨진다.

오징어를 본 조리에 앞서 데칠 때는 안쪽에 미리 잔 칼집을 가로 세로로 넣는다.

칼집을 넣어 살짝 데치면 솔방울 모양이 되는데 숙회나 무침·볶음 요리에 이용한다.

🐟 담백하면서도 독특한 맛의 조개류

조개류는 지방이 적고 단백질과 무기질·비타민이 풍부한 영양 식품으로, 맛과 향이 독특하여 반찬뿐 아니라 개운한 국물맛을 내는 데도 널리 이용된다.

굴은 소쿠리에 담아 소금물 속에서 물을 바꾸어 가면서 3, 4회 흔들어 씻으면 깨끗해진다.

소라는 칼 끝을 껍데기 속으로 집어 넣고 살며시 돌려 가며 살을 빼낸 후 씻어서 조리한다.

전복은 껍데기에서 떼어 낸 다음 창자와 인대를 잘라 버리고 조리를 한다.

패주는 지저분한 부분을 깨끗이 없앤 다음 맑은 장국이나 전골·샐러드 등에 이용한다.

피조개는 칼등을 들이밀고 비틀듯이 하면서 껍데기를 열고 살을 빼낸다.

대합은 엷은 소금물에 담가 모래와 흙을 토하게 한 다음 껍질째 솔로 문질러 깨끗이 씻는다.

🐟 깔끔하고 개운한 해초류

해초류는 지방과 열량이 낮은 반면 양질의 단백질과 비타민·철분·칼슘 등이 풍부하여 다이어트 식품으로 크게 각광 받는다.

· 김
참기름이나 들기름을 뿌려 구운 김구이는 먹기 직전에 구워야 맛있다. 구울 때는 광택이 있는 쪽이 서로 마주 보도록 2장을 겹쳐서 살짝 구우면 향기가 좋다.

· 미역 · 파래
미역은 생미역·마른 미역·줄기 미역 등 여러 종류가 있다. 생것을 구입했을 때는 소금을 조금 넣고 바락바락 주무른 다음 체에 놓고 흐르는 물에 흔들어 씻는다. 말린 미역의 경우 불리면 분량이 14배 이상이 불어나기 때문에 이를 감안해서 양을 조절해야 하고 물에 불렸

생선·해물 반찬 조리 포인트

· 조림
· 조림 국물은 재료가 겨우 잠길 정도면 충분하다.
· 조림 국물을 먼저 끓이다가 중간에 생선을 넣는다. 이렇게 하면 표면의 단백질이 응고되어 살이 부서지지 않는다.
· 생선을 조리는 도중 국물이 줄면 찬 국물을 조금씩 붓는다. 찬 국물이 생선 표면 온도를 낮춰서 내부와의 온도차를 줄이기 때문에 재료가 골고루 익는다.
· 생강이나 마늘을 넣어 생선의 비린내를 없애고 향미를 돋운다.

· 구이
· 구이용 생선에는 미리 재료 무게의 1, 2%의 소금을 뿌려 둔다. 단, 1시간이 넘으면 맛있는 성분이 수분과 함께 밖으로 빠져 나오므로 가능하면 뿌린 다음 바로 굽는다.

· 석쇠에 구울 때는 미리 식용유를 발라 뜨겁게 달궜다가 사용한다.
· 생선이나 오징어는 칼집을 넣어 구워야 오그라들지 않아 모양이 좋다.
· 생선은 바깥쪽(머리는 왼쪽, 배는 앞쪽)을 먼저 구운 다음 반대쪽을 구워야 기름이 흘러 나오지 않아 깨끗하게 구워진다.
· 생선이 익기 전에 재료를 뒤집거나 여러 번 건드리지 않는다.
· 소금이나 양념장으로 간을 한 다음 뜨겁게 달군 석쇠에 굽거나 프라이팬에 기름을 두르고 굽는다.
· 빵가루나 밀가루를 입혀 구울 때는 물기를 잘 닦고 빵·밀가루를 입힌 다음 기름을 넉넉히 둘러 굽는다.

· 튀김
· 도루묵·조기·가자미처럼 크지 않은 생선을 구울 때는 비늘을 긁고 내장을 뺀 다음 머리·꼬리·지느러미 등은 그대로 둔 채로 튀긴다. 밑간할 때 생강즙·청주·레몬즙을 뿌리면 비린내가 덜 나서 좋다.
· 오징어는 보통 배를 가르지 않고 고리 모양으로 통으로 썰어 튀긴다.
· 새우는 껍질을 벗기고 배쪽에 3, 4군데 칼집을 넣어서 튀기면 모양이 꼿꼿해서 좋다.

다가 재빨리 씻어 곧 사용한다. 물에 너무 오래 담가 두면 흐물흐물해진다. 줄기 미역은 물에 불려 소금기를 제거하고 가늘게 찢어 5cm 길이로 썰어 기름에 볶는다. 파래는 모래나 불순물이 섞이지 않게 조심해서 씻어 사용한다.

· 다시마
물에 씻지 말고 꼭 짠 행주로 닦아 모래를 깨끗이 없앤 다음 사용한다.

달걀노른자를 입혀 맛과 단백질이 풍부해진

삼치 난황 구이

🍳 재료 · 2인분

삼치 1마리 · 달걀노른자 1개분 · 물엿 1작은술 · 청주 1큰술 · 소금 1작은술 · 후춧가루 약간

🍳 이렇게 만들어요

1 삼치는 지느러미 · 머리 · 꼬리를 제거하고 배를 갈라 내장을 뺀 다음 흐르는 물에 씻어서 머리에서 꼬리까지 완전히 2등분한다.
2 2등분한 삼치의 뼈를 조심스럽게 발라 낸 다음 도마에 놓고 5㎝ 길이로 어슷하게 저며 썬다.
3 손질해 놓은 삼치는 소금 · 후춧가루 · 청주를 뿌려 밑간을 한다.
4 달걀을 깨뜨려 노른자만을 골라 그릇에 담고 물엿과 소금을 넣어 잘 섞는다.
5 달궈진 석쇠에 삼치를 올려놓고 껍질이 아래로 가도록 하여 굽는다. 삼치가 적당히 익으면 뒤집어서 솔로 달걀노른자를 골고루 바르면서 서서히 굽는다. 이렇게 3번 정도 반복하면 색깔이 곱고 먹음직스럽게 구워진다.

270 Kcal

320 Kcal

양념간이 배어 진한 맛이 우러나는 생선 구이

병어 양념장 구이

🍳 재료 · 4인분

병어 2마리 · 진간장 2큰술 · 참기름 1큰술 · 대파, 통깨 약간씩 · 양념장(고추장 1½큰술, 청주 1큰술, 설탕 2작은술, 참기름 2작은술, 깨소금 ½큰술, 생강 ½쪽, 마늘 3쪽, 실파 1뿌리)

🍳 이렇게 만들어요

1 병어는 살에 탄력이 있는 싱싱한 것으로 골라 아가미 쪽에 칼집을 내어 내장을 빼낸다. 그런 다음 깨끗이 씻어 앞뒤로 어슷어슷하게 칼집을 넣는다.
2 실파 · 마늘 · 생강은 손질하여 깨끗하게 씻어서 곱게 다진다.
3 대파는 잎으로만 준비해 가늘게 채썬다.
4 병어에 진간장과 참기름을 섞어 발라서 잠시 잰다.
5 고추장 · 설탕 · 청주 · 참기름 · 깨소금에 다진 생강 · 실파 · 마늘을 섞어 양념장을 만든다.
6 석쇠를 뜨겁게 달군 다음 병어를 얹어 굽다가 익기 시작하면 양념장을 발라 가며 서서히 구운 후, 위에 통깨와 파를 얹는다.

매콤한 카레 향으로 비린내를 없앤 색다른 생선 구이

갈치 카레 구이

재료 · 2인분

갈치 1마리 · 카레가루 3큰술 · 밀가루 6큰술 · 소금 1큰술 · 식용유 3큰술

이렇게 준비하세요

1 갈치는 살이 탄력있는 신선한 것으로 골라 깨끗이 씻고 머리와 꼬리, 지느러미를 떼어 낸 다음 내장을 빼낸다. 몸통에 있는 비늘은 갈치살이 상하지 않도록 칼등으로 가볍게 긁어 말끔히 제거해 놓는다.

2 손질한 갈치는 8~9cm 길이로 토막내어 다시 한번 흐르는 물에 깨끗이 씻은 다음 도마 위에 놓고 그물 모양의 칼집을 낸다. 이 때 칼집은 크게 넣어야 구울 때 모양이 상하지 않는다.

3 칼집을 낸 갈치의 앞뒤로 소금을 솔솔 뿌려서 30분 정도 간이 배도록 재어 놓는다.

이렇게 만들어요

4 넓적한 접시에 체에 내린 밀가루와 카레가루를 섞어 편평하게 펴놓고 소금에 재어 두었던 갈치를 놓고 앞뒤로 뒤집어 가며 옷을 입힌다.

5 팬에 기름을 두르고 뜨겁게 달군 다음 갈치를 넣어 지진다. 한 면이 다 익으면 부서지지 않도록 한 번만 뒤집는다.

POINT

갈치는 신선한 것으로 골라 8~9cm 길이로 토막내어 그물 모양의 칼집을 낸다.

갈치에 밀가루와 카레가루 섞은 것을 묻혀 팬을 뜨겁게 달군 후 갈치를 넣어 지진다.

551 Kcal

조기 양념장 구이

재료 · 4인분
조기 2마리 · 소금 약간 · 양념장(진간장 2큰술, 설탕 ½큰술, 참기름 2작은술, 깨소금 1큰술, 후춧가루 약간, 고춧가루 1큰술, 파 1뿌리, 마늘 4쪽)

이렇게 만들어요
① 조기는 아가미 사이로 나무젓가락을 넣어 돌려 가면서 내장을 빼낸 다음 엷은 소금물에 씻어 앞뒤로 칼집을 넣는다. 파 · 마늘은 손질하여 곱게 다진다.
② 그릇에 진간장 · 참기름 · 설탕 · 깨소금 · 후춧가루 · 고춧가루와 다진 파, 마늘을 넣고 양념장을 만든다. 조기에 양념장을 발라 잠시 재어 둔다.
③ 석쇠를 미리 달군 다음 센 불에서 조기를 굽다가 익기 시작하면 약한 불에서 양념장을 발라 가며 굽는다.

생선에 소금을 뿌릴 때는
생선 겉면에 소금을 뿌리는 것은 생선살의 맛있는 성분이 흘러 나오는 것을 막기 위해서다. 생선 겉면의 단백질에 열을 가하면 응고하는 성질이 있는데 거기에 소금을 뿌리면 단백질 응고를 더욱 촉진시킨다. 이런 작용으로 생선의 참맛을 그대로 지니게 되는 것이다. 구이를 할 때 생선이나 고기에 뿌리는 소금은 재료 무게의 1~2%가 적당하다. 소금을 뿌린 채로 그대로 두면 소금의 작용으로 생선 속의 수분이 빠져 나오게 되고, 이 때 재료의 맛있는 성분도 빠지게 된다. 따라서 소금을 뿌린 생선은 오래 두지 말고 빨리 굽는 것이 바람직하다. 고기는 소금을 뿌린 뒤 금방 굽는 것이 맛있고, 생선은 30분에서 1시간을 넘기지 말고 조리해야 제맛을 즐길 수 있다.

북어 구이

재료 · 4인분

북어 2마리 · 식용유 3큰술 · 쌀뜨물 5컵 · 양념장(진간장 2큰술, 고추장 2큰술, 후춧가루 약간, 설탕 1큰술, 깨소금 1큰술, 참기름 2작은술, 파 2뿌리, 마늘 4쪽)

이렇게 준비하세요

1 북어는 잘 마른 것을 준비하여 방망이로 골고루 두드린 다음 하룻밤쯤 쌀뜨물에 담가 불린다. 이 때 무거운 것으로 눌러 북어가 물 위로 올라오지 않도록 한다. 불린 북어는 머리와 꼬리를 떼어 내고 배를 갈라 펴서 가시를 발라 낸 후 적당한 크기로 토막낸다.

2 파 · 마늘은 깨끗이 다듬어서 곱게 다진다.

이렇게 만들어요

3 진간장에 파와 마늘 다진 것을 넣고, 고추장 · 설탕 · 참기름 · 후춧가루 · 깨소금을 섞어 양념장을 만든다.

4 접시에 준비해 둔 북어를 가지런히 담고, 양념장을 고루 끼얹어 맛이 배도록 잠시 잰다.

5 프라이팬에 기름을 넉넉히 두르고 뜨겁게 달군 후, 재어 둔 북어를 넣고 앞뒤로 지진다. 어느 정도 익으면 다시 한 번 양념장을 발라 완전히 익힌다.

POINT

북어는 잘 마른 것으로 준비해 하룻밤쯤 쌀뜨물에 담가 불렸다가 적당한 크기로 썬다.

프라이팬에 기름을 두르고 뜨겁게 달군 후 양념장에 재어 두었던 북어를 넣고 지진다.

253 Kcal

말린 생선 불리기

대구나 명태 등을 말리는 데는 오랜 시간이 걸리기 때문에, 그 동안에 지방산이 산화되어 특유의 떫은 맛이 생긴다. 그러므로 물에 불리는 과정에서 떫은 맛을 없애야 하는데, 이럴 때 쌀뜨물을 이용하면 좋다. 말린 생선을 쌀뜨물에 담가 불리면 떫은 맛도 없어질뿐더러 맛도 손상되지 않는다. 또 쌀뜨물 대신 중조를 약간 넣고 불려도 떫은 맛이 없어진다. 말린 생선은 미리 깨끗이 씻어서 불리면, 그 불린 물을 찌개 국물이나 국 국물로 이용할 수 있다.

건어물은 약한 불에서 굽는다

건어물에는 수분이 약 60% 함유되어 있는데, 외부의 열을 식품 내부에 전달하는 것은 물이다. 수분이 적은 만큼 열전도율도 늦으므로 센 불에서 구우면 속은 안 익고 타 버리기 쉬우므로 건어물은 약한 불에서 서서히 구워야 한다.

가자미 버터 구이

먹기 전에 가자미에 레몬즙을 뿌리면 비린내도 없어지고 식욕을 돋우는 데도 효과적이다.

재료 · 4인분

가자미 2마리 · 레몬 ½개 · 파슬리 1줄기 · 버터 2큰술 · 소금 약간

이렇게 만들어요

① 가자미는 비늘을 긁고 머리와 지느러미를 떼어 낸 다음 내장을 빼내고 깨끗이 씻는다. 손질한 가자미의 앞뒤에 깊숙이 칼집을 넣고 소금을 뿌린 후 소쿠리에 밭쳐 물기를 뺀다.

② 레몬은 통째 얇게 썰고, 파슬리는 곱게 다진다.

③ 프라이팬에 버터를 넣고 뜨겁게 달구어 녹인 후 준비해 놓은 가자미를 넣어 앞뒤로 노릇노릇하게 굽는다. 상에 낼 때 파슬리와 레몬을 얹는다.

가자미 · 갈치 무 조림

● 가자미 무 조림

재료 · 4인분

가자미 1마리 · 무 $\frac{1}{2}$개 · 마늘 4쪽 · 생강 1쪽 · 실고추 약간 · 파 $\frac{1}{2}$뿌리 · 청주 2큰술 · 양념장(진간장 3큰술, 설탕 1큰술)

이렇게 준비하세요

1 가자미는 비늘을 긁고 내장을 빼낸 다음 적당한 크기로 토막낸 후 소금물에 깨끗이 씻어 건져서 물기를 뺀다.
2 무는 한입 크기로 납작하게 썬다. 마늘과 생강은 저미고 파는 조금 길게 썬다.

이렇게 만들어요

3 그릇에 물($\frac{1}{2}$컵)과 진간장, 설탕을 넣고 잘 섞어 양념장을 만든다.
4 냄비에 무와 가자미, 저민 마늘 · 생강을 담고 양념장을 넣어 약한 불에서 끓인다.
5 국물이 끓으면 거품을 걷어 내고 청주를 넣어 한소끔 더 끓인다.
6 가자미에 간이 고루 배도록 중간중간 국물을 떠서 자주 끼얹고, 어느 정도 조려지면 파와 실고추를 넣어 한소끔 더 끓인다.

● 갈치 무 조림

재료 · 4인분

갈치 1마리 · 무 $\frac{1}{2}$개 · 파 $\frac{1}{2}$뿌리 · 풋고추 1개 · 붉은고추 1개 · 양념장(진간장 2큰술, 설탕 1큰술, 고춧가루 1큰술, 깨소금 $\frac{1}{2}$큰술, 파 $\frac{1}{2}$뿌리, 마늘 4쪽, 생강 1쪽)

이렇게 준비하세요

1 갈치는 싱싱한 것을 골라 비늘을 긁고 손질한 다음 씻어서 적당한 크기로 토막내 칼집을 넣는다.
2 무는 도톰하게 반달썰기를 하고 풋고추 · 붉은고추 · 파($\frac{1}{2}$뿌리)는 어슷어슷 썬다.
3 파($\frac{1}{2}$뿌리)는 잘게 썰고 마늘 · 생강은 곱게 다진 다음 진간장 · 설탕 · 고춧가루 · 깨소금과 물(3큰술)을 함께 섞어 양념장을 만든다.

이렇게 만들어요

4 냄비에 무를 한 켜 깔고 양념장을 끼얹은 다음 그 위에 갈치를 얹고 다시 양념장을 끼얹는다.
5 불에 올려 간이 고루 배도록 중간중간 국물을 떠서 끼얹어 가며 조린다. 국물이 거의 졸았을 때 풋고추와 붉은고추, 대파를 넣어 한소끔 더 끓인다.

POINT

가자미 무 조림

가자미는 비늘을 긁고 내장을 빼낸 다음 토막내어 소금물에 씻어 건져 물기를 뺀다.

조림 국물이 어느 정도 생선에 배어들면 거품을 걷고 청주를 넣어 비린내를 없앤다.

갈치 무 조림

갈치는 표면의 은색 비늘을 칼끝으로 깨끗이 없애고 토막낸 다음 칼집을 넣는다.

갈치를 조리는 도중 국물이 생선에 잘 배어 들도록 국물을 자주 끼얹어 준다.

105 Kcal

구수한 된장 맛에 달착지근한 뒷맛이 일품인

방어 된장 조림

POINT

머리 · 꼬리 · 지느러미를 잘라 내고 내장을
빼낸 방어를 알맞은 크기로 토막낸다.

끓는 소금물에 껍질콩을 넣고 살짝 데쳐 낸
다음 찬물에서 헹구고 물기를 뺀다.

미림과 물을 섞어 끓이다가 방어를 넣고 그
위에 생강채를 얹어 함께 끓인다.

국물이 끓으면 된장을 국물에 풀어 생선에
배도록 국물을 계속 끼얹어 주며 조린다.

🧑‍🍳 재료 · 4인분

방어 1마리 · 생강 2쪽 · 된장 2큰술 · 껍질콩 50g · 미림 2큰술 · 소금 약간

🧑‍🍳 이렇게 준비하세요

1 방어는 머리 · 꼬리 · 지느러미를 잘라 버리고 내장을 빼낸 다음 깨끗이 씻어서 적당한 크기로 토막낸다.

2 생강은 껍질을 벗겨 곱게 채썬다.

3 껍질콩은 손질하여 소금을 약간 넣은 끓는 물에 살짝 데친 다음 찬물에 헹궈 2, 3등분한다.

🧑‍🍳 이렇게 만들어요

4 냄비에 미림과 물(1컵)을 섞어 붓고 불에 올려 끓으면, 준비해 놓은 방어를 넣고 위에다 생강채를 얹어 다시 끓인다.

5 국물이 한소끔 끓으면 냄비를 기울여 국물에 된장을 푼 뒤 약한 불에서 조린다. 조리는 도중에 국물을 떠서 끼얹어 주어 간이 국물에 골고루 배도록 한다.

6 국물이 거의 졸았을 때 냄비 한쪽에 데쳐 놓은 껍질콩을 넣어 뒤적이고, 잠시 후에 불을 끈다.

7 먹을 때는 접시에 조린 방어를 모양내어 담고 껍질콩을 위에 얹어 낸다.

53 Kcal

조림 재료는 냄비의 반 정도를 넣는다

조림을 할 때는 냄비가 가열됨에 따라 조림 재료 전체가 가열되는 것이므로 조리 시간을 단축하려면 재료는 냄비 높이의 반 또는 ¾ 정도 넣는 것이 적당하다. 냄비의 용량에 비해 재료가 지나치게 많으면 조리는 도중 국물이 넘치거나 재료가 골고루 익기 어렵다. 생선은 가급적 겹치지 말고 바닥에 편편하고 고르게 놓고 조린다. 그래야 생선을 꺼내기도 좋고 도중에 생선 모양이 흐트러질 염려도 적다.

냄비는 두꺼우며 바닥이 편편한 냄비가 적당하며, 뚜껑은 본래 뚜껑보다 작은 뚜껑을 물에 적셔 덮고 조리면 끓어오른 국물이 뚜껑에 부딪혀 생선 위쪽까지 골고루 국물이 퍼져서 맛이 더 잘 배어든다. 조리는 도중에는 뒤집지 않아야 부드러운 생선살이 부서지지 않고 모양새가 반듯하게 잡힌다.

짭짤하면서도 감칠맛이 좋은 기본 반찬

청어 양념 조림

 재료 · 2인분

청어 1마리 · 진간장 3큰술 · 설탕 1큰술 · 고춧가루 1큰술 · 파 1뿌리 · 마늘 2쪽 · 생강 1쪽 · 깨소금, 참기름 약간씩

이렇게 만들어요

1 청어는 머리와 지느러미를 잘라 내고 내장을 빼낸 다음 2, 3토막으로 잘라서 깨끗이 씻고 양념이 잘 배도록 앞뒤로 칼집을 넣는다.
2 파는 깨끗이 손질해 일부는 다지고, 일부는 가늘게 채썬다.
3 생강은 껍질을 벗겨 다지고, 마늘도 다진다.
4 진간장 · 설탕 · 고춧가루 · 깨소금 · 참기름과 다진 파, 마늘 · 생강을 섞고 물 5큰술을 넣어 양념장을 만든다.
5 냄비에 청어를 넣고 그 위에 양념장을 반 정도 뿌려 한소끔 끓인 다음, 나머지 양념장과 채썬 파줄기를 넣어 약한 불에서 서서히 조려 낸다.

257 Kcal

256 Kcal

무와 함께 푹 조려 구수한 맛이 나는

양미리 무 조림

 재료 · 4인분

양미리 200g · 무 200g · 풋고추 2개 · 파 약간 · 마늘 약간 · 고추장 ½큰술 · 간장 2큰술 · 설탕 1큰술 · 참기름 1큰술

 이렇게 만들어요

1 양미리는 손질하여 적당한 크기로 토막내고, 무는 2cm 정도의 굵기로 막대썰기하고, 풋고추와 파는 어슷하게 썬다.
2 다진 파와 마늘에 고추장 · 간장 · 설탕 · 참기름 · 깨소금 등을 섞어 넣고 양념장을 만들어 끓이다가 무와 양미리 · 풋고추 · 파를 냄비에 안치고 무가 무를 때까지 조린다.

조림장이 끓을 때 생선을 넣는다
조림을 할 때는 양념장을 먼저 끓이다가 생선을 넣으면, 생선 표면의 단백질이 바로 응고되어 맛이 빠지지 않고 살도 부서지지 않으며 비린내도 덜 난다. 그러나 양념장이 데워지기 전부터 생선을 넣고 끓이면 시간이 많이 걸려 고소한 맛이나 영양분이 국물 속에 녹아 버리고 살도 부서지기 쉽다.

찜통에서 쪄내 부드럽고 연한 생선살이 구수한

동태 양념장 찜

 재료 · 4인분

동태 2마리 · 양념장(진간장 3큰술, 참기름 1큰술, 붉은고추 2개, 풋고추 2개, 설탕 1큰술, 고춧가루 ½큰술, 깨소금 1큰술, 후춧가루 약간, 파 1뿌리, 마늘 4쪽, 생강 1쪽)

 이렇게 준비하세요

1 동태는 손질하여 그늘에서 꾸덕꾸덕해질 때까지 말린다.
2 말린 동태의 지느러미와 머리를 떼어 내고 반으로 갈라 찬물에 가볍게 헹궈 물기를 뺀 다음 가시를 발라 내고 적당한 크기로 토막낸다.
3 파 · 마늘 · 생강은 깨끗이 손질하여 곱게 다진다.
4 붉은고추 · 풋고추는 반으로 갈라 씨를 털어 내고 가늘게 채썬다.

 이렇게 만들어요

5 진간장에 고춧가루 · 설탕 · 깨소금 · 참기름 · 후춧가루를 섞고 다진 파 · 마늘 · 생강과 채썬 붉은고추 · 풋고추를 넣어 양념장을 만든다.
6 동태에 양념장을 골고루 끼얹으면서 차곡차곡 놓고 간이 배어들도록 잠시 재어 둔다.
7 찜 냄비에 동태를 켜켜로 안친 다음 깨끗한 베보자기로 덮고 그 위에 뚜껑을 닫아 푹 쪄 낸다.

P O I N T

동태는 찬물에 헹궈서 마른 행주나 키친 타올을 이용하여 물기를 없애고 토막을 낸다.

토막 하나하나에 양념장을 골고루 끼얹었고 잠시 재어 둔 다음 뚜껑을 닫아 푹 찐다.

찜 재료는 물이 끓을 때

찜은 찜통에 물을 붓고 찜판 위에 재료를 얹은 다음 수증기로 열을 가하는 방법으로, 쉽게 부서지는 재료를 조리할 때 좋다. 일단 재료의 밑손질이 끝나면 간을 하고 김이 모락모락 오르는 찜통에 넣어 쪄내면 음식의 모양이 망가지지 않는다. 단, 찜은 다른 조리법에 비해 음식에 물기가 많아지기 쉬우므로, 고온에서 가열하면 안 되는 푸딩이나 달걀 찜과 같은 요리를 제외하고는 대부분 물이 팔팔 끓어 김이 오를 무렵에 재료를 넣는 것이 좋다. 물의 분량은 찜 그릇의 70~80% 가량이 적당하다. 이보다 물이 많으면 물이 끓을 때 재료 위로 솟아올라 음식이 질퍽해진다. 또 물을 너무 적게 부으면 음식이 다 익기도 전에 물이 졸아 바닥이 탈 염려가 있다.

고등어 고추장 찜

재료 · 4인분

고등어 2마리 · 녹말가루 2큰술 · 고추장 5큰술 · 설탕 3큰술 · 생강 1쪽 · 식초 3큰술 · 소금 1작은술

이렇게 만들어요

① 고등어는 3, 4토막으로 잘라서 깨끗이 씻어 물기를 없앤 다음 소금을 뿌리고 식초를 끼얹어 밑간을 해 20분 정도 재워 둔다.
② 생강은 즙을 낸 다음, 고추장 · 설탕 · 물(½컵)을 섞어서 묽게 고추장 양념장을 만든다.
③ 그릇에 고등어를 담고 양념이 고루 배도록 포크로 군데군데 찌르고 양념장을 뿌려 20~30분간 잰 다음 위에 녹말가루를 솔솔 뿌리고 그릇째 찜통에 넣어 20분간 찐다.

238 Kcal

장어 피망 볶음

290 Kcal

POINT

1
장어는 내장을 빼내고 뼈를 발라 낸다.

2
피망과 붉은고추는 씨를 털어 내고 썬다.

3
생강은 강판에 갈아 즙을 낸다.

4
장어에 양념을 한 후 녹말가루를 묻힌다.

5
센 불에서 장어를 살짝 튀겨 낸다.

6
팬에 야채와 장어 순으로 넣어 볶는다.

🧑‍🍳 재료 · 4인분

장어 1마리 · 붉은고추 1개 · 피망 2개 · 마늘 4쪽 · 생강 2쪽 · 파 ½ 뿌리 · 녹말가루 3큰술 · 진간장 3큰술 · 청주 2작은 술 · 깨소금 ½큰술 · 참기름 ½큰술 · 후춧가루 적당량 · 식용유 3컵

🧑‍🍳 이렇게 준비하세요

1 장어는 등 쪽에 칼을 넣어 꼬리 부분까지 쭉 가른 후에 내장을 빼내고 가운데와 가장자리의 뼈를 발라 낸 후 한입 크기로 토막낸다.
2 마늘은 얇게 저며 썰고 파는 어슷어슷 썬다. 피망과 고추는 먼저 물에 말끔히 씻은 다음 씨를 털어 내고 얇게 어슷어슷 썬다.
3 생강은 강판에 갈아 즙을 낸다.

🧑‍🍳 이렇게 만들어요

4 토막낸 장어에 진간장(2큰술) · 생강즙 · 청주 · 후춧가루를 넣고 양념한 후 10분 정도 놓아 두었다가 녹말가루를 골고루 묻힌다.
5 튀김 냄비에 식용유를 붓고 가열하여 장어를 노릇하게 튀겨 낸다.
6 팬에 마늘 · 피망 · 붉은고추 · 파를 넣어 볶다가 튀긴 장어를 넣고 진간장 · 깨소금 · 참기름 · 후춧가루로 양념해 볶아 그릇에 담는다.

 장어와 장어 손질법

장어는 쇠고기나 돼지고기에 비해 비타민 A와 E의 함유량이 높기 때문에 여성의 미용, 남성의 스태미너, 암 예방에도 효과가 있다. 가을철 산란기에 특히 영양이 풍부한 장어는 여름철 무더위와 땀에 지친 체력을 보강하는 보신 식품으로도 크게 각광 받고 있다. 장어는 가능하면 살아 있는 싱싱한 것을 구입한 후, 머리 부분을 도마에 고정시키고 등 쪽에 칼집을 넣어 머리에서 꼬리까지 길게 갈라 내장과 뼈를 발라 낸다. 장어는 날로 먹을 때보다 구워 먹을 때 영양가가 더 높은데, 비타민 C가 없으므로 싱싱한 야채를 곁들인다.

43

칼슘이 풍부해 아이들 반찬으로 특히 좋은

도루묵 튀김

 재료 · 4인분

도루묵 10마리 · 청주 1큰술 · 녹말가루 ½컵 · 식용유 3컵 · 양념장
(진간장 2큰술, 식초 1큰술, 설탕 2작은술, 파 1뿌리, 마늘 3쪽, 붉은고
추 1개, 통깨 ½큰술)

 이렇게 만들어요

1 도루묵은 아가미 쪽으로 내장을 뺀 후 깨끗이 씻어서 물
기를 뺀다.
2 파 · 마늘은 곱게 다지고 붉은고추는 반으로 갈라 씨를 빼
고 다지듯이 잘게 썬다.
3 도루묵의 양면에 어슷어슷하게 칼집을 넣고 청주를 골고루 뿌
린 다음, 머리와 꼬리를 빼고 몸 전체에 녹말가루를 입힌다.
4 냄비에 기름을 붓고 중간 온도(170℃)로 가열되면 도루묵을 넣고 속
까지 충분히 익을 때까지 튀겨 낸다.
5 튀긴 도루묵을 튀김망에 건져 기름기를 뺀다.
6 진간장에 다진 파, 마늘과 잘게 썬 붉은고추 · 식초 · 설탕 · 통깨를
넣고 양념장을 만들어 같이 낸다.

133 Kcal

216 Kcal

물기를 완전히 빼고 튀겨야 재료의 맛이 그대로 사는

가자미 튀김

 재료 · 4인분

가자미 2마리 · 녹말가루 2큰술 · 식용유 3컵 · 무순, 무 약간씩 · 소스(멸치
국물 4큰술, 실파 1뿌리, 진간장 1큰술)

 이렇게 만들어요

1 가자미는 비늘을 긁고 머리 쪽에 칼집을 내 내장을 꺼낸 다음, 깨끗
이 씻어 물기를 빼고 등 쪽에 대각선으로 2, 3번 칼집을 낸다.
2 손질한 가자미에 앞뒤로 녹말가루를 골고루 묻힌다.
3 가자미의 물기가 녹말가루에 흡수되면 중온(170℃)에서 튀겨 낸 다
음 소스를 만들어 실파를 띄워 내고 갈아 놓은 무와 무순을 곁들인다.

생선은 모양을 그대로 살려 튀긴다

생선이나 해물을 튀기면 재료 자체의 기름기와 비린내를 없앨 수 있어 좋다.
튀김에는 주로 몸체가 작은 생선이 많이 이용되는데, 대개 토막내지 않고 통
째로 튀긴다. 이 때 내장만 빼고 머리 · 꼬리 · 지느러미 등은 그대로 두는 편
이 그릇에 담았을 때 모양을 살릴 수 있으며, 물기를 완전히 제거한 후 튀겨
야 재료의 맛을 충분히 살릴 수 있다.

바삭바삭하고 고소한 튀김에 향긋한 깻잎 향이 더해진

전갱이 깻잎 튀김

재료·4인분

전갱이 4마리 · 깻잎(큰 것) 8장 · 생강 1쪽 · 소금 1작은술 · 후춧가루 약간
· 밀가루 2큰술 · 식용유 3컵 · 튀김옷(달걀 1개, 밀가루 $\frac{2}{3}$컵, 소금 약간)

이렇게 준비하세요

1 전갱이는 머리와 내장을 떼어 내고 옆줄을 잘라 낸 뒤 깨끗이 씻어
서 배를 가르고 뼈와 잔가시를 발라 낸다.
2 생강즙을 내어 손질한 전갱이에 뿌리고 소금과 후춧가루도 약간씩
뿌려서 밑간한 다음 30분 정도 재어 둔다.
3 깻잎은 좀 큰 것으로 골라 깨끗이 씻어서 물기를 없앤다.

이렇게 만들어요

4 깻잎의 한 쪽 면에 밀가루를 뿌리고 그 위에 전갱이를 얹은 다음 깻
잎 1장을 덮는데, 밀가루 뿌린 쪽이 아래쪽으로 가서 전갱이와 붙게
한다.
5 달걀을 깨뜨려서 풀어 놓고 정량의 밀가루와 소금, 물 $\frac{1}{3}$컵을 넣어
골고루 저어서 튀김옷을 만들어 놓는다.
6 튀김 냄비에 기름을 붓고 중온으로 가열한 다음 준비된 전갱이에 튀
김옷을 입혀서 넣고 튀긴다.
7 튀긴 전갱이의 기름기를 빼고 2등분하여 보기 좋게 담아 낸다.

POINT

전갱이는 먼저 머리와 내장을 떼어 내고 옆
줄을 잘라 낸다. 뼈와 잔가시도 발라 낸 다
음 소금과 후춧가루로 밑간해 둔다.

깻잎의 한 쪽 면에 밀가루를 뿌리고 그 위
에 전갱이를 얹은 다음 깻잎 1장을 덮어 튀
김옷을 입혀 중온에서 튀긴다.

바삭바삭한 튀김옷 만들기

튀김의 생명은 바삭바삭거리며 입 안에서 씹히는 맛이다. 이를 위해서 먼저 튀김
옷을 입힐 밀가루로는 글루텐 함량이 적은 박력분을 선택한다. 반죽할 때도 밀가
루 양의 10% 정도의 녹말 가루를 함께 섞어서 사용하면 훨씬 바삭거리는 튀김옷
이 된다. 밀가루를 반죽할 때 섞는 물도 맹물보다는 얼음물을 사용한다. 또 튀기
기 직전에 튀김옷을 만들어 사용해야 끈기가 생겨 눅눅해지는 것을 방지할 수 있
으며 빵가루를 입혀 튀길 때는 약간 눅눅한 빵가루를 이용해야 타지 않는다.

전갱이전

재료 · 1인분

전갱이 1마리 · 표고버섯 1개 ·
파 $\frac{1}{2}$ 뿌리 · 메추리알
2개 · 생강 $\frac{1}{2}$ 쪽
· 레몬 $\frac{1}{3}$개

· 소금, 후춧가루 약간씩 · 깻잎 5장 ·
청주 $\frac{1}{2}$큰술 · 식용유 1큰술

이렇게 만들어요

① 전갱이는 살만 포를 뜬 다음
잘게 다지듯이 썰어 소금 · 후
춧가루 · 청주를 뿌려 둔다.
② 표고버섯은 물에 불려 기
둥을 떼고, 전갱이 크기로 잘
게 썬다. 파는 송송 썰고, 생
강은 강판에 갈아 즙을 내고,
레몬은 껍질만 벗겨 내어 가늘게
채썬다. 메추리알은 깨뜨려 푼다.
③ 전갱이 · 표고버섯 · 파 · 레몬 껍
질 · 메추리알과 생강즙을 넣어 섞어 소
금으로 간한 다음 팬에 기름을 두르고 달
구어 준비한 재료를 한 숟가락씩 떠 넣고 지
진다. 상에 낼 때 깻잎에 하나씩 싸서 담는다.

212 Kcal

신선하고 담백한 맛을 그대로 살려 안주로도 좋은

중국식 게 튀김

 재료 · 4인분

게 2마리 · 실파 100g · 생강 1쪽 · 녹말가루 3큰술 · 진간장 2큰술 · 청주 1
큰술 · 후춧가루 약간 · 설탕 1큰술 · 식용유 3컵 · 참기름 1큰술

 이렇게 준비하세요

1 게는 살아 있는 것을 골라 솔로 문지르면서 깨끗이 씻은 다음 배 쪽
의 삼각 부분을 떼고 등딱지를 벗겨 다시 씻는다. 왼손으로 게의 다리
를 잡고 오른손으로 힘을 주어 잡아당기면 등딱지는 쉽게 뗄 수 있다.
2 게의 다리 끝을 정리하고, 몸통은 먹기 좋은 크기로 토막낸다.
3 실파는 깨끗이 다듬고 씻어서 물기를 뺀 다음 5cm 길이로 썰고, 생
강은 껍질을 벗겨 얇게 썬다.

 이렇게 만들어요

4 손질해 놓은 게의 물기를 대강 거두고 앞뒤로 골고루 녹말가루를 묻
힌다.
5 튀김 냄비에 기름을 붓고 중온(170~180℃)으로 가열시켜서 게를
넣어 튀긴다. 튀김옷을 약간 떨어뜨려 보아 조금 있다가 떠오르면 중
온 정도이며 튀김용 망을 이용하면 한결 손쉽게 튀길 수 있다.
6 프라이팬에 기름을 두르고 달구어 썰어 놓은 실파와 생강을 먼저 넣
고 볶는다.
7 파와 생강의 맛과 향이 기름에 배어 나오면, 진간장 · 청주 · 설탕 ·
후춧가루를 넣고 조미한 다음 튀겨 놓은 게를 넣고 재빨리 휘저어 골
고루 섞이게 한다. 재료들이 먹음직스럽게 어우러지면 참기름을 두르
고 뒤적인 뒤 불에서 내린다.

게는 등딱지를 떼어 내고 씻은 다음 다리 끝
을 정리하고 몸통은 적당히 토막낸다.

손질해 놓은 게의 물기를 대강 거두고 앞뒤
로 골고루 녹말가루를 묻힌다.

튀김 냄비에 기름을 붓고 중온으로 가열시
켜서 게를 넣어 튀긴다.

프라이팬에 파와 생강을 먼저 볶은 다음 양
념을 하고 튀긴 게를 넣고 휘저어 섞는다.

생선살 튀김

재료 · 4인분
생선살 300g · 밀가루 3큰술 · 소금, 후춧가루
약간씩 · 청주 1큰술 · 식용유 3컵 · 튀김옷(붉은
고추 1개, 달걀 1개, 파슬리 2줄기, 녹말가루 4
큰술, 밀가루 6큰술)

이렇게 만들어요
① 생선살은 민어 · 광어 · 대구 · 명태 등의 흰살 생선으로 준비해 도톰하게 포를
뜬 후 한입 크기로 저며 썰어서 소금 · 후춧가루 · 청주를 뿌려 둔다.
② 달걀은 노른자와 흰자가 풀리도록 잘 저은 다음 물 4큰술을 넣고 밀가루, 녹말
가루를 가볍게 섞고 붉은고추와 파슬리를 잘게 썰어 넣어 튀김옷을 만든다.
③ 준비한 생선살에 밀가루를 묻혀 여분의 밀가루는 털어 낸다. 튀김옷을 입힌 생
선살을 중온(170~180℃)의 기름에서 바삭하게 튀겨 낸다.
④ 튀긴 생선살을 종이 타월에 놓아 기름기를 뺀 다음 접시에 담고 진간장 · 식
초 · 깨소금으로 양념장을 만들어 곁들인다.

209 Kcal

꽃게 케첩 볶음

 재료 · 4인분

꽃게 3마리 · 밀가루 적당량 · 식용유(튀김용) 3컵 · 소스(토마토 케첩 ½컵, 양파 1개, 파 1뿌리, 마늘 3쪽, 생강 2쪽, 소금 · 후춧가루 약간씩, 식용유 2큰술)

이렇게 준비하세요

1 꽃게는 살아 있는 것으로 골라 솔로 껍질을 문질러 씻어서 등딱지를 떼고 모래주머니도 터지지 않도록 조심하면서 떼어 낸다.

2 게가 양쪽 집게다리는 따로 떼 내고 몸통은 4~6등분하여 밀가루를 묻혀 둔다.

3 마늘과 생강은 껍질을 벗겨 곱게 다지고, 양파와 파도 잘게 썬다.

이렇게 만들어요

4 튀김 팬에 기름을 붓고 가열한 다음 밀가루 묻힌 게를 넣고 중온에서 튀겨 낸다.

5 다른 프라이팬에 기름을 두르고 다진 마늘과 생강 · 양파를 넣어 볶다가 파와 토마토 케첩도 함께 넣어 볶는다.

6 재료들이 잘 어우러지면 소금과 후춧가루를 넣어 소스의 간을 맞추고, 튀겨 놓았던 꽃게를 넣어 잘 버무리면서 볶아 낸다.

262 Kcal

POINT

튀김 팬에 기름을 붓고 가열한 다음 밀가루 묻힌 게를 넣고 튀겨 낸다.

프라이팬에 양념과 토마토 케첩을 넣어 볶다가 간을 맞추고 게를 넣어 버무린다.

게는 한번에 사용할 만큼만 구입한다

게는 세균의 번식 속도가 빠르므로 되도록이면 살아 있는 것을 구입한다. 손질할 때는 먼저 배딱지를 열고, 그 틈새로 엄지손가락을 넣어 한 손으로 당기면 등딱지가 벌어진다. 이 때 등딱지가 말끔히 떨어지면 신선한 것이다. 다음으로는 몸통 양쪽의 흰털 같은 것을 떼어 내고, 발끝과 몸통을 적당하게 자른다. 다리도 가위나 칼로 틈이 벌어지게 깨거나 방망이로 눌러 밀어서 살만 꺼내 쓴다. 게는 손질을 하면 세균 감염과 부패가 더 빨리 진행되므로 즉시 조리해야 하고, 다른 재료들을 다듬어 놓은 다음 조리 직전에 다진다. 또 당장 사용할 만큼만 구입하고, 남으면 간장 · 고추장 게장을 만들어 보관한다.

조개 토마토 찜

재료 · 1인분

바지락조개 100g · 가지 ½개 · 피망 1개 · 토마토 ½개 · 셀러리 1줄기 · 마늘 2쪽 · 백포도주 2큰술 · 식용유 약간 · 소금, 후춧가루 약간씩

이렇게 만들어요

① 바지락 조개는 소금물에 담가 모래와 해감을 토하게 한 다음 깨끗이 씻어 건진다.

② 가지는 2cm 길이로 토막내 나박썰기하고, 셀러리 · 피망도 같은 크기로 썬다. 토마토는 가로로 잘라 씨를 빼고, 적당한 크기로 썰고, 마늘은 얄팍하게 저민다.

③ 기름 두른 냄비에 마늘을 넣어 볶다가 조개와 백포도주 · 소금 · 물 3큰술을 넣고 뚜껑을 덮어 찐다.

④ 달군 팬에 가지 · 토마토 · 셀러리 · 피망을 넣고 재빨리 볶은 후, 찐 조개를 국물과 함께 넣어 섞고, 후춧가루 · 소금으로 간한다.

야외에서 즐겨도 좋은 매콤하고 달착지근한 맛

낙지 볶음

 재료 · 4인분

낙지 4마리 · 양파 2개 · 풋고추 3개 · 붉은고추 1개 · 파 1뿌리 · 식용유 3
큰술 · 소금, 후춧가루 약간씩 · 양념장(고춧가루 1큰술, 파 ½ 뿌리, 고추장 2큰
술, 마늘 2쪽, 생강 1쪽, 깨소금 2작은술, 참기름 1작은술)

 이렇게 준비하세요

1 낙지는 먹통과 내장을 떼고 소금을 뿌려 박박 주무른 다음 깨끗이
씻어 물기를 뺀다.
2 양파는 껍질을 벗겨 적당한 크기로 썰고, 풋고추와 붉은고추 · 파는
어슷하게 썬다.
3 물기를 뺀 낙지는 4~5cm 정도의 먹기 좋은 크기로 썬다.
4 파와 마늘 · 생강을 다져 고추장 · 고춧가루 · 깨소금 · 참기름을 섞
어 양념장을 만든다.

  이렇게 만들어요

5 그릇에 낙지와 양파 · 풋고추 · 붉은고추 · 파 등을 모두 넣은 다음
양념장을 넣어 맛이 잘 배어들도록 섞는다.
6 팬에 기름을 두르고 양념장에 버무려 둔 재료들을 넣
어 잘 저어 가며 볶는다.
낙지는 너무 오래 익히면 질겨지므로 맛이
어우러지면 소금 · 후춧가루로 조미하
여 재빨리 불을 끈다.

P O I N T

풋고추 · 붉은고추 · 파는 어슷하게 썰고, 양
파는 껍질을 벗겨 적당한 크기로 썬다.

파 · 마늘 · 생강과 고추장 · 고춧가루 · 깨소
금 · 참기름을 섞어 양념장을 만든다.

팬에 기름을 두르고 뜨겁게 달구어 재료들
을 넣어 잘 저어 가면 볶는다.

정력 식품, 낙지
산낙지는 사람의 기운을 보해
주는 정력 식품이라고들 믿는
다. 낙지의 다리에 붙은 동그란
흡반에 타우린이라는 성분이 들
어 있는데 바로 그것이 정력을 돋
우고 냉감증을 고쳐 준다고 한다.
또 콜레스테롤의 함량이 많아 참기
름에 무쳐서 먹으면 좋고, 싱싱한
것이라면 날로 먹는 것이 좋다.
낙지는 익히면 익힐수록 조직이 오
그라들어 볼품이 없어지고 질겨진
다. 따라서 낙지 볶음을 할 때는 물
이 많이 나와 질퍽해지지 않도록 먼
저 낙지를 살짝 데쳐서 양념해 볶는
것이 요령이다. 양념을 하지 않은 채 그
냥 볶을 때는 냄비나 프라이팬을 뜨겁게
달군 다음 강한 불에서 단시간에 볶아야 질
기지 않다.

253 Kcal

한여름에 시원하게 무쳐 먹으면 새콤달콤한 맛이 입맛을 당기는

오징어 도라지 생채

 재료 · 4인분

오징어 1마리 · 도라지 100g · 오이 1개 · 소금 약간 · 양념장(파 1뿌리, 마늘 3쪽, 고추장 1½큰술, 고춧가루 ½큰술, 설탕 1큰술, 깨소금 1큰술, 식초 2큰술)

 이렇게 준비하세요

1 오징어는 배를 갈라 내장을 빼고 껍질을 벗겨 깨끗이 씻은 다음 대각선으로 어슷어슷하게 칼집을 넣는다.

2 도라지는 소금을 뿌리고 주물러 숨을 죽인 다음 물에 헹구어 물기를 뺀다.

3 오이는 껍질째 소금으로 문질러 씻은 후 길게 반으로 갈라 어슷어슷 썬다. 어슷썰기한 오이에 소금을 약간 뿌려 두었다가 깨끗한 종이 타월에 싸서 물기를 꼭 짠다.

4 파 · 마늘은 깨끗이 손질하여 곱게 다진다.

이렇게 만들어요

5 칼집을 넣은 오징어를 한입에 먹기 좋은 크기로 썰어 끓는 물에 데쳐 낸다. 살짝 데쳐야 질기지 않다.

6 다진 파, 마늘과 고추장 · 고춧가루 · 설탕 · 깨소금 · 식초를 섞어 양념장을 만든다.

7 오징어와 도라지, 오이를 한데 담고 양념장을 넣어 골고루 버무려 섞는다.

POINT

오징어는 껍질을 벗겨 깨끗이 씻은 다음 대각선으로 어슷어슷하게 칼집을 넣는다.

오이는 소금에 절였다가 종이 타월에 싸서 물기를 꼭 짠다.

맛있는 볶음 요리의 포인트

볶음 요리의 가장 중요한 포인트는 센 불에서 단시간에 볶는 것이다. 약한 불에서 오랫동안 가열하면 재료에서 불필요한 물기가 나와 맛이 싱거워지고 영양분의 손실도 커진다. 그러므로 잘 익지 않는 재료는 미리 데치거나 튀겨서 볶도록 한다. 또 볶음 요리에 녹말가루를 풀어 넣으면 음식이 잘 식지 않고 먹음직스럽게 윤기가 흐른다. 또 불을 끄기 직전에 참기름 몇 방울을 떨어뜨리면 향긋하고 고소한 참기름의 맛이 요리와 잘 어우러지게 된다.

오징어 고추장 볶음

재료 · 4인분

오징어 2마리 · 양파 1개 · 당근 ½개 · 풋고추 2개 · 식용유 2큰술 · 양념장(파 1뿌리, 마늘 4쪽, 생강 1쪽, 고추장 2큰술, 진간장 1큰술, 깨소금 1큰술, 참기름 1큰술)

이렇게 만들어요

① 오징어는 배를 갈라 내장을 빼고 껍질을 벗겨 안쪽에 대각선 모양으로 칼집을 촘촘히 넣고 적당한 크기로 썬다.

② 양파는 굵직하게 채썰고 당근은 얄팍하게 반달썰기한다. 풋고추는 어슷어슷 썰어 씨를 털고 파 · 마늘 · 생강은 다진다.

③ 그릇에 다진 파 · 마늘 · 생강과 고추장 · 진간장 · 깨소금 · 참기름을 넣어 양념장을 만든 다음, 오징어에 양념장의 절반을 넣고 버무린다.

④ 팬에 기름을 두르고 달구어 양파와 당근을 볶다가 센 불에서 오징어와 풋고추를 넣고 함께 볶으면서 나머지 양념장을 넣는다.

159 Kcal

상큼하고 시원한 맛이 무더위를 싹 가시게 하는

생미역 오징어 초무침

재료 · 4인분

생미역 300g · 오징어 1마리 · 오이 1개 · 토마토 1개 · 레몬 $\frac{1}{2}$개 · 소금 적당량 · 초장(식초 2큰술, 진간장 1작은술, 설탕 1큰술, 소금 1작은술)

이렇게 준비하세요

1 생미역은 소금으로 주물러 물에 3, 4번 씻은 후 팔팔 끓는 물에 소금을 넣고 파랗게 데쳐서 찬물에 헹군 후 물기를 빼고 3cm 정도 길이로 썬다.
2 오징어는 다리와 머리를 떼고 배를 갈라 내장을 빼낸 후 껍질을 벗기고 몸통 안쪽에 사선으로 0.5cm 간격의 칼집을 넣고 다시 엇갈리게 한 번 더 사선으로 칼집을 넣는다.
3 오징어를 끓는 물에 살짝 데쳐서 먹기 좋게 썬다.
4 오이는 소금으로 비벼 씻은 다음 얄팍하게 통썰기하여 소금에 살짝 절여 두고, 토마토와 레몬도 적당한 크기로 썬다.

이렇게 만들어요

5 절인 오이는 종이 타월로 싸서 꼭 짠다.
6 정량의 식초에 물 1큰술을 넣고 진간장 · 소금 · 설탕을 넣어 초장을 만든다.
7 준비된 생미역 · 오징어 · 오이를 넣고 초장으로 잘 무쳐 차게 식힌 그릇에 담고 토마토와 레몬을 곁들인다.

POINT

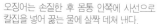

오징어는 손질한 후 몸통 안쪽에 사선으로 칼집을 넣어 끓는 물에 살짝 데쳐 낸다.

식초에 정량의 진간장 · 소금 · 설탕을 섞어 초장을 만들어 재료를 넣고 무친다.

오징어 링 튀김

재료 · 2인분
물오징어 1마리 · 피망 1개 · 당근 $\frac{1}{2}$개 · 양파 $\frac{1}{2}$개 · 달걀 2개 · 밀가루 $\frac{1}{2}$컵 · 빵가루 1컵 · 식용유 3컵 · 소금 약간

이렇게 만들어요
① 오징어는 다리를 잡아당겨 내장을 빼낸 후 배를 가르지 말고 통째 1cm 폭의 고리 모양으로 썬다. 피망은 통썰기해 씨를 빼고 양파는 고리 모양으로 1cm 두께로 썰고 당근도 얄팍하게 썬다.
② 달걀은 소금을 약간 넣어 흰자와 노른자가 잘 섞이도록 충분히 젓는다.
③ 재료에 밀가루를 얇게 묻히고 달걀 · 빵가루 순으로 옷을 입혀 손으로 꼭꼭 눌러 떨어지지 않게 한다.
④ 중온으로 가열한 기름에 노릇하게 튀겨 낸다.

91 Kcal

비타민과 미네랄이 풍부한 굴을 치즈와 볶아 독특한 풍미를 살린

굴 치즈 볶음

 재료 · 4인분

굴 400g · 치즈 3장 · 달걀흰자 2개분 · 빵가루 ½컵 · 버터 1큰술 · 파슬리
1줄기 · 소금, 후춧가루 적당량씩

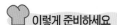 **이렇게 준비하세요**

1 굴은 크고 싱싱한 것으로 골라 연한 소금물에 흔들어 씻어서 껍데기
를 가려 낸 다음 다시 한 번 깨끗이 씻어 소쿠리에 건져 물기를 뺀다.
2 치즈는 얄팍하게 썰어진 것으로 준비하여 잘게 다지고, 파슬리도 다
진다.
3 달걀은 조심스럽게 깨뜨려 흰자만 거품기로 세게 저어 거품을 낸다.

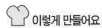 **이렇게 만들어요**

4 건져 놓은 굴의 물기가 빠지면 소금과 후춧가루를 뿌려 고루 섞은
다음 달걀흰자 거품을 부어 가볍게 뒤섞는다.
5 흰자를 섞은 굴에 적당량의 빵가루를 넣고 버무리듯 다시 한 번 섞
는다.
6 프라이팬에 버터를 두르고 준비된 굴을 넣어 센 불에서 재빨리 볶는
다. 굴을 너무 오래 익히면 흐물흐물해지므로 불 조절에 유의해 빠른
시간 안에 볶는다. 굴이 알맞게 볶아지면 다진 치즈를 흩뿌려 넣고, 치
즈가 녹기 시작하면 불을 끄고 내린다.
7 오목한 그릇에 상추를 깔고 굴 치즈 볶은 것을 소복하게 담은 후 다
진 치즈와 파슬리를 솔솔 뿌린다.

바지락조개 와인 찜

재료 · 2인분
바지락조개 300g · 마늘 2쪽 · 파슬리
1줄기 · 백포도주 2큰술 · 버터 (또는
식용유) 2큰술 · 소금 약간

이렇게 만들어요
① 바지락조개는 소금물에 담가 해감
을 토하게 한 다음, 다시 소금물에 넣
고 박박 문질러 씻어서 맑은 물에 2, 3번 헹군다.
② 마늘은 곱게 다지고, 파슬리는 잎만 다져 거즈에 싼 후 찬물에 씻어 물기를 꼭
짜 둔다.
③ 냄비에 버터나 식물성 기름을 두르고 달군 다음, 다진 마늘을 넣어 재빨리 볶
는다. 조개의 물기를 빼서 넣고 마늘과 잘 섞이도록 저어 주면서 잠깐 더 볶다가
뚜껑을 덮고 센 불에서 찌기 시작한다. 찔 때 바지락조개에서 물이 나오므로 따로
물을 넣지 않는다.
④ 조개의 입이 벌어지면 불을 끄고 뚜껑을 열어 백포도주를 넣고 뒤섞는다.
⑤ 다진 파슬리를 넣고 소금으로 간을 한 다음 접시에 가지런히 담아 낸다.

167Kcal

POINT

굴은 소금과 후춧가루로 간을 한 다음 달걀
흰자 거품과 빵가루 순서로 넣어 버무리듯
이 반죽한다.

굴은 너무 오래 익히면 흐물흐물해지고 단
맛이 사라지므로 센 불에서 빨리 볶아 내고
치즈는 불을 끈 다음에 넣어도 된다.

신선한 굴을 소스에 살짝 조려 새콤한 맛을 더한

굴 케첩 조림

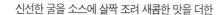

재료 · 4인분

굴 250g · 피망 2개 · 양상추 ½포기 · 달걀 1개 · 식용유 2큰술 · 버터 2큰술 · 생강 1쪽 · 토마토 케첩 3큰술 · 우스터 소스 1큰술 · 소금, 후춧가루, 설탕 약간씩

이렇게 만들어요

1 굴은 신선한 것으로 준비하여 소금물에 흔들어 씻은 다음 체에 밭쳐 물기를 뺀다.

2 생강은 즙을 내어 달걀 · 소금과 함께 굴에 넣고 잘 버무린 다음 10분 정도 잰다.

3 양상추는 굵게 채썰어 찬물에 담갔다가 건지고 피망은 0.5㎝ 폭으로 길게 썬다.

4 프라이팬에 버터와 식용유를 섞어서 두르고 재어 두었던 굴을 넣어 노릇노릇하게 지진다. 굴이 알맞게 지져지면 토마토 케첩과 우스터 소스, 설탕을 섞어서 골고루 뿌리고 잠깐 동안 조린다.

5 다른 프라이팬에 기름을 두르고 뜨거워지면 양상추와 피망을 넣어 살짝 볶은 다음 소금과 후춧가루로 조미하여 굴과 함께 담아 낸다.

163 Kcal

살짝 데쳐 양념장을 끼얹어 낸 쫄깃쫄깃한

꼬막 무침

재료 · 4인분

꼬막 600g · 소금 약간 · 양념장(풋고추 2개, 붉은고추 2개, 실파 2뿌리, 마늘 4쪽, 생강 1쪽, 설탕 2작은술, 깨소금 1큰술, 참기름 1큰술, 진간장 2큰술)

이렇게 만들어요

1 꼬막은 껍데기째 박박 문질러 씻은 다음 엷은 소금물에 담가 해감을 토하게 한다.

2 풋고추, 붉은고추는 길게 반으로 갈라 씨를 털어 낸 다음 잘게 썬다.

3 실파 · 마늘은 곱게 다지고, 생강은 강판에 갈아 즙을 낸다.

4 냄비에 물을 붓고 팔팔 끓으면 준비한 꼬막을 넣어 입이 벌어질 때까지 삶은 다음 건져서 한 쪽 껍데기만 떼어 내어 접시에 가지런히 담는다. 국물은 체에 밭쳐 식힌다.

5 진간장에 꼬막 삶은 국물(3큰술)과 풋고추 · 붉은고추 · 실파 · 마늘을 넣고 생강즙 · 설탕 · 깨소금 · 참기름을 섞어 양념장을 만들어 꼬막 위에 끼얹어 낸다.

86 Kcal

어린이들이 특히 좋아하는 새우로 만든 고소한 반찬

새우 케첩 볶음

재료 · 4인분

새우 400g · 밀가루 6큰술 · 진간장 1큰술 · 청주 1큰술 · 참기름 약간 · 소금 약간 · 식용유 3컵 · 녹말가루 1큰술 · 소스(토마토 케첩 2큰술, 파 ½ 뿌리, 마늘 2쪽, 생강 1쪽, 육수 ½컵, 청주 · 소금 약간씩, 설탕 1작은술, 식용유 1큰술)

이렇게 준비하세요

1 새우는 연한 소금물에 담가 깨끗이 씻은 다음 머리와 꼬리 끝부분을 잘라 내고 꼬리의 2, 3마디를 남긴 채 껍질을 벗긴다.

2 대꼬챙이로 새우의 등 쪽에 있는 내장을 제거한 다음 물에 깨끗이 씻어 물기를 빼고 진간장과 청주를 넣어 5분 정도 재어 놓는다.

3 파 · 마늘 · 생강은 곱게 다진다.

이렇게 만들어요

4 새우에 밀가루를 골고루 입힌다.

5 튀김 냄비에 기름을 넣고 중온으로 가열하여 밀가루를 입힌 새우를 넣어 재빨리 튀겨 낸다.

6 두터운 냄비에 식용유를 두른 다음 다진 생강 · 파 · 마늘을 넣어 향이 나도록 볶다가 토마토 케첩 · 육수 · 설탕 · 소금 · 청주를 넣어 잘 섞어 놓는다.

7 소스에 튀긴 새우를 모두 넣고 저은 다음 다시 끓기 시작하면 물에 녹말을 풀어 넣으면서 나무주걱으로 젓는다. 걸쭉하게 된 소스와 새우가 엉겨 먹음직스럽게 윤기가 나면 참기름을 넣어 뒤섞는다.

POINT

새우는 연한 소금물에 담가 머리와 꼬리 끝부분을 잘라 내고 등 쪽의 내장을 빼낸다. **1**

새우에 밀가루를 골고루 묻혀서 기름에 튀긴 다음 소스를 만들어 버무린다. **4**

새우 손질하기

새우는 조리 전에 손질을 잘 해야 먹기에도 좋고 깨끗하다. 손질할 때는 먼저 내장을 빼낸다. 등을 구부려 껍질의 두세 마디쯤 되는 곳에 이쑤시개를 넣어 중앙의 얇은 검은색 줄을 뜨는 기분으로 살짝 위로 잡아당기면 된다. 다음에 머리를 떼고, 윗마디부터 껍질을 벗긴다. 그러나 꼬리 쪽의 마지막 마디는 벗기지 않아야 꼬리가 빠지지 않고 붙어 있게 되며, 전이나 튀김을 할 때 모양이 예쁘다.

새우 튀김

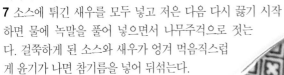

새우 튀김을 할 때는 가운데의 뾰족한 삼각 꼬리에 물주머니가 들어 있으므로 그 부분을 끊어 내야 튀김할 때 튀지 않는다. 새우 튀김옷은 그릇에 달걀을 깨뜨려 소금 · 후춧가루를 넣고 잘 풀어서 만든다. 좀더 바삭바삭한 맛을 내려면 녹말가루를 입히면 된다. 녹말가루나 밀가루를 입힌 새우는 달걀에 담갔다가 빵가루를 골고루 묻힌 다음 중온 정도의 기름에 튀겨 낸다. 냉동 새우는 언 상태에서 그대로 조리하는 것이 좋다.

215 Kcal

성인병 예방과 미용식으로 인기 있는 미역으로 만든

미역 피조개 초무침

 재료 · 4인분

마른 미역 20g · 피조개 4개 · 붉은고추 1개 · 청주 약간 · 소금 약간 · 초간장(마늘 4쪽, 진간장 2큰술, 설탕 1큰술, 식초 1큰술, 레몬 ¼개, 실파 1뿌리)

 이렇게 만들어요

1 마른 미역은 물에 충분히 불려 주물러 씻은 다음, 끓는 물에 잠깐 데쳤다가 찬물에 헹구어 적당한 길이로 썬다.
2 피조개는 살을 발라 내어 손질한 다음 소금물에 씻어 적당히 저며 썰어 끓는 물에 청주를 넣고 데쳐 낸다.
3 붉은고추는 송송 썰어 씨를 털어 내고 레몬은 즙을 낸다.
4 실파는 가늘게 썰고, 마늘은 곱게 다져 진간장 · 설탕 · 식초 · 레몬즙을 섞어 초간장을 만든다.
5 그릇에 미역 · 피조개 · 붉은고추를 담고, 초간장으로 버무려 무친다.

 미역을 맛있게 조리하려면

미역에는 다른 양념 맛이 잘 배어들지 않으므로 별도의 조리 과정 없이 양념장을 곁들여 먹는 것도 좋다. 그냥 먹을 때는 끓는 물에 소금을 넣어 파랗게 살짝 데쳐 낸 후 재빨리 헹구어 건져 물기를 뺀다. 무칠 때는 무치기 전에 미리 식초를 뿌려 두면 양념 맛이 잘 배어들고 더 싱싱해 보인다.

82 Kcal

칼슘과 요오드 섭취가 필요한 어린이와 임산부에게 좋은

미역 곤약 조림

 재료 · 4인분

마른 미역 10g · 곤약 1모 · 은행 20알 · 붉은고추 1개 · 식용유 2큰술 · 진간장 2큰술 · 설탕 1큰술 · 청주 1큰술

 이렇게 만들어요

1 마른 미역은 물에 불린 다음 깨끗이 씻어서 적당한 길이로 썰어 놓는다.
2 곤약은 끓는 물에 데쳐 5㎝ 크기로 골패썰기한 다음, 가운데 칼집을 넣고 위아래를 꼬아 모양을 낸다.
3 붉은고추는 깨끗이 씻어 꼭지를 따고 통째로 굵게 어슷어슷 썬다.
4 프라이팬에 은행을 굴리면서 볶은 다음 마른 행주로 비벼 껍질을 벗긴다.
5 냄비에 식용유를 두르고 미역과 곤약을 넣어 볶다가 물(4큰술) · 진간장 · 설탕 · 청주와 은행 · 붉은고추를 넣고 뭉근한 불에서 조린다.

170 Kcal

미역 야채 튀김

재료 · 1인분

미역 10g · 감자 1개 · 당근 $\frac{1}{2}$개 · 밀가루 $\frac{1}{2}$컵 · 달걀 1개 · 식용유 3컵 · 소금 약간

이렇게 준비하세요

1 감자와 당근은 깨끗이 씻어 껍질을 벗긴 다음 적당한 크기로 채썬다. 채썬 감자는 잠깐 동안 물에 담갔다가 건진다.

2 미역은 물에 충분히 불린 후 건져 내어 2, 3차례 헹군 다음 물기를 짜고 먹기 좋은 크기로 채썬다.

3 당근은 껍질을 벗겨 채썰어 끓는 소금물에 넣어 살짝 데쳐 건진다.

이렇게 만들어요

4 큰 그릇에 미역 · 감자 · 당근을 담고 밀가루를 조금씩 솔솔 뿌려 가며 골고루 섞이도록 주걱으로 저어 준다. 이렇게 해야 물기 많은 재료들에 튀김옷이 잘 입혀지고 재료들이 서로 붙어 깨끗하게 튀겨진다.

5 달걀을 풀어서 남은 밀가루와 섞고 소금으로 간을 맞추어 튀김옷을 만든 다음, 밀가루에 버무린 재료들을 넣고 섞는다.

6 튀김 냄비에 기름을 부은 다음 중온으로 가열하여 튀김 재료를 젓가락으로 떼어서 넣고 바삭바삭하게 튀겨 낸다.

7 튀김의 기름을 빼고 따뜻할 때 초간장과 함께 상에 낸다.

미역의 영양가

미역에는 마른 미역과 생미역이 있는데, 봄 · 초여름에 나는 생미역이 가장 맛있다. 분유와 맞먹을 만큼 많은 양의 칼슘이 들어 있어 임산부나 아이들에게 꼭 필요한 영양 식품이며, 자궁 수축과 지혈에도 효과가 있어 산후 몸조리에도 좋다. 또 강한 알칼리성 식품으로 고기 · 생선 등과 함께 먹으면 몸 속의 산성 농도를 조절해 주기도 한다.

281 Kcal

미역 줄기 볶음

미역 줄기는 염장된 것으로 준비해 냉수에 씻어 약한 소금물에 담갔다 건져 주물러 씻는다. 물기를 빼고 5cm 길이로 자른 다음 냄비에 기름을 두르고 달구어 미역 줄기를 넣고 충분히 볶는다. 채썬 붉은고추, 다진 파 · 마늘 · 고춧가루 · 간장을 넣고 볶다가 맨 마지막에 참기름 · 깨소금을 넣는다. 미역과 다시마는 티없이 이 다듬어 기름에 바삭하게 볶은 다음, 그릇에 쏟아 뜨거울 때 설탕과 깨소금을 뿌려 섞어도 좋다. 미역을 요리할 때는 파는 조금, 마늘은 많이 넣도록 한다.

POINT

물에 불려 2, 3차례 헹군 미역은 물기를 빼고 주물러 씻어 끈끈함을 없앤 다음 적당한 크기로 채썬다.

튀김옷은 약간 묽게 반죽해 미역과 야채을 버무린 다음 젓가락으로 적당히 떼어 튀긴다.

고기 반찬

쫄깃쫄깃 씹히는 맛과 향기가 좋은
고기 반찬, 부위별로 쓰임새가 달라요

🍗 쇠고기

쇠고기는 참기름, 야채와 함께 먹는다
쇠고기에는 동물 성장에 필요한 필수 아미노
산과 고급 포화 지방산이 풍부하다. 포화 지방
산은 소화율이 떨어지는데 참기름과 같은 필
수 지방산이 소화를 돕는다. 또 쇠고기는 산성
식품이므로 채소와 함께 먹어야 영양의 밸런
스를 맞출 수 있다.

신선한 쇠고기 한눈에 알아보기
· 고기의 색깔이 선홍색인 것
· 절단면의 결이 곱고 광택이 있는 것
· 지방 색깔이 새하얗거나 우윳빛을 띠는 것
· 로스 구이용은 지방층이 가는 것

쇠고기 조리 포인트
· 질긴 고기에는 식초를 뿌린다
고기 양념으로 쓰이는 설탕 · 배즙 · 생강즙 ·

술은 육질을 연하게 한다. 또 질긴 고기는 조
리하기 1, 2시간 전에 식초를 뿌려 두거나 빈
병, 고기 망치로 두드렸다가 조리하면 부드러
워진다.
· **누린내를 없애려면 양파즙에 잰다**
양파즙과 술은 고기 특유의 누린내를 없애 준
다. 또 간장에 재우면 장맛이 배어 누린내가
덜 난다.
· **튀김용 쇠고기는 얼렸다 사용한다**
튀김용 쇠고기는 냉동실에서 꺼낸 즉시 튀기
는 것이 훨씬 바삭바삭하고 맛있다.
· **고기를 썰 때는 섬유결과 직각이 되게 썬다**
고기결과 평행이 되게 썰면 질기게 느껴지고
가열했을 때 섬유가 수축되어 고기 모양이 변
하기 쉬우므로 고깃결과 직각으로 썬다.
· **구이를 할 때 너무 자주 뒤집으면 맛이 없다**
스테이크 조리시 육즙이 나올 때 뒤집고 다시
육즙이 나오면 그 때가 알맞게 구워진 상태다.
불고기도 너무 자주 뒤집지 않도록 한다.
· **오래 끓이는 요리는 표면을 잘 볶는다**
스튜, 카레 등 오래 끓이는 요리는 먼저 기름
에 볶은 다음 끓여서 고기의 좋은 맛이 흘러나
오는 것을 막는다.
· **장조림은 끓는 물에 넣어서 익힌다**
장조림은 물이 팔팔 끓을 때 고기를 넣어 익힌
후 간장을 넣어 조린다. 찬물에 넣어 끓이면
맛이 물에 우러나 고기 맛이 덜하다.
· **쇠고기찜은 간을 2회에 걸쳐서 한다**
처음에는 양념 분량의 ⅓ 정도만 넣고 물을 부
어 익히다가 남은 간을 하면 간도 잘 맞고 윤
기가 돌아서 좋다.

· **소금 · 후추는 조리하기 직전에 넣는다**
고기의 단백질 성분 중에는 소금물에 녹는 것
이 있다. 소금과 후추는 조리 직전에 넣어야
쇠고기의 좋은 맛이 빠져 나오지 않게 된다.
· **녹인 수입 쇠고기는 다시 얼리지 않는다**
수입 쇠고기를 맛있게 조리하려면 조리 전에
찬물이나 냉장고에서 서서히 녹이고, 녹인 고
기는 다시 얼리지 않아야 한다. 또 구이나 전
골에 넣을 때는 한우보다 양념을 많이 넣어야
맛있다.

🍳 CHECK CHECK

부위에 따라 조리 방법이 달라요…쇠고기
· **우둔살 · 홍두깨살 · 업진육** 지방과 살코기가 층을 이룬
붉은 살 부위. 구이나 스테이크, 포 등에 적당하다.
· **어깨살 · 양지육 · 사태** 근육으로 이루어져 있어 육질이
질긴 편이고 편육 · 탕 · 조림 등에 알맞은 부위다.
· **등심 · 안심 · 갈비 · 채끝살** 부드러운 살코기로 된 이
부위는 쇠고기 중에서 값이 가장 비싸다. 찜 · 전골 · 볶
음 · 구이 등에 많이 이용된다.
· **대접살** 기름기가 없는 넓적다리 안쪽살이다. 장조림 ·
육회 · 산적 등에 이용된다.

🍖 돼지고기

돼지고기는 우수한 에너지원
사람의 뇌신경은 60%의 지방으로 이루어져
있는데 그 일부를 이루는 것이 리놀산이다. 돼
지고기는 리놀산의 함량이 4.1%인 쇠고기에
비해 20%로 더 많은 리놀산을 섭취할 수 있
다. 또한 지방 함량이 높기 때문에 우수한 에
너지원이 되며 다른 육류에 비해 비타민 B_1과
비타민 B_2가 풍부하다.

육류 보관하기

공기와 완전히 차단시켜 보관한다
구입한 고기는 공기와 닿지 않도록 랩으로 밀착시켜
싸고 다시 밀폐 용기에
담아 냉장고의 냉동실에
보관시켜야 한다. 또한
고기는 공기와 닿는 면
적이 클수록 산화 작용
을 받아 쉽게 상한다. 따
라서 다진 고기, 얇게 썬
고기, 깍둑썰기한 고기,

얇게 썬 고기는 공기와의 접촉
면적이 커서 쉽게 상한다.

도톰하게 썬 고기, 덩어리 고기의 순서로 보존성이 높
아진다. 그러므로 갈거나 다진 고기는 익혀서 냉동시
키거나 랩으로 완전히 싸서 공기를 빼고 다시 밀폐 용
기에 담아서 냉동시켜 보관해야 한다.

1회용으로 나누어서 보관한다
고기를 보관할 때는 한
번씩 쓸 분량만큼 나누어
서 포장해 냉동시켜 둔
다. 이렇게 해두면 필요
한 만큼만 녹여서 사용
하기에 편리하다.

쇠고기는 일회용씩 랩에 싸고
밀폐용기에 담아 보관한다.

반조리 상태에서 보존한다
육류는 반조리한 상태로 냉동시킬 수가 있다. 간장으
로 간을 하고 갖은 양념하여 조리든지 햄버거 · 커틀
릿 등으로 만들어 냉동시켜 두면 맛도 유지되고 보존
성도 높아진다.

반 조리 상태로 냉동시키면 필요
시 쉽게 조리할 수 있다.

신선한 돼지고기 한눈에 알아보기

· 고기의 색깔, 지방질, 고깃결이 포인트. 색이 곱고 엷으며 윤이 나는 분홍색이 좋다. 색이 지나치게 짙거나 누런 것은 오래된 것이므로 피해야 한다.

· 지방질 부분은 윤이 나는 흰색으로 썰 때 적당한 끈기가 느껴져야 한다. 또한 쇠고기처럼 살코기 안에 조그맣게 지방질이 박혀 있는 것은 품질이 좋지 않은 것이다.

돼지고기 제맛나게 굽기

돼지고기의 살점은 되도록이면 얇게 썬다. 프라이팬을 뜨겁게 달구고 불을 강하게 하여 재빨리 구워 낸다. 이처럼 빨리 속까지 완전히 익혀야 돼지고기의 제맛이 난다.

돼지고기 조리 포인트

· **지방이 있어야 맛이 훨씬 부드럽다**
돼지고기는 쇠고기와 달리 지방층이 살코기 사이사이에 끼어 있지 않기 때문에 지방을 모두 떼내고 조리하면 오히려 맛이 없다. 지방이 많으면 제거하되 일부는 남겨서 돼지고기 특유의 부드러운 맛을 즐긴다.

· **철판을 뜨겁게 미리 달군 다음 굽는다**
고기를 굽는 도중에 육즙이 흘러 나오면 고기의 맛있는 성분도 함께 빠져 나온다. 따라서 미리 철판을 뜨겁게 달궈 고기를 올린 다음 표면이 빨리 익도록 고기를 누르면 육즙이 흘러 나오지 않아 맛있게 구워진다.

· **속까지 익혀서 기생충을 없앤다**
다른 육류에 비해 기생충 감염 정도가 심한 돼

지고기는 1㎝ 이하로 얇게 썰어 완전히 익혀 먹는다.

· **양념과 향신료를 충분히 넣는다**
돼지고기 요리의 포인트는 뭐니뭐니해도 특유의 누린내를 없애는 것이다. 돼지고기의 냄새를 없애려면 술·생강·후춧가루 등의 향신료나 고추장·고춧가루 등 진한 맛의 양념을 하면 효과적이다.

· **쇠고기와 섞어 먹으면 맛이 좋다**
갈아서 먹기 좋은 돼지고기의 부위는 어깨, 목 그리고 다리 살이다. 여기에 다진 쇠고기를 함께 섞어서 조리하면 깔끔한 쇠고기 맛과 돼지고기의 고소함이 더해져 한층 풍미가 있다. 섞은 쇠고기와 돼지고기는 고기완자·만두속·햄버거·고기 소스 등에 넣는다.

🍗 닭고기

닭고기의 영양

· **단백질 함량이 높고 값이 저렴하다**
닭고기는 다른 육류 못지않은 높은 단백질 함량과 저렴한 가격으로 일상 생활에서 손쉽게 구해서 여러 가지 다양한 조리법으로 즐길 수 있는 육류이다. 돼지고기나 쇠고기에 비해 섬유가 가늘고 연할 뿐 아니라 쇠고기보다 메티오닌을 비롯한 필수 아미노산 함량이 더 높다.

· **손질하기 간편하다**
껍질·살·기름의 구분이 확실하기 때문에 조리시 필요없는 부분을 손질해 내기 간편하다.

· **부위별 육질의 맛과 색깔이 다르다**
닭고기는 부위에 따라서 색깔과 맛이 다르다. 가슴 부분은 지방이 적은 흰살 부위로 맛이 담백하다. 따라서 푹 익히는 요리나 중국 요리에 많이 이용된다. 다리는 살이 붉고 육질이 좀 단단하지만 맛이 제일 좋은 상품으로 통구이나 바비큐에 적당하다. 또한 날개나 닭다리에는 콜라겐이 많아 피부의 노화를 예방한다. 날개살은 살코기 부분이 적긴 하지만 독특한 맛이 있어 조림이나 튀김에 많이 이용된다.

닭고기에 관한 오해 한 가지

실제 닭고기에는 다른 육류에 비해 포화 지방산이 적고 콜레스테롤의 양도 그다지 많지 않다. 단, 쇠고기나 돼지고기에 비해 무기질과 비타민이 부족하므로 채소나 해조류를 함께 먹어 부족한 영양소를 섭취하도록 한다.

닭고기 손질 요령

닭고기를 통째로 하여 백숙이나 삼계탕을 할 때는 다리와 몸을 무명실로 묶어 고정시키고 조리한다.

오븐 구이나 프라이팬 구이를 할 때는 간이 잘 배어들도록 포크로 찌르고 밑간을 한다.

닭으로 양념 구이를 할 때는 우선 살짝 구워 설익힌 다음 양념을 발라 다시 구워야 맛있다.

고기류에 관한 몇 가지 상식

· **냉동된 고기 해동시키기**
1 냉동한 고기를 해동시키는 가장 좋은 방법은 냉장실에서 서서히 해동시키는 것으로 반해동 상태까지 3~4시간 정도면 알맞다.
2 여러 장의 신문지에 고기를 돌돌 말아서 녹을 때까지 상온에 놓아 둔다.

· **효과적인 고기 보관법**
1 모든 육류는 얇게 저며진 채로 보관하는 것보다 덩어리째 보관하는 편이 좋다.
2 다음 조리시 시간 절약을 위해 한 번 쓰일 분량씩 나누어 비닐 봉지나 랩에 싸서 냉동실에 보관한다.
3 냉장실에 보관할 경우 돼지고기는 3일, 쇠고기는 4일 정도이다. 썰어서 보관할 경우 불에 약간 그을려 보관하면 좀더 오래 보관가능하다. 두껍게 썬 고기의 경우 소금·후추 등을 뿌린 후 보관하는 것이 좋다.
4 샐러드유나 방부성이 있는 마요네즈를 고기 표면에 발라 두면 신선하게 보관할 수 있다.

· **냉동된 육류의 보관 기간**

식품명		냉장(3~6℃)	냉동(-12~-18℃)
쇠고기	썰은 것	3일	4~6개월
	덩어리	5일	12개월
돼지고기	썰은 것	2일	2~4개월
	덩어리	4일	6개월
닭고기		3일	1~3개월

🧑‍🍳 CHECK CHECK

부위에 따라 조리방법이 달라요…돼지고기

어깨살 지방질이 적고 살코기가 많은 부위. 찌개·수프 등 끓이는 요리에 좋으며 장조림에도 쓰인다.

허리 아주 부드러운 부분으로 앞쪽인 등심은 안심과 함께 맛있는 부위로 통한다. 뒤쪽인 방아살은 육질이 연해 구이용으로 많이 이용된다.

앞다리 육질이 질기고 냄새가 나기 때문에 향신료를 많이 넣고 오래 끓여 조림이나 튀김·탕·수프로 적당.

삼겹살 삼겹살은 지방이 많고 고깃결은 거친 편이나 질기지 않다. 지방층이 두꺼워 지방 함유량이 제일 높은 부위. 갈비는 지방과 살코기가 층을 이루고 있다.

다리 콜라겐이나 에라스틴 등의 단백질 성분이 많기 때문에 장시간 가열로 결합조직을 젤라틴화시켜 요리한다. 주로 잔칫상에 자주 올려지는 부위다.

소스와 야채를 곁들여 달콤새콤하게 맛을 낸

쇠고기 케첩 구이

재료 · 4인분

쇠고기 300g · 당근 ½개 · 양파 1개 · 피망 1개 · 마늘 5쪽 · 식용유 2큰술 · 쇠고기 양념(토마토 케첩 2큰술, 진간장 1큰술, 후춧가루 약간, 청주 1큰술, 참기름 1큰술, 식용유 1큰술, 녹말가루 2큰술)

이렇게 준비하세요

1 당근은 4cm 길이로 골패썰기하고, 양파와 피망은 굵게 채썰고, 마늘은 얄팍하게 썬다.
2 쇠고기는 살코기로 골라 저민 후 한입 크기로 썰어 정량의 토마토 케첩 · 진간장 · 청주 · 후춧가루로 밑간한다.

이렇게 만들어요

3 밑간한 쇠고기에 참기름과 식용유를 넣고 고루 섞은 다음 녹말가루를 뿌려 잘 버무린다.
4 버무린 쇠고기에 채썬 양파와 당근, 얇게 썬 마늘을 넣고 섞어 30분 정도 재어 둔다.
5 프라이팬에 식용유를 두르고 뜨겁게 달구어지면 재어 둔 쇠고기를 넣어 볶다가 쇠고기와 야채가 거의 익으면 피망을 넣고 볶는다.

육류 요리 포인트는 밑간

볶음 요리를 할 때 고기류는 미리 간을 하여 잠시 재었다가 조리하는 것이 좋다. 쇠고기 야채 볶음과 같이 고기와 채소류를 섞어 볶을 때 고기는 미리 양념해 두고, 채소를 먼저 재빨리 볶는다. 볶은 채소는 일단 꺼내고 고기를 넣어 볶다가 익으면 채소를 다시 넣고 잠시 더 볶는다.

POINT

당근은 골패 모양으로 썰고, 양파와 피망은 채썰고 쇠고기와 마늘은 얇게 저며 놓는다.

쇠고기에 토마토 케첩 · 진간장 · 청주 · 후춧가루 등으로 밑간을 한다.

밑간이 된 쇠고기에 참기름과 식용유, 녹말가루를 넣어서 양념을 걸쭉하게 만든다.

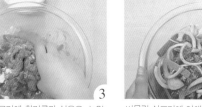

버무린 쇠고기에 야채를 넣고 잘 섞은 다음 30분 정도 재어 둔다.

프라이팬에 기름을 두르고 달구어 재어 둔 고기와 야채를 넣고 볶는다.

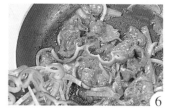

푸른잎 채소인 피망은 미리 볶으면 누런 빛이 나므로 맨 나중에 넣고 볶는다.

250 Kcal

덜 익은 듯하게 살짝 구워 먹으면 훨씬 연하고 맛있는

불 고 기

 재료 · 4인분

쇠고기 600g · 배 ⅓개 · 식용유 적당량 · 잣 1큰술 · 양념장(파 1뿌리, 마늘 2쪽, 진간장 5큰술, 설탕 2큰술, 참기름 1큰술, 깨소금 2큰술, 후춧가루 적당량)

 이렇게 준비하세요

1 쇠고기는 안심이나 등심 부위의 살코기로 준비하여 결 반대 방향으로 도톰하게 저며 썬 다음 앞뒤로 칼집을 잘게 넣는다.

2 배는 껍질을 벗긴 다음 강판에 곱게 갈아서 배즙을 내놓는다.

3 칼집 넣은 고기에 배즙을 골고루 넣어 고기에 잘 배어들도록 30분 정도 잰다. 쇠고기는 배즙에 재어 두면 고기가 연해지고 더 맛이 있다.

4 파는 껍질을 말끔히 벗긴 다음 곱게 다지고, 마늘도 깨끗이 다듬어 잘게 다진다. 잣은 곱게 가루를 낸다.

5 다진 파와 마늘에 진간장 · 설탕 · 참기름 · 깨소금 · 후춧가루를 모두 넣어 잘 섞어서 고기를 무칠 양념장을 준비해 놓는다.

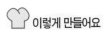 **이렇게 만들어요**

6 배즙에 재어 두었던 고기는 각각 하나씩 양념장에 넣은 다음 앞뒤로 뒤집어 양념이 골고루 묻도록 한다. 한 번씩 양념장에 담갔던 고기는 다시 같은 그릇에 함께 모아 손으로 몇 번 주무른 다음 간이 잘 배어들고 맛이 들도록 잠시 그대로 둔다.

7 프라이팬에 기름을 약간 두르고 뜨겁게 달군 다음 고기를 얹어 센 불에서 재빨리 구워 낸다. 석쇠를 이용해도 좋다.

8 고기가 연한 갈색으로 먹음직스럽게 익으면 꺼내어 큰 것은 한입 크기로 잘라 접시에 가지런히 담고, 위에 잣가루를 솔솔 뿌린다.

POINT

쇠고기는 살코기로 준비해 결 반대 방향으로 저며 썬 다음 칼집을 잘게 넣는다.

배를 강판에 갈아 즙을 내어 칼집 넣은 고기에 넣어 재어 둔다.

양념장을 만들어 배즙에 재어 두었던 고기에 골고루 묻힌 후 주물러 간이 배게 한다.

프라이팬에 기름을 두르고 뜨겁게 달군 다음 고기를 얹어 센 불에서 빨리 구워 낸다.

302 Kcal

 불고기감은 도톰하게 썬다

불고기를 할 때 고기를 너무 얇게 썰면 조리 도중 고기가 찢어져 모양이 망가지기 쉽다. 따라서 불고기감은 약간 도톰하게 썰어 잔 칼집을 넣어 양념해 구우면 모양새가 반듯하다. 또 한꺼번에 많은 양을 팬에 넣어 굽지 말고 한 장씩 펴서 겹치지 않도록 놓은 후 센 불에서 재빨리 익혀야 맛있다.

철판구이

537Kcal

재료 · 4인분

쇠고기 300g · 감자 2개 · 고구마 1개 · 피망 1개 · 양파 1개 · 붉은 피망 1개 · 바나나 1개 · 파인애플 4쪽 · 건살구 8개 · 프렌치 빵 ⅓개 · 피자 치즈 50g · 브로콜리 100g · 통후추 1큰술 · 소금 약간 · 우스터 소스 3큰술 · 레몬즙 1작은술 · 식용유 적당량

이렇게 준비하세요

1 쇠고기는 안심으로 준비하여 0.5cm 두께로 도톰하게 저며 썬 다음 소금을 뿌리고 통후추를 박아 놓는다.

2 감자는 껍질을 말끔히 벗기고, 고구마는 깨끗이 씻어서 각각 삶는다. 브로콜리는 줄기를 나누어 끓는 소금물에 넣고 잠깐 데친다.

3 프렌치 빵은 0.5cm 두께로 썰고, 피자 치즈는 프렌치 빵의 크기에 맞추어 얇게 썬다. 건살구도 마른 헝겊으로 깨끗이 닦아 놓는다.

4 바나나는 껍질을 벗겨 한입 크기로 썰고, 파인애플은 통조림으로 준비한다.

5 양파는 껍질을 벗겨서 통썰기하고, 피망과 붉은 피망은 씨를 털어 낸 다음 양파와 같이 통썰기한다.

이렇게 만들어요

6 삶은 감자와 고구마는 물기를 뺀 후 도톰하게 통썰기한다.

7 철판에 기름을 두르고 뜨거워지면 준비한 재료들을 얹어 굽는다.

8 우스터 소스와 레몬즙을 섞어 만든 소스를 곁들여 낸다.

POINT

쇠고기는 안심으로 준비하여 도톰하게 저며 썬 다음 밑간을 해둔다
①

감자와 고구마는 껍질째 깨끗이 씻어서 통썰기 한 다음 끓는 물에 살짝 데쳐 굽는다.
④

쇠고기 요리에는 참기름을 넉넉히

쇠고기 요리를 할 때는 참기름을 많이 쓰는 것이 좋다. 필수 지방산이 많은 참기름은 콜레스테롤이 혈관에 끼는 것을 막아 주기 때문이다. 그래서 불고기 · 구이 요리 · 주물럭에 쓸 고기는 참기름에 재어 두는 것이 좋다. 또한 주물럭 구이처럼 고기를 구워 먹을 경우에는 상추처럼 싱싱한 야채를 함께 먹어야 담백한 고기의 맛이 살아날 뿐만 아니라 고기 때문에 산성으로 기울게 될 체액이 중성으로 유지된다.

주물럭구이

재료 · 4인분

쇠고기 800g · 마늘 3통 · 대파 4뿌리 · 소금, 후춧가루 약간씩 · 상추 70g · 풋고추 5개 · 양념장(파 1뿌리, 마늘 1통, 진간장 4큰술, 고춧가루 1큰술, 참기름 2작은술)

이렇게 만들어요

① 쇠고기는 연한 안심이나 등심으로 준비해 먹기 좋은 크기로 썬다. 파는 손질하여 다지고, 마늘은 1통은 다지고 3통은 통마늘로 준비한다.

② 썰어 놓은 쇠고기에 다진 파와 마늘을 반 정도로 넣고, 소금 · 후춧가루를 섞어 맛이 잘 배어들도록 주물러 재어 둔다.

③ 상추는 깨끗이 씻어 물기를 빼고, 풋고추는 꼭지를 떼어 내고 어슷어슷하게 3, 4등분한다. 대파는 6~7cm 길이로 채썰어 찬물에 담갔다가 건진다.

④ 남겨 둔 다진 파 · 마늘을 진간장 · 고춧가루 · 참기름과 섞어 양념장을 만든다.

⑤ 석쇠나 팬을 달구어 재어 두었던 고기와 통마늘을 올려 앞뒤로 뒤집어 가며 굽는다. 곁들여 낼 풋고추를 함께 올려 구워도 좋다. 팬에서 고기와 마늘이 노릇노릇하게 구워지면 대파 · 상추 · 풋고추 · 양념장을 곁들여 상에 낸다.

돌돌 말린 모양새가 예뻐 먹는 즐거움에 보는 즐거움까지 더한

쇠고기 삼색말이 조림

재료 · 4인분

쇠고기 400g · 당근 ½개 · 우엉 ½뿌리 · 풋고추 4개 · 밀가루 4큰술 · 진간장 5큰술 · 설탕 2큰술 · 청주 2큰술 · 육수 1½컵 · 후춧가루 약간 · 식용유 4큰술 · 소금, 식초 약간씩

이렇게 준비하세요

1 쇠고기는 우둔살로 준비해서 얇고 넓적하게 포를 뜬다.
2 풋고추는 반을 갈라 씨를 털어 낸 다음 굵게 채썰고, 당근은 손질하여 길게 채썬 다음 소금물에 살짝 데쳐 찬물에 헹군다. 풋고추 대신 끓는 소금물에 살짝 데친 껍질콩을 이용해도 좋다.
3 우엉은 칼등으로 껍질을 긁어 내고 길이로 가른 후 채썰어서 찬물에 담가 우렸다가 식초를 약간 넣은 끓는 물에 데쳐 낸다.
4 쇠고기 포를 가지런히 펴 놓고 체에 밀가루를 담아 고기 전체에 골고루 뿌린다.

이렇게 만들어요

5 밀가루를 뿌려 놓은 쇠고기 포에 준비된 당근 · 풋고추 · 우엉을 각각 3, 4개씩 얹고 단단하게 말아 꼬챙이로 고정시킨다.
6 프라이팬에 기름을 두르고 달궈지면 고기를 넣어 굴리면서 한 차례 지져 낸다.
7 진간장에 설탕과 청주 · 후춧가루 · 육수를 섞어 조림장을 만든 다음 팬에 지져 낸 고기를 넣고 거품을 걷어 내면서 조린다. 조림장이 다 졸아들면 먹기 좋은 크기로 썰어서 상에 낸다.

4

얇고 넓적하게 포를 뜬 쇠고기에 밀가루를 뿌려 말 때 재료가 흩어지지 않게 한다.

5

쇠고기에 야채를 올려놓고 흩어지지 않도록 꼭꼭 만 다음 꼬챙이로 고정시킨다.

6

고기 말이가 들어갈 수 있는 냄비에 말이를 넣고 간장이 골고루 스며들도록 굴리면서 조린다.

우엉 손질하기

우엉은 수세미나 솔을 이용하여 껍질을 문질러 씻은 다음 칼등으로 우엉의 껍질을 가볍게 긁어 낸다. 껍질을 벗긴 우엉은 색이 변하기 쉬우므로 물에 담가 둔다. 이때 식초를 몇 방울 떨어뜨려 주면 우엉의 색깔이 더욱 고와질 뿐만 아니라 우엉 특유의 아린 맛도 가신다.

255 Kcal

다진 고기를 동그랗게 꼭꼭 뭉쳐 하나씩 집어 먹는 재미도 쏠쏠한

쇠고기 완자 조림

POINT

3

고기는 다져 양념장을 넣고 주물렀다가 반죽을 여러 번 치댄 후 둥글게 빚는다.

4

녹말가루를 펴놓고 쇠고기를 굴려 완자에 녹말가루를 골고루 입힌다.

5

프라이팬에 기름을 두르고 완자를 넣고 센 불에서 빨리 지져 낸다. 한 번 더 조리므로 완전히 익히지 않아도 된다.

6

조림 국물이 팔팔 끓을 때 지진 쇠고기 완자를 넣고 조린다. 국물이 반으로 줄어들면 풋고추를 넣고 한 번 더 조린다.

재료 · 4인분

쇠고기 300g · 풋고추 100g · 잣 1큰술 · 녹말가루 3큰술 · 진간장 4큰술 · 설탕 1큰술 · 식용유 2큰술 · 양념장(진간장 1큰술, 설탕 ½큰술, 참기름 ½큰술, 깨소금 2작은술, 파 1뿌리, 마늘 3쪽, 후춧가루 약간)

이렇게 준비하세요

1 쇠고기는 기름기가 없는 부위로 준비하여 얇게 저며 썬 다음 곱게 다진다.

2 파 · 마늘은 다듬어 깨끗이 씻어서 곱게 다진다. 풋고추는 조림용 꽈리고추를 준비하여 꼭지를 떼고 깨끗이 씻은 다음 자잘한 것은 통째로 사용하고, 큰 것은 2, 3등분하여 놓는다.

3 잣은 깨끗이 손질한 다음 종이 위에 놓고 잘 드는 칼로 곱게 다져 보슬보슬한 가루를 만든다.

이렇게 만들어요

4 그릇에 다진 파와 마늘을 넣고 진간장 · 설탕 · 참기름 · 깨소금 · 후춧가루를 섞어 양념장을 만든다.

5 다져 놓은 쇠고기에 양념장을 넣고 주무른 다음 양념이 쇠고기에 스며들도록 잠깐 동안 두었다가 끈기가 나도록 잘 치대어서 밤알 크기로 동그랗게 빚는다.

6 넓은 접시에 녹말가루를 펴 놓고, 동그랗게 빚은 반죽을 굴리면서 묻힌다.

7 기름 두른 프라이팬을 뜨겁게 달구어서 준비한 반죽을 넣고 지진다.

8 두꺼운 냄비에 진간장 · 설탕과 물(3큰술)을 넣고 불에 올려 국물이 팔팔 끓을 때 지진 완자를 넣어 불을 줄여 약한 불에서 주걱으로 가볍게 저어 주면서 조림 국물이 충분히 배어들도록 조린다.

9 조림 국물이 ⅔정도로 졸면 준비한 풋고추를 넣고, 완자가 거무스름하면서 전체에 윤기가 자르르 돌 때까지 조린 후 그릇에 조린 완자와 풋고추를 담고, 잣가루를 뿌려 낸다.

214 Kcal

조림은 약한 불에서 천천히 조린다

고기를 조릴 때는 구울 때와는 반대로 약한 불에서 천천히 조려야 한다. 따라서 연한 등심이나 질이 좋은 고기는 오래 조리면 딱딱해지므로 조림에는 적당치 않다. 오래 뭉근히 끓여야 하는 조림이나 탕 · 전골 · 스튜 등에는 기름기가 적고 맛이 진한 양지머리 · 사태 · 어깨살 등의 부위가 적당하다.

고기와 버섯이 어울려 향긋하고도 깊은 맛이 나는

쇠고기 버섯 볶음

 재료 · 4인분

쇠고기 100g · 느타리버섯 300g · 붉은고추 2개 · 실파 10뿌리 · 참기름 1큰술 · 깨소금 ½큰술 · 소금 1작은술 · 후춧가루 약간 · 식용유 2큰술 · 갖은 양념 적당량씩

 이렇게 만들어요

1 쇠고기는 살코기로 준비하여 곱게 다진다.
2 느타리버섯은 밑둥을 잘라 낸 후 끓는 물에 소금을 조금 넣고 살짝 데쳐 물기를 짠 다음 적당하게 찢는다.
3 붉은고추는 가늘게 채썰고 실파는 느타리버섯과 같은 길이로 썬다.
4 쇠고기에 다진 파와 마늘 · 진간장 · 설탕 · 깨소금 · 참기름 · 후춧가루를 넣어 버무려 놓는다.
5 프라이팬에 기름을 두르고 달구어서 양념한 쇠고기를 넣고 볶다가 느타리버섯과 붉은고추를 넣고 소금 · 후춧가루로 간한다.
6 버섯이 거의 익으면 실파를 넣어 볶고, 불에서 내릴 무렵에 참기름 · 깨소금으로 맛을 낸다.

209 Kcal

223 Kcal

죽순과 피망을 넣어 빛깔 곱게 볶아 낸 저녁 반찬

쇠고기 피망 볶음

 재료 · 4인분

쇠고기 300g · 피망 2개 · 죽순(통조림) 1개 · 파 1뿌리 · 마늘 3쪽 · 생강 1쪽 · 청주 1큰술 · 진간장 1큰술 · 설탕 ½큰술 · 식용유 3큰술 · 쇠고기 양념(진간장 1큰술, 청주 1큰술, 녹말가루 1큰술)

 이렇게 만들어요

1 쇠고기는 가늘게 채썰어서 진간장 · 청주 · 녹말가루를 넣고 함께 버무린다.
2 피망은 가늘게 채썰고, 죽순도 더운 물을 끼얹은 후 채썬다. 파 · 마늘 · 생강은 곱게 다진다.
3 프라이팬에 식용유를 둘러 뜨겁게 달군 다음 죽순과 피망을 넣어 센 불에서 살짝 볶아 낸다.
4 다시 팬에 다진 파 · 마늘 · 생강을 넣어 볶다가 쇠고기를 넣고 센 불에서 볶는다.
5 쇠고기가 익으면 볶은 피망과 죽순을 넣고 섞듯이 볶으면서 진간장 · 설탕 · 청주로 맛을 낸다.

다양한 부재료를 넣어 맛도 다양하고 영양도 풍부한

쇠고기 맥주 찜

 재료 · 4인분

쇠고기 400g · 양파 2개 · 양송이 10개 · 완두 2큰술 · 방울토마토 5개 · 셀러리 1줄기 · 맥주 1컵 · 육수 2컵 · 소금 1큰술 · 밀가루 2큰술 · 후춧가루 약간 · 버터 2큰술 · 월계수잎 1장

 이렇게 준비하세요

1 쇠고기는 연한 등심 부위를 선택하여 한입 크기로 네모지게 썬 다음 소금과 후춧가루를 뿌려 둔다.
2 양파는 굵게 다지고 양송이는 모양을 살려 도톰하게 썰거나 작은 것이면 통째로 준비한다. 완두는 끓는 소금물에 넣어 잠깐 동안 데친다.
3 방울토마토는 손질하여 씻어 놓고, 셀러리는 깨끗이 씻어서 억센 줄기는 벗겨 내고 4~5cm 길이로 썬다.

 이렇게 만들어요

4 팬에 버터를 두르고 쇠고기를 볶는다.
5 냄비에 버터를 두르고 다진 양파를 볶다가 쇠고기와 양송이도 넣어 볶으면서 밀가루를 넣고 골고루 뒤섞어 준다.
6 밀가루가 골고루 섞이면 육수를 붓고 끓이면서 셀러리 · 월계수잎 · 맥주도 넣어 2시간 정도 뭉근하게 끓인다.
7 고기가 푹 무르면 완두와 방울토마토를 넣고 뒤적여 한소끔 끓인 다음 소금 · 후춧가루를 넣어 맛을 내고 잠시 후 불에서 내린다.

P O I N T

쇠고기는 연한 등심 부위를 선택하여 네모지게 썬 다음 밑간해 팬에 볶는다.

냄비에 버터를 두르고 다진 양파를 볶다가 쇠고기 · 양송이를 넣어 볶는다.

냄비에 육수를 붓고 2시간 정도 뭉근하게 끓이다 불에서 내리기 전에 완두와 방울토마토를 넣는다.

쇠고기 김 무침

재료 · 4인분

쇠고기 50g · 김 20장 · 소금 약간 · 미나리 6줄기 · 참기름 1큰술

· 깨소금 ½큰술 · 진간장 2작은술 · 설탕 1작은술 · 후춧가루 약간 · 식용유 적당량

이렇게 만들어요

① 김은 잡티를 골라 내고 앞뒤로 바삭하게 구운 다음 비닐 봉지 안에 넣어 잘게 부순다.
② 쇠고기는 살코기로 준비해 다져서 진간장(1작은술) · 후춧가루로 버무린다.
③ 미나리는 줄기만 소금을 넣은 끓는 물에 데쳐 4cm 길이로 썬다.
④ 프라이팬에 기름을 두르고 달구어 양념한 쇠고기를 넣고 센 불에서 물기 없이 바짝 볶는다.
⑤ 쇠고기 · 미나리 · 김을 섞고, 진간장 · 참기름 · 깨소금 · 설탕을 넣어 무친다.

262 Kcal

간장 맛이 폭 배인 고소하고 부드러운 두부 맛이 일품인

쇠고기 두부 조림

재료 · 4인분

쇠고기 100g · 두부 1모 · 풋고추 1개 · 대파 1뿌리 · 마늘 3쪽 · 진간장 2큰술 · 설탕 1작은술 · 후춧가루 약간 · 참기름 약간 · 실고추 적당량

이렇게 준비하세요

1 쇠고기는 불고기감으로 준비해 한입에 먹기 좋은 크기로 썬 다음, 마늘을 곱게 다져서 넣고 후춧가루와 참기름도 넣어 골고루 무쳐 맛이 배도록 양념하여 잰다.
2 두부는 찬물에 헹궈 씻은 다음 1.5~2㎝ 두께로 먹기 좋게 썬다.
3 풋고추는 색깔이 선명하고 표면에 윤기가 도는 것으로 골라 흐르는 물에 깨끗이 씻은 후 어슷어슷 썰어서 씨를 털어 낸다.
대파도 뿌리를 잘라 내고 깨끗이 씻은 다음 다듬어서 어슷어슷하게 썰어 둔다.

이렇게 만들어요

4 냄비에 물 ½컵을 붓고 진간장과 설탕을 넣어 팔팔 끓인다. 국물이 끓어오르면 재어 두었던 쇠고기를 넣고 불을 세게 하여 끓인 후 고기 건더기는 건져 낸다.
5 국물을 다시 끓이면서 두부를 넣어 익힌다. 이 때는 불이 너무 세지 않게 조절해 약한 불에서 익혀야 두부가 부드럽게 익는다.
6 먼저 익혀 두었던 고기와 풋고추 · 대파 · 실고추를 넣어서 잠깐 더 끓인다.

POINT

쇠고기는 불고기감으로 준비해 마늘 · 후춧 가루 · 참기름을 넣어 주물러 재어 둔다.

냄비에 물 · 진간장 · 설탕을 넣어 팔팔 끓여 쇠고기를 넣고 데쳐 낸다.

끓는 국물에 두부를 넣어 약한 불에서 두부 를 부드럽게 익힌다.

두부는 약한 불에서 천천히 끓인다
두부를 갑자기 센 불에서 가열하면 두부 속의 수분이 끓어서 작은 거품이 생긴 다. 이 때문에 두부 내부에 많은 구멍이 생기고 거기에 두부에 남아 있는 단백질 을 단단하게 하는 응고제가 작용해 구멍이 뚫린 채로 단단해진 다. 이것을 막으려는 약한 불에서 천천히 가열하거나 응고제의 작용을 둔화 시키는 데 효과가 있는 소금 을 넣는 게 좋다.

287Kcal

구수한 된장으로 간해 돼지고기 특유의 잡맛을 없앤

돼지고기 된장 구이

 재료 · 4인분

돼지고기 400g · 중국부추 100g · 양파 1개 · 붉은고추 2개 · 식용유 4큰술 · 양념장(된장 2큰술, 마늘 2쪽, 양파 ½개, 진간장 1큰술, 청주 1큰술, 설탕 약간, 참기름 약간)

 이렇게 준비하세요

1 돼지고기는 등심으로 준비해 0.5cm 두께로 얇게 저며 썬다.

2 중국부추는 줄기를 가지런하게 하여 4~5cm 길이로 썰고 양파도 채 썰듯이 썬다. 붉은고추는 반을 갈라 어슷어슷하게 썰어 씨를 뺀다.

3 양념장에 넣을 양파와 마늘은 깨끗이 손질하여 잘게 다진다.

 이렇게 만들어요

4 정량의 된장을 오목한 그릇에 담고 다진 양파 · 마늘 · 진간장 · 설탕 · 청주 · 참기름을 알맞게 섞어 양념장을 만든다.

5 돼지고기에 된장 양념장을 넣고 골고루 섞어 20분 정도 재어 둔다.

6 프라이팬에 기름을 넉넉하게 두르고 재어 두었던 돼지고기를 넣어 앞뒤로 뒤집어 가며 먹음직스럽게 구워 낸다.

7 다시 팬을 뜨겁게 달궈 양파 · 붉은고추를 볶다가 중국부추도 함께 넣어 센 불에서 재빨리 볶아 그릇에 야채와 돼지고기를 함께 담는다.

 돼지고기의 조리 포인트

돼지고기 특유의 냄새를 없애려면, 양념장으로 잴 때는 생강즙이나 술 · 후춧가루 · 파 등으로 밑간해 두었다가 조리고, 삶을 때는 헝겊에 싼 된장이나 파를 함께 넣는다. 또 돼지고기와 잘 어울리는 사과 · 파인애플 · 피클 · 토마토 케첩 등 약간 신맛나는 재료를 이용하면 산뜻한 요리를 즐길 수 있다.

P O I N T

된장과 정량의 양념을 넣어 섞어 양념장을 만들어 돼지고기를 재어 둔다. 양념장은 누린내를 없애 주고 고기를 연하게 한다.

팬을 뜨겁게 달구어 돼지고기를 볶아 낸 다음 팬을 다시 달구어 양파 · 붉은고추를 볶다가 중국부추도 함께 볶아 낸다.

돼지고기 등심 볶음

재료 · 4인분

돼지고기 300g · 배춧잎 2장 · 붉은고추 1개 · 실파 2뿌리 · 진간장 3큰술 · 마늘 2쪽 · 녹말가루 2큰술 · 청주 1큰술 · 참기름 1큰술 · 식용유 2큰술 · 설탕 2작은술 · 소금 약간

이렇게 만들어요

① 돼지고기는 등심으로 준비해 도톰하게 저며서 한입 크기로 썰어 다진 마늘과 진간장 · 청주 · 참기름 · 설탕 · 녹말가루 등을 섞은 다음 버무려 양념한다.

② 배춧잎은 깨끗이 씻어서 돼지고기와 비슷한 크기로 썰고 붉은고추는 채썰어 놓는다. 실파는 붉은고추와 같은 길이로 길쭉하게 썬다.

③ 팬에 기름을 두르고 달구어 배춧잎을 넣은 다음 재빨리 볶으면서 소금으로 간을 맞추어 일단 꺼낸다.

④ 다시 팬에 기름을 두르고 붉은고추를 볶다가 돼지고기를 넣고 센불에서 볶은 다음 볶은 배춧잎과 실파를 넣어 맛이 섞이게 3, 4번 휘저어 볶는다.

265 Kcal

얼큰하고 진한 맛 때문에 애주가들에게 술안주로 인기 최고인

제육 불고기

 재료 · 4인분

돼지고기 400g · 풋고추 2개 · 붉은고추 2개 · 통깨 ½큰술 · 식용유 약간 · 양념장(마늘 3쪽, 생강 1쪽, 파 1뿌리, 진간장 3큰술, 고추장 1큰술, 고춧가루 2작은술, 설탕 1큰술, 청주 1큰술, 후춧가루 약간)

 이렇게 준비하세요

1 돼지고기는 등심이나 삼겹살로 준비하여 얄팍하게 저민 후 한입에 먹기 좋은 크기로 썬다.

2 풋고추와 붉은고추는 깨끗하게 씻어 어슷어슷하게 썬 다음 찬물에 헹궈 씨를 뺀다.

3 마늘과 파는 깨끗이 손질하여 곱게 다진다.

4 생강은 껍질을 벗기고 씻어서 강판에 갈아 즙을 낸다.

 이렇게 만들어요

5 그릇에 다진 파 · 마늘과 생강즙을 넣고, 고추장 · 고춧가루 · 진간장 · 설탕 · 청주 · 후춧가루도 넣어서 잘 섞어 양념장을 만든다.

6 양념장에 썰어 놓은 돼지고기를 넣고 섞은 다음 양념의 간이 골고루 배도록 잠시 재어 둔다.

7 프라이팬에 식용유를 두르고 뜨겁게 달구어지면 재어 놓은 돼지고기를 1장씩 펴 얹어 앞뒤로 굽는다. 돼지고기가 거의 다 익을 무렵 어슷하게 썬 풋고추, 붉은고추를 넣어 익히고 불에서 내리기 전에 참기름을 넣어 가볍게 뒤적인다. 상에 낼 때는 먹음직스럽게 담고 위에 통깨를 솔솔 뿌리고 상추, 쑥갓, 깻잎 등의 야채를 곁들인다.

P O I N T

1

돼지고기는 얇게 저민 후 가볍게 잔 칼집을 내 구웠을 때 오그라들지 않게 한다.

6

돼지고기에 양념장을 넣고 주무른 다음 센 불에서 단시간에 굽는다.

265 Kcal

 조미료로서의 술

요리의 조미에 있어서 빼놓을 수 없는 조미료로 술이 있다. 한국 요리에서는 많이 쓰이지 않지만, 일식 · 중식 · 양식 요리의 맛을 돋우는 조미료로 많이 이용된다. 돼지고기 · 닭고기나 질긴 쇠고기에 애벌 양념으로서 미리 술을 뿌리면 누린내가 없어지고 고기가 연해지며 맛도 좋아진다. 또 생선도 술을 사용하면 비린내가 없어지고 술이 간장의 향과 어울리면서 깊은 맛이 나게 된다. 단, 흰살 생선은 마무리에 술을 사용해야 생선살이 바스러지지 않는다.

고기를 맛있게 구우려면

센 불에서 굽는다 고기를 가열하면 고기의 구수한 맛이 육즙과 함께 흘러 나오기 때문에 프라이팬을 충분히 달구어 센 불에서 될 수 있는 한 짧은 시간에 굽는 것이 포인트. 프라이팬이 달구어지기 전에 미리 고기를 올려놓으면 가스 열은 프라이팬을 달구는 데 사용되므로 고기에는 미치지 않아, 익는 데 시간이 걸리고 맛있게 구워지지도 않는다. 쇠고기는 살짝 구워 고기 속에 붉은빛이 남아 있어야 맛도 좋고 연하지만 돼지고기는 기생충이 붙어 있을 수 있으므로 완전히 익힌다. 단, 지나치게 오래 구우면 맛이 없어지므로 젓가락으로 눌러 보아 탄력이 있는 정도로 익힌다.

굽기 전에 밑간을 한다 굽기 전에 소금과 후추를 약간씩 뿌려 밑간을 하여 구우면 재료의 맛이 살아나고 수분은 조금 날아가므로 깨끗하게 구워진다. 밑간 시간은, 얇게 썬 고기는 5~10분, 덩어리 고기는 15~30분이 적당하다.

칼집을 내거나 고기 방망이로 두드린다 고기를 구우면 단백질이 응고되고 살이 굳어지면서 오그라든다. 이를 방지하려면 고기의 앞뒤에 칼끝으로 살짝살짝 잔 칼집을 넣으면 맛이 고루 배고 모양이 오그라들지 않는다.

바싹 구우면 얼큰하면서도 담백한 뒷맛이 좋은

삼겹살 고추장 볶음

 재료 · 4인분

돼지고기(삼겹살) 800g · 양파 2개 · 풋고추 4개 · 붉은고추 2개 · 파 1½뿌리 · 양념장(파 1뿌리, 마늘 5쪽, 고추장 4큰술, 진간장 4큰술, 생강 2쪽, 설탕 ½큰술, 깨소금 1작은술, 후춧가루 약간, 참기름 1½큰술)

 이렇게 준비하세요

1 돼지고기 삼겹살을 먹기 좋은 크기로 얄팍하게 썬다.
2 양파는 껍질을 벗겨 씻은 다음 굵직굵직하게 채썰고, 파도 껍질을 벗겨 손질한 다음 어슷어슷하게 썰어 둔다. 풋고추와 붉은고추는 물에 씻어 꼭지를 뗀 다음 1cm 정도의 폭으로 어슷하게 썰어서 씨를 대강 털어 낸다.
3 양념장에 들어갈 파와 마늘을 깨끗이 다듬어 곱게 다지고, 생강도 말끔히 껍질을 벗겨 다진다.
4 그릇에 다진 파 · 마늘 · 생강을 담고, 고추장 · 진간장 · 설탕 · 깨소금 · 참기름 · 후춧가루를 넣어 골고루 섞어서 양념장을 만든다.

 이렇게 만들어요

5 큼직한 그릇에 돼지고기 삼겹살과 풋고추 · 붉은고추 · 파 · 양파를 담고 양념장을 넣어 간이 잘 배어들도록 주물러 무친다.
6 팬을 불에 올려 달군 다음 돼지고기 삼겹살을 얹어 볶는다. 볶을 때는 양념장이 타지 않도록 뒤집어 가면서 완전히 익힌다.

P O I N T

돼지고기는 기름이 적당히 붙어 있는 삼겹살로 준비해 먹기 좋게 얄팍하게 썬다.

양파는 껍질을 말끔히 벗겨 굵게 채썰고, 파와 풋고추 · 붉은고추도 어슷어슷 썬다.

돼지고기 삼겹살과 양념장을 골고루 섞어 간이 잘 배도록 재어 둔다.

팬을 불에 올려 달군 다음 삼겹살을 타지 않도록 뒤집어 가면서 센 불에서 볶는다.

 돼지고기 지방은 적당히 제거해야

돼지고기 맛은 지방에 있으므로 돼지고기에 채소 등을 넣어서 조리하면 지방의 맛이 다른 재료에 스며들어 독특한 맛을 즐길 수 있다. 돼지고기는 쇠고기처럼 살코기에 지방분이 들어가 있지 않기 때문에 지방을 전부 제거하고 요리하면 푸석해져서 고기의 맛이 떨어진다. 그러나 지나치게 많을 경우에는 열에 녹아 음식의 맛을 떨어지게 하므로 두꺼운 지방층은 적당히 떼어 내고, 지방분이 거의 없는 부위의 고기는 기름을 넣고 조리하는 것이 좋다.

366 Kcal

손쉽게 만들어 식탁 위에 금방 놓을 수 있는 영양 반찬

돼지고기 달걀 볶음

 재료 · 4인분

돼지고기 200g · 시금치 100g · 달걀 2개 · 생강 1쪽 · 청주 1작은술
· 진간장 2큰술 · 식용유 2큰술 · 소금 약간 · 후춧가루 약간

 이렇게 만들어요

1 돼지고기는 한입 크기로 썬 다음 청주와 진간장을 뿌려 밑
간한다.
2 시금치는 씻어서 살짝 데친 다음 4㎝ 길이로 썬다. 생강은
얇게 저며 둔다.
3 달걀은 소금을 넣고 푼다.
4 팬에 기름을 두르고 뜨겁게 달군 다음 달걀을 넣고 재빨리 휘저어
볶아 낸다.
5 다시 팬에 기름을 두르고 생강을 넣어 볶다가 고기를 넣어 볶는다.
6 고기가 익으면 시금치를 넣고 소금과 후춧가루를 넣어 간을 맞춰 볶
다가 달걀 볶은 것을 넣어 재료들이 잘 섞이도록 볶아 낸다.

151 Kcal

돼지고기와 두부를 함께 볶아 영양을 두 배로 높인

돼지고기 두부 볶음

 재료 · 4인분

돼지고기 200g · 두부 1½모 · 파 1뿌리 · 마늘 4쪽 · 생강 1
쪽 · 붉은고추 2개 · 육수 ½컵 · 완두 2큰술 · 진간장 2큰
술 · 고추장 2큰술 · 설탕 1큰술 · 식용유 적당량 · 소금 약
간

 이렇게 만들어요

1 돼지고기는 살코기로 준비하여 곱게 다진다.
2 두부는 2㎝ 크기로 깍둑썰기하여 끓는 물에 소금을 약간
넣고 데쳐서 물기를 뺀다.
3 파 · 마늘 · 생강은 곱게 다지고 붉은고추 1개는 송송 썰고, 1개
는 잘게 다진다. 완두는 소금을 약간 넣은 끓는 물에 살짝 데친다.
4 냄비에 기름을 두르고 달구어 다진 파 · 마늘 · 생강 · 붉은고추를 넣
고 볶다가 돼지고기를 넣어 볶는다.
5 돼지고기가 완전히 익으면 육수 · 진간장 · 고추장 · 설탕을 섞어 넣
고 끓이다가 두부를 넣어 익히고, 불에서 내리기 직전에 완두와 붉은
고추를 넣고 살살 젓는다.

400 Kcal

쫀득쫀득한 곤약과 야채를 넣어 상큼한 맛을 더한

돼지고기 곤약 무침

 재료 · 1인분

돼지고기 100g · 곤약 ½모 · 껍질콩 50g · 깻잎 3장 · 진간장 ½큰술 · 청주 2작은술 · 생강 ½쪽 · 소금 약간 · 양념장(진간장 ½큰술, 청주 1큰술, 깨소금 ½큰술, 식초 ½큰술, 설탕 1작은술, 겨잣가루 1작은술)

 이렇게 만들어요

1 돼지고기는 넓적다리살로 준비하여 얇게 저며서 진간장 · 청주를 넣고, 생강도 즙을 내어 넣은 후 고루 버무려 잰다.
2 껍질콩은 소금을 약간 넣은 끓는 물에 데친 뒤 식혀서 어슷어슷하게 썰고, 곤약도 끓는 물에 데친 뒤 약간 도톰하게 채썬다. 깻잎은 깨끗이 씻어 물기를 말끔히 뺀 다음 가늘게 채썬다.
3 겨잣가루는 미지근한 물에 개서 따뜻한 곳에 두어 매운 맛이 나게 둔다.
4 진간장 · 청주 · 식초 · 깨소금 · 설탕과 개어 놓은 겨잣가루를 넣어 함께 섞어 양념장을 만든다.
5 석쇠를 불에 올려 달군 후, 돼지고기를 얹어 구워서 가늘게 채썬다.
6 그릇에 껍질콩 · 곤약 · 돼지고기 · 깻잎을 넣고, 양념장을 끼얹어 고루 버무린다.

440 Kcal

181 Kcal

야채를 골고루 넣어 영양의 균형을 맞춘

돼지고기 야채 볶음

 재료 · 4인분

돼지고기 200g · 표고버섯 3개 · 당근 ½개 · 피망 1개 · 숙주 100g · 붉은고추 1개 · 양배춧잎 2장 · 마늘 2쪽 · 생강 ½쪽 · 소금 약간 · 후춧가루 약간 · 식용유 2큰술 · 돼지고기 양념(진간장 2작은술, 청주 2작은술)

 이렇게 만들어요

1 돼지고기는 채썰어서 진간장, 청주를 넣고 잰다.
2 표고버섯은 물에 불려 기둥을 떼어 낸 후 채썬다. 당근 · 피망 · 붉은고추 · 양배추도 같은 길이로 채썰고 숙주는 씻는다.
3 마늘 · 생강은 곱게 다진다.
4 프라이팬에 기름을 두르고 마늘 · 생강을 넣고 볶다가 돼지고기를 넣어 같이 볶아 낸다.
5 다시 기름 두른 팬에 숙주 · 당근 · 표고버섯 · 양배추 · 붉은고추 · 피망 순으로 넣어 센 불에서 재빨리 볶다가 돼지고기를 넣어 섞고 소금 · 후춧가루로 간한다.

담백한 고기와 야채를 버무려 새콤하고도 시원한

닭고기 오이 냉채

 재료 · 4인분

닭고기 200g · 대파 ½ 뿌리 · 생강 ½ 쪽 · 오이 ½ 개 · 소금 약간 · 청주 1큰술 · 양념장(붉은고추 ½ 개, 파 ⅓ 뿌리, 생강 ⅓ 쪽, 마늘 1쪽, 진간장 2큰술, 깨소금 1작은술, 참기름 1작은술, 식초 1작은술)

 이렇게 준비하세요

1 닭고기는 약간 붉은빛이 도는 신선한 것으로 준비해 손질한다.
2 대파는 깨끗이 손질하여 5cm 정도의 길이로 썰고, 생강은 손질하여 얄팍하게 저며 놓는다.
3 오이는 소금에 문질러 씻어서 6cm 길이로 토막낸 다음 굵직하게 채 썬다.
4 양념장에 쓸 붉은고추는 송송 썰어 씨를 빼낸 다음 다지고, 파도 곱게 다져 놓는다. 생강과 마늘도 껍질을 벗겨 씻어서 곱게 다진다.

 이렇게 만들어요

5 냄비에 닭을 넣고 물을 넉넉히 부어 저며 놓았던 생강과 토막낸 대파, 청주를 넣어 닭이 푹 무르도록 충분히 끓인다.
6 닭이 무르게 삶아지면 건져 내어 적당히 식혀서 결대로 찢은 다음, 냉장고에 넣어 차게 한다.
7 다져 놓았던 붉은고추와 파 · 생강 · 마늘을 그릇에 담고 진간장 · 깨소금 · 식초 · 참기름을 넣어 섞어서 양념장을 만든다.
8 그릇에 오이와 닭살을 가지런히 담은 다음 양념장을 얹고, 방울토마토를 2등분하여 장식한다.

닭고기 새우 볶음

재료 · 4인분

새우 300g · 닭고기 150g · 표고버섯 2개 · 피망 1개 · 죽순(통조림) 1개 · 마늘 3쪽 · 완두 2큰술 · 녹말가루 3큰술 · 식용유 2큰술 · 참기름 1큰술 · 소금 약간 · 후춧가루 약간

이렇게 만들어요
① 새우는 머리 · 꼬리를 떼어 내고 껍질을 벗겨 대꼬챙이로 내장을 빼낸다.
② 닭고기는 살코기로 준비하여 한입 크기로 썰어서 소금과 후춧가루로 밑간한 다음 녹말가루를 고루 묻혀 끓는 물에서 삶아 건진다.
③ 표고버섯은 물에 충분히 불려 기둥을 떼어 낸 다음 4등분하고, 죽순 · 피망도 같은 크기로 썬다. 완두는 소금을 약간 넣은 끓는 물에 데치고, 마늘은 다진다.
④ 팬에 식용유를 두르고 뜨겁게 달구어 다진 마늘을 넣고 볶다가 새우 · 표고버섯 · 죽순 · 피망을 넣어 볶는다. 재료가 반쯤 익으면 삶은 닭고기와 완두를 넣고 소금 · 후춧가루로 간하여 볶다가 불을 끄기 직전에 참기름을 둘러 뒤적여 낸다.

POINT

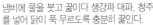
5

냄비에 물을 붓고 끓이다 생강과 대파, 청주를 넣어 닭이 푹 무르도록 충분히 끓인다.

7

정량의 양념을 섞어서 양념장을 만들고 닭고기 위에 끼얹는다.

 닭고기 껍질 벗기기

닭고기 껍질에는 지방이 많기 때문에 양념에 재어 두어도 맛이 고루 스며들지 않는다. 그러므로 조림이나 구이를 할 때는 껍질을 벗겨 요리하는 것이 좋고 껍질째 요리할 때는 군데군데 포크로 콕콕 찔러 껍질에 구멍을 내면 속까지 고루 스며들어 좋다. 닭고기는 구입한 지 1~2일 안에 요리하는 것이 좋은데 바로 조리하지 못할 때에는 냉동실에다 얼리거나 한 번 익혀 두도록 한다. 또 냉장실에 보관할 때는 랩으로 잘 싸 두어야 색이 변하는 것을 막을 수 있다.

377Kcal

매콤하고 칼칼한 맛이 입맛을 당기는 푸짐한 저녁 반찬

닭고기 양념장 구이

재료 · 4인분

닭 1마리 · 식용유 약간 · 양념장(파 1뿌리, 마늘 4쪽, 생강 1쪽, 붉은고추 1개, 풋고추 1개, 참기름 1큰술, 깨소금 1큰술, 후춧가루 ½작은술, 진간장 4큰술, 고춧가루 ½큰술, 설탕 1큰술)

이렇게 준비하세요

1 닭은 깨끗이 손질하여 씻은 다음 큼직하게 토막내어 뼈를 발라 내고 살집이 두꺼운 부분은 얄팍하게 저민다.

2 파와 마늘은 깨끗이 다듬어서 곱게 다지고, 생강은 강판에 갈아 즙을 낸다.

3 붉은고추 · 풋고추는 길게 반으로 갈라 씨를 털어 내고 다지듯이 잘게 썬다.

이렇게 만들어요

4 진간장에 다진 파와 마늘 · 생강즙 · 잘게 썬 붉은고추 · 풋고추를 넣은 후 참기름 · 깨소금 · 후춧가루 · 고춧가루 · 설탕을 넣고 섞어서 양념장을 만든다.

5 준비해 놓은 닭고기에 양념장을 넣고 골고루 주물러 양념한 다음 간이 배도록 1시간 정도 잰다.

6 석쇠에 쿠킹 포일을 깔고 식용유를 골고루 바른 다음 불에 올려 뜨겁게 달구어 재어 놓은 닭고기를 넣어 타지 않게 뒤집어 가며 굽는다.

7 접시에 상추나 쑥갓 등의 푸른잎 채소를 깔고 구운 닭고기를 얹어 낸다.

닭고기를 밑손질할 때는 노란 기름을 말끔히 제거하고 크게 토막을 내고, 뼈가 있는 부분에 칼집을 길이로 넣어 뼈를 발라 낸다.

닭고기에 양념장을 넣고 주물러 1시간 이상 재어 두고 도중에 서너 번쯤 뒤집어 줘서 간이 속까지 잘 배도록 한다.

쿠킹 포일을 깐 석쇠를 뜨겁게 달구고 닭고기를 얹어 구워 낸다. 살집이 두꺼운 부위를 찔렀을 때 살이 붉지 않으면 익은 것이다.

닭고기를 맛있게 구우려면

닭고기를 구워서 조리할 때는 굽기 전에 먼저 밑간을 해두어 담백한 닭고기의 맛을 좋게 한다. 소금 · 후춧가루를 닭 껍질에 고루 뿌리고 포크나 대꼬챙이로 찔러 밑간을 한 다음 구우면 간이 잘 스며들어 맛이 좋다. 냄새를 없애려면 밑간을 하기 전에 레몬을 반으로 갈라 닭의 껍질에 고루 문지르면 된다. 또 닭은 너무 익으면 물기가 없어 퍽퍽하여 맛이 떨어지므로 중간 불에서 익힌다. 대꼬챙이로 두툼한 부위를 찔러 보아 국물이 나오지 않으면 다 익은 것이다.

359 Kcal

도시락 반찬으로도 그만인 영양 만점의 조림

감자 닭고기 조림

 재료 · 4인분

닭고기 400g · 감자 8개 · 죽순(통조림) 2개 · 파 1뿌리 · 육수 1컵 · 청주 2
큰술 · 생강 1쪽 · 진간장 5큰술 · 식용유 3큰술

 이렇게 준비하세요

1 닭고기는 한입에 먹기 좋은 크기로 약간 큼직큼직하게 썰어 생강즙
낸 것과 진간장(2큰술) · 청주를 넣고 버무려 재어 놓는다.

2 감자는 밤알 크기 정도의 잔 것을 준비해 껍질을 벗긴 다음 물에 담
갔다가 건져 낸다. 큰 것을 쓸 때는 3, 4등분한 후 모서리를 깎아 모지
지 않게 다듬는다.

3 죽순은 통조림으로 된 것을 준비하여 뜨거운 물을 끼얹은 후 4cm 길
이로 잘라 빗살무늬를 살려 얄팍하게 저며 썬다. 파는 깨끗이 손질하
여 죽순과 같은 길이로 썬다.

 이렇게 만들어요

4 두꺼운 냄비에 식용유를 두르고 달구어 먼저 뜨겁게 달군 다음 닭고
기를 넣어 볶아 낸다.

5 닭고기가 어느 정도 익으면 감자와 죽순을 넣어 볶는다. 재료들이
어느 정도 익으면, 진간장과 육수를 섞어서 부은 후 약한 불에서 뚜껑
을 열고 조린다. 조릴 때는 간이 고루 배도록 숟가락으로 살살 뒤적여
재료에 골고루 양념이 배도록 한다.

6 재료에 윤기가 나고 국물이 거의 졸았으면 파를 넣어 잠시 더 조린
뒤 불을 끈다.

433 Kcal

닭날개 콩조림

재료 · 4인분

닭날개 10개 · 흰콩 ⅔컵 · 마른 고추 1개 · 대파
1뿌리 · 마늘 5쪽 · 생강 1쪽 · 청주 3큰술 · 진간
장 4큰술 · 설탕 2큰술 · 식용유, 버터 1큰술씩

이렇게 만들어요

① 흰콩은 물을 넉넉히 붓고 무르도록 푹 삶고,
삶은 물은 따로 받아 낸다. 마른 고추는 굵게 어슷어슷 썰어 씨를 털고, 파는 3cm
길이로 썬다. 마늘 · 생강은 얄팍하게 저민다.

② 닭날개는 끝부분은 잘라 내고 깨끗이 손질하여 군데군데 칼집을 넣어 마른 고
추 · 마늘 · 생강을 넣은 뒤 청주(1큰술)와 진간장(1큰술)으로 간하여 재어 둔다.

③ 팬에 식용유와 버터를 두르고 뜨겁게 달구어 닭날개를 넣고 지져 낸다.

④ 두꺼운 냄비에 지진 닭날개를 담고 삶은 콩과 콩 삶은 물(1컵)을 넣은 다음 남
은 청주, 진간장과 설탕으로 양념한 다음 위아래를 뒤적여 간이 고루 배게 하면서
약한 불에서 서서히 조린다. 국물이 어느 정도 졸고 윤기가 돌 때 썰어 놓은 파를
넣고 불을 조금 키워 잠깐 동안 더 조린다.

POINT

4

닭고기는 살코기로 준비해 생강즙 · 진간
장 · 청주를 넣어 밑간한 후 볶는다.

5

닭고기가 익으면 감자 · 죽순을 넣어 볶다가
진간장과 육수를 섞어 부은 후 조린다.

조림 요리에 알맞은 불의 세기

재료를 태우지 않고 윤기나게 조리려면 불 조절이 포인트다. 처음에는 센 불
에서 한소끔 끓이고 다음에는 맛이 배도록 은근한 불에서 조려야 한다. 이
때 뚜껑을 덮어 서서히 익힌 후 국물이 거의 잦아들고 간이 다 밴 것 같으면,
뚜껑을 연 채 센 불에서 재빨리 뒤적여 수분이 날아가도록 한다. 좀더 먹음
직스럽게 재료를 조리려면 맨 마지막에 녹말물을 넣어 조리면 윤기가 난다.

입 안에서 살살 녹는 촉촉한 맛으로 누구나 좋아하는

달걀찜

🍳 재료 · 4인분

달걀 8개 · 새우젓 국물 2작은술 · 멸치 국물 1컵 · 새우 4마리 · 표고버섯 2개
· 어묵 50g · 완두 1큰술 · 쑥갓 4잎 · 소금 약간

🍳 이렇게 준비하세요

1 달걀은 오목한 그릇에 깨뜨려 담은 후 새우젓 국물과 멸치 국물을
적당량 넣고 간하여 잘 풀어 놓는다.

2 새우는 연한 소금물에 담가 깨끗이 씻은 다음 꼬챙이로 등 쪽에 있
는 내장을 빼내고 끓는 물에 넣어 살짝 데쳤다가 머리를 떼고 껍질을
벗겨 반으로 저며 썬다.

3 표고버섯은 미지근한 물에 담가 충분히 불렸다가 기둥을 떼 내고 4,
5등분하여 준비해 놓는다.

4 어묵은 색깔이 있는 것으로 준비하여 0.5cm 두께로 썬 다음 칼집을
엇갈리게 넣고 비틀어 모양을 만든다.

5 완두는 끓는 물에 소금을 약간 넣고 데쳤다가 물기를 빼고 쑥갓은
흐르는 물에 깨끗이 씻어서 1잎씩 씻어 놓는다.

🍳 이렇게 만들어요

6 풀어서 간해 두었던 달걀 혼합물은 고운 체에 받쳐 부드럽게 걸러
놓는다.

7 찜 그릇에 준비한 새우 · 어묵 · 표고버섯 · 완두를 넣고 체에 거른
달걀물을 그릇에 8부 정도 차도록 부어 찜통에 넣고 중불에서 10분간
찐다.

8 달걀이 어느 정도 쩌지면 손질한 쑥갓을 얹고 잠깐 더 두었다가 불
을 끄고 그릇째 상에 낸다. 달걀찜은 가능하면 1인분씩 그릇째 담아
찐 다음 찜그릇째 상에 내는 것이 좋으나 그렇지 않을 경우에는 작은
접시를 곁들여 덜어 먹게 한다.

1 달걀은 오목한 그릇에 담아 새우젓 국물과
멸치 국물로 간하여 젓가락으로 잘 푼다.

6 풀어 둔 달걀은 한 번 체에 걸러 주어 결이
부드러운 찜이 되도록 한다.

7 찜그릇에 재료를 넣은 다음 찜통에 넣어서
중불에서 10분간 찐다.

8 너무 오래 찌면 뻑뻑하므로 10분 정도 찐 후
에 쑥갓을 얹고 숨이 죽으면 불을 끈다.

212 Kcal

맛있는 달걀 반찬을 만드려면

달걀의 선택과 보관 예전과는 달리 요즘 시판되는 달걀은 겉면이 매끈하기 때
문에 신선도를 알 수 없는 경우가 많으므로 겉면에 포장된 날짜를 보고 구입
한다. 깨뜨려 보았을 때 달걀노른자가 흩어지지 않고 단단하며, 달걀흰자는
맑고 투명한 것이 신선하다. 달걀은 냉장고에 보관하는 것이 좋은데 1개월 정
도는 보존이 가능하다. 단, 달걀은 작은 구멍이 많아서 냄새를 잘 흡수하므로
냄새가 강한 것과 함께 보관하지 말고, 물에 씻으면 숨구멍이 막혀 쉽게 상하
므로 씻지 않는 것이 좋다.

조리 전에 냉장고에서 꺼낸다 냉장고에 보관했던 달걀을 차가운 상태로 삶거
나 조리할 경우 열팽창이 고르지 못해 깨지기 쉬우므로 조리 10~15분 전에
냉장고에 꺼내 실온과 같은 온도로 되돌려 놓고 사용한다.

불의 세기에 주의한다 달걀은 58℃에서 익기 시작되어 80℃ 정도면 완전히
익으므로 프라이나 오믈렛, 지단 등을 부칠 때는 팬을 충분히 달군 후 불을 약
하게 한 다음 재빨리 조리해야 한다.

안에 넣는 재료, 모양을 바꾸면 늘 새로운 느낌의 반찬이 되는

삼색 달걀말이

 재료 · 4인분

달걀 4개 · 시금치 50g · 우엉 50g · 게맛살 50g · 김 3장 · 설탕 1큰술 · 진간장 2큰술 · 식용유 2큰술 · 소금 적당량

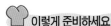 **이렇게 준비하세요**

1 우엉은 껍질을 벗겨 연필 두께로 길쭉하게 썰어서 식촛물에 담가 두고 게맛살도 비닐을 벗겨 둔다. 시금치는 뿌리를 잘라 내고 다듬어 깨끗이 씻어서 물기를 뺀다.

2 달걀은 물 2큰술과 소금을 약간 넣고 잘 풀어 놓는다.

 이렇게 만들어요

3 끓는 물에 소금을 약간 넣고 준비한 시금치를 넣어 파랗게 데쳐서 찬물에 헹군 후 물기를 꼭 짠다.

4 담가 두었던 우엉을 건져 냄비에 담고 잠길 정도로 물을 부은 후 진간장과 설탕을 넣어 조린다.

5 달걀 푼 것을 셋으로 나누어 ⅓분량씩 사각 프라이팬에 붓고 반숙이 되면 김을 펴 얹는다. 그 위에 준비한 우엉 · 게맛살 · 시금치를 각각 얹고 돌돌 말아 세 가지 빛깔의 달걀말이를 만든다.

6 준비한 달걀말이를 김밥 발로 싸서 예쁘게 모양을 고정시킨 후 적당한 크기로 썰어 접시에 담는다.

P O I N T

우엉은 식촛물에 담궈 아린 맛과 검은 물을 빼고 센 불에서 조리다 불을 줄여 조린다.

달걀 푼 것을 ⅓ 분량씩 사각 프라이팬에 붓고 반숙이 되면 재료를 각각 얹고 만든다.

190 Kcal

달걀말이를 매끈하게 부치려면

① 사각형의 프라이팬을 이용한다. 둥근 프라이팬은 퍼지는 면적이 넓어지게 되므로 두께를 내기가 힘들다.

② 달걀 분량의 ⅓ 정도의 다시마 국물을 넣는 것이 좋다. 달걀을 그대로 지지면 단단해져서 말 때 뚝뚝 끊어지고 수분이 너무 많으면 달걀의 끈기가 없어져 팬에 들러붙게 된다.

③ 소량의 기름으로 부쳐야 매끈하다. 팬에 기름을 조금 두르고 충분히 달구어지면 여분의 기름을 종이 타월 등으로 닦아 내고 불을 낮추어 부친다. 기름이 많으면 울퉁불퉁하게 된다.

④ 강한 중불로 부친다. 불이 너무 약하면 달걀이 부드럽게 부풀어 오르지 않아 마는 과정에서 찢어져 버린다. 달걀물은 조금씩 몇 번에 걸쳐 넣어야 맛있다.

⑤ 완성된 달걀말이는 식힌 후 썰어야 깨끗한 모양이 나온다.

다진 새우 달걀말이

재료 · 4인분

새우 300g · 녹말가루 3큰술 · 미나리 5, 6줄기 · 당근 1개 · 소금 약간 · 식용유 약간 · 새우반죽(달걀흰자 1개, 녹말가루 2큰술, 설탕 2큰술, 소금 ½작은술) · 지단(달걀 3개, 녹말가루 1큰술, 물 2큰술, 소금 약간)

이렇게 만들어요

① 새우는 껍질을 벗기고 내장을 뺀 후 다져 정량의 양념을 넣고 잘 섞는다.

② 달걀은 풀어서 소금을 넣고 물(2큰술)에 갠 녹말가루와 잘 섞은 후 지단을 2장 부친다. 당근은 길게 썰어 데치고, 미나리는 소금물에 데친다.

③ 물 축인 거즈를 도마 위에 펴 놓고 지단을 얹은 뒤 녹말가루를 되직하게 개어 지단 위에 바른 후 새우살을 얹고 당근과 미나리를 놓은 뒤 양쪽에서 행주째 둥글게 마는데 맞닿는 부분엔 물에 갠 녹말가루를 발라 붙인다.

④ 찜통에 20분간 찐 후 1㎝ 두께로 썬다.

한 번 만들어 두면 두고두고 반찬 걱정을 덜어 주는

김치·밑반찬

김치

식탁에서 빠질 수 없는 김치
제맛을 살려 만들어 즐겨요

🛈 최고의 발효 식품, 김치

매일 먹어도 물리지 않는 한국의 대표적인 반찬, 김치는 배추·무 등의 야채에 젓갈로 부족하기 쉬운 단백질을 보충하고, 비타민과 무기질을 함유한 양념을 더하며, 맵고 단향이 나는 향신료로 마지막 감칠맛을 낸 야채 요리다.

야채 절이기, 양념 버무리기, 저장하기 등의 모든 과정에 세세한 손질과 손끝 맛이 들어가야 김치맛을 살릴 수 있지만 일단 담궈 두면 오래 두고 먹을 수 있는 발효 식품이라 좋다. 뿐만 아니라 초겨울의 김장 김치는 다음해 봄까지 두고두고 먹을 수 있는 저장 식품이다.

비교적 손쉽게 담가서 바로 먹는 일반 김치로는 나박김치·오이소박이·열무김치·섞박지·파김치·양배추김치·굴깍두기 등을 주로 담그며, 늦가을에 만들어서 저장했다가 추운 겨울에 꺼내 먹는 김장 김치로는 통배추 김치·보쌈 김치·동치미·고들빼기 김치 등이 주로 이용된다.

🛈 김치의 발효, 어떻게 이루어지나?

김치가 익는 것은 재료의 삼투 작용과 미생물의 발효 작용에 의해서 일어난다. 따라서 야채를 소금으로 절일 때의 소금물의 농도와 저장 온도는 김치의 맛 결정에 중요한 역할을 한다. 김치의 맛과 향기는 주로 김칫국물에 들어 있는 향미 성분의 삼투로 빚어지는데, 삼투 작용이 빨리 일어나게 하기 위하여 채소를 소금에 절이는 것이다. 소금의 농도는 겨울 김장용에는 2, 3%, 봄철에는 4, 5%, 여름철에는 7~10%를 쓰는데, 너무 오래 절이거나 소금의 농도를 너무 높게 하면 배추나 무의 단맛이 빠져 나가서 김치의 맛이 떨어진다.

🛈 김치 재료 이렇게 고른다

· 배추
중간 것이 맛있고 들어 봐서 묵직한 것이 좋다. 속을 들췄을 때 연한 백색이며 잎끝이 속으로 단단히 모아지는 것이 싱싱하다. 배춧잎을 잘랐을 때 처지면 오래된 것이다.

· 무
몸이 쭉 고르고 윤기가 있는 것으로 표면에 가로로 줄이 있는 것이 단단해서 좋다. 특히 무청을 잘랐을 때 단면이 흰 것은 바람이 든 무일 가능성이 높다.

· 총각무
무는 동그랗고 무청이 푸른 빛이 돌며 싱싱한 것이 좋다.

· 갓
잎이 푸른 것으로 검은 빛깔이 도는 것은 피하고 중간 크기의 것을 고르도록 한다. 김치에 갓을 넣어 담으면 맛이 시원해져서 좋다.

· 고들빼기
혀끝에 쌉쌀하게 도는 맛이 특징으로 뿌리가 굵고 긴 것으로 잎이 까실까실한 것이 좋다.

🛈 김치에 들어가는 양념 모음

· 파 살균, 살충 작용을 담당한다. 보통 김치 양념으로 쓸 파는 대파와 실파의 중간 크기인 쪽파가 좋고 파김치에는 실파를 쓰는 것이 좋다.

· 마늘 알이 굵고 고르며 껍질이 얇고 바삭거리는 것이 좋다.

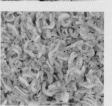

· 젓갈 · 생선류 단백질 · 칼슘을 공급한다.
· 고추 매운 맛을 내는 대표적인 양념. 빛깔이 곱고 두꺼우며 씨가 적은 것을 추석 전에 구입해 둔다.

· 생강 매운 맛은 젓갈 등의 잡맛을 없애 준다. 구입할 때는 쪽이 굵고 굴곡이 적으며 노랗고 단단한 것을 고른다.

 전국의 야채 시장

서울
가락동 농수산물 시장 싱싱한 채소·과일·수산물·고추 등을 20~30% 정도 싼 가격에 살 수 있는 대표적인 시장. 오전 7시 도매 거래가 끝날 때 도매인에게 직접 구하면 훨씬 싼 가격에 물건을 살 수 있다.

노량진 수산 시장: 김치에 들어갈 싱싱한 젓갈과 해산물을 고르기에 좋다. 새벽 6시까지 도매 경매를 하고 그 이후에 소매가 시작된다.

경동 시장 김장철에 한 달 정도 무와 배추를 대대적으로 판매한다. 주로 고추·마늘 등의 전문 상가가 많아 양념을 구하기에 좋은 시장이다.

부산
자갈치 시장 김장철에 맛있는 젓갈을 구할 수 있는 곳으로 주부들이 자주 찾는다.
사상 시장 중간 유통 과정 없이 채소를 판매하는 곳으로 오전 4시에 새벽 시장이 열린다.
부전 시장 고추를 재배한 농가에서 나와 고추 판매도 한다. 소금과 고춧가루를 사기에 좋은 시장이다.

대구
농산물 유통 공사 직판장 농수산물 유통 공사의 대구 지사로 산지에서 직거래가 이뤄져 싱싱한 농수산물을 구할 수 있다.
푸른 평화 공동체 생산량이 한정된 유기 농법으로 지은 농산물을 주문 판매한다.

광주
에덴 선교원 농약을 쓰지 않은 농산물을 직접 재배하여 판매한다. 김장 김치 주문 판매도 한다.
농수산물 도매 시장 광주 지역의 대규모 농산물 도매 시장으로 소매도 겸한다.

대전
역전 시장 옥천·조치원 등에서 재배한 농산물을 직접 판매하는 곳으로 대전역 광장에 장이 선다.
삼성 시장 대전역에서 역전 시장의 반대편에 있는 신선한 채소가 많은 시장.

김치의 맛을 돋우는 여러 가지 젓갈들

새우젓

음력 오월에 담근 오젓, 유월에 담그는 육젓, 삼복 후에 담그는 추젓, 한겨울 흰새우로 담그는 백하젓, 곤쟁이로 담그는 곤쟁이젓 등이 있다. 고를 때는 단맛이 나고 비린내가 나지 않는 것으로 고른다.

멸치젓·멸치액젓

멸치젓은 단냄새가나고 비린내가 나지 않는 것이 좋다. 또한 뼈가 만져지지 않을 정도로 삭은 것, 빛이 붉으면서 거무스름한 것이 좋다. 김치에 멸치젓을 넣을 때에는 끓여서 걸러 낸 맑은 액젓만 사용하고 남은 찌꺼기는 깍두기를 담글 때 잘 다져서 쓴다.

황석어젓

5~6월에 많이 잡히는 황석어를 이용하여 담근 황석어젓은 노르스름하고 노란 기름이 뜨는 것이 좋다.

까나리 액젓

예부터 황해도에서 간장보다 더 귀한 양념으로 애용되었으며, 나물 무침, 해물탕 등에 넣으면 감칠맛이 돈다. 시판용으로는 옹진 수협에서 나오는 것이 가장 상품이다.

생굴

김치에 시원함을 더해 주는 굴은 영양소가 풍부한 해산물이다. 만져 보았을 때 단단한 느낌이 드는 것이 좋으며 알이 굵고 통통한 것을 고른다. 굴의 표면이 미끈하게 닳고 탄력이 없는 것은 오래된 것으로 신선도가 떨어진다.

🧑‍🍳 김치 담그기 하나, 절이기

김치 담그는 첫 과정은 구입한 배추를 소금에 절여서 부드럽게 하는 것이다. 야채는 절이는 과정에서 섬유질이 부드럽게 되고 독특한 미생물만 남아 김치의 독특한 맛을 낸다.

· 배추 절이기

1 배추의 겉잎을 떼어 낸다.

2 배추 뿌리 쪽에 10㎝쯤 칼집을 넣는다.

3 손으로 배추를 가른다.

4 갈라 놓은 배추는 소금물에 6시간 정도 절인다.(절이기에 알맞은 소금의 농도는 배추의 10~13% 정도이다)

5 배추가 숨이 죽으면 소금물에서 배추를 건진 다음 굵은 소금을 뿌려 둔다. 특히 잎보다 조직이 뻣뻣한 줄기는 오랜 시간 절여야 씹는 맛이 부드러워서 좋다.

6 배추가 절여지면 뒤집어서 물기를 뺀다.

7 뿌리 쪽의 밑둥을 파 낸다.

· 총각무 절이기

총각무는 억센 무청을 떼어 내고 무청과 무 사이의 검은 테두리를 깎아 낸 다음, 잔털을 잘라 내고 껍질을 긁어 낸다. 굵은 것은 4등분, 작은 것은 2등분해 무가 약간 잠길 정도의 물에 굵은 소금을 넣고 잘 녹인 후 무를 넣고 뒤집어 주면서 3시간 정도 절이면 아삭하다.

🧑‍🍳 김치 담그기 둘, 계절따라 다른 맛내기

김치에는 넣는 젓갈과 양념, 야채 등이 기호·시기·지방에 따라 갖가지이다. 맛있는 김치를 담그는 데 양념 선택 및 배합은 매우 중요하다. 너무 많이 들어 갔을 경우 김치가 빨리 시어지고 너무 적을 경우 맛이 살지 않는다.

· 설 전에 먹는 김장 김치를 담글 때는

1 파와생강을 넉넉하게 넣는다.

2 젓갈은 끓여 맑게 걸러서, 넉넉하게 넣는다.

3 동태·생새우·오징어·굴 등의 부재료를 함께 넣어 담근다.

4 소금간을 적게 하고 젓국으로 간을 맞춘다.

· 설 지나 늦봄까지 먹는 김장 김치의 경우

1 젓갈은 되도록 넣지 않는다. 단, 끓이지 않는 생젓은 사용해도 좋다.

2 굴·동태·새우 등 부재료를 넣지 않는다.

3 생강·마늘·파의 양은 적게, 고춧가루는 많이 넣는다.

🧑‍🍳 김치 담그기 셋, 맛있게 숙성시키기

정성스레 담근 김치의 맛을 내는 마지막 포인트는 저장 과정이다. 좋은 배추에, 좋은 양념을 사서 담근 김치는 적당한 온도에서 잘 익혀야 제맛을 내기 때문이다. 가장 맛있는 김치의 발효 온도는 4℃에서 익힌 뒤 0℃에서 보관하는 것이다.

김장 김치는 15~20일 정도면 젓갈과 소금이 야채에 알맞게 배므로 이 때부터는 0℃에서 보관하는 것이 좋다. 예부터 김장독을 땅에 묻고 담근 김치를 보관했던 것은 온도 변화를 일정하게 하여 숙성이 잘 이뤄지게 한 것이었다. 요즘은 베란다 한켠에 종이 상자에 비닐 포대 2, 3장을 겹쳐 놓고 포대 주위에 말린 톱밥이나 왕겨를 넣어 보관 장소를 만들어 이용한다.

젓갈 담그기

황석어젓이나 멸치젓, 새우젓처럼 김치를 담글 때 많이 이용되는 젓갈은 번거로워도 집에서 담가두었다가 사용하면 진국의 맛을 즐길 수 있다.

제철에 싸게 다량으로 구입한 새우와 황석어, 조기, 멸치 등은 깨끗이 씻어 소금을 켜켜로 담고 맨 위에 소금을 듬뿍 얹어 서늘한 곳에서 3개월 정도 발효시킨다. 이 때 소금의 농도가 30% 이상이어야 젓갈이 상하지 않는다.

젓갈을 담글 때 가장 신경 써야 할 부분이 소금의 양을 잘 맞추는 것이다. 중간 크기의 조기 20마리로 젓갈을 담글 때 소금 20컵이 적당하며 멸치 1짝의 경우 소금 40컵을 넣어 주는 것이 적당하다.

김치 재료를 구입할 수 있는 곳들

· **백화점의 슈퍼마켓**

지하 1층 매장에 자리한 백화점의 식품부는 교통편이 편리하고 소포장이 잘 되어 있다는 것이 가장 장점. 박스에서 풀어서 판매되는 당근·오이·호박 등은 여느 도매시장 가격과 비슷한 수준이다. 단 배추·대파 등의 엽채류는 도매 시장이나 농협 직판장보다 가격이나 신선도 면에서 약간 떨어지니 유의할 것. 무엇보다 매일의 특선 채소와 할인 시간대를 잘 이용하는 것이 알뜰 쇼핑의 관건이다.

· **농산물 물류 센터 하나로 클럽**

농협에서 운영하는 창고형 할인 매장으로 산지 출하된 야채가 곧바로 배달되어 직거래되기 때문에 채소의 신선도와 가격이 월등히 뛰어나다. 주문 전화 제도를 운영하며 운송료를 저렴하게 받기 때문에 많은 양을 구입할 때는 훨씬 간편하다. 많은 양의 야채를 구입하는 김장철에는 더욱 편리하다.

*하나로 클럽 양재점 (02)3498-1000/ 하나로 마트 상계점 (02)937-0291/ 용산 농산물 백화점 (02)707-8200/ 하나로 클럽 도봉점 (02)998-2651

***전시 판매장**

인천 (032)862-0021/ 충북 (0431)276-6222/ 대전 (042)220-0800/ 전남 (062)228-8317

· **대형 할인 매장**

백화점의 식품 매장보다 10~20% 정도 싼 가격으로 야채를 구입할 수 있다. 엽채류는 산지에서 직접 운송되고 있으며 야채들이 3~4인용 개별 포장 판매된다. 야채 코너 한켠의 '1일 봉사 상품'은 직판장보다 저렴하게 야채를 판매하므로 이를 이용하면 경제적이다.

***킴스 클럽**

서울점 (02)530-5704/ 성남점 (0342)780-3823/ 평촌점 (0343)80-6366

***프라이스 클럽** (02)676-1234

***E 마트**

일산점 (0344)900-1234/ 분당점 (0342)710-1234

· **우편 주문 판매 서비스**

전화로 필요한 농·수산물을 주문하면 우체국이 산지와 소비자를 유통 마진 없이 연결하여 신선한 상품을 공급받게 하는 서비스다. 우체국 통장이 있으면 통장으로 주문이 가능하여 더욱 간편하다. *안내 (02)856-2300~1

배추 통김치

재료

배추 4포기 · 무 1개 · 갓 ½단 · 미나리, 실파 ½단씩 · 대파 1뿌리 · 마늘 2
통 · 생강 2쪽 · 청각 30g · 굴 150g · 고춧가루 2컵 · 소금 약간 · 새우젓
½컵 · 굵은 소금 2컵

이렇게 준비하세요

1 배추는 겉잎을 떼고 다듬어서 반을 가른 다음 소금물에 하룻밤쯤
(6~8시간) 절여 둔다. 배추가 알맞게 절여지면 흐르는 물에 2, 3번
씻어서 물기를 빼고 뿌리 부분은 도려 낸다.
2 무는 씻어 채썰고, 미나리와 갓도 다듬어 씻어서 4cm 길이로 썬다.
3 대파와 실파는 깨끗이 손질한 다음 대파는 어슷어슷하게 썰고, 실파
는 4cm 길이로 썬다.
4 마늘과 생강은 껍질을 벗겨 곱게 다지고 청각은 물에 불렸다가 건져
서 물기를 짠 다음 적당하게 썬다.
5 굴은 소금물에 흔들어 씻으면서 껍데기를 가려 낸 후 소쿠리에 밭쳐
물기를 뺀다.

이렇게 만들어요

6 고춧가루에 뜨거운 물을 조금 넣어 불려 채썬 무에 넣고 버무린다.
7 무에 미나리 · 갓 · 실파 · 대파 · 청각과 마늘 · 생강 · 굴 · 새우젓을
넣어 버무리고, 소금으로 간을 맞춘다.
8 절인 배추에 소를 켜켜로 넣고 겉잎으로 아물려서 항아리에 담는다.
줄기 부분이 덜 절여졌을 경우 항아리에 담을 때 줄기 부분에 소금을
뿌려 준다.

POINT

소금에 절인 배추를 흐르는 물에 잘 씻은
다음 채반에 엎어서 물기를 뺀 후 뿌리 부
분을 칼로 도려 낸다.

채썬 무와 양념을 넣어 버무린 다음 으깨어
지기 쉬운 굴은 맨 마지막에 넣고 소금으로
간을 맞춘다.

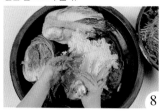

배춧잎 사이마다 켜켜로 소를 넣은 배추는
겉잎으로 아물려서 차곡차곡 담아 익힌다.

김장 김치 소 나눠서 만들기

김장 김치를 담글 때는 김치를 꺼내 먹는 때를 미리 정하고 그에 알맞은 소를
만드는 것이 좋다. 초겨울에 먹을 것은 새우젓 · 멸치젓 등의 젓갈류를 많이
넣어 빨리 익고 감칠 맛이 나게 하고, 한겨울에 먹을 것은 조기젓을 넣어 깊
은 맛이 나게 한다. 초봄에 먹을 것은 파와 마늘을 적게 넣고, 젓갈없이 소금
으로만 간을 하면 오래 두어도 김치가 많이 시어지지 않고 잘 익는다.

재료가 많이 들어가 다른 어떤 김치보다도 맛있고 호화로운

보쌈 김치

재료

배추 2포기 · 무 ⅓개 · 배 ½개 · 밤 3개 · 대추 2개 · 미나리 ⅓단 · 표고버섯 2개 · 석이버섯 2개 · 대파 1뿌리 · 마늘 1통 · 생강 1쪽 · 낙지 1마리 · 굴 100g · 새우젓 ½컵 · 고춧가루 ⅔컵 · 실고추, 잣 약간씩 · 굵은 소금 2컵

이렇게 준비하세요

1 배추는 포기를 갈라서 소금물에 절였다가 씻어 물기를 뺀 다음 보자기로 쌀 겉잎은 넉넉히 떼어 놓고 속잎만 모아 4cm 길이로 썬다. 무와 배는 껍질을 벗겨 배추 크기로 썰고 밤도 겉껍질을 까고 손질하여 얄팍하게 썬다.

2 미나리는 손질하여 4cm 길이로 썰고, 대파는 가늘게 채썬다. 마늘과 생강은 곱게 다진다. 대추는 씨를 빼내어 가늘게 채썰고 표고버섯 · 석이버섯은 물에 불려서 채썬다.

3 낙지는 소금물에 넣고 주물러 깨끗이 씻어서 적당하게 썰고, 굴도 소금물에 흔들어 씻어 물기를 뺀다.

4 새우젓은 건더기만 건져서 다진 다음 젓국과 함께 섞는다.

이렇게 만들어요

5 준비한 배추와 무 · 밤 · 배 · 미나리 · 대파를 고춧가루에 버무린 다음 낙지 · 굴과 다진 마늘 · 생강 · 새우젓을 넣어 잘 섞는다.

6 절인 배추 겉잎을 보시기에 깔고 재료를 다독거려 넣은 다음 위에다 실고추 · 잣 · 표고버섯 · 석이버섯 · 대추를 고명으로 얹어 싼 다음 항아리에 차곡차곡 담는다. 보쌈 김치는 1인분씩 작게 만드는 편이 꺼내 먹기에 좋으며, 상에 낼 때는 젓가락으로 윗부분을 살짝 펼쳐 고명이 잘 보이게 한다.

POINT

보자기로 쌀 배춧잎을 뺀 나머지 속잎을 잘게 썰고 무와 배 · 밤도 손질하여 썬다.

야채 · 양념 · 젓갈 순으로 속을 넣어 버무리고 해물을 마지막에 넣고 간을 한다.

보시기에 겉잎 3장 정도를 깔고 속을 넣은 다음 덮어 싸서 항아리에 차곡차곡 담는다.

보쌈 김치는 고춧가루를 듬뿍 사용하여 맵게 버무린 것이지만 고춧가루를 전혀 사용하지 않는 백보쌈 김치도 별미다. 양지머리 국물에 심심하게 소금간을 해서 김칫국물로 부어 짜지 않기 때문에 어린이나 노인 · 환자에게도 좋다.

보쌈 김치를 담글 때

보쌈 김치는 담글 때는 손이 많이 가지만 상에 낼 때는 썰어야 하는 번거로움이 없어 한 끼에 하나씩만 담아 내면 되므로 편리하다. 또 항아리에 담을 때 육수나 새우 삶은 물, 황석어젓 달인 물에 소금을 조금 넣어 만든 김칫국물을 자작하게 붓고 돌로 눌러 주면 더 잘 익는다. 보쌈 김치는 담근 지 보통 1주일쯤 되면 먹을 수 있는데 해물과 젓국이 많이 들어가 빨리 익으므로 다른 김치보다 일찍 먹을 수 있지만, 속재료가 너무 많으면 쉽게 물러진다.

백김치

 재료

배추 5포기 · 무 2개 · 밤 10개 · 배 3개 · 대추 10개 · 마늘 2통 · 생강 2쪽 · 대파 4뿌리 · 석이버섯 5개 · 표고버섯 5장 · 미나리 ½단 · 굵은 소금 4컵 · 소금 ½컵 · 실고추 약간 · 잣 2큰술

이렇게 준비하세요

1 배추는 2등분하여 배추가 잠길 정도로 소금물을 붓고 푹 절인 후 헹구어 손질한다.

2 무와 밤 · 배(1개)는 손질하여 가늘게 채썰고, 대추는 먼지를 닦고 씨를 뺀 후 채썬다.

3 마늘과 생강은 껍질을 벗겨 채썰고, 대파는 흰 부분만 잘라 3cm 길이로 잘라 채썬다. 미나리는 잎을 떼고 다듬어 다른 재료와 같은 길이로 썬다.

4 표고버섯은 물에 불린 후 기둥을 떼고 채썬다. 석이버섯도 물에 담가 불렸다가 비벼 씻은 뒤 돌돌 말아 곱게 채썬다.

 이렇게 만들어요

5 무 · 밤 · 배 · 미나리와 대파 · 생강 · 마늘을 섞고 실고추를 넣어 버무려 붉은 빛이 돌게 한 후, 대추 · 석이버섯 · 표고버섯 · 잣을 넣고 소금 1큰술로 간하여 섞는다.

6 절인 배추의 갈피갈피에 버무린 소를 채워 넣고 겉잎으로 흐트러지지 않게 잘 싸서 항아리에 눌러 담는다.

7 배 2개를 강판에 갈아서 즙을 낸 뒤 심심하게 탄 소금물과 섞어, 항아리에 국물이 자작자작할 때까지 붓는다.

POINT

마늘과 생강, 대파는 흰 부분만을 3cm 길이로 채썰고 미나리는 잎을 떼고 줄기만 같은 길이로 잘라 채썬다.

재료와 양념을 넣고 실고추를 넣어 버무려 붉은빛이 나게 한 후 소금 1큰술로 간하여 섞는다.

절인 배추의 갈피갈피에 소를 채워 넣고 겉잎으로 흐트러지지 않게 싸서 항아리에 눌러 담는다.

 국물을 넉넉히 부어야 맛있는 백김치

고춧가루를 넣지 않고 갖은 재료로 맛을 낸 백김치는 속재료를 많이 넣기보다는 국물을 넉넉히 붓는 것이 포인트다. 북어 끓인 물이나 멸칫국 등을 넣어도 좋고, 다진 마늘과 생강을 망사 주머니에 싸서 김치를 담글 때 넣으면 국물맛이 한층 더 향긋해진다. 원래 북쪽 지방의 대표적인 배추 동치미인 백김치는 겨울에 김칫국물에 밥이나 국수를 말아 시원하게 먹어도 좋다.

김치는 항상 맵고 짜다는 것에서 벗어나 고춧가루를 적게 쓰는 백김치 · 장김치 · 물김치 등을 활용하고 보쌈 김치 등 영양이 풍부한 김치를 식탁에 올리면 훨씬 변화 있게 식탁을 꾸밀 수 있다.

김치 맛을 시원하게 하는 배

배는 시원한 맛 때문에 김장에 많이 이용된다. 대부분 껍질을 벗기고 채를 썰어서 소를 만들 때 넣는데, 강판에 갈아 즙을 내어 국물에 섞어도 향긋한 맛이 좋다.

장김치

재료

배추 1포기 · 무 ½개 · 배 1개 · 밤 8개 · 대파 1뿌리 · 갓 ⅓단 · 마늘 3쪽 · 생강 1쪽 · 표고버섯 4개 · 석이버섯 4개 · 미나리 ⅓단 · 잣 1큰술 · 실고 추 약간 · 소금 약간 · 진간장 1컵 · 설탕 2큰술

이렇게 준비하세요

1 배추는 겉잎을 떼어 내고 속대만을 준비하여 3cm 길이로 썬 다음 깨 끗이 씻어 진간장에 절인다. 무는 3cm 두께로 토막내어 나박썰기한 다 음 배추가 어느 정도 절여진 후에 넣어 함께 절인다.

2 대파는 흰 부분만을 3cm 길이로 잘라 가늘게 채썰고, 마늘 · 생강은 손질하여 얇게 저미며 채썬다. 표고버섯은 물에 불려 기둥을 뗀 후 채 썰고, 석이버섯도 물에 담갔다가 깨끗이 씻어 가늘게 채썬다.

3 미나리 · 갓은 깨끗이 다듬어 다른 재료와 같은 길이로 썬다. 밤은 겉껍질과 속껍질을 깨끗이 벗겨 저며 썰고, 배는 6등분하여 껍질을 벗 기고 씨 부분을 파 낸 다음 얄팍하게 썬다.

이렇게 만들어요

4 배추와 무를 절인 진간장을 따라서 받아 놓고, 준비한 대파 · 마 늘 · 생강 · 미나리 · 갓 · 밤 · 배 · 표고버섯 · 석이버섯을 넣은 뒤 실 고추와 잣도 넣어 살살 버무려 섞는다.

5 버무린 재료를 항아리에 담고, 따라 놓은 진간장물에 물 3컵을 부어 설탕과 소금으로 간한 뒤 항아리에 붓는다. 서늘한 날씨라도 2~3일 지나면 익고 빨리 시 어지므로 익으면 바로 냉장 고에 넣어 차게 하여 열흘 안에 먹는 게 좋다.

미나리와 갓은 3cm 정도 길이로 썰고 배는 6쪽으로 나누어 껍질을 벗겨 나박썰기한다.

배추 · 무에 준비한 여러 가지 재료를 넣어 살살 뒤적이듯이 잘 버무린다.

장김치를 맛있게 담그려면

장김치는 달고 고소한 맛이 나는 무 · 배추를 진간장으로 간하여 배 · 밤 · 표 고버섯 등의 재료를 넣어 만드는 궁중 김치다. 시원하면서도 달착지근한 맛 이 별미인데 맛을 제대로 내려면 세밀한 면까지 신경을 써야 한다. 우선 배 추와 무를 절일 때는 배추가 무보다 수분이 적어 흡수가 늦으므로 먼저 절이 고, 양념을 다져서 넣으면 냄새가 많이 나고 국물이 탁해지므로 양념을 채썬 다. 또 모든 재료는 살살 버무려야 국물이 걸쭉해지지 않으며, 설탕간을 너 무 일찍 하면 국물이 탁해지므로 주의한다.

석이버섯 손질하기

석이버섯은 뜨거운 물에 담가 충분히 불린 뒤 뒷면을 서로 마주 비벼 이끼나 불순물 등을 깨끗이 떼어 낸다. 칼끝으로 긁어 내도 잘 벗겨진다. 깨끗이 씻 은 뒤 건져 물기를 닦고 송송 채를 썬다.

총각김치

재료

총각무 2단 · 실파 1단 · 갓 1단 · 대파 2뿌리 · 미나리 ⅓단 · 고춧가루 1컵 · 생강 2쪽 · 마늘 2통 · 멸치젓 1컵 · 새우젓 ½컵 · 찹쌀가루 2큰술 · 설탕, 소금 약간씩 · 굵은 소금 2컵

이렇게 준비하세요

1 총각무는 무청이 파랗고 싱싱하며 알이 단단한 것으로 준비하여, 억센 무청은 떼어 내고 연한 것만 남겨 씻은 다음 굵은 소금을 뿌려 하룻밤 정도 절인다.

2 갓과 실파는 깨끗이 다듬어 씻어 두었다가 절인 무가 거의 숨이 죽었을 때 함께 넣어 절인다. 미나리와 대파는 깨끗이 손질한 다음 미나리는 4㎝ 길이로 썰고, 대파는 굵게 어슷썰기한다. 마늘 · 생강은 껍질을 벗겨 곱게 다진다.

3 멸치젓은 같은 분량의 물을 붓고 달인 후, 한지를 깐 소쿠리에 밭쳐 맑은 젓국을 만든다. 새우젓은 건더기를 건져 꼭 짠 후 대강 다져서 젓국에 다시 넣는다.

4 찹쌀가루는 물 1컵을 붓고 풀을 쑤어 식힌다.

이렇게 만들어요

5 절인 총각무와 갓 · 실파를 풋내가 나지 않도록 2, 3회 헹구어 살살 씻은 후 소쿠리에 건져 물기를 빼고 굵은 무는 2~4등분한다.

6 고춧가루에 멸치 젓국을 넣어 고루 섞은 뒤 찹쌀풀을 넣고 잘 갠다.

7 개어 놓은 고춧가루에 미나리 · 대파와 마늘 · 생강 · 새우젓을 모두 넣고 잘 섞어 김치 양념을 만든다.

8 준비한 총각무와 갓 · 실파에 김치 양념을 넣어 고루 버무리되 살살 버무려 풋내가 나지 않도록 하고, 설탕 · 소금으로 맛을 낸다.

9 버무린 무와 갓 · 실파를 몇 가닥 모아 잡아 한데 묶은 후, 항아리에 꼭꼭 눌러 담아 익힌다.

고춧가루에 멸치 젓국을 넣어 섞은 다음 찹쌀풀을 넣어 잘 갠다.

멸치젓국과 찹쌀풀에 넣어 갠 고춧가루에 다진 양념과 새우젓을 넣어 섞는다.

총각무는 씻어 건져 물기를 뺀 후 갓 · 실파를 넣어 버무리고 설탕 · 소금으로 간한다.

버무린 무와 갓 · 실파를 모아 한 덩이로 묶어서 항아리에 담는다.

총각무 다듬기

총각무는 무청이 파랗고 알이 단단한 것으로 골라 싱싱한 잎만 남기고 잔털을 떼며, 무청이 달린 부분을 칼로 다듬은 뒤 깨끗이 씻어 건진다. 칼로 무를 박박 긁으면 무가 쉽게 물러져 맛이 없으므로 잔털만을 뗀다.

무를 생선 비늘처럼 칼집을 넣어 소를 끼워 익힌

비늘 김치

 재료

무 10개 · 오이 10개 · 배춧잎 20장 · 마늘 2통 · 생강 2쪽 · 실파 ½단 · 미나리 ½단 · 갓 ½단 · 새우젓 1컵 · 고춧가루 1컵 · 굵은 소금 적당량

이렇게 준비하세요

1 무는 윗부분의 푸른빛이 적은 중간 크기의 것으로 준비하여, 무청은 잘라 내고 깨끗이 씻어 생선 비늘 모양으로 어슷어슷하게 칼집을 넣는다. 오이는 모양이 고르고 자잘한 것으로 골라 씻어서 무와 같은 모양의 칼집을 넣고 배추는 겉잎으로 준비하여 손질해 놓는다.

2 칼집 넣은 무와 오이, 배춧잎을 소금물에 담가서 절인다. 오이는 싸고 맛이 좋은 때 많이 사서 소금 저장했다가 짠맛을 우려 내고 이용해도 좋다.

3 양념용 무는 손질하여 3cm 길이로 가늘게 채썰고, 마늘 · 생강은 곱게 다진다. 실파 · 갓 · 미나리도 다듬어 씻어서 무와 같은 길이로 썬다. 새우젓은 꼭 짜서 국물만 받아 놓는다.

이렇게 만들어요

4 절인 무와 배춧잎은 헹구어 채반에 건져서 물기를 빼고, 오이는 베보자기에 싸서 물기를 꼭 짠다.

5 채썬 무와 마늘 · 생강 · 실파 · 갓 · 미나리를 섞고, 고춧가루를 넣어 버무린 다음 새우젓 국물도 넣고 함께 섞는다.

6 준비한 무 · 오이의 칼집 사이에 양념을 채워 넣고, 절인 배춧잎으로 싸서 항아리나 배추김치 사이사이에 넣어 익힌다.

무는 깨끗이 씻어 손질한 후 생선 비늘처럼 어슷어슷하게 칼집을 넣은 다음 소금물에 절인다.

준비한 무와 오이의 칼집 사이에 여러 가지 재료를 섞어 버무린 양념을 넣은 다음 배춧잎으로 싸서 익힌다.

김치를 덜 시게 하려면

발효 식품인 김치가 시게 되는 것은 산균이 늘어나기 때문으로 김치를 담글 때 사용하는 젓갈이나 양념에 따라 시어지는 정도가 달라진다. 김치를 덜 시게 하려면 젓갈은 끓이지 말고 그대로 사용하고 멸치젓보다는 새우젓을 사용하는 것이 좋으며 물엿이나 설탕을 넣지 말아야 한다. 햇빛 역시 김치를 빨리 시게 하므로 그늘지고 서늘한 5℃ 이하의 냉장고 보관이 가장 적당하다. 냉장 보관을 했음에도 빨리 시는 것은 냉장고 문을 자주 여닫기 때문.
또 다른 방법으로는 먹고 난 게 껍데기를 이용하는 것이다. 게 껍데기를 깨끗이 씻어 말려 비린내를 없앤 다음 곱게 빻아 양념에 섞어 김치를 담그면 시는 기간을 2배 이상 늦출 수 있다. 게 껍데기에 함유된 탄산칼슘이 김치에서 나오는 젖산을 중화시켜 더디 시게 한다.

영양가 풍부한 무청으로 만들어 담백한 맛김치

무청소박이

재료

무청 20개 · 무 1개 · 고춧가루 1컵 · 생강 2쪽 · 마늘 2통 · 대파 2뿌리 ·
멸치젓 5큰술 · 새우젓 5큰술 · 소금 약간 · 굵은 소금 1컵

이렇게 준비하세요

1 무청은 잎이 푸르고 연한 것으로 준비하여 잎이 떨어지지 않게 잘
라, 시들어서 누렇게 된 잎은 떼어 버리고 씻어서 건져 놓는다.
2 손질한 무청을 그릇에 담고 소금을 켜켜로 뿌려 푹 절인다.
3 무는 손질하여 곱게 채썬 다음 물이 들도록 고춧가루를 넣어 버무려
놓는다. 생강 · 마늘은 껍질을 벗기고 깨끗이 씻어 곱게 다지고, 대파
는 굵게 어슷썰기한다. 멸치젓과 새우젓도 각각 곱게 다져 놓는다.

이렇게 만들어요

4 절인 무청을 물에 2, 3번 흔들어 헹군 후 채반에 건져 물기를 뺀다.
5 고춧가루에 버무린 무와 다진 생강 · 마늘, 어슷어슷 썬 대파를 넣고
젓갈을 함께 넣어서 잘 버무려 섞는다.
6 준비한 무청의 갈피갈피에 버무린 양념을 조금씩 깊숙이 박아 넣고
서 양념이 빠져 나오지 않도록 무청을 접어서 또아리를 만들어 잘 아
물린다.
7 항아리에 무청소박이를 눌러 담고 무거운 돌로
누른 뒤, 양념 그릇에 심심하게 소금
물을 타서 말끔히 헹구어
붓고 익힌다.

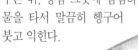

고춧가루에 버무린 무 채에 다진 생강 · 마
늘, 어슷썰기한 대파 · 젓갈을 넣고 잘 버무
려서 소를 만든다.

준비한 소를 무청 사이가 벌어져 소가 빠져
나오지 않도록 소를 조금씩 깊숙이 박아 넣
어 또아리를 만들어 잘 아물린다.

무 몸통보다 영양가가 더 높은 무청
무청은 우리가 식용으로 주로 이용하는 뿌리 부분인 무보다도 영양가가 풍
부하다. 열량이 2배, 칼슘이 5배, 비타민A가 3000배, 비타민 B가 3배이고
비타민 C와 칼슘, 카로틴도 많으므로 김치나 깍두기 등을 담고 남는 무청은
버리지 말고 나물이나 김치로 알뜰하게 이용하자.
무를 손질할 때는 잎이 푸르고 연한 무를 골라 누렇게 마른 잎은 떼 내고 밑
둥을 조금 남긴 채 잘라서 무청만 쓴다. 김치를 담글 때는 양손으로 무청을
휘어 부러지지 않을 정도까지 절여 여러 번 헹군 다음 소를 조금씩 넣고 한
포기씩 잘 아물려 소가 빠지지 않게 담는다. 상에 낼 때는 크기가 큰 것은 2
개로 자르고 흩어지지 않게 주의해서 그릇에 담는다.

싱싱한 굴을 듬뿍 넣어 시원하고 상큼한 맛을 즐길 수 있는

굴깍두기

재료

무 2개 · 굴 200g · 갓, 실파, 미나리 ⅓단씩 · 생강 1쪽 · 소금 ½컵 · 마늘 1통 · 새우젓 4큰술 · 고춧가루 ⅔컵 · 설탕 1큰술

이렇게 준비하세요

1 무는 깨끗이 씻어서 잔뿌리만 떼어 내고 1.5cm 두께로 통썰기한 다음 깍둑썰기한다.

2 갓과 실파는 깨끗이 손질하고, 미나리도 잎을 떼고 다듬어 씻어서 각각 3cm 길이로 썬다. 생강과 마늘은 껍질을 벗기고 씻어서 곱게 다진다.

3 새우젓은 건더기를 건져 곱게 다진다.

4 굴은 유백색이 나는 싱싱한 것으로 준비하여 껍질을 골라 내면서 소금물에 2, 3번 흔들어 씻은 뒤 소쿠리에 건져 물기를 빼 놓는다.

이렇게 만들어요

5 깍둑썰기한 무에 고춧가루를 넣고 나무주걱으로 고루 저어 무에 물을 들인다.

6 물들인 무에 다진 마늘과 생강 · 실파 · 갓 · 미나리를 넣고 잘 버무린 다음 새우젓 · 설탕 · 소금을 넣고 버무린다. 맨 마지막에 굴을 넣고 굴이 뭉그러지지 않도록 가볍게 섞어 항아리에 꼭꼭 눌러 담는다. 굴깍두기는 시원하고 맛있지만 산성 식품이기 때문에 빨리 시어지므로 조금씩만 담궈 먹는다. 겨울에는 김치가 잘 익지 않으므로 무를 잘게 썰어야 하고 무쳐서 바로 먹으면 상큼한 맛이 좋다.

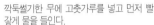

동치미

재료

무 10개 · 갓, 실파 1단씩 · 풋고추(삭힌 것) 10개 · 마늘 2통 · 생강 2쪽 · 붉은고추 2개 · 배 1개 · 굵은 소금 1½컵 · 소금 1컵

이렇게 준비하세요

1 무는 동치미용의 자그마한 것으로 준비하여 잔털을 떼고 깨끗이 씻은 뒤 굵은 소금에 굴려 항아리에 담아 하룻밤 정도 절인다. 빨리 절이려면 소금물에 담갔다가 소금에 굴린다.

2 갓과 실파는 깨끗이 손질하여 소금에 잠깐 절인다.

3 풋고추는 꼭지째 소금물에 여러 날 담가 푹 삭힌 것을 준비하여 깨끗이 씻고 붉은고추도 깨끗이 씻어 둔다. 배도 껍질째 씻는다.

4 마늘과 생강은 껍질을 벗기고 씻어서 얄팍하게 저민다.

이렇게 만들어요

5 절인 무는 헹궈서 물기를 빼고, 갓과 실파도 헹구어 물기를 짜낸 후 2, 3줄기씩 잡아 돌돌 말아 묶는다. 저민 마늘과 생강은 깨끗한 거즈에 싸서 묶는다.

6 항아리에 마늘 · 생강 싼 것을 넣고, 무와 준비한 갓과 실파, 붉은고추 · 풋고추 · 배를 번갈아 가며 켜켜로 담는다.

7 물 5ℓ (약 20컵)에 소금을 풀어 거즈에 맑게 걸러서 항아리에 부은 다음 무거운 돌로 누르고 뚜껑을 덮어 익힌다.

1

연하고 심이 없는 무를 골라 깨끗이 씻은 다음 소금에 굴려 항아리에 담는다.

5

살짝 절인 갓 · 실파는 미끈거리지 않도록 물에 헹구어 먹기 좋게 2, 3줄기씩 묶는다.

7

맑게 거른 소금물을 부은 다음 무거운 돌로 눌러 재료가 떠오르지 않도록 한다.

동치미를 무르지 않게 담그려면

한겨울에 먹는 알싸한 동치미의 맛을 살리기 위해서는 재료 선택이 중요하다. 무는 너무 연하면 익은 후에 물러지기 쉬우므로 몸이 단단하고 매운 맛이 강한 것으로 고른다. 담글 때는 무를 많이 넣고 갓 · 삭힌 고추 · 파 뿌리 등의 양념을 넉넉히 사용하면 한결 시원한 맛을 낸다. 생강이나 마늘은 거즈에 싸서 넣고 소금도 미리 체에 밭쳤다가 사용한다. 또 배를 반으로 갈라 넣거나 유자나 석류 등을 함께 넣으면 더욱 향긋하고 시원한 국물을 만들 수 있다. 배를 넣을 때는 껍질을 깎지 말아야 국물이 탁해지지 않으므로, 깨끗이 씻어서 몇 군데 칼집만 내고 통째로 항아리 바닥에 넣어 두면 배즙만 우러나 국물도 맑고 맛도 좋다.

잘 담근 동치미에서도 무가 물러 군내가 나는 경우가 있는데, 이를 막으려면 무엇보다도 무를 손질할 때 너무 긁어서 껍질에 상처를 내지 말도록 잔털만 떼고 깨끗이 씻는다. 상처가 나면 무 속으로 물이 들어가게 되어 빨리 물러 군내가 나게 된다. 또 상에 낼 때 물이 묻은 손으로 꺼내면 곰팡이가 끼기 쉽고 맛이 쉬 변하므로 정갈하게 다룬다.

젓갈을 쓰지 않고 소금과 고춧가루로 개운한 국물맛을 내는

나박김치

재료
무 1개 · 배추 ¼포기 · 대파 2뿌리 · 마늘 4쪽 · 생강 1쪽 · 미나리 ⅓단 · 오이 1개 · 붉은고추 2개 · 소금 ½컵 · 고춧가루 4큰술 · 굵은 소금 ⅓컵

이렇게 준비하세요

1 무는 잔털이 적고 통통하며 안에 바람이 들지 않은 싱싱한 것으로 준비해 깨끗이 손질하여 3㎝ 두께로 토막을 내어 나박썰기한다. 배추는 속잎으로 준비하여 무와 같은 크기로 썬 다음 굵은 소금을 솔솔 뿌려 30분 정도 절인다.

2 오이는 소금으로 문질러 씻은 다음 무와 같은 크기로 썰어서 소금에 살짝 절인다.

3 마늘 · 생강은 깨끗이 손질하여 가늘게 채썰고, 붉은고추는 길게 반으로 갈라 씨를 털어 낸 후 3㎝ 길이로 채썬다. 대파는 흰 부분만을 붉은고추와 같은 길이로 잘라 채썬다. 미나리는 잎부분을 떼어 내고 3㎝ 길이로 썬다.

이렇게 만들어요

4 절인 무와 배추를 건져 물에 헹군 다음 물기를 빼고, 오이도 물기를 꼭 짠다.

5 물 20컵에 소금 6큰술을 푼 다음 고춧가루를 거즈에 싸서 넣고 흔들어서 물을 들인다.

6 준비한 무 · 배추 · 오이에 채썬 생강과 마늘 · 붉은고추 · 대파 · 미나리를 넣고 버무려 섞는다.

7 버무린 재료를 항아리에 담고 물들인 소금물을 부어 익힌다.

POINT

마늘 · 생강은 가늘게 채썰고 미나리는 잎부분만 3㎝ 길이로 채썬다.

무 · 배추 · 오이에 채썬 재료들을 넣고 잘 버무린다.

버무린 재료에 미리 물을 들인 김칫국물을 부어 익힌다.

맛있는 나박김치를 담그려면
① 국물과 주재료 모두에 따로 소금간을 한다. 김치가 짜다고 물을 붓거나 무, 배추에는 간을 하지 않고 국물에만 간을 하면 김치가 쉽게 물러진다. 무, 배추는 꼭 소금에 절여 간을 하고 국물도 소금간을 맞춰 김치거리에 붓는다.
② 맑고 깔끔한 김칫국물이 나박김치의 맛을 결정하므로 양념에서 진이 빠져 나와 국물이 탁해지는 것을 막기 위해 양념은 채썰어 이용한다. 진이 많은 파는 물에 헹궈서 넣어 준다.
③ 김칫국물을 만들 때 소금물에 바로 고춧가루를 풀지 말고 거즈에 싸서 물을 들이면 좀더 맑은 국물을 만들 수 있다. 김치를 급히 익혀야 할 때는 김칫국물을 끓인 뒤 식혀서 설탕을 2큰술쯤 넣으면 된다.
④ 파릇파릇하고 싱싱한 미나리의 색과 맛을 즐기려면 먹기 전날 따로 미나리를 김치에 넣어 섞어 준다.

차게 먹으면 여름철 내내 풋풋하고 상큼한

열무 물김치

 재료

열무 1단 · 풋배추 1단 · 오이 2개 · 마늘 1통 · 생강 2쪽 · 붉은고추 5개 ·
풋고추 2개 · 밀가루 2큰술 · 굵은 소금 ⅔컵 · 소금 적당량

 이렇게 준비하세요

1 열무와 풋배추는 질긴 잎은 떼고 적당한 길이로 썰어서 굵은 소금
을 켜켜로 뿌려 절인다.

2 오이는 소금으로 문질러 씻어서 열무 길이로 막대썰기한 다음 소금
에 절인다.

3 마늘 · 생강 · 붉은고추 · 풋고추는 손질하여 분마기에 넣고 간다.

4 밀가루는 멀겋게 풀을 쑤어 식힌다. 찹쌀을 이용해도 된다.

 이렇게 만들어요

5 절여 놓은 열무와 풋배추는 2, 3번 정도 가볍게 씻어 건져 물기를 빼
고, 오이도 물기를 뺀다.

6 준비한 재료에 간 양념들을 넣고 가만가만 뒤적여 버무린 후 항아리
에 담는다.

7 양념을 간 분마기에 밀가루풀을 넣고 물을 타서 소금으로 간한 다음
항아리에 붓는다. 여름철에는 하루 저녁에 익으므로 빨리 먹어야 하며
조금씩 담가 냉장고에 보관한다.

짭짤하고 시원한 국물맛을 즐길 수 있는

총각무 동치미

 재료

총각무 1단 · 실파 1단 · 갓 1단 · 풋고추 200g · 마늘 2통 · 생강 2쪽 · 굵
은 소금 1컵 · 소금 적당량

 이렇게 준비하세요

1 작고 단단한 총각무를 골라 잔털과 무청을 떼어 내고 깨끗한 물에
2, 3번 정도 씻어 채반에 건진 다음 소금물에 담그고 위에 다시 소
금을 뿌려 절인다. 실파 · 갓도 총각무와 함께 소금에 절인다.

2 풋고추는 항아리에 담아 소금물을 부은 후 무거운 돌로 눌러
삭힌다.

3 마늘과 생강은 얇게 저며 놓는다.

 이렇게 만들어요

4 절인 총각무 · 실파 · 갓을 2, 3번 헹구어 소쿠리에 건져 물기
를 뺀 다음 각각 적당한 묶음을 지어 놓는다.

5 항아리에 준비한 재료와 저민 마늘 · 생강 · 삭힌 풋고추를 넣고
무거운 돌로 누른 다음 깨끗하게 거른 소금물을 부어 익힌다. 소금
물은 하루 전쯤 약간 짭짤하게 타 놓은 것을 붓는 것이 담그기도 쉽고
맛도 싱싱하다.

싱싱한 낙지와 굴을 듬뿍 넣어 단백질이 풍부한 영양 김치

섞박지

재료

배추 1포기 · 무 1개 · 마늘 1통 · 생강 1쪽 · 갓, 미나리, 실파 ½단씩 · 대파 1뿌리 · 굴 100g · 낙지 1마리 · 표고버섯 3개 · 밤 5개 · 조기젓 ½컵 · 새우젓 5큰술 · 고춧가루 ½컵 · 소금, 설탕 약간씩 · 실고추, 석이버섯, 잣 약간씩 · 굵은 소금 ½컵

이렇게 준비하세요

1 배추는 겉잎을 떼고 다듬어 2등분한 다음 씻어서 무와 함께 소금에 절인다. 배추와 무가 적당히 절여지면 2, 3번 헹군 뒤 물기를 빼서 배추는 4cm 길이로 썰고 무도 배추 크기로 나박썰기한다.

2 갓과 실파는 다듬어 깨끗이 씻어서 4cm 길이로 썰고 미나리는 줄기 부분만 다듬어 같은 길이로 썬다. 대파는 굵게 어슷썰기한다.

3 마늘 · 생강은 껍질을 벗겨 씻어서 곱게 다진다.

4 굴은 껍질을 골라 내면서 소금물에 2, 3회 흔들어 씻어 소쿠리에 밭친다. 낙지는 먹통과 내장을 떼고, 소금물에 주물러 씻어 물기를 뺀 후 4cm 길이로 썬다.

5 표고버섯은 물에 충분히 불렸다가 기둥을 떼어 내고 얇게 채썬다. 밤은 겉껍질과 속껍질을 벗기고 얇게 저민다.

6 조기젓은 살을 발라 어슷어슷하게 썰고 머리와 뼈는 물을 약간 붓고 달여 한지를 깐 소쿠리에 밭친다. 새우젓은 건더기만 건져 다진다.

이렇게 만들어요

7 준비한 배추와 무에 다진 생강, 마늘과 고춧가루를 넣어 고루 섞은 다음 나머지 양념과 해물 · 젓갈을 모두 넣어 버무린다. 간을 보아 소금 · 설탕으로 맛을 내고 항아리에 꼭꼭 눌러 담은 뒤 우거지를 덮어 시원한 곳에서 익힌다.

8 상에 낼 때는 실고추와 채썬 석이버섯, 잣을 고명으로 얹어 낸다. 7~8℃에서 1주일 정도 익히면 먹기 좋게 맛이 들며, 먹을 분량만 꺼낸 다음 공기가 닿지 않도록 잘 다독여 준다.

P O I N T

배추의 뻣뻣한 겉잎은 떼어 내고 2등분한 다음 소금에 절였다가 나박썰기한다. ①

갓과 실파는 4cm 길이로 썰고 미나리는 뿌리와 잎은 떼 내고 줄기만 이용한다. ②

낙지는 내장을 빼낸 다음 소금물에 빡빡 주물러 깨끗이 씻어 4cm 길이로 자른다. ④

배추와 무에 준비한 해물과 양념을 넣고 재료가 으깨어지지 않게 살살 버무린다. ⑦

섞박지 익히기

섞박지는 김장 전에 먹는 지레 김치로 옛날 궁중에서는 배추에서 가장 맛있는 부위인 중간 부분만을 이용하여 김치를 담겼다. 들어가는 재료들을 모두 미리 먹기 좋은 크기로 썰고, 젓갈과 해물을 많이 넣기 때문에 감칠맛과 단백질이 풍부하지만 빨리 시어지므로 조금씩 담가서 맛이 변하기 전에 먹는 것이 좋다.

늦봄과 여름 사이에 먹으면 풋풋한 향과 아삭아삭 씹히는 맛이 별미인

열무 김치 · 풋배추 김치

● 열무 김치

재료

열무 2단 · 대파 2뿌리 · 마늘 1통 · 생강 1쪽 · 붉은고추 10개 · 밀가루 1큰술 · 통깨 5큰술 · 소금 적당량 · 굵은 소금 적당량

이렇게 만들어요

1 열무는 다듬어 풋내가 나지 않도록 살살 씻어서 소금에 절였다가 헹군 후 물기를 뺀다.

2 대파는 가늘게 어슷썰기하고, 마늘 · 생강은 곱게 다진다. 붉은고추는 2등분하여 분마기에 넣고 약간 굵게 간다.

3 밀가루로 풀을 쑨 다음 파 · 마늘 · 생강과 통깨, 고추 간 것을 섞고, 소금으로 간하여 열무에 넣고 살살 버무려 항아리에 담는다.

● 풋배추 김치

재료

풋배추 2단 · 마늘 1통 · 생강 1쪽 · 실파 5뿌리 · 대파 1뿌리 · 찹쌀가루 2큰술 · 멸치젓 ½컵 · 고춧가루 ½컵 · 통깨 5큰술 · 굵은 소금 적당량

이렇게 만들어요

1 풋배추는 겉잎을 떼어 내고 다듬어 깨끗이 씻은 뒤 소금에 절였다가 헹구어 물기를 짠다.

2 마늘 · 생강은 껍질을 곱게 다지고, 실파는 씻어서 3㎝ 길이로 썬다. 대파는 얄팍하게 어슷썰기한다.

3 찹쌀가루는 물 1컵을 붓고 풀을 쑤어서 식히고, 고춧가루는 미지근한 물을 약간 부어 불린다.

4 멸치젓은 물을 조금 붓고 달여서 한지에 부어 맑게 거른다.

5 찹쌀풀 · 멸치젓과 갠 고춧가루를 섞고, 여기에 준비한 실파 · 대파 · 마늘 · 생강과 통깨도 넣어 양념을 만든다.

6 풋배추의 뿌리 부분을 쥐고 양념을 골고루 묻힌다.

풋내나지 않게 열무 김치 담그기

여름철 별미인 열무 김치를 담글 때는 열무에서 풋내가 나지 않도록 조심스럽게 손질해야 한다. 열무를 다듬고 씻을 때 손으로 너무 주물럭거리면 잎과 줄기가 상해 풋내가 나기 쉽다. 열무를 절일 때는 소금으로 바로 절이지 말고 소금물에 담가 절이고, 양념으로 버무릴 때도 밀가루풀을 타서 양념을 섞은 다음 열무에 양념 국물을 뿌리는 등 될 수 있으면 손을 적게 타는 방법으로 담근다. 여름에 풋고추로 담그는 김치에는 흔히 풀국을 섞는데 보통 밀가루풀이나 찹쌀풀을 엷게 쑤어 식혀서 쓰거나 찬밥을 끓여서 넣기도 한다. 풀국을 넣으면 풋내도 나지 않고, 전분이 당화되어 김치의 젖산균이 생기는 것을 도와 주어 더욱 맛이 좋아진다.

묽게 쑨 찹쌀풀과 멸치젓국 · 갠 고춧가루를 섞고 실파 · 대파 · 마늘 · 생강 · 통깨를 넣어 섞는다.

5

소금에 절인 풋배추의 뿌리 부분을 잡고 풋내가 나지 않도록 준비한 양념을 골고루 살살 묻힌다.

6

상큼하게 배어나오는 국물이 별미인 한여름의 밑반찬

오이 소박이

재료

오이 10개 · 마늘 1통 · 생강 1쪽 · 대파 1뿌리 · 부추 1단 · 새우젓 2큰술 · 고춧가루 ⅓컵 · 소금 3큰술 · 굵은 소금 ½컵

이렇게 준비하세요

1 오이는 소금으로 깨끗이 비벼 씻어서 물기를 뺀 후 7㎝ 정도의 길이로 잘라 양쪽 끝부분은 남기고 가운데에 칼집을 넣는다.
2 칼집을 넣은 오이에 굵은 소금을 뿌리고 물 4컵을 부어 2시간 정도 절인다.
3 마늘 · 생강은 껍질을 벗기고 씻어 곱게 다지고, 대파는 흰 부분만을 잘게 다진다. 부추는 가지런하게 다듬어 씻어 1㎝ 길이로 짧게 썬다.
4 새우젓은 건더기만 건져 곱게 다진 다음 젓국과 함께 섞는다.

다듬어서 씻은 부추는 가지런히 모아서 한 손으로 잡고 1㎝ 정도로 송송 썬다. **3**

오이는 무르지 않을 정도로 절인 다음 마른 베보자기에 싸서 물기를 말끔히 없앤다. **5**

이렇게 만들어요

5 소금물에 절인 오이를 건져 깨끗한 베보자기에 싸서 물기를 없앤다.
6 준비한 부추와 다진 마늘 · 생강 · 대파 · 새우젓을 섞고, 고춧가루 · 소금을 넣어 잘 버무려 놓는다.
7 물기를 없앤 오이의 양끝을 왼손 엄지와 검지손가락으로 눌러서 칼집을 벌어지게 한 다음 준비한 소가 빠져 나오지 않을 정도로 꽉 눌러 채운다. 젓갈을 넣지 않고 담백한 맛을 즐기는 오이소박이는 빨리 시어지고 찌개감으로도 적당치 않으므로 먹을 만큼만 담근다.

오이의 칼집 사이에 준비한 소를 넣는다. 소는 처음에는 숟가락으로 버무리다 마지막에 손으로 버무려야 풋내가 나지 않는다. **7**

오이는 쓰임새에 따라 선택하세요

오이는 비타민과 무기질이 풍부할 뿐만 아니라 사각사각 씹히는 맛과 향미, 빛깔이 식욕을 돋우는 채소다. 또 칼륨이 많이 함유되어 있어 체내의 소금을 많이 배설시키는 이뇨 효과가 있으며 오이 줄기에서 나오는 물은 화장수로도 이용된다. 요리의 쓰임새도 다양해 오이지 · 장아찌 · 소박이 · 생채 · 냉국 · 무름 · 샐러드 등으로 식탁을 풍성하게 한다.

오이는 종류가 여러 가지인데 용도에 따라 골라 써야 제맛이 난다. 오이소박이 · 오이선 · 오이지에 쓸 오이는 껍질째 먹기 때문에 연한 색에 껍질이 억세지 않으면서 굵기가 고른 우리 나라 재래종 오이를 골라야 한다. 냉채 · 무침 · 샐러드 등에는 표면에 뾰족뾰족한 돌기가 있는 것을 선택한다.

겨울철 야채 반찬으로 그만인 황해도식 청둥호박 김치

호박지

POINT

1

청둥호박은 크고 둥글둥글하며 진한 황색을 띤 것으로 준비하여 반을 갈라 숟가락으로 속을 파내고 껍질을 벗긴다.

2

호박과 고춧가루를 버무렸을 때 잘 섞일 수 있도록 호박은 미리 굵은 소금을 뿌려 절였다가 물기를 빼놓는다.

6

준비한 재료에 고춧가루를 넣고 골고루 버무린다. 고춧가루를 빻을 때 씨까지 함께 넣으면 훨씬 구수하고 매콤한 맛이 난다.

재료

청둥호박 1개 · 배추 1포기 · 대파 3뿌리 · 마늘 2통 · 생강 2쪽 · 새우젓 1컵 · 고춧가루 1½컵 · 굵은 소금 2컵

이렇게 준비하세요

1 호박은 크고 둥글둥글하며 진한 황색을 띤 청둥호박(늙은 호박)으로 준비하여 반으로 갈라 씨를 말끔히 빼내고 쪽배 모양으로 썰어 껍질을 벗긴다.

2 껍질 벗긴 호박을 약간 도톰하게 썬 뒤 소금을 뿌려 절여 놓는다. 배추도 적당하게 잘라 씻어서 소금물에 담가 절인다.

3 마늘 · 생강과 대파 1뿌리는 손질하여 곱게 다지고, 나머지 대파 2뿌리는 어슷어슷하게 썰어 놓는다.

4 새우젓은 건더기를 건져 다진 다음 국물과 함께 섞는다.

이렇게 만들어요

5 절인 호박은 소쿠리에 쏟아 부어 물기를 빼고, 배추는 건져서 씻은 다음 물기를 뺀다.

6 준비한 호박과 배추에 어슷어슷하게 썬 대파 · 다진 마늘 · 생강 · 새우젓과 고춧가루를 넣고 골고루 비무려 항아리에 꾹꾹 눌러 담는다. 먹을 때는 조금씩 꺼내고 잘 다독거려 둔다.

호박지 찌개

호박지에 멸치와 돼지고기를 넣어 김치 찌개를 끓여 보자. 소금에 절인 호박이라서 물컹거리지도 않고 감칠맛이 그만이라 한겨울 찌개로 안성맞춤이다.

재료

호박지 1보시기 · 멸치 10마리 · 식물성 기름 1큰술 · 설탕 1작은술 · 다진 파 2작은술 · 다진 마늘 약간

이렇게 만드세요

① 냄비나 뚝배기에 호박지를 담고 살짝 잠길 정도로 물을 붓는다.

② 내장을 뺀 멸치와 식물성 기름을 넣고 끓인다. 멸치 대신 돼지고기를 사용할 때는 기름기가 약간 섞인 것을 준비해서 얄팍하게 썰어서 넣는다.

③ 한소끔 끓인 후 분량의 설탕과 송송 썬 파, 다진 마늘을 넣어 다시 끓인다.

소금물에 삭혀 두었다 먹으면 밑반찬으로도 좋은

고추 김치

 재료

풋고추 1kg · 고춧잎 300g · 마늘 2통 · 생강 2쪽 · 실파 ½단 · 멸치젓, 갈치젓 ½컵씩 · 고춧가루 ½컵 · 통깨 3큰술 · 설탕 2큰술 · 굵은 소금 2컵

 이렇게 준비하세요

1 풋고추는 깨끗이 씻어서 물기를 닦은 후 물과 소금을 5:1의 비율로 섞은 소금물에 담가 푹 삭힌다.
2 고춧잎은 다듬어 씻어서 소금물에 삭힌 다음 채반에 넣어 말린다.
3 마늘 · 생강은 손질하여 곱게 다지고, 실파는 다듬어 씻어서 3~4cm 길이로 썬다.
4 멸치젓은 끓여서 체에 밭치고 갈치젓은 다진다.

 이렇게 만들어요

5 말린 고춧잎과 삭힌 고추를 씻어서 소쿠리에 건져 물기를 뺀다.
6 고춧가루를 멸치젓국에 넣어 갠 다음, 준비한 마늘 · 생강 · 실파와 갈치젓 · 통깨 · 설탕을 넣어 고루 섞는다.
7 고추와 고춧잎을 준비한 양념으로 잘 버무려 항아리에 눌러 담는다.

멸치젓과 고춧가루에 버무린 칼칼한 맛의

부추 김치

 재료

부추 4단 · 마늘 1통 · 생강 1쪽 · 붉은고추 3개 · 멸치젓 ½컵 · 고춧가루 ½컵 · 설탕 1큰술 · 통깨 2큰술

 이렇게 준비하세요

1 부추는 가지런하게 다듬어 조리하기 직전에 흐르는 물에 밑부분을 비비면서 씻어 물기를 뺀 다음 2등분한다.
2 마늘과 생강은 곱게 다지고, 붉은고추는 가늘게 채썬다.
3 멸치젓은 같은 양의 물을 붓고 끓여서 고운 체에 걸러 맑은 젓국을 만든다.

 이렇게 만들어요

4 부추를 넓은 그릇에 담고 멸치젓국을 켜켜로 뿌려 20분 정도 절인다.
5 부추가 절여지면 멸치젓국을 따라 내고 고춧가루와 마늘 · 생강 · 붉은고추 · 설탕 · 통깨를 섞어서 넣은 다음 풋내가 나지 않도록 가볍게 버무린다.

전라도 지방의 대표적인 김치로 속이 확 트이는 쌉쌀한 맛의

갓김치

재료

갓 2단 · 대파 2뿌리 · 생강 1쪽 · 마늘 1통 · 배 1개 · 밤 5개 · 밀가루 1큰술 · 멸치젓 1컵 · 고춧가루 1컵 · 통깨 3큰술 · 소금 약간 · 굵은 소금 ½컵

이렇게 준비하세요

1 갓은 포기가 너무 크지 않으며 싱싱하고 연한 것으로 준비하여 다듬어서 씻은 다음 굵은 소금을 뿌려 2~3시간 정도 절인다.

2 대파는 깨끗이 다듬어 어슷어슷하게 썰고, 생강은 손질하여 다진다.

3 배는 껍질을 벗겨 굵게 채썰고, 마늘과 밤은 얄팍하게 저며 채썬다.

4 밀가루는 물 6큰술에 타서 풀을 쑤어 식히고, 멸치젓은 한소끔 끓여 체에 밭쳐서 멸치젓국을 만든다.

이렇게 만들어요

5 절인 갓은 깨끗이 씻어서 소쿠리에 건져 물기를 뺀다.

6 식힌 밀가루풀에 멸치젓국을 섞고, 여기에 고춧가루를 넣어 갠다.

7 갠 고춧가루에 준비된 밤 · 배 · 대파 · 마늘과 다진 생강 · 통깨를 넣고 소금으로 간한 다음 버무린다.

8 준비한 갓을 2, 3포기씩 잡아 버무린 양념을 골고루 묻힌 다음 잎사귀로 돌려 묶고, 항아리에 차곡차곡 담는다. 그 위에 우거지를 덮고 무거운 돌로 눌러 익힌다.

담근 지 한 달이면 알맞게 익으며 웃소금을 넉넉히 뿌려 두면 더 오래 두고 먹을 수 있다.

POINT

갓은 줄기가 연하고 보랏빛이 도는 것을 골라 2~3시간 정도 소금에 절여 둔다.

식힌 밀가루풀에 거른 멸치젓국, 고춧가루를 넣고 되직하게 갠다.

고춧가루에 밤 · 배 · 대파 · 마늘 · 다진 생강 · 통깨를 넣고 소금으로 간해 버무린다.

갓을 2, 3포기씩 잡아 양념을 묻히고 잎사귀로 돌려 묶는다.

갓을 고를 때는

갓에는 무기질이 많을 뿐 아니라 특유의 맛과 향이 있어 김치에 잘 어울린다. 갓은 색에 따라 붉은 갓과 푸른 갓이 있으므로 쓰임에 따라 선택한다. 갓김치 · 배추김치 · 깍두기 등 고춧가루가 들어가는 김치에는 붉은 갓, 백김치 · 동치미에는 푸른 갓을 사용한다. 이 때 줄기가 굵고 잎이 억센 갓을 김치 덮개로 쓰면 김치가 싱싱하고 시원하다. 갓은 빛깔이 짙을수록 냄새가 강하므로 식성에 따라 선택한다. 줄기가 짙고 연하며 잎에 윤기가 나는 게 싱싱하다.

짙은 향기와 매운 맛이 식욕을 돋워 주는

깻잎 김치

 재료

깻잎 200장 · 대파 2뿌리 · 밤 10개 · 미나리, 갓, 실파 ½단씩 · 무
1개 · 마늘 1통 · 생강 1쪽 · 굵은 소금 1½컵 · 고춧가루 ⅔컵 ·
멸치젓국 ½컵

이렇게 준비하세요

1 깻잎은 씻어서 잠길 정도로 소금물을 붓고 하룻밤 정도
절인다.
2 무는 손질하여 3㎝ 길이로 채썰고, 실파 · 갓 · 미나리도
다듬어서 무와 같은 길이로 썬다.
3 마늘 · 생강 · 밤은 껍질을 벗기고 저며서 가늘게 채썰고, 대
파는 흰부분만 얇게 어슷썰기한다.

이렇게 만들어요

4 절인 깻잎을 건져 말끔히 헹군 다음 물기를 꼭 짠다.
5 채썬 무에 썰어 놓은 재료들과 고춧가루 · 멸치젓국을 넣고 골고루
버무려 소를 만든다.
6 준비한 깻잎을 3, 4장씩 겹쳐 놓고, 그 위에 소를 얹은 다음 돌돌 말
아서 항아리에 차곡차곡 담는다.

씹히는 맛이 인삼과 비슷해 인삼 김치라고 불리는

고들빼기 김치

 재료

고들빼기 1㎏ · 마늘 1통 · 생강 1쪽 · 멸치젓 1컵 · 고춧가루 2컵 · 설탕 5큰
술 · 통깨 3큰술 · 굵은 소금 2컵

 이렇게 준비하세요

1 고들빼기는 손질하여 심심한 소금물에 1주일 정도 담가 쓴맛
을 우려내면서 삭힌다. 도중에 2, 3회 정도 물을 갈아 주며 공기
에 닿지 않도록 무거운 돌로 눌러 놓는다.
2 마늘과 생강은 손질하여 곱게 다진다.
3 멸치젓은 같은 분량의 물을 붓고 끓여서 체에 2, 3회 걸러 맑
은 젓국을 만든다.

 이렇게 만들어요

4 삭힌 고들빼기를 여러 번 씻어 물기를 완전히 뺀다.
5 멸치젓국에 고춧가루를 넣어 갠 뒤 마늘 · 생강 · 설탕 · 통깨를
넣고 고들빼기와 함께 버무려 항아리에 담는다. 겨울 김장에 미리
담궜다가 구정 이후 먹으면 겨우내 텁텁했던 입맛을 돋우어 준다.

파김치

재료

실파 2단 · 멸치젓 2컵 · 마늘 2통 · 생강 1쪽 · 고춧가루 1컵 · 설탕 1큰술 · 통깨 2큰술 · 소금 적당량

이렇게 준비하세요

1 멸치젓은 같은 양의 물을 붓고 달여서 완전히 식힌 뒤 소쿠리에 한지를 깔고 밭쳐 맑은 국물만 받아 놓는다. 멸치젓을 달이지 않고 그대로 쓰면 색이 검고 비린내가 강하다.

2 실파는 뿌리를 잘라 내고 누런 잎은 떼어 내어 다듬어 씻어서 물기를 빼놓고, 생강 · 마늘은 손질하여 곱게 다진다. 고춧가루는 따뜻한 물에 개어 걸쭉하게 불려 놓는다.

이렇게 만들어요

3 넓은 그릇에 준비한 실파를 놓고 멸치젓국이 고루 묻도록 적당량의 파를 깔고 멸치젓국을 뿌리고 다시 파를 쌓고 멸치젓을 뿌려 절인다.

4 갠 고춧가루에 다진 마늘과 생강 · 설탕 · 소금을 넣고 섞은 후, 마지막에 통깨를 넣어 양념을 만든다.

5 멸치젓국에 절여 놓은 실파가 적당하게 숨이 죽으면 양념을 넣고 고루 버무린다. 숨이 너무 죽으면 파가 물러지므로 1시간 정도 절인다.

6 양념에 버무린 실파를 먹기 불편하지 않도록 5가닥 정도씩 모아서 잡아 묶은 다음 항아리에 차곡차곡 눌러 담는다.

갓과 함께 담궈 먹으면 더욱 맛이 좋은 파김치

파김치는 갓김치와 더불어 전라도 지방의 대표적인 김치로 겨울에서 봄 사이에 연한 실파로 담궈 먹는다. 보통 쌉쌀한 맛과 향이 있는 갓과 파김치를 함께 섞으면 파의 단맛과 쌉쌀하고 매운 갓의 맛과 향이 어우러져 별미가 된다.

POINT

멸치젓은 같은 양의 물과 섞어 달인 다음 맑은 국물만 받아 놓는다.

파는 뿌리를 잘라 내고 시들고 누런 잎은 떼어 내어 깨끗이 다듬는다.

넓은 그릇에 준비한 실파를 놓고 멸치젓국을 뿌려 절인다.

고춧가루에 마늘 · 생강 · 설탕 · 소금을 넣고 마지막에 통깨를 넣어 양념을 만든다.

멸치젓국을 뿌려 절여 놓은 실파가 적당하게 숨이 죽으면 고춧가루 양념을 넣고 골고루 버무린다.

엉켜서 꺼내 먹기 불편하지 않도록 5가닥 정도씩 묶어서 차곡차곡 항아리에 눌러 담는다.

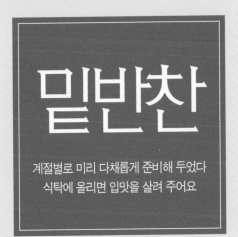

밑반찬

계절별로 미리 다채롭게 준비해 두었다
식탁에 올리면 입맛을 살려 주어요

🍴 입 안에 깔끔하게 착착 감기는 장아찌

장아찌는 제철에 많이 나는 야채를 다량 구입하여 소금·고추장·된장·간장 등의 발효 식품에 저장했다가 맛이 들면 하나씩 꺼내서 먹는 밑반찬이다. 만드는 데만 한 달 이상이 걸리지만 오래 두고 먹을 수 있어서 좋다. 뿐만 아니라 맛이 깔끔하여 입맛을 돋우어 준다.

장아찌용 야채 절이기

· 소금은 채소 위에 넉넉히 뿌린다

소금으로 야채를 절일 때는 차곡차곡 쌓은 야채의 위쪽에 소금을 뿌리는 것이 좋다. 물보다 비중이 큰 소금은 위쪽에서부터 아래로 흐르며 절여지기 때문이다.

· 무거운 돌로 누르고 나중에 가벼운 것으로 바꿔 준다

야채를 절일 때 올려 놓는 중석은 처음에는 무거운 자연석을 골라 야채가 떠오르지 않도록 꽉 눌러 준다. 하지만 야채의 숨이 죽으면 떠오르지 않을 정도의 가벼운 것으로 바꿔 준다.

· 야채는 두 번 절이는 것이 좋다

첫번째 절임에서는 90%나 되는 수분을 빼내고 여기에 다시 소금을 절여야 야채에 소금이 균일하게 배어든다. 6개월 이상 장기 보존 때 야채 내 염분 농도는 15%가 적당하다.

· 야채를 살짝 데친 다음 절인다

야채를 끓는 물에 살짝 데쳤다가 절이면 효소의 색 변화를 막을 수 있고 야채의 육질이 부드러워지며 야채의 냄새를 없앨 수 있다.

🍴 짭짤하면서 맛깔스러운 젓갈

어패류를 소금에 절여서 발효시킨 밑반찬으로

김이 모락모락나는 밥과 함께 먹으면 맛이 그만이다. 밥 반찬 외에도 김장 김치에 넣기 좋은 부재료다. 밥반찬용으로는 조개젓·어리굴젓·게젓·명란젓·창난젓·굴젓·조기젓·꼴뚜기젓·갈치젓·소라젓·병어젓 등이 있고, 김치용 젓갈로는 새우젓·멸치젓·조기젓·황석어젓 등이 애용된다.

젓갈 담글 때 주의할 점

· 소금물로 씻기

젓갈 담글 재료를 맹물로 씻으면 젓갈의 맛과 색이 변색될 수 있으니 꼭 소금물에 씻는다.

· 생선 손질하기

젓갈용 생선은 아가미 속과 내장을 제거한 다음 꼼꼼하게 손질한다.

· 소금의 양 맞추기

재료와 소금의 비율은 10:3 정도가 가장 적당하다. 소금이 너무 적으면 쉽게 상한다.

· 공기에 노출되지 않게 한다

젓갈을 담고서 돌을 얹어 재료가 젓국물에 푹 잠기게 한다.

· 서늘한 곳에 보관한다

다 담근 젓갈은 밀봉하여 서늘하고 어두운 곳에 보관하며 꺼내 먹을 때 물기가 들어가지 않게 주의한다.

🍳 CHECK CHECK

말려 두면 두고두고 요긴한 야채

제철의 야채를 싼 가격에 구입하였다가 햇볕이 잘 드는 늦여름에서 가을에 말려 두면 요긴한 반찬거리가 된다.

도라지
칼슘과 철분이 많이 함유된 알칼리성 식품이다. 반으로 갈라 말려 두었다가 필요한 때 물에 불려 다진 마늘·파와 함께 기름에 볶으면 맛깔스런 한 끼 반찬이 된다.

취나물
칼륨이 풍부한 알칼리성 식품으로 국이나 무침 반찬으로 제격. 말려 두었다가 조리할 때는 충분히 불린 다음 맑은 물이 나올 때까지 여러 번 헹구는 것을 잊지 말 것.

애호박·늙은 호박
바싹 말린 호박은 찌개에 넣거나 살짝 불려 볶으면 좋다.

토란대
들깨를 갈아 만든 국물 요리와 잘 어울리는 토란대는 조리 전에 하룻밤 정도 물에 담가 아린 맛을 없애야 한다.

가지
색깔이 고와서 사랑받는 야채로 말릴 때는 얇게 저미거나 칼집을 넣어서 넣어 말린다.

무
말려 먹는 밑반찬의 대명사인 무말랭이는 무를 직사각형으로 나박썰기하여 실에 꿰어 말리면 잘 마른다.

🍴 계절따라 변화있는 밑반찬 만들기

시기\종류	생선	야채
1월	동태·대구 말리기 고등어 자반 말리기	김자반·콩자반
2월	가자미 식해 어리굴젓 담그기	간장·고추장 담그기
3월	북어 보푸라기· 꼴뚜기젓 담그기	육포·어포
4월		고사리·취나물 말리기 마늘종 장아찌 담그기
5월	굴비 말리기 조기젓·멸치젓 담기	도라지·고사리·더덕 말리기 더덕 장아찌 담기
6월	멸치 말리기	말린 도토리 볶음 두릅 말리기 가지·풋고추· 오이 장아찌 담그기
7월	오징어젓 담그기	오이지 절이기 오이·풋고추· 깻잎 장아찌 담기
8월		깻잎 된장 박음 깻잎 부각 만들기 애호박·감자· 도라지 말리기
9월	갈치 절이기	가지장과 만들기 호박·무·버섯· 고구마·고춧잎 말리기
10월	멸치 볶음 김 부각	토란대· 버섯 말리기 짠지·단무지 절이기
11월	육포, 장산적	무청 말리기 묵 장아찌 담기
12월	굴젓·뱅어젓 담기 육포·어포 말리기	무말랭이 장아찌 담기 메주·청국장 쑤기

만들기도 쉽고 오래 두고 먹을 수 있는 쫄깃쫄깃한 밑반찬

쇠고기 달걀 장조림

쇠고기 400g · 달걀 5개 · 마른 고추 2개 · 마늘 6쪽 · 생강 1쪽 · 당근 ½개
· 설탕 2큰술 · 진간장 1컵

이렇게 준비하세요

1 쇠고기는 기름기가 적은 홍두깨살이나 우둔살로 준비하여 찬물에 담가 핏물을 뺀 다음 한입 크기로 저민다. 홍두깨살 대신 쇠고기의 아롱사태나 돼지고기의 볼기살도 이용할 수 있다.

2 달걀은 노른자가 가운데 오도록 굴리면서 삶는다. 10~15분 정도 익혀서 다 삶아지면 찬물에 담갔다가 건져 내어 껍질을 벗긴다.

3 마늘 · 생강은 껍질을 벗겨 깨끗이 씻은 다음 생강만 얇게 저민다. 마른 고추는 통째 어슷썰기하여 씨를 뺀다.

4 당근은 껍질을 벗겨서 도톰하게 썰어 꽃잎 모양의 틀로 찍어 낸다.

이렇게 만들어요

5 냄비에 쇠고기를 넣고 푹 잠길 정도의 물을 부어 끓이다가, 불을 약하게 하여 뭉근하게 삶으면서 떠오르는 거품은 걷어 낸다.

6 국물이 ⅓쯤 줄면 진간장과 설탕을 넣고 약한 불에서 계속 조린다.

7 조림 간장이 반으로 줄었을 때 준비한 달걀 · 생강 · 마늘 · 마른 고추 · 당근을 함께 넣고 조린다.

8 달걀은 주걱으로 천천히 굴리면서 조려 간장이 고루 배어들게 하고 마늘은 오래 끓이면 뭉그러지므로 중간에 꺼낸다.

POINT

물과 쇠고기를 넣고 약한 불에서 뭉근하게 삶으며 거품을 걷어 낸다. 뚜껑을 열어 두어야 누린내가 빠진다.

간장을 너무 빨리 넣으면 수분이 빠져 나와 딱딱해지기 쉬우므로 국물이 ⅓쯤 줄면 진간장과 설탕을 넣어 계속 조린다.

조림 간장이 반으로 줄면 남은 재료를 넣고 뭉근하게 끓인다.

장조림을 맛있게 하려면

장조림을 하기에 가장 좋은 쇠고기의 부위는 홍두깨살이다. 오래 가열해도 부서지지 않을 뿐만 아니라 지방이 적고 결합 조직이 약하기 때문. 이외에도 대접살 · 우둔살 등이 주로 이용된다. 쇠고기를 조릴 때는 고기를 처음부터 덩어리째 찬물에 넣고 끓이다가 고기가 어느 정도 익었을 때 진간장 등을 넣어 조려야 고기에서 녹아 나오는 육즙과 조림 양념 국물이 어우러져 조림 국물도 맛있고 고기도 연하며 풍미가 있다. 간장을 처음부터 넣으면 수분이 한꺼번에 빠져 나와 딱딱해지기 쉽다. 쇠고기 외에 생강이나 마늘 · 풋고추 · 삶은 달걀 · 메추리알 등을 함께 섞어서 만들면 고기에 부재료의 맛과 향이 더 해지며, 끓일 때는 뚜껑을 열고 1시간 정도 끓이면 맛있는 장조림이 된다.

쇠고기를 똑똑 썰어 장에 조려 짭짤하게 만든

장똑도기

재료

쇠고기 300g · 실파 3줄기 · 마늘 3쪽 · 생강 1쪽 · 통깨 1큰술 · 참기름 1큰술 · 후춧가루 약간 · 진간장 1큰술 · 설탕 ½큰술 · 식용유 1큰술 · 장물(진간장 2큰술, 물 1큰술, 꿀 또는 물엿 2작은술)

이렇게 준비하세요

1 쇠고기는 기름이 적은 우둔살 · 홍두깨살을 골라 얄팍하게 저민 다음 쇠고기의 결대로 채썬다.

2 실파는 다듬어 씻어서 잘게 다지듯이 썬다. 마늘 · 생강은 껍질을 벗겨 깨끗이 씻은 다음 곱게 다진다.

이렇게 만들어요

3 채썬 쇠고기에 진간장 · 설탕 · 후춧가루를 넣어 잘 버무려 밑간을 해놓는다.

4 프라이팬에 식용유를 두르고 뜨겁게 달군 다음 양념해 놓은 쇠고기를 넣고 볶는다.

5 쇠고기가 어느 정도 익으면 진간장 · 물과 꿀 또는 물엿을 섞은 장물을 붓고 조린다. 국물이 자작하게 졸면 다져 놓은 마늘과 생강 · 실파를 넣고 약한 불에서 뭉근하게 조린다.

6 국물이 거의 졸면 참기름과 통깨를 솔솔 뿌려 윤기가 나게 섞은 후 불을 끈다. 꿀을 넣어 섞어도 좋다.

장똑도기는 고기를 똑똑 썰어 짭짤하게 만들었다는 뜻에서 붙여진 이름이다.

쇠고기는 기름이 적은 우둔살, 홍두깨살로 준비해 쇠고기의 결대로 가늘게 채썬다.

양념으로 쓸 실파와 마늘, 생강을 깨끗이 씻어서 잘게 다진다.

채썬 쇠고기에 진간장, 설탕, 후춧가루로 밑간을 하여 잘 버무린다.

뜨겁게 달군 프라이팬에 양념한 쇠고기를 넣어 볶는다.

장물을 부어 쇠고기에 장맛이 배도록 조린 다음 양념을 넣어 뭉근하게 조린다.

조림이 완성되면 불에서 내리기 전에 참기름과 통깨를 넣어 윤기나게 뒤적여 준다.

하나씩 집어 먹는 재미도 쏠쏠한 고소한 맛의

콩자반

 재료

콩 2컵 · 진간장 1컵 · 깨소금 약간 · 설탕 6큰술

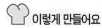 **이렇게 만들어요**

1 콩은 잡티나 지푸라기를 골라 내고 깨끗이 씻은 다음 물에 담가 1시간 정도 불린다.

2 냄비에 불린 콩을 넣고 진간장과 물(1컵)을 부어 중간불에서 조린다. 조릴 때는 골고루 익게 자주 뒤적인다.

3 콩이 익어 껍질이 쪼글쪼글해지고 국물이 다 졸아들면 불을 약하게 해서 설탕을 넣고 뒤적인다.

4 콩에 윤기가 돌면 불을 끈 뒤 깨소금을 뿌린다.

자반용 콩

콩은 영양이 풍부해서 '밭의 쇠고기'라 불린다. 자반을 해두고 한 끼에 조금씩이라도 먹으면 단백질과 비타민 A, D, B를 섭취할 수 있어 좋다. 자반은 주로 검은콩으로 하는데, 겉에 얼룩이 있는 밤콩이나 푸른콩 또는 다른 콩을 이용해도 좋다. 콩자반은 너무 물렁거리거나 너무 딱딱하지 않게 조리면서 표면이 쪼글쪼글해야 제맛이 난다. 이렇게 조리려면 껍질이 얇은 콩을 고르는 것이 좋다.

김장할 때 떨어진 배추속대를 알뜰하게 쓰는

배추속 대장과

 재료

배추속대 300g · 무말랭이 50g · 쇠고기 50g · 붉은고추 1개 · 생강 1쪽 · 미나리 3줄기 · 진간장 ½컵 · 설탕 ½큰술 · 깨소금, 참기름 2작은술씩 · 식용유, 소금 약간씩 · 갖은 양념(파 ½뿌리, 마늘 1쪽, 진간장 1작은술, 후춧가루 약간, 설탕 · 참기름 · 깨소금 약간씩)

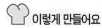 **이렇게 만들어요**

1 배추속대는 소금을 뿌려 절였다가 채반에 넣어 꾸덕꾸덕하게 말린다.

2 말린 배추속대와 무말랭이에 진간장을 부어 절여 둔다.

3 쇠고기는 기름기가 없는 것으로 골라 파 · 마늘과 함께 곱게 다진다. 살코기라야 오래 두고 먹을 수가 있다.

4 붉은고추와 생강은 가늘게 채썬다. 미나리는 잎을 떼고 줄기만 적당한 길이로 썬다.

5 다진 쇠고기를 갖은 양념하여 냄비에 넣고 볶다가 배추속대를 절였던 진간장을 따라 붓고 고추 · 생강 · 설탕 · 물(3큰술)을 넣어 팔팔 끓인다.

6 조림장이 끓으면 배추속대와 무말랭이를 넣고 계속 조리다가 깨소금 · 참기름과 미나리를 넣고 바싹 조린다.

풋고추 멸치 조림 · 풋고추 무침

● 풋고추 멸치 조림

재료

풋고추 100g · 멸치 100g · 통깨 2작은술 · 조림장(진간장 3큰술, 물엿 1큰술)

이렇게 만들어요

1 고추는 작고 맵지 않은 조림용 꽈리고추를 골라 깨끗이 씻은 다음 꼭지를 따고 물기를 빼놓는다.
2 멸치는 크기가 좀 작은 것으로 준비하여 잡티를 골라 낸 다음 깨끗이 손질한다.
3 냄비에 진간장과 물(1큰술)을 넣고 끓이다 물엿을 넣어 함께 끓인다.
4 거품이 생기면서 조림장이 끓어오르면 풋고추와 멸치를 넣고 조린다. 너무 오래 조리면 풋고추의 빛깔이 누렇게 변하고 멸치가 불어 살이 풀어지므로 조림장이 끓기 시작하면 풋고추와 멸치를 넣는다.
5 재료에 간이 배어들고 국물이 거의 졸면 통깨를 뿌리고 불을 끈다.

● 풋고추 무침

재료

풋고추 200g · 밀가루 4큰술 · 소금 약간 · 양념장(진간장 2큰술, 설탕 ½큰술, 파 1뿌리, 마늘 2쪽, 깨소금 ½큰술, 참기름 1작은술)

이렇게 만들어요

1 고추는 작고 맵지 않은 꽈리고추로 준비하여 깨끗이 씻은 다음 꼭지를 따고 물기를 빼놓는다. 파·마늘은 깨끗이 손질해서 곱게 다진다.
2 물기를 뺀 풋고추에 소금을 약간 뿌린 후 밀가루를 골고루 묻힌다.
3 찜통에 김을 올린 후 베보자기를 깔고 밀가루를 묻힌 풋고추를 넣어 찐다.
4 그릇에 다진 파·마늘과 진간장·설탕·참기름·깨소금을 넣고 섞어 양념장을 만들어 놓는다.
5 풋고추가 쪄지면 베보자기째 꺼내어 열을 식힌 후 양념장을 넣고 잘 섞는다. 양념장 대신 겨자장을 만들어 버무려도 좋다.

풋고추 맛있게 찌기

풋고추찜을 맛있게 하려면 먼저 풋고추를 고를 때 상처가 없는 것으로 골라 꼭지를 떼지 말고 씻어 건진다. 꼭지가 떨어지거나 상처가 있으면 물이 들어가기 때문.
찔 때는 밥 지을 때 함께 찌면 편하다. 쌀이 끓어오를 때 납작한 그릇이나 호박잎을 깔고 그 위에 밀가루를 버무린 풋고추를 얹어 뜸을 들이면 된다. 풋고추 외에 우엉이나 애호박도 같은 방법으로 쪄낸 다음 양념장을 따로 만들어 무치면 야채의 향이 살아 있는 맛있는 찜 요리가 된다.

POINT

풋고추 무침

3
꼭지를 따 낸 풋고추는 밀가루를 입히기 전에 소금을 약간 뿌려서 고추 속의 습기를 없앤다.

4
김이 오른 찜통에 밀가루를 묻힌 풋고추를 넣어 찐다. 마른 밀가루가 보이지 않을 정도로 쪄졌을 때 꺼낸다.

5
찜통에서 풋고추가 익는 동안 파·마늘·진간장·설탕·참기름·깨소금을 섞어서 양념장을 만든다.

6
다 쪄진 풋고추를 양념장에 넣고 버무린다. 먹기 직전에 만들어야 풋고추에 입힌 밀가루가 불지 않아서 맛이 좋다.

제철에 햇볕에 바싹 말려 두었다가 양념해 먹으면 꼬들꼬들한 맛이 일품인

무말랭이 장아찌 · 고춧잎 장아찌

● 무말랭이 장아찌

재료

무 2개 · 진간장 3컵 · 양념 ½개분(파 1뿌리, 마늘 4쪽, 고춧가루 1큰술, 설탕 2
작은술, 참기름 · 깨소금 ½큰술씩, 실고추 약간)

이렇게 만들어요

1 무는 껍질을 벗겨 새끼손가락 크기로 썬 후 채반에 넣어 꼬들꼬들해
질 때까지 말린다.
2 말린 무를 물에 담가 충분히 불렸다가 물기를 꼭 짜서 항아리에 담
은 다음 진간장을 붓고 꼭꼭 눌러 둔다.
3 절인 무말랭이는 먹을 때마다 조금씩 꺼내어 진간장을 꼭 짜낸 후
고춧가루를 넣고 버무려 붉은 물을 들이고, 여기에 파 · 마늘 다진 것
과 참기름 · 설탕 · 깨소금 · 실고추도 넣어 양념한다.

● 고춧잎 장아찌

재료

고춧잎 500g · 진간장 2컵 · 파 2뿌리 · 마늘 1통 · 생강 2쪽 · 양념 100g분
(파 1뿌리, 마늘 3쪽, 설탕 2작은술, 참기름 · 깨소금 ½큰술씩)

이렇게 만들어요

1 고춧잎은 줄기를 떼고 잎사귀만 깨끗이 씻은 후, 끓는 물에 넣고 푸
른색이 선명해지도록 뚜껑을 열고 살짝 데친다. 데칠 때 소금을 약간
넣으면 푸른색이 더 선명해진다.
2 살짝 데친 후 찬물에 헹구어 물기를 짠 다음 채반에 넣어 말린다.
3 말린 고춧잎을 항아리에 담고, 위에다 파 · 마늘 · 생강을 굵게 채썰
어 얹은 다음 진간장을 부어 꼭꼭 눌러 둔다.
4 먹을 때마다 조금씩 꺼내어 진간장을 꼭 짜고, 파 · 마늘 다진 것과
참기름 · 설탕 · 깨소금을 넣어 양념한다. 물에 한번 헹궈 내고 먹으면
짠맛이 덜 하다.

무말랭이 말리기

무말랭이는 김장이 끝난 후에 자투리무로 말려도 좋지만, 김장김치할 때 준
비하여 얼기 전에 말리는 것이 좋다. 단단한 무를 토막으로 썬 다음 4~5cm
길이에 나무젓가락 굵기로 썰어 실에 꿰어 말리거나 채반에 넣어 말리면
3~4일 후 물기가 가시게 되며 바싹 말리려면 햇볕에 1주일 정도 말린다. 무
말랭이를 말릴 때는 자주 뒤적거려서 골고루 마르도록 한다. 무말랭이 장아
찌는 고춧잎을 넣어야 제맛이 나는데 고춧잎 장아찌는 다른 장아찌와 섞으면
색다른 맛을 즐길 수가 있다. 고춧잎은 고추와 마찬가지로 비타민 A와 C가
풍부할 뿐만 아니라 칼슘 · 인 · 철 등을 많이 함유하고 있다. 고춧잎은 여름
에 연한 것을 사서 햇볕에 말려 놓았다가 사용할 때 물에 담갔다가 쓴다.

물이 팔팔 끓을 때 뚜껑을 연 채 고춧잎을
넣고 살짝 데친다. **1**

물기를 짠 고춧잎은 채반에 넣어 햇볕이 잘
드는 곳에서 꾸덕꾸덕하게 말린다. **2**

너무 짜지 않도록 진간장을 꼭 짠 후 양념
을 넣어 무친다. **4**

마늘 장아찌 무침 · 마늘종 장아찌 무침

● 마늘 장아찌 무침

 재료

마늘 1kg · 식초 5컵 · 설탕 ½컵 · 소금 적당량 · 무침 양념 100g분(고추장 ½큰술, 설탕 ½작은술, 참기름 1작은술, 깨소금 1작은술)

이렇게 만들어요

1 마늘은 알이 고른 것을 골라 껍질을 벗긴다.
2 마늘이 잠길 정도의 물에 식초를 넣어 섞은 다음 마늘에 붓고 3일 정도 둔다.
3 식촛물을 따라 내어 설탕 · 소금으로 간을 맞추어 끓인 다음 식혀서 마늘에 다시 붓고 뚜껑을 덮어 보관한다.
4 2주일 정도 지나 맛이 들면 적당히 덜어 내고 고추장 · 깨소금 · 설탕 · 참기름으로 양념한다.

● 마늘종 장아찌 무침

 재료

마늘종 1kg · 식초 5컵 · 설탕 ½컵 · 소금 적당량 · 무침 양념 100g분(고추장 ½큰술, 설탕 ½작은술, 참기름 1작은술, 깨소금 1작은술)

이렇게 만들어요

1 마늘종은 억센 부분을 잘라 내고 깨끗이 씻어 물기를 뺀다.
2 마늘종이 잠길 정도의 물에 식초 · 설탕 · 소금을 넣고 팔팔 끓인 다음 충분히 식힌다.
3 준비해 둔 마늘종을 항아리에 담고 식힌 식촛물을 부은 다음 무거운 돌로 눌러 보관한다.
4 마늘종이 익으면 먹을 만큼 꺼내 적당한 길이로 썰어서 고추장 · 깨소금 · 참기름 · 설탕으로 골고루 무친다.

동 · 서양 요리에 두루 이용되는 마늘
중국 · 이탈리아 · 프랑스 · 스페인 요리에도 많이 이용되는 마늘은 우리 음식의 대표적인 양념일 뿐만 아니라 마늘종 · 마늘 · 마늘대 등 잎 · 줄기 · 뿌리 모두를 먹을 수 있다. 마늘은 체내에서 비타민 B₁이 제대로 기능하도록 도와줌으로써 신진 대사를 원활하게 하고 진통 · 변비 방지 · 해독 작용 등 다채로운 효능을 나타낸다.
마늘은 6쪽을 최상품으로 치는데 마늘쪽 하나하나가 도드라지고 뿌리 쪽에서 보았을 때 마늘쪽과 쪽 사이의 골이 확실하게 보이고 마늘 껍질의 섬유가 선명한 것이 좋으며, 마늘대가 길고 껍질 빛깔이 자줏빛이며 뿌리가 잘리지 않은 것이 맛있는 마늘이다.
마늘종은 연한 것을 골라 끝의 억센 부분을 잘라 내고 사용하는 것이 좋으며, 씻어 채반에 널어 하루 정도 말렸다가 고추장이나 된장에 넣고 익힌 뒤 양념에 무쳐 먹어도 좋다.

POINT

마늘종 장아찌 무침

3 마늘종은 한 번에 먹을 분량만큼 묶어서 항아리에 담고, 끓여서 식힌 식촛물을 부은 다음 무거운 돌로 눌러 둔다.

4 마늘종이 노랗게 익으면 꺼내서 물기를 없앤 다음 고추장 · 깨소금 · 참기름 · 설탕 등을 넣어 함께 무친다.

오이지 무침 · 오이지 장아찌 무침

● 오이지

재료

오이 20개 · 소금 2컵

이렇게 만들어요

1 오이는 잘고 연한 재래종으로 준비하여, 씻어 물기를 뺀다.
2 오이가 잠길 정도의 물에 소금을 넣고 팔팔 끓여 식힌다.
3 항아리에 준비한 오이를 차곡차곡 넣고, 식힌 소금물을 부은 다음 오이가 떠오르지 않도록 무거운 돌로 눌러 둔다.
4 1주일 정도 지난 뒤 소금물만 따라 내어 다시 한 번 끓여서 식힌 다음 붓는다.
5 2주일 정도 지나면 꺼내어 씻은 후 길게 썰어 상에 내거나, 통으로 썰어 식촛물에 담가 낸다.

● 오이지 무침

재료

오이지 2개 · 실파 1뿌리 · 마늘 4쪽 · 설탕, 참기름, 깨소금 2작은술씩

이렇게 만들어요

1 오이지를 꺼내 씻은 후 얇게 통썰기한다. 실파, 마늘은 곱게 다진다.
2 오이지에 실파 · 마늘 · 설탕 · 참기름 · 깨소금을 넣어 무친다.

● 오이지 장아찌 무침

재료

오이지 10개 · 고추장 4컵 · 무침 양념 2개분(붉은고추 1개, 실파 1뿌리, 마늘 4쪽, 고춧가루 ⅓큰술, 참기름 · 깨소금 1작은술씩, 설탕 2작은술)

이렇게 만들어요

1 오이지를 채반에 널어 꾸덕꾸덕해질 때까지 말린 다음 고추장에 버무려 항아리에 담고 5~6개월 정도 푹 익힌다.
2 먹을 때마다 조금씩 꺼내어 고추장을 훑어 내고 통으로 썬 후 붉은 고추 잘게 썬 것과 다진 실파 · 마늘 · 고춧가루 · 참기름 · 깨소금 · 설탕으로 양념한다.

POINT

오이지 장아찌 무침

채반에 널어 꾸덕꾸덕하게 말린 오이지를 고추장에 버무려 항아리에 담고 5~6개월 정도 푹 익힌다. **1**

먹을 때는 오이지에 묻어 있는 고추장을 훑어 내고 얇게 통썰기를 한 다음 양념하여 버무린다. **2**

아삭아삭한 오이지를 만들려면

오이지를 담글 오이는 껍질이 두껍고 싱싱한 오이를 골라야 한다. 오이를 소금으로 빡빡 문질러 깨끗이 씻은 다음 소금물을 팔팔 끓여서 뜨거울 때 오이에 부으면 껍질이 연해져서 오이지를 담갔을 때 아삭아삭한 맛을 즐길 수가 있다.

깻잎 멸치젓 장아찌 · 깻잎 양념장 장아찌

● 깻잎 멸치젓 장아찌

재료

깻잎 100장 · 멸치젓 ½컵 · 파 2뿌리 · 마늘 5쪽 · 생강 2쪽 · 붉은고추 3개 · 깨소금 2큰술

이렇게 만들어요

1 깻잎은 깨끗이 씻어서 물기를 말끔히 뺀다.
2 붉은고추는 송송 썰고, 파 · 마늘 · 생강은 손질하여 곱게 다진다.
3 멸치젓은 물을 붓고 달인 후, 한지 깐 소쿠리에 밭친다.
4 멸치젓국에 붉은고추 · 파 · 마늘 · 생강 · 깨소금을 넣고 섞어 양념장을 만든다.
5 깻잎을 1장씩 펴놓고 양념장을 바른다.
6 항아리나 넓은 그릇에 양념장 바른 깻잎을 넣고 익힌다.

● 깻잎 양념장 장아찌

재료

깻잎 100장 · 고춧가루 4큰술 · 파 2뿌리 · 마늘 5쪽 · 생강 2쪽 · 진간장 ½컵 · 깨소금 2큰술 · 실고추 약간

이렇게 만들어요

1 깻잎은 흐르는 물에 깨끗이 씻어 물기를 완전히 뺀다.
2 파는 깨끗이 씻어 잘게 썰고, 마늘 · 생강은 곱게 다진다.
3 진간장에 파 · 마늘 · 생강 · 깨소금 · 고춧가루 · 실고추를 넣어 양념장을 만든다.
4 준비한 깻잎을 1장씩 펴놓고 양념장을 고루 바른다.
5 항아리나 넓은 그릇에 양념장 바른 깻잎을 넣고 익힌다. 바로 상에 낼 거라면 먹을 만큼만 담아 중탕하거나 찜통에 넣고 위에 마른 거즈를 덮은 다음 뚜껑을 덮어 살짝 찐다.
뚜껑만 덮으면 증기가 물이 되어 그릇 안으로 떨어지므로 꼭 종이 타월이나 거즈를 덮는다.

다양한 깻잎 요리

깻잎에는 비타민 A와 C가 특히 많이 들어 있어 고소하면서도 독특한 향과 맛으로 입맛이 없을 때 식욕을 돋우어 주는 반찬으로 많이 이용된다. 깻잎은 쓰임새가 다양하여 생채나 무침 · 탕 등 여러 음식에 양념처럼 들어가고, 고기나 회를 싸 먹으면 특유의 향과 맛을 즐길 수 있다. 또 가을철에 넉넉히 사서 소금물에 노랗게 삭혀 연하게 되면 멸치 젓국을 넣은 양념으로 장아찌를 해두고 먹거나, 끓는 물에 데쳐 물기를 꼭 짠 다음 참기름으로 살짝 볶아 내어 쌈으로 먹어도 좋다.

POINT

깻잎 양념장 장아찌

진간장과 파 · 마늘 · 생강 외에 재료들을 섞어 양념장을 만든다. 3

손질한 깻잎은 1장씩 펴놓고 양념장을 조금씩 끼얹고 켜켜로 돌려 가며 끼얹는다. 4

넓은 그릇에 양념장 바른 깻잎을 넣고 찜통에 쪄 익힌다. 5

짠지 · 짠지 무침 · 짠지 장아찌 무침

● 짠지

재료

무 5개 · 소금 2컵 · 고추씨 1컵

이렇게 만들어요

1 무는 잔털을 떼고 씻어 물기를 뺀다.
2 무는 소금에 굴려 골고루 묻힌 다음 항아리에 차곡차곡 담는다.
3 고추씨를 빻아 무 위에 뿌리고 무거운 것을 올려놓은 다음 항아리의 뚜껑을 덮고 익힌다.
4 5~6개월이 지나면 꺼내서 먹는다. 먹을 때마다 사각형으로 나박나박하게 썰어, 끓여서 식힌 물을 잠길 만큼 붓고 가늘게 채썬 붉은고추, 송송 썬 파와 식초 · 설탕으로 양념하여 먹는다.

● 짠지 무침

재료

짠지 1개 · 파 1뿌리 · 마늘 4쪽 · 붉은고추 1개 · 참기름, 깨소금 2작은술씩

이렇게 만들어요

1 짠지는 채썰어 물에 살짝 헹구어 짜고 파 · 마늘은 다지며 붉은고추는 가늘게 썬다.
2 짠지는 파 · 마늘 · 붉은고추 · 참기름 · 깨소금을 넣어 무친다.

● 짠지 장아찌 무침

재료

짠지 3개 · 된장 5컵 · 무침 양념 ½개분(설탕 1작은술, 실파 1뿌리, 참기름 2작은술, 깨소금 2작은술)

이렇게 만들어요

1 짠지를 반으로 갈라 꾸덕꾸덕하게 말려서 묵은 된장 속에 박는다.
2 5~6개월 지나면 꺼내서 찬물에 잠깐 담가 짠맛을 뺀 후, 곱게 채썰어 참기름 · 깨소금 · 설탕과 송송 썬 실파를 넣고 양념한다.

POINT

짠지

소금 묻힌 무를 항아리에 차곡차곡 쌓는다.

2

고추씨를 위에 뿌리고 무거운 것을 올린다.

3

고추장 볶음

많이 만들어 두고 다른 반찬 없을 때 밥에 비벼 먹어도 좋고, 도시락 곁들이로 넣거나 신선한 채소와 함께 쌈장으로 먹을 수도 있다.

재료
고추장 2컵 · 쇠고기 50g · 파 1뿌리 · 마늘 3쪽 · 설탕 4큰술 · 참기름 1큰술 · 깨소금 1큰술 · 잣 2큰술 · 물 4큰술

이렇게 만드세요
① 냄비에 고추장을 넣고 설탕 · 깨소금 · 참기름 · 물을 한데 잘 섞는다.
② 쇠고기는 곱게 다지고 파 · 마늘도 다진다.
③ 다진 쇠고기를 뜨겁게 달군 프라이팬에 볶으면서 파 · 마늘을 넣는다.
④ 볶은 쇠고기를 고추장에 넣어 섞은 다음 뭉근한 불에서 잘 저어 주며 천천히 익힌다. 쇠고기를 많이 넣을수록 덜 짜고 씹는 맛이 난다.

모양이 예쁘고 조림맛이 달콤하여 아이들도 좋아하는

연근 조림 · 우엉 조림

● 연근 조림

재료

연근 300g · 식용유 2큰술 · 통깨 1작은술 · 조림장(진간장 3큰술, 설탕 1큰술, 청주 1큰술)

이렇게 만들어요

1 연근은 깨끗이 씻은 다음 윗부분과 아랫부분을 잘라 내고 껍질을 두껍게 벗겨 내어 적당한 두께로 통썰기한다.

2 그릇에 진간장 · 설탕 · 청주와 물(5큰술)을 넣어 조림장을 만든다.

3 냄비에 기름을 두르고 달구어지면 연근을 넣고 볶는다.

4 볶은 연근에 조림장을 붓고 뚜껑을 덮은 채 약한 불에서 오랫동안 조린다.

5 조림 간장이 거의 졸아들고 연근에 윤기가 돌면 그릇에 담고 위에 통깨를 뿌린다.

● 우엉 조림

재료

우엉 300g · 풋고추, 붉은고추 1개씩 · 당근 ⅓개 · 진간장 5큰술 · 설탕 2큰술 · 청주 2큰술 · 식용유 2큰술

이렇게 만들어요

1 우엉은 칼등을 이용해 껍질을 살살 벗겨서 씻은 다음 어슷어슷하게 썬다.

2 풋고추 · 붉은고추는 통째 어슷어슷하게 썰어 씨를 털어 내고, 당근은 도톰하게 썰어 작은 꽃 모양의 틀로 찍어 낸다.

3 냄비에 기름을 두르고 준비해 둔 우엉을 넣어 볶다가 진간장 · 설탕 · 청주 · 물(5큰술)을 넣고 뚜껑을 덮어 약한 불에서 오래 조린다.

4 조림 국물이 적당히 졸아들면 풋고추 · 붉은 고추 · 당근을 넣어 더 조리고, 우엉에 윤기가 돌면 불에서 내린다.

우엉과 연근 손질하기

섬유질이 많아 조림에 적당한 우엉은 흙이 묻어 있는 것을 골라 솔로 문질러 씻은 다음, 칼등으로 껍질을 긁어 내고 물에 담가 검은 물을 우려 낸다. 연근은 살이 많고 둥글며 굵기가 고른 것을 골라 수세미로 문질러 진흙을 씻어 낸 후, 양 끝의 뿌리와 마디를 잘라 내고 껍질을 벗긴다. 깨끗이 손질한 연근은 알맞은 두께로 동글동글하게 썰어 식촛물에 담가 색이 변하는 것을 막는다. 우엉이나 연근 속에는 플라보노이드라는 색소가 들어 있는데 이것은 산성과 만나면 흰색을 드러내는 성질이 있다. 따라서 우엉이나 연근을 깨끗하게 조리고 싶을 때는 식초를 약간 첨가하면 된다. 식초는 연근의 끈적끈적한 성분을 약화시키는 작용도 한다.

POINT

연근 조림

3
냄비에 기름을 두르고 달구어 연근을 넣어 볶는다.

4
볶은 연근에 조림장을 붓고 뚜껑을 덮어 약한 불에서 오랫동안 조린다.

짭짤한 감칠 맛이 그만이라 한여름 식탁에는 빠질 수 없는

자반 고등어 찜

재료

고등어 2마리 · 감자 2개 · 쌀뜨물 적당량 · 굵은 소금 적당량 · 붉은고추 2개
· 풋고추 2개 · 파 1뿌리 · 마늘 4쪽 · 참기름 1큰술

이렇게 준비하세요

1 고등어는 살을 만져 보아 단단한 것, 싱싱한 것으로 준비하여 깨끗이 씻은 후 배를 갈라 내장을 빼고 굵은 소금을 넉넉히 뿌려 2~3일 동안 절인다.

2 절인 고등어의 소금을 털어 내고 물에 깨끗이 씻어 3토막을 낸 후 쌀뜨물에 담가 짠맛을 뺀다.

3 감자는 껍질을 벗겨 반으로 자른 다음 도톰하게 반달썰기하여 찬물에 담가 둔다.

4 풋고추와 붉은고추는 반으로 가른 다음 씨를 털어 내고 어슷어슷하게 채썬다. 마늘은 얇게 저미고 파는 잘게 썬다.

이렇게 만들어요

5 풋고추와 붉은고추 · 마늘 · 파에 참기름(3큰술)과 물을 넣어 섞어 놓는다.

6 조리는 동안 냄비에 눌어붙지 않도록 감자를 먼저 깔고 만들어 놓은 양념을 골고루 뿌려 가며 고등어를 켜켜로 안친다.

7 쌀뜨물을 고등어가 절반쯤 잠기도록 부은 다음 뚜껑을 덮고 찜을 하듯이 불을 약하게 해서 끓인다.

POINT

소금에 절인 고등어는 물에 깨끗이 씻어 3토막을 낸 후 쌀뜨물에 담가 두어 짠 맛과 떫은 맛을 빼낸다.

감자를 먼저 바닥에 깐 후 고등어를 안치고 양념을 켜켜로 뿌려 준 다음 뚜껑을 덮고 물을 약하게 해서 끓인다.

자반 고등어

고등어는 9~10월이 제철 식품이다. 등쪽에 흑색과 녹색이 짙고 배쪽이 은백색을 띠는 싱싱한 것을 골라 직접 집에서 자반을 만들어 두었다가 밑반찬으로 이용하는 것이 가장 좋다.

자반 고등어를 고를 때는 살에 뼈가 단단히 붙어 있는지, 기름 덩어리가 생선 곳곳에 붙어 있는지, 배를 눌렀을 때 내장이 밀리지 않는지 등을 살펴보고 사도록 한다. 자반 고등어는 찜 외에 구이를 하거나 기름에 지져 먹어도 좋은데, 부재료로 풋고추와 감자 · 가지 · 무 등을 넣으면 자반의 맛이 훨씬 좋아진다. 소금에 절여서 짠맛이 강한 자반 고등어를 조리할 때는 먼저 쌀뜨물에 담궈 뒀다 사용하도록 한다. 그래야 짜고 떫은 맛을 없앨 수 있다.

자반을 조리할 때는 소금간을 적당히 우려 내야 제맛이 난다. 간을 너무 많이 빼도 맛이 없다. 자반으로 하는 음식은 따로 간장이나 소금을 넣지 않고 제간만으로 조리하기 때문에 간을 뺄 때 잘 맞추어야 한다.

매콤하고 새콤한 맛이 입맛을 당기는 고향의 음식

가자미 식해

재료

가자미(작은 것) 8마리 · 메조 1컵 · 엿기름 1컵 · 굵은 소금 1컵 · 무 ½개 · 고춧가루 ½컵 · 파 2뿌리 · 생강 3쪽 · 마늘 5쪽

이렇게 준비하세요

1 가자미는 비늘을 긁은 다음 머리와 꼬리를 떼어 내고 내장을 제거하여 깨끗이 씻는다. 씻은 가자미의 물기를 뺀 다음 소금 ⅔컵을 고루 뿌려 반 나절쯤 절인다.
2 절여진 가자미를 헹궈 베보자기에 싼 다음 무거운 것을 올려놓아 물기를 빼고 2㎝ 정도의 폭으로 토막낸다.
3 메조는 씻어 일어 되직하게 밥을 지은 후 넓은 그릇에 퍼서 식히고, 엿기름은 곱게 빻아 체에 내려 흰가루만 모은다.
4 무는 7㎝ 정도 길이로 굵게 썰어 소금으로 절였다가 헹군 다음 물기를 꼭 짠다. 파 · 마늘 · 생강은 곱게 다진다.

이렇게 만들어요

5 무에 고춧가루 4큰술을 넣어 버무리고, 메조밥 식힌 것과 파 · 마늘 · 생강 다진 것을 넣고 엿기름가루를 섞어 버무린 다음 가자미 썬 것과 고춧가루 4큰술을 넣어 버무린다.
6 버무린 가자미를 항아리에 꼭꼭 눌러 담아 따뜻한 곳에 3, 4일간 두고 삭혀 국물이 약간 생길 정도로 익으면 그릇에 담아 낸다.

POINT

소금에 절인 가자미는 물기를 뺀 다음 2㎝ 폭으로 토막낸다.

준비한 가자미와 7㎝ 정도 길이로 굵게 썰어 소금에 절인 무에 양념을 넣어 버무린다.

가자미 말리기

가자미는 크지 않고 껍질이 두꺼우며 살이 얇은 가자미를 꾸덕꾸덕하게 말려 두었다가 구이 · 튀김 · 조림으로 조리하면 밥맛을 돋우는 반찬이 된다.
가자미는 손바닥 크기의 싱싱하고 노르스름한 참가자미로 준비하여 비늘을 긁고 내장을 빼낸 후 깨끗이 씻어 소금을 뿌린다. 이틀 정도 절였다가 물기를 뺀 다음 채반에 널어 바람이 잘 통하는 곳에 꾸덕꾸덕할 정도로 말린다. 말린 가자미를 살 때는 색이 뽀얗고 냄새가 나지 않아야 하며, 겉이 약간 쪼글쪼글할 정도로 마른 것이 좋다.

북어 식해

식해는 생선에 흰쌀밥이나 조밥 등을 섞고 파 · 마늘 · 생강 등으로 버무려 삭힌 음식이다. 북어 식해는 함경도 음식으로 대륙적이고 시원한 맛이 입맛을 당긴다.

재료 · 4인분
북어 3마리 · 무 ½개 · 소금 적당량 · 멥쌀 1컵 · 생강 2쪽 · 고춧가루 ½컵 · 파 1뿌리 · 마늘 1통

이렇게 만들어요
① 북어는 물을 약간 부어 불린 다음 손질해 2㎝ 정도 크기로 썬다.
② 멥쌀은 30분 전쯤 씻어 충분히 불린 다음 밥을 되직하게 짓는다.
③ 무는 2㎝ 정도로 나박썰기해 소금에 절였다 고춧가루로 물들인다.
④ 고두밥 · 북어 · 무를 섞고 다진 파 · 마늘 · 생강을 넣어 버무리면서 소금으로 간을 맞춘다. 단지에 담아 실온에서 15일 정도 꼭꼭 눌러 두었다가 먹는다.

꽃게장

재료

꽃게 3마리 · 풋고추 2개 · 붉은고추 2개 · 실파 3뿌리 · 마늘 5쪽 · 생강 2쪽
· 고춧가루 3큰술 · 진간장 5큰술 · 참기름 · 깨소금 1큰술씩

이렇게 준비하세요

1 꽃게는 살아 있는 것을 준비하여 솔로 문질러 깨끗이 씻은 후, 배쪽
삼각형 모양의 부분에 손을 넣어 등딱지를 떼어 내고 아가미 · 모래 주
머니 · 내장 등을 떼어 내고 등껍질 안의 내장도 긁어 낸다.
2 손질한 꽃게의 발끝을 잘라 내고 몸통을 큼직하게 토막낸다.
3 붉은고추 · 풋고추는 어슷어슷 썰어 물에 담가 씨를 빼고, 실파는 고
추와 비슷한 길이로 썬다. 마늘은 곱게 다지고 생강은 즙을 낸다.

이렇게 만들어요

4 그릇에 붉은고추 · 풋고추 · 실파 · 마늘 · 생강즙을 넣고, 진간장 ·
고춧가루를 섞어 양념장을 만든다. 넉넉해야 비린내가 나지 않는다.
5 준비해 둔 꽃게에 양념장을 넣어 간이 고루 배도록 버무린다.
6 마지막에 깨소금과 참기름을 넣어 골고루 섞는다. 담가서 바로 먹는
것이므로 한꺼번에 많이 하지 말고 먹을 양만 만드는 것이 좋다. 5일
정도 두려면 끓여서 식힌 간장을 부어 2~3일 정도 삭혔다 먹는다.

신선한 꽃게 고르기

게는 필수 아미노산이 풍부하고 지방 함량이 낮아 소화가 잘 되므로 회복기
환자나 어린이, 노인에게 좋으며 비만증 · 고혈압 · 간장병 환
자에게도 좋다. 게는 암컷보다 수컷이 더 맛이
좋고, 4~6월 게는 살도 많지 않고 맛
도 떨어진다. 또 다른 것에 비
해 세균 번식률이 높으
므로 살아 있는
것을 구입한
다.

POINT

1

깨끗이 씻은 게는 등딱지를 떼어 내고 아가
미 · 모래주머니 · 내장을 빼낸다.

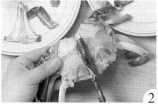

2

꽃게의 발끝을 잘라 내고 살이 삐져 나오지
않게 조심하며 몸통을 큼직하게 토막낸다.

3

붉은고추 · 풋고추 · 실파는 어슷어슷 썰고
마늘은 다지고 생강은 즙을 낸다.

4

준비된 양념과 진간장 · 고춧가루를 섞어 양
념장을 만든다.

5

꽃게에 양념장을 넣고 버무려 양념장이 배
도록 1~2시간 정도 두었다 다시 버무린다.

6

먹기 전에 깨소금과 참기름을 넣어 골고루
섞어 먹음직스럽게 상에 내놓는다.

홍합초

POINT

홍합은 소금물에 씻어 잔털과 모래를 없앤 후 끓는 소금물에서 약간 수축될 정도로 데친 다음 물기를 완전히 뺀다.

홍합을 넣은 국물이 팔팔 끓어 오르면 파와 마늘을 넣고 간이 고루 배도록 뭉근한 불에서 서서히 조린다.

조림장이 홍합에 배어 거무스름해지고 조림장이 거의 졸았을 때 녹말물을 넣고 재빨리 뒤적여 준다.

재료

홍합 600g · 마늘 4쪽 · 파 1뿌리 · 진간장 3큰술 · 녹말가루 1큰술 · 청주 1큰술 · 참기름 1큰술 · 설탕 1큰술 · 소금, 후춧가루, 잣가루 약간씩

이렇게 준비하세요

1 생홍합은 싱싱한 것으로 골라 껍질을 깐 다음 깨끗이 씻어서 모래와 잔털을 없애고, 끓는 소금물에 잠깐 데쳐 내어 물기를 완전히 뺀다.

2 마늘과 대파는 깨끗이 손질하여 마늘은 굵게 저미고, 대파는 3cm 길이로 썬다.

3 녹말 가루는 같은 분량의 물에 잘 푼다.

이렇게 만들어요

4 준비된 홍합에 진간장 · 청주 · 설탕 · 후춧가루와 물(5큰술)을 넣어 끓인다.

5 국물이 팔팔 끓어오르면 준비한 파와 마늘을 넣고 불을 약하게 하여 뭉근하게 조린다.

6 국물이 어느 정도 졸고 홍합에 윤기가 돌면 파와 마늘을 건져 내고, 풀어 놓은 녹말가루를 넣어 재빨리 뒤적인다.

7 불에서 내리기 직전에 참기름을 넣어 가볍게 뒤적인다. 상에 낼 때는 그릇에 담고 위에 잣가루를 뿌린다.

홍합 대신 전복을 넣어 조리면 또 다른 맛있는 해산물 반찬을 만들 수 있다.

홍합초 맛있게 만들기

초는 녹말물을 섞어 조리하는 방법으로 전복, 홍합, 해삼 같은 해산물을 재료로 하여 끈기 있고 국물이 없게 조린다. 홍합은 칼슘과 인, 철 등이 풍부한 영양 식품으로 생홍합으로 홍합초를 만들 때는 끓는 물에 데친 후 물기를 빼고 조려야 물이 적게 생긴다. 마늘과 파를 넣으면 비린내가 없어지며 납작하게 저민 쇠고기와 함께 조려도 좋다.

마른 홍합으로 조릴 때는 통통하면서도 바짝 마른 것으로 골라 겉에 묻어 있는 먼지를 깨끗이 씻어 낸다. 미지근한 물에 담가 1시간 정도 불려 만져 보아 딱딱하지 않을 정도면 된다. 조릴 때는 약한 불에서 은근히 조려야 한다. 완전히 식힌 후에 밀폐 용기에 담아, 되도록 공기와 접촉하지 않도록 잘 두었다가 먹을 분량만큼만 덜어서 담아 낸다.

김 부각 · 다시마 부각

● 김 부각

재료

김 20장 · 찹쌀 1컵 · 소금 약간 · 고춧가루, 통깨 4큰술씩 · 식용유 3컵

이렇게 만들어요

1 찹쌀은 물에 불린 후 곱게 가루를 내서 체에 친 다음 물에 찹쌀가루를 풀어 약한 불에서 약간 되직하게 풀을 쑨다.

2 찹쌀풀이 뜨거울 때 소금으로 간하여 식힌다.

3 김은 사이사이에 붙어 있는 티를 뜯어 내고 편편하게 편 다음 식힌 찹쌀풀을 붓으로 고루 바른다. 한 장을 더 얹어 두 장을 겹쳐서 만들어도 바삭바삭하여 좋다.

4 풀이 마르기 전에 김에 고춧가루와 통깨를 모양내어 얹고, 햇볕이 잘 드는 서늘한 곳에서 바싹 말린다.

5 말린 김을 먹기 좋은 크기로 잘라 높은 온도의 기름에서 튀긴다.

● 다시마 부각

재료

다시마 15×60cm · 찹쌀 1컵 · 소금, 설탕 약간씩 · 식용유 3컵

이렇게 만들어요

1 다시마는 마른 행주로 깨끗이 닦아 돌이나 티를 없애고 적당한 크기로 잘라 놓는다. 너무 크게 자르면 먹기가 불편하다.

2 찹쌀은 깨끗이 씻어 되직하게 밥을 짓는다.

3 다시마에 찹쌀밥을 펴 바른다.

4 채반에 찹쌀밥을 바른 다시마가 서로 엉겨 붙지 않도록 널찍하게 펴 놓고 바싹 말린다.

5 튀김용 팬에 기름을 붓고 가열하여 다시마를 튀겨 낸 후, 식기 전에 소금 · 설탕을 솔솔 뿌린다.

POINT

김부각

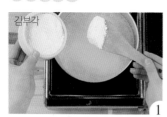

1
불린 찹쌀을 가루내어 약한 불에서 되직하게 풀을 쑨다.

2
찹쌀풀이 뜨거울 때 소금으로 간을 하여 식혀 놓는다.

3
랩을 깐 위에 김을 놓고 붓에 찹쌀풀을 묻혀서 김 위에 고루 바른다. 한 장을 더 얹어 두 장을 겹쳐도 바삭바삭하여 좋다.

4
풀이 덜 말라 끈적임이 남아 있을 때 통깨 · 고춧가루로 모양내고 서늘한 곳에서 잘 말렸다가 높은 온도의 기름에서 튀긴다.

바싹 말려야 바삭바삭한 맛이 사는 부각

부각은 감자 · 풋고추 · 깻잎 · 참죽나뭇잎 등의 채소와 김 · 다시마 등 해초를 말려 두는 저장 식품이다. 재료에 따라 끓는 물에 데쳐서 말리거나 찹쌀풀을 발라서 바싹 말려 먹을 때 튀기는데, 보통 재료가 흔한 제철에 마련해 두었다가 겨울 동안 필요할 때 튀겨 먹는다. 여름에는 공기 중의 습도 때문에 미리 튀겨 놓으면 금새 눅눅해지지만 겨울에는 밀폐된 그릇에 잘 보관해 두고 먹으므로 오랫동안 맛을 즐길 수가 있다.

부각 재료를 말릴 때는 햇빛이 좋은 날 바싹 말려야 상하지 않으며, 튀길 때는 높은 온도에서 단번에 튀겨야 바삭바삭하다. 덜 마른 것을 튀기면 눅진거리고 찹쌀풀 찌꺼기가 기름에 가라앉는다. 기름에서 건지면 바로 종이 타월이나 한지를 깐 소쿠리에 담아 기름이 배지 않게 한다.

김 무침 · 미역 볶음

● 김 무침

재료

김 10장 · 진간장 2큰술 · 설탕 2작은술 · 참기름 1큰술 · 깨소금 1작은술

이렇게 만들어요

1 김은 사이사이에 붙어 있는 티를 말끔히 떼어 낸 다음 석쇠에 얹어서 앞뒤로 뒤집어 가며 바삭바삭하게 굽는다. 먹다 남은 김을 이용하는 것도 좋은데 눅눅한 김을 무치면 맛이 떨어지므로 바싹 굽는다.

2 구운 김은 흩어지지 않도록 깨끗한 비닐 봉지 안에서 잘게 부순다.

3 부순 김에 참기름을 넣고 먼저 무쳐서 숨을 죽인 다음 진간장 · 설탕 · 깨소금을 넣어서 잘 버무린다.

다진 쇠고기를 갖은 양념하여 국물없이 볶은 다음 넣어도 좋고, 금방 먹을 거라면 미나리를 데쳐 물기를 꼭 짠 다음 소금, 설탕을 넣고 함께 무쳐도 맛있다.

● 미역 볶음

재료

미역 150g · 설탕 1큰술 · 깨소금 2작은술 · 식용유 3큰술 · 소금 2작은술 · 참기름 1큰술

이렇게 만들어요

1 미역은 줄기없이 잎만 깨끗이 말린 것을 골라 돌이나 잡티를 없애고 가위로 짧게 자른다.

2 프라이팬에 식용유를 넉넉히 두르고 뜨겁게 달구어지면 잘라 놓은 미역을 넣고 저으면서 재빨리 볶는다.

3 볶은 미역을 그릇에 담고 소금 · 설탕 · 깨소금 · 참기름을 넣어 잘 섞는다. 미역을 볶을 때는 기름 온도가 낮으면 미역에 기름이 배어들어 눅눅해지고 기름 온도가 너무 높거나 불이 강하면 금방 누렇게 눈기 쉽다. 또 볶기 전에 설탕을 미리 뿌리면 녹아서 눅눅해지므로 맨 나중에 넣어야 한다.

POINT

티와 돌을 골라 낸 김을 석쇠에 올려 앞뒤로 바삭하게 구워 잘게 부순다.

부순 김을 참기름으로 가볍게 무친 다음 갖은 양념을 고루 섞어 가며 무친다.

생파래 무침

담배의 니코틴 해독 작용이 뛰어난 건강 식품인 파래는 상큼한 맛의 밑반찬이다.

재료
생파래 200g, 무 1토막, 간장 1큰술, 설탕 4작은술, 다진 파 · 마늘 · 깨소금 · 참기름 · 소금 · 실고추 약간씩

이렇게 만드세요
① 파래는 말끔히 씻어 끓는 물에 소금을 넣고 데친 다음 헹군다.
② 무는 채썬 다음 소금에 절인다.
③ 간장 · 설탕 · 파 · 마늘 · 깨소금 · 참기름으로 양념장을 만든다.
④ 물기를 꼭 짠 파래와 무에 양념장을 끼얹으면서 뭉쳐지지 않도록 무친 다음 실고추를 얹는다.

북어 보푸라기 무침 · 북어포 무침

● 북어 보푸라기 무침

 재료

북어포 1마리 · 소금 양념장(소금 1작은술, 설탕 1작은술, 깨소금 1작은술, 참기름 ½작은술) · 고춧가루 양념장(깨소금 1작은술, 고춧가루 1작은술, 소금 1작은술, 설탕 1작은술, 참기름 ½작은술) · 진간장 양념장(진간장 2작은술, 참기름 ½작은술, 깨소금 1작은술, 설탕 1작은술)

이렇게 만들어요

1 북어포는 밑에 깨끗한 베보자기를 깔고 폭신폭신한 안쪽살을 숟가락으로 긁어 보푸라기를 만든다. 남은 부분은 국 · 찌개에 이용한다.

2 긁은 보푸라기를 모아 두 손으로 비비거나 베보자기에 싼 채로 절구에 넣고 찧어 솜털처럼 보드랍게 만든다. 믹서에 넣고 갈아도 좋다.

3 그릇에 소금 · 깨소금 · 설탕 · 참기름을 넣고 섞어 소금 양념장을 만들고, 다시 그릇에 고춧가루 · 깨소금 · 설탕 · 참기름 · 소금을 넣고 섞어 고춧가루 양념장을 만든다. 또 진간장 · 설탕 · 참기름 · 깨소금을 섞어 진간장 양념장을 만든다.

4 준비해 둔 북어 보푸라기를 3등분하여 각각 3종류의 양념장에 버무린 후 접시에 예쁘게 담아 낸다.

● 북어포 무침

 재료

북어포 100g · 양념장(마늘 2쪽, 깨소금 2작은술, 참기름 2작은술, 진간장 1/2큰술, 설탕 1/2큰술)

이렇게 만들어요

1 북어포는 손으로 잘게 찢어 놓는다.

2 마늘은 껍질을 벗겨 씻어서 곱게 다진다.

3 그릇에 다진 마늘과 진간장 · 설탕 · 깨소금 · 참기름을 넣고 잘 섞어서 양념장을 만든다.

4 준비한 북어포를 양념장에 넣고 간이 고루 배도록 손으로 버무린다.

POINT

1

북어의 뼈를 발라 내고 폭신폭신한 안쪽살을 숟가락으로 긁어 낸다. 딱딱해서 긁히지 않는 부분은 국이나 찌개에 이용한다.

2

먹기 좋도록 북어 보푸라기를 두 손으로 비벼 부드럽게 한다. 베보자기에 싸서 절구에 찧어도 된다.

4

북어 보푸라기를 소금 · 고춧가루 · 진간장의 세 가지 양념장에 따로 버무린다.

북어 보푸라기 무침 준비하기
북어 보푸라기는 살이 폭신폭신하게 잘 마른 통북어를 뼈를 발라 내고 안쪽살을 숟가락으로 긁은 다음, 손바닥으로 부드러워질 때까지 비비거나 분마기나 믹서에 넣고 갈아서 만든다. 보푸라기는 3가지 색으로 준비할 수도 있는데 흰색은 소금, 붉은색은 고춧가루, 검은색은 진간장으로 색을 낸다. 간장으로 양념할 때는 북어가 간장의 수분을 먹어 줄어들기 때문에 북어 보푸라기의 양을 좀 많이 해야 다른 색과 양이 같아진다. 북어포는 찢어서 파는 것도 있지만 통북어를 사서 쓰면 경제적이고 위생적이다.

멸치 볶음 · 오징어채 무침

● 멸치 볶음

재료

멸치 200g · 붉은고추 1개 · 식용유 1큰술 · 마늘 3쪽 · 진간장 3큰술 · 물엿 1큰술 · 참기름, 깨소금 약간씩

이렇게 만들어요

1 멸치는 광택이 나는 잔멸치를 준비하여 티를 골라 낸다.

2 붉은고추는 어슷어슷하게 썰어 씨를 털어 내고 마늘은 곱게 다진다.

3 프라이팬에 식용유를 두르고 뜨겁게 달구어지면 손질해 놓은 멸치를 넣고 센 불에서 볶는다.

4 멸치가 노릇노릇하게 볶아지면 다진 마늘과 진간장 · 물엿을 넣고 뭉근한 불에서 뒤적이며 계속 볶는다.

5 국물이 적당히 졸아 간이 고루 배어들고 윤기가 자르르 돌면 썰어 놓은 붉은고추를 넣고, 불을 끄기 직전에 참기름과 깨소금을 넣는다. 중멸치일 경우 풋고추 · 감자 등을 함께 넣어 볶아도 좋다.

● 오징어채 무침

재료

오징어채 200g · 양념장(고추장 2큰술, 진간장 1큰술, 설탕 ½큰술, 깨소금 2작은술, 참기름 1큰술)

이렇게 만들어요

1 오징어채는 적당하게 자른 다음 부스러기가 없도록 추려 놓는다.

2 그릇에 고추장 · 진간장 · 설탕 · 참기름 · 깨소금을 넣고 잘 섞어 양념장을 만든다.

3 손질해 놓은 오징어채를 양념장에 넣고 빛깔과 간이 골고루 배도록 잘 섞는다. 프라이팬에 기름을 두르고 약한 불에서 살짝 볶아 먹어도 좋다.

맛깔스러운 오징어채를 만들려면

멸치나 오징어채처럼 자체에 간이 있고 수분이 적은 재료는 조리할 때 특히 주의를 해야 한다. 간장을 조금만 넣어야 하며 조리 온도가 높으면 쉽게 타 버리므로 낮은 온도에서 잘 조리해야 한다. 또한 간을 하기 전에 기름이 잘 배도록 볶거나 무쳐야 뻣뻣하지 않고 부드러우며, 파와 마늘은 음식을 상하게 하므로 볶음 요리에는 쓰지 않는다.

오징어채 볶음을 하는 경우 그냥 기름에 볶는 것보다 고추기름을 만들어서 볶으면 빛이 고울 뿐 아니라 고춧가루의 매콤함이 더해져 한결 맛깔스럽다. 고추기름을 만들려면 팬에 기름을 넣고 따뜻하게 데운 다음 고춧가루를 넣어 흰 거품이 날 때까지 불에서 졸여 베보자기에 걸러 내면 붉고 깨끗한 고추기름이 된다. 오징어채는 볶음에는 곱게 채썬 것, 조림에는 술안주로 많이 쓰이는 굵게 채썬 것이 좋다.

POINT

3 팬에 기름을 두르고 멸치를 넣어 센 불에서 볶는다.

4 멸치가 노릇하게 볶아지면 간을 하여 약한 불에서 볶는다.

3 오징어채는 양념장을 넣어 빛깔과 간이 골고루 배도록 잘 섞는다.

고추장 양념장을 고루 발라 매콤하고 짭짤하게 구워 밥반찬으로 좋은

뱅어포 구이 · 쥐치포 무침

● 뱅어포 구이

재료

뱅어포 4장 · 쇠고기 100g · 밀가루 약간 · 실파 1뿌리 · 마늘 2쪽 · 진간장 2작은술 · 참기름 2작은술 · 깨소금 2작은술 · 양념장(실파 1뿌리, 마늘 3쪽, 고추장 1큰술, 진간장 ½큰술, 설탕 ½큰술, 참기름 1큰술, 깨소금 1큰술)

이렇게 만들어요

1 쇠고기는 다져, 다진 실파와 마늘 · 진간장 · 참기름 · 깨소금으로 양념한다.
2 뱅어포의 앞뒤를 손바닥으로 문질러 뱅어포에 묻은 티를 떼어 내고 깨끗이 손질해 도마 위에 편 뒤 밀가루를 뿌린다.
3 뱅어포 위에 쇠고기를 얇게 편다.
4 쇠고기를 바른 뱅어포 위에 다른 뱅어포 1장을 덮고 방망이로 민다.
5 준비된 뱅어포를 달군 석쇠에 올려 앞뒤로 굽는다.
6 양념장을 만들어 구운 뱅어포에 고루 바른 다음 다시 살짝 굽는다.

POINT

뱅어포 구이

다진 쇠고기에 실파 · 마늘 · 진간장 · 참기름, 깨소금을 넣어 양념해 둔다.

뱅어포에 얹게 될 쇠고기가 떨어지지 않도록 밀가루를 먼저 뿌려 둔다.

뱅어포 위에 갖은 양념을 한 쇠고기를 얇게 펴 얹는다.

쇠고기 위에 다른 뱅어포 한 장을 놓고 방망이로 밀어 판판하게 한다.

불에 바짝 대지 말고 약간 떨어진 곳에서 타지 않고 속의 고기가 익도록 천천히 굽는다.

양념장을 뱅어포에 고루 바른 다음 양념이 배도록 기다렸다가 한 번더 살짝 굽는다.

● 쥐치포 무침

재료

쥐치포 10장 · 양념장(진간장 ½큰술, 고추장 1큰술, 설탕 ½큰술, 참기름 1큰술, 깨소금 1큰술)

이렇게 만들어요

1 쥐치포는 깨끗한 헝겊으로 앞뒤를 닦아 낸 뒤 살짝 구워 한입에 먹기 좋은 크기로 자른다.
2 진간장 · 고추장 · 설탕 · 참기름 · 깨소금을 섞어 양념장을 만든 다음 준비해 둔 쥐치포에 넣고 버무린다.

소금에 절여 두었다가 꺼내 먹으면 고소한 감칠맛이 일품인

명란젓 · 조개젓 무침

● 명란젓 무침

 재료

명란 600g · 고춧가루 4큰술 · 소금 1컵 · 김, 실파 약간씩

 이렇게 만들어요

1 명란은 소금 4큰술을 뿌려 하루 정도 절인다.
2 소금과 고운 고춧가루를 섞어 빈 그릇에 깔고, 절인 명란을 켜켜로 얹으면서 소금을 뿌린 다음 맨 위에 다시 소금을 뿌리고 단단히 봉하여 2주 정도 둔다.
3 먹을 때 꺼내 김에 싼 다음 2㎝ 크기로 자르고 실파를 송송 썰어서 얹는다. 얇은 막 안에 알이 들어가 있으므로 젓갈에는 그대로 사용하지만, 소스나 찜 요리에 넣을 때는 얇은 막을 벗긴 후 넣는다.

● 조개젓 무침

 재료

조갯살 1㎏ · 소금 1컵 · 양념 100g분(풋고추 $\frac{1}{2}$개, 붉은고추 $\frac{1}{2}$개, 실파 1뿌리, 마늘 2쪽, 깨소금 1작은술, 식초 1작은술, 고춧가루 1작은술, 설탕 $\frac{1}{2}$작은술)

 이렇게 만들어요

1 조갯살은 소금물에 씻어 물기를 뺀다.
2 준비한 조갯살에 소금을 뿌려 하룻밤쯤 절였다가 체에 밭쳐 물기를 빼고 항아리에 소금을 한 켜씩 뿌려 가며 담아 봉하여 저장한다.
3 조갯살이 푹 익으면 풋고추 · 붉은고추 · 실파 · 마늘 · 고춧가루 · 설탕 · 식초 · 깨소금으로 양념한다.

밥솥에 찌거나 양념에 무쳐 먹으면 깔깔한 입맛이 돌아오는

황석어젓 무침

 재료

황석어 50마리 · 소금 1㎏ · 양념 2인분(붉은고추 $\frac{1}{2}$개, 실파 1뿌리, 파 $\frac{1}{3}$뿌리, 마늘 2쪽, 고춧가루 1큰술, 참기름 2작은술, 깨소금 1작은술)

 이렇게 만들어요

1 황석어는 비늘을 긁고 내장을 뺀 다음 소금물에 씻어 물기를 뺀다.
2 황석어의 아가미와 입에 소금을 넉넉히 넣는다.
3 항아리 바닥에 먼저 소금을 깔고, 황석어를 놓고 소금을 켜켜로 뿌려 가며 항아리 가득 담는다.
4 항아리 위에 다시 소금을 넉넉히 뿌리고 봉하여 서늘한 곳에 둔다.
5 먹을 때마다 한 마리씩 꺼내어 얇게 저민 후, 잘게 썬 실파와 붉은고추, 다진 파 · 마늘, 고춧가루 · 참기름 · 깨소금으로 양념하여 무치거나 토막내어 밥솥에 쪄 낸다.

오징어젓 무침 · 새우젓 무침

● 오징어젓 무침

재료

오징어 5마리 · 소금 1컵 · 무침 양념 1마리분(배 $\frac{1}{4}$개, 무 $\frac{1}{3}$개, 실파 1뿌리, 생강 $\frac{1}{2}$쪽, 마늘 3쪽, 붉은고추 1개, 풋고추 1개, 참기름 2작은술, 깨소금 2작은술)

이렇게 만들어요

1 오징어는 내장을 빼내고 손질한 후 굵은 소금을 켜켜로 뿌려 항아리에 담아 절인다.
2 오징어가 적당히 절여지면 꺼내어 쌀뜨물에 담가 짠맛을 뺀다.
3 무는 굵게 채썰어 소금에 절였다가 물기를 빼놓고, 오징어는 깨끗이 씻어 굵게 채썬다.
4 배는 껍질을 벗겨 굵게 채썰고, 풋고추 · 붉은고추도 반으로 갈라 채썬다. 실파는 잘게 썰고, 마늘 · 생강은 곱게 다진다.
5 그릇에 오징어 · 무 · 배를 담고, 풋고추 · 붉은고추 · 실파 · 마늘 · 생강 · 고춧가루 · 참기름 · 깨소금을 넣어 양념한다.

● 새우젓 무침

재료

새우 1kg · 소금 1컵 · 무침 양념 100g분(붉은고추 $\frac{1}{2}$개, 실파 1뿌리, 마늘 3쪽, 깨소금 1작은술, 참기름 2작은술)

이렇게 만들어요

1 빛깔이 흰 생새우를 골라 잡티를 없애고 깨끗이 씻은 다음 소쿠리에 건져 놓는다.
2 새우의 물기가 빠지면 소금에 버무린 후 항아리에 소금을 한 켜 깔고 준비한 새우를 넣은 다음 다시 위에 소금을 넉넉히 뿌리고 잘 봉해서 서늘한 곳에 둔다.
3 2주일 정도 지나면 꺼내어 붉은고추 · 실파 잘게 썬 것과 마늘 다진 것, 깨소금 · 참기름으로 양념한다.

POINT

오징어젓 무침
3
내장을 빼내고 손질한 후 소금에 절인 오징어는 쌀뜨물에 담가 짠물을 뺀 다음 깨끗이 씻어 굵게 채썬다.

5
그릇에 오징어와 채썬 무와 배를 넣고 붉은고추 · 풋고추 · 양념 등을 넣어서 골고루 버무린다.

젓갈의 영양

잔생선이나 알 · 내장 · 조개류 등을 소금에 절여 일정 기간 삭힌 젓갈류는 짭짤하면서도 고소한 특유의 감칠맛과 향이 입맛을 돋우어 준다. 젓갈류는 단백질 · 비타민 · 무기질이 풍부하고 만들기도 쉬워 빼놓을 수 없는 밑반찬이다. 특히 젓갈에는 필수 아미노산이 많이 들어 있어 쌀을 주식으로 하는 우리나라 사람들에게 좋은 식품이다. 젓갈은 재료가 많이 나고 제맛이 날 때 미리 장만하여 소금에 절여 두었다가 그때 그때 갖은 양념으로 맛깔스럽게 무치면 재료마다 각각의 풍부한 영양을 섭취할 수 있다.

겨울철에 방금 지은 따끈따끈한 밥과 함께 먹으면 딱 좋은

창난젓 무침 · 어리굴젓

● 창난젓 무침

 재료

창난 1kg · 소금 1½컵 · 마늘 2통 · 생강 4쪽 · 고춧가루 1컵 · 양념 100g분
(깨소금 2작은술, 설탕 1작은술, 참기름 ½큰술, 실파 1뿌리, 마늘 3쪽)

이렇게 만들어요

1 창난은 깨끗이 씻은 후 물기를 뺀다.
2 창난은 잘게 썰어서 소금 1컵에 절인 다음 하루 정도 무거운 돌을 얹어서 눌러 둔다.
3 눌러 두었던 창난의 소금물을 빼고, 나머지 소금을 넣어 버무린다.
4 마늘과 생강은 깨끗이 손질하여 곱게 다진다.
5 준비한 창난에 다진 마늘과 생강 · 고춧가루를 넣어 섞고 항아리에 담아서 삭힌다. 먹을 때마다 조금씩 꺼내어 다진 실파, 마늘과 참기름 · 깨소금 · 설탕으로 양념한다.

● 어리굴젓

 재료

굴 500g · 무 ½개 · 생강 2쪽 · 배 1개 · 밤 5개 · 고춧가루 ½컵 · 파 1뿌리 · 마늘 1통 · 소금 5큰술

이렇게 만들어요

1 굴은 연한 소금물에 담가 살살 씻은 다음 물기를 뺀다.
2 무와 배는 작게 나박썰기하고 밤 · 마늘 · 생강 · 파는 곱게 채썬다.
3 무와 배에 고춧가루(1큰술)를 넣어 버무리고 나머지 고춧가루는 소금 · 물을 넣고 고추장 묽기로 잘 갠다.
4 개어 놓은 고춧가루에 굴을 넣고 가볍게 버무린 다음 무와 배를 넣어 함께 섞는다.
5 채썬 재료를 넣고 소금으로 간해 항아리에 담아 2, 3일 정도 두었다가 먹는다.

어리굴젓 맛있게 담그기
굴은 기온이 영하로 떨어지는 겨울이 제철로 산란기인 4월 이전에 먹어야 제맛이 난다. 큰 굴은 회로 먹는 것이 좋고 젓갈로는 자그마한 것이 더 맛이 있다. 어리굴젓 만들 때 가장 중요한 것은 태양초 고춧가루를 쓰고 굴을 깨끗이 잘 씻는 일이다. 굴에 미끈미끈한 것이 붙어 있으면 고춧가루가 잘 버무려지지 않으므로 껍질을 떼어 내고 무즙이나 소금물에 살살 주물러서 미끈미끈한 물이 안 나올 때까지 여러 번 씻는다.
어리굴젓은 생굴에 무 · 밤 · 배 등의 부재료를 많이 넣고 양념도 넉넉히 넣으므로 오래 두고 먹을 수가 없다. 양념을 버무려서 작은 항아리나 용기에 담고 서늘한 곳에 두어 2, 3일 후부터 먹기 시작하여 열흘을 넘기지 않도록 한다.

POINT

굴은 연한 소금물에서 깨끗이 씻는다.

고춧가루에 굴을 넣고 살살 버무린다

굴에 채썬 재료를 넣고 소금으로 간한다.

JAM 잼

잼 만들기 좋은 과일들

앵두

포도

자두

사과

복숭아

딸기

배

잼 만들기 좋은 과일

잼을 만들려면 펙틴과 산이 들어 있는 과일이 제격. 펙틴은 일종의 탄수화물로 잘 익은 과일에 많이 들어 있다. 펙틴과 산이 많은 과일인 사과·산딸기·포도·자두 등을 주로 잼을 만드는 데, 앵두·배·복숭아처럼 산이 없는 과일은 레몬이나 오렌지를 함께 또는 즙을 내어 넣어 잼을 만들어 두면 좋다. 이외에 호박·당근 등의 채소류에 레몬 즙을 넣어 잼을 만들 수 있다. 또 봄에는 딸기, 여름에는 복숭아와 포도, 가을에는 사과, 겨울에는 귤과 배가 제철 과일로 잼 만들기에 좋다.

잼 만들기 하나, 조리전 밑준비

· 잼의 주재료로 들어가는 과일을 세심하게 씻는다. 특히 포도처럼 알알이 되어 있는 것은 한 알씩 떼어 씻고, 큰 과일은 씻은 다음 적당히 자른다.

· 잼을 저을 때는 나무 주걱을 쓴다.

· 냄비는 산에 강하고 내열성이 좋은 유리·사기·법랑 제품 등을 쓴다.

잼 만들기 둘, 조리 포인트

· 딸기와 포도처럼 수분이 많은 과일은 설탕에 재우면 자연히 수분이 나온다. 사과나 복숭아에는 물을 조금 넣거나 과일을 갈아서 짧은 시간에 물이 생기도록 한다.

· 설탕은 과일 분량의 60% 정도가 적당하다. 하지만 좀더 오래 저장할 것은 90~100%, 빨리 먹을 것은 50% 정도만 넣어도 된다. 설탕을 넣은 후에는 그대로 두어 자연히 녹인 다음에 조린다.

· 조리는 도중에 떠오르는 거품은 과일과 설탕에서 나오는 단백질인데 말끔히 걷어 내야 한다.

· 조릴 때는 처음에는 센 불에서, 끓어 오르면 중간불로 줄여서 조려야 과일의 빛깔과 향기가 많이 손상되지 않는다.

· 잼이 완성되었는지를 알려면 숟가락에 조금 떠서 찬물에 몇 방울 떨어뜨려 본다. 풀리지 않고 그대로 엉기면 불에서 내려도 된다. 식으면 굳어지므로 좀 묽은 듯할 때 불에서 내리고, 식었을 때 너무 묽으면 다시 조린다.

잼, 압력솥으로 간편하게 만들어요

1. 손질한 과일을 레몬·설탕과 함께 섞는다.

2 압력솥의 뚜껑을 덮고 센 불에서 15분간 끓인다. 이 때 레몬 즙을 약간 짜 넣으면 훨씬 맛이 좋아진다.

3 신호음이 나면 불을 줄이고 5분간 끓인 다음 불을 끄고 5분간 더 뜸을 들인다.

4 김을 뺀 후 나무 주걱으로 저으면서 잠시 조린다. 전자 레인지에서 잼을 만들 때도 역시 저을 필요 없이 그대로 조리기만 하면 잼이 완성된다.

잼 만들기 셋, 보관하기

1 병과 뚜껑을 물에 넣고 20분쯤 끓인 다음 깨끗한 마른 행주에 엎어 물기를 뺀다.

2 병에 방금 끓인 잼을 담는다. 이 때 위로 1.5cm 정도 남기고 뚜껑을 덮는다.

3 잼을 담은 병을 찜통에 5분쯤 가열한 다음 식혀 냉장고나 어둡고 건조한 곳에 보관한다.

딸기 잼 만들기

소금물에 씻어 물기를 빼고 꼭지를 잘라 낸 딸기를 냄비에 담고 설탕을 뿌려 그대로 두어 설탕을 녹인다.

딸기 위에 뿌린 설탕이 모두 녹아 내렸으면 불에 올려 뚜껑을 연 채로 센 불에서 조린다.

딸기 잼이 끓어 오르기 시작하면 불을 중불로 줄이고 위로 떠오른 거품을 숟가락으로 깨끗이 걷어 낸다.

레몬을 반으로 잘라 레몬즙 짜개에 엎어 가운데의 볼록한 부분에 레몬 속을 대고 돌려 가며 아래로 눌러 즙을 짜 넣는다.

걸쭉해지면 찬물에 조금 떨어뜨려 보아 금방 풀어지면 더 조리고 엉기면 불에서 내린다.

PICKLE 피클

피클 만들기 좋은 야채들

브로콜리

양파

양배추

오이

강남콩

호박

피클 만들기 좋은야채

매일의 식탁에 오르는 야채를 식초에 절여 두면 일년 내내 두고 먹기 좋은 피클이 된다. 피클을 만들 때는 조리 전에 먼저 절여야 하는데 소금으로 절이거나 가볍게 삶아 주면 된다.

오이 · 호박 · 양배추 · 셀러리 · 무 · 양파 등에 소금을 뿌린 다음 돌을 눌러서 5시간 내지 하룻밤 정도 놔 둔다. 이 때 호박은 숟가락으로 씨를 제거한 다음, 오이는 양쪽 끝을 잘라 낸 뒤 소금을 묻혀 도마에 대고 손바닥으로 굴린 다음, 셀러리는 섬유소를 없앤 다음 밑절이를 한다.

강남콩 · 콜리플라워 · 브로콜리 · 연근 등은 삶아서 절이는 것이 좋다. 호박이나 당근도 삶아서 절이는 것이 좋은데 아작아작 씹히는 맛이 중요하므로 푹 익히지 말고 끓는 물에 살짝 데쳐서 절이는 것이 맛을 내는 포인트다.

피클 만들기 하나, 조리전 준비하기

피클을 절이는 용기는 반드시 밀폐할 수 있는 것이어야 한다. 병 절임 전용의 보존병 외에

빈 병이라도 뚜껑에 고무 패킹이 달린 것이라면 쓸 수 있다. 그 밖에 절임 국물을 섞는 볼과 끓이는 냄비는 내산성의 것으로 해야 한다.

피클 만들기 둘, 절임 국물 농도 맞추기

피클을 절일 때 쓰는 국물은 식초와 설탕이 주재료다. 식초와 설탕의 비율은 2:1 내지 3:1 정도가 적당하다. 식초로는 양조초 · 과실초 등을 기호에 맞게 골라 쓰면 된다. 여기에 포도주를 조금 섞으면 맛이 더 부드러워진다.

피클 만들기 셋, 향신료

절임 국물에 붉은 피망 · 통후추 · 타임 · 마늘 등의 향신료를 넣어 보자. 향긋한 풍미로 피클 맛이 한결 개운해진다. 단, 지나치게 많이 넣으면 오히려 피클 맛을 해치므로 주의하자.

피클 만들기 넷, 절임 국물 섞기

절임 국물을 섞을 때는 두 가지 방법이 있는데, 먼저 국물을 끓여서 병에 담은 야채에 끼얹거나 병에 야채와 절임 국물을 함께 담아

뚜껑을 덮고 가열한다. 병째 가열하는 경우는 병 소독이 필요 없지만, 절임 국물만 끓여서 부을 경우는 귀찮게 여기지 말고 반드시 병을 소독하는 것이 좋다.

피클 만들기 다섯, 보관하기

피클을 보존하는 기간은 1~2개월이 적당하다. 또 한 번 개봉하면 되도록 빨리 먹어야 상하지 않고 제맛을 즐길 수 있다. 또 피클을 꺼낼 때는 꼭 깨끗한 젓가락을 사용하고, 나머지는 뚜껑을 꼭 닫아서 냉장고에 넣어 보관해야 한다.

전자 레인지로 간편하게 만드는 피클

1 오이 · 당근 등의 야채를 잘 손질해 잘게 잘라 소금에 10분간 절인 다음 전자 레인지에 넣어 2분간 돌린다.

2 물에 설탕 · 소금 · 식초 · 월계수잎 등을 모두 한꺼번에 넣고 2분간 전자 레인지에서 가열한 후 식혀서 소독한 병에 넣고 절임 국물을 붓고 2~3분간 놔 둔다.

3 2의 절임국물을 따라내고 전자 레인지에 살짝 돌린 다음 식으면 병에 붓는다.

새콤한 피클 맛을 내는 식초

새콤한 피클 맛을 내는 식초는 pH가 강한 산성으로 병원균의 증식을 억제하고 강력한 살균 방부 작용을 한다. 또 식욕을 돋우는 역할도 하며 채소의 쓴 맛이나 아린 맛을 부드럽게 해주는 역할도 한다. 피클을 만들 때 넣는 식초는 무나 당근 · 양파 등의 뿌리 채소로 만들 때는 현미 식초, 셀러리나 오이 · 등에는 레몬이나 사과 식초를 쓰면 맛이 더 깔끔해진다.

오이 피클 만들기

오이를 소금으로 문질러 깨끗이 씻은 다음 물기를 거두고 5cm 길이로 썰어 소금을 넣고 하루쯤 절인다.

설탕 · 소금을 넣은 물을 끓인 뒤 통후추 · 마늘 · 붉은고추 · 월계수잎을 넣고 끓이다 식초를 넣는다.

오이의 물기를 뺀 뒤 열탕 소독한 병에 넣고 양파를 채썰어 넣은 다음 끓인 절임 국물을 식혀 붓는다.

요리가 한결 손쉽고 빨라지는 조리 기구로 만드는

전자 레인지·
압력솥·오븐 요리

전자 레인지 요리

짧은 시간 안에 조리할 수 있어요

🍴 전자 레인지의 조리 원리

전자 레인지는 타거나 눌지 않게 음식을 익힐 수 있으며, 빨리 조리할 수가 있어 활용도가 높다.

전자 레인지는 마이크로파의 성질을 이용해 식품을 가열하는 조리 기구다. 원리는 전자 레인지 내부에서 전자파를 발생시켜 음식물에 골고루 뿌려지고 음식물을 구성하는 분자를 1초에 24억 5000만 번씩 회전 운동을 하도록 해 그 회전 운동의 마찰로 음식이 익게 된다. 따라서 외부에서 열을 가하는 가스 불과는 달리 식품 내부의 수분이 뜨거워지면서 조리되므로 식품 안까지 빈틈 없이 골고루 익힐 수가 있다.

🍴 전자 레인지 조리의 좋은 점

전자 레인지로 조리를 하면 식품의 안과 바깥이 동시에 가열되고 용기는 열을 흡수하지 않아 단시간에 조리가 가능하다.

먼저 조리 기구를 데워 열이 음식물에 전도되어 조리하는 식의 종래 조리 방법보다 조리 시간이 3~7배 정도 줄어 들어 경제적이다. 또 식품 자체의 수분만으로 조리하므로 비타민 등 영양소가 거의 파괴되지 않고 덜 익거나 타지 않으며 식품 자체의 빛깔과 맛을 그대로 유지하는 장점이 있다.

특히 열에 약한 비타민 C나 미네랄 등은 전자 레인지로 가열할 경우 조리 시간이 짧아 가스 불에 의한 조리보다 파괴되는 양이 적다. 예를 들어 시금치를 물에 데칠 경우 비타민 C는 70% 가량이 남지만 전자 레인지로 데칠 경우에는 80%가 남는다.

냉동 식품의 해동이나 미리 만들어 놓은 음식도 금방 만든 것처럼 따뜻하게 데울 수 있어 편리하며 또한 안전하고 위생적이다.

🍴 전자 레인지의 사용 포인트

• 사용 가능한 그릇만 넣는다

전자파를 통과시킬 수 있는 내열성이 강한 파이렉스 등의 유리 제품 · 도자기류 · 플라스틱 제품 그리고 랩이나 레인지용 비닐 봉지, 종이 타월은 쓸 수 있다. 하지만 알루미늄 제품, 스테인리스 제품, 금박 · 은박 식기, 홈이 팬 그릇, 내열 온도가 낮은(120℃ 이하) 플라스틱 제품, 칠기, 철망 등은 전자파를 투과시키지 못하므로 사용하면 안 된다. 사용 가능한 그릇이라 해도 음식을 담은 채 가만히 두면 골고루 익지 않는다. 음식을 흔들어 놓거나 뒤집어 놓아야 한다.

• 필요에 따라 뚜껑 · 랩을 사용한다

전자 레인지 조리에서는 랩으로 음식을 감싸 수분이 마르지 않도록 한다.

데치거나 삶거나 찔 때는 음식이 마르지 않게 뚜껑을 덮거나 랩을 씌운다. 굽거나 지질 때는 음식이 마른 상태여야 하므로 뚜껑을 덮지 않는다. 전자 레인지로 조리할 경우 식품 안에 수분이 있는 동안에는 찌는 상태가 되지만, 점차 수분이 없어지면 식품 안부터 타기 시작하므로 수분이 다 말라 딱딱하게 굳지 않도록 주의한다.

• 밀봉 용기는 뚜껑을 연다

종이 봉지나 비닐 봉지에 들어 있는 식품은 귀퉁이를 조금 자르고 나서 가열하고 내열 유리로 된 병은 마개나 뚜껑을 연다.

• 턴 테이블에 직접 놓지 않는다

전자파가 잘 통해 가열이 골고루 되게 음식을 그릇에 담아 넣는다.

• 더럽혀지면 곧 닦는다

레인지 안이 더러우면 오물이 전자파를 흡수하여 전력이 낭비되므로 즉시 닦는다.

• 가열 시간은 알맞게 조절한다

같은 식품이라도 양과 수분 함량에 따라 가열 시간이 달라진다. 수분을 많이 가지고 있는 것은 마른 것보다 오래 가열해야 하며, 식품의 양이 2배가 되면 가열 시간도 배가 되어야 한다.

가열 시간이 초과되면 수분이 빠져 나와 음식물이 딱딱해지므로 가능한 한 모양 · 크기 · 두께를 고르게 하고 식품의 양이 많거나 두꺼우면 도중에 위아래를 뒤집어 주거나 한두 번 정도 섞어 주면 빨리 익는다.

살균 · 소독에 이용하면 편리한 전자 레인지

이유식 만들기
이유식 그릇이나 숟가락 · 거즈 등을 물기가 어느 정도 남은 채로 전자 레인지에 넣고 가열한 다음 여기에 재료를 넣고 다시 가열한다. 소독과 조리를 동시에 할 수 있어 편리하다.

이유식 소독하기
먹다 남은 음식이나 시중에서 사온 음식은 한 번 가열한 다음 보관하거나 먹으면 안심이다. 남은 통조림도 내용물을 용기에 담고 랩을 씌워 가열해 둔다.

행주 소독하기
세제와 표백제를 이용해 세탁기로 빤 행주는 꼭 짠 뒤 비닐 봉지 안에 4~5장을 겹쳐 담고 한 장당 50~60

초 정도 가열한다. 열탕 소독을 하는 것처럼 열이 행주의 안에 남아 있던 대장균과 잡균을 없애 준다.

우윳병 소독하기
우윳병과 물병은 물에 씻은 다음 물기를 그대로 둔 채로 마를 때까지 가열한다. 젖꼭지는 물을 담은 그릇이나 유리 컵에 넣고 뚜껑을 씌워 물에 뜨지 않도록 한 다음 물이 끓을 때까지 가열한다.

전자 레인지 활용하기

밑손질과 조리, 소독에도 편리해요

🖐 데울 때 사용한다

•**찬밥** 찬밥은 그릇에 담아서 덩어리를 풀고 된밥이면 물이나 술을 약간 뿌린 후 랩이나 뚜껑을 씌워서 1공기(130g)당 약 50초 정도 가열한다. 약간 고슬고슬한 밥을 원한다면 뚜껑 없이 데운다. 볶은 밥은 랩을 씌우거나 뚜껑을 덮지 않고, 약 2분간 데운다. 비빔국수나 스파게티도 랩을 씌우지 않는다.

•**된장국·우유** 된장국이나 우유·커피 등은 1컵당 약 1분 30초간 가열한다. 1컵이면 빨리 데워지므로 랩을 씌우지 않아도 된다.

•**생선·닭고기** 구운 생선 1마리는 랩이나 뚜껑 없이 1분간 가열한다. 구운 닭고기는 양념장을 다시 한 번 발라서 양념장이 튀지 않도록 뚜껑을 덮어 30~1분간 가열한다.

•**튀긴 음식** 종이 타월이나 나무젓가락으로 기름받이를 만든 다음 그 위에 놓고 가열한다.

🖐 녹일 때 사용한다

•**냉동 생선** 생선은 랩이나 비닐 봉지를 벗기고 접시에 놓은 채로 반해동한다. 열이 먼저 닿아 빨리 녹는 머리와 꼬리 부분을 알루미늄 포일로 감싸고 접시 위에 나무젓가락 2~3개를 놓고 그 위에 올려 놓고 가열한다. 중심부가 아직 얼어 있는 정도로 반해동한 다음 석쇠에 구우면 맛있다.

냉동 고기를 해동할 때는 랩 등으로 싸야 맛을 잃지 않게 된다.

•**냉동 고기** 랩으로 싸서 반해동 상태까지 가열한 다음 자연히 녹여서

조리하거나 완전 해동시켜 이용한다.

•**냉동만두·빵** 냉동고에 둔 만두와 빵은 물을 약간 뿌리고 랩을 씌워 가열하면 녹이기에서 데우기까지 끝낼 수 있다.

🖐 밑손질에 활용한다

두부나 야채의 밑손질에도 전자 레인지를 활용하면 편리하다.

•**두부** 물기를 확실하게 제거하려면 반 모 크기로 잘라 종이 타월에 싼다. 평평한 그릇에 올려놓고 2분 정도 가열하면 물기를 따로 짤 필요가 없어 부침이나 조림하기가 훨씬 간편해진다.

•**밤·은행** 밤은 씻은 후 껍질 속으로 칼집을 깊게 낸 다음 물기가 묻은 채로 랩에 싸서 넣는다. 100g당 3분 정도 가열하면 두꺼운 겉껍질은 물론 속껍질도 잘 벗길 수 있다. 은행이나 호두는 딱딱한 겉껍질을 벗겨 내고 속껍질에 금을 내어 가열하면 쉽게 껍질이 벗겨진다.

•**베이컨** 종이 타월에 싸서 1조각당 1~2분간 가열한다. 이렇게 하면 조리와 동시에 기름도 뺄 수 있어 훨씬 바삭하다.

•**버섯·새우** 마른 표고버섯·석이버섯·미역·새우 등을 빨리 불리려면 그릇에 재료가 잠길 정도로 물을 넣고 2분 정도 가열한다.

•**야채** 생미역이나 시금치·콩나물 등의 야채를 데칠 때는 야채에 소금을 뿌려 그릇에 펼쳐 놓거나 랩에 싼다. 100g당 1분씩 가열한 후 재빨리 찬물에 식히면 좀더 싱싱하다.

•**빵** 조금 남은 식빵은 전자 레인지를 이용해 빵가루를 만들어 놓는다. 믹서에 빵을 적당한 크기로 뜯어 놓고 잘게 갈아서 종이 타월을 간 접시에 고루 펴놓는다. 전자 레인지에 넣고 가열해 수분을 없애고 밀폐 용기에 보관한다.

🖐 조리에 활용한다

•**찜** 육류로 찜을 할 때는 양념에 충분히 재워 두었다가 랩이나 뚜껑을 덮고 가열한다. 도중에 위아래를 뒤집어 섞으면 골고루 익는다.

•**굽기** 김을 접시 위에 4장 정도 올려놓고 랩을 싸지 않은 채로 1분간 가열한다. 생선은 껍질이 터지기 쉬우므로 표면에 칼집을 넣고 가열한다. 육류는 양념장이나 버터를 발라 구우면 노릇노릇하게 잘 구워진다.

야채를 볶을 때는 잘게 썰어 버터 으깬 것을 넣고 익힌다.

•**볶기** 양파 등을 볶을 때는 잘게 썰어 그릇에 평평하게 편 다음 기름이나 버터 으깬 것을 넣는다. 랩을 씌워 2~2분 30초 정도 익히면 전체적으로 기름이 배어 든다.

•**과실주 담그기** 2~3개월 보관해야 제맛이 나는 과실주를 빨리 숙성시키려면 과실주를 담은 유리병에 랩을 씌우고 강한 온도에서 5분 정도 가열한다.

딱딱한 간식, 전자레인지로 부드럽게 만들기

•**굳은 버터** 적당량을 잘라서 요리에 사용하는 경우는 괜찮지만 냉장고에서 바로 꺼내 빵에 바르려면 좀더 부드러워야 한다. 이때는 버터를 잘라 50g당 5~6초 동안 가열하면 부드럽게 녹는다.

•**굳은 건포도** 빵이나 건포도를 만들 때 요긴한 건포도는 냉장고에 두면 딱딱하게 굳는다. 굳은 건포도는 그릇에 담고 물이나 럼주를 조금 뿌려 랩을 씌워 가열하면 금방 말랑말랑한 건포도로 돌아간다.

•**굳은 오징어** 너무 딱딱해 먹기 힘든 오징어 역시 물이나 럼주를 살짝 뿌려 랩을 씌워 가열해 보자. 부드럽고 말랑말랑해져 먹기 편하다.

•**과자·깨소금** 먹다 남은 과자는 습기가 배어 맛이 없어지므로 평평한 접시에 겹치지 않도록 돌려 담고 전자 레인지에 넣어 가열한다. 볶은 깨도 가열시키면 갓 볶은 것처럼 향기가 난다.

•**찹쌀떡** 그릇에 담고 떡이 잠길 정도로 물을 부은 뒤, 랩을 씌워 약 2분간 가열한다. 핫도그나 샌드위치는 종이 타월에 싸서 1개당 약 30초간 가열한다.

•**찐빵** 찐빵은 물을 뿌리고 랩을 씌워 약 1분간 가열한다.

굳은 버터나 건포도는 전자 레인지에서 가열하면 부드러워져 조리하기에 편하다.

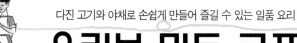

다진 고기와 야채로 손쉽게 만들어 즐길 수 있는 일품 요리

올리브 미트 로프

298 Kcal

재료 · 4인분

쇠고기 300g · 올리브 10개 · 양파 1개 · 감자 ½개 · 당근 ½개 · 완두 2큰술 · 빵가루 1컵 · 우유 4큰술 · 버터 2큰술 · 달걀 1개 · 소금 약간 · 후춧가루 약간 · 소스(토마토 케첩 3큰술, 버터 ½큰술, 우스터 소스 1큰술, 적포도주 1큰술)

이렇게 준비하세요

1 쇠고기는 살코기로 준비하여 곱게 다진다.

2 양파는 손질하여 잘게 다지고, 당근 · 감자는 1cm 크기로 깍둑썰기한 다음, 감자만 물에 담갔다가 건진다. 완두는 뜨거운 물을 끼얹은 후 물기를 뺀다.

3 올리브는 통째 얄팍하게 저며 썬다.

4 빵가루는 우유를 넣어 축여 놓는다.

이렇게 만들어요

5 내열 그릇에 다진 양파를 담고, 버터를 군데군데 얹은 다음, 랩을 씌우지 않은 채로 전자 레인지에 넣어 1분간 가열하여 꺼낸다.

6 준비한 당근과 감자는 내열 그릇에 담아 랩을 씌운 후, 전자 레인지에 넣고 약 3분간 가열한다.

7 그릇에 다진 쇠고기와 익힌 양파 · 당근 · 감자, 완두, 우유에 적셔 놓은 빵가루를 넣고, 달걀과 소금 · 후춧가루도 넣어 섞는다.

8 오목한 내열 그릇에 버터를 바르고, 썬 올리브를 깐 다음 버무린 재료를 눌러 담아 윗면을 고르게 다듬는다. 뚜껑을 덮거나 랩을 씌워 전자 레인지에 넣고 약 10분간 가열한 다음 접시에 엎는다.

그릇에 따라 가열 시간이 다르므로 고기의 상태를 보아 가며 시간을 적당히 조절한다.

9 토마토 케첩 · 우스터 소스 · 적포도주 · 버터를 섞어서 내열 그릇에 담고, 랩 없이 약 30초 정도 가열한 후 고기 위에 끼얹는다.

POINT

5

내열 그릇에 다진 양파를 넣고 버터를 얹은 다음 전자 레인지에 넣어 1분간 가열한다.

6

당근과 감자를 내열 그릇에 담아 랩을 씌운 후 전자 레인지에 넣어 3분간 가열한다.

7

다진 쇠고기와 익힌 야채, 완두, 우유 적신 빵가루, 달걀을 넣어 간을 한 후 버무린다.

8

올리브를 깐 다음 버무린 재료를 넣고 랩을 씌워 전자 레인지에서 10분 정도 가열한다.

고기를 썰거나 다지는 것은 즉석에서

조리를 빨리 하기 위해 얇게 썬 고기나 다진 고기를 살 경우가 있다. 이런 것을 사는 경우 자칫하면 신선하지 않거나 기름기가 많은 질이 떨어지는 고기를 사게 될 수도 있다. 그러므로 가능하면 즉석에서 필요한 부위를 썰거나 갈아 달라고 하는 것이 확실하다. 고기의 상태도 덩어리째 보아야 신선도를 쉽게 체크할 수 있다.

맛을 제대로 살리면서 고기를 보관하려면

고기를 2~3일 정도 냉장고에 보관해야 할 때는 그대로 냉동실에 넣어 두는 것보다 마른 헝겊으로 싸서 넣어 두는 것이 좋다. 단, 헝겊으로 싸 두면 물이 배어 나오므로 하루에 한 번쯤은 다른 것으로 갈아 준다. 또 고기 표면에 샐러드 기름을 골고루 발라서 밀폐된 용기나 비닐 봉지에 담아 두어도 좋다.

화려한 모양새가 손님 초대상이나 파티 요리에 잘 어울리는

과일 돼지고기 말이

재료 · 4인분

돼지고기 400g · 파인애플(통조림) 2조각 · 사과 1개 · 깻잎 8장 · 소금, 후춧
가루 약간씩

이렇게 준비하세요

1 돼지고기는 기름기가 없는 부위로 준비하여 손바닥만한 크기로 얇
게 저며 썬 다음, 힘줄 있는 부분에는 칼집을 넣고 소금 · 후춧가루를
뿌려 둔다.

2 파인애플은 통조림된 것으로 준비하여 1cm 크기로 썰고, 사과도 껍
질을 벗겨서 파인애플과 비슷한 크기로 썰어 엷은 소금물에 담갔다가
건져 놓는다.

3 깻잎은 1장씩 흐르는 물에 깨끗이 씻어 물기를 말끔히 빼놓는다.

이렇게 만들어요

4 준비한 깻잎을 1장씩 펴놓고, 사과와 파인애플을 얹어서 돌돌 말아
싼 다음 돼지고기로 다시 꼭꼭 싼다.

5 돼지고기 말이의 모양이 흐트러지지 않도록 하나하나씩 랩에 싼 다
음, 넓은 내열 그릇에 담고 전자 레인지에 넣어 약 5분 정도 가열한다.
위아래를 바꾸어 다시 5분 정도 가열한 뒤 꺼낸다.

6 익힌 돼지고기를 한입에 먹기 좋은 크기로 썰어 접시에 모양 내어
담은 뒤 파슬리 · 체리로 장식하고, 파인애플을 잘게 썰어 곁들인다.

POINT

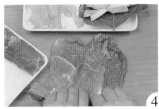
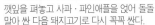

깻잎을 펴놓고 사과 · 파인애플을 얹어 돌돌
말아 싼 다음 돼지고기로 다시 꼭꼭 싼다.

돼지고기 말이를 하나씩 랩에 싼 다음 내열
그릇에 담고 전자 레인지에서 가열한다.

닭고기 쑥갓 무침

재료 · 4인분
닭고기 300g · 쑥갓 200g · 와사비 1큰술 · 진
간장 1큰술 · 육수 1큰술 · 닭고기 양념(소금 약
간, 청주 2큰술)

이렇게 만들어요
① 닭고기는 가슴살로 준비해 도톰하게 저민 후,
소금 · 청주를 뿌려 잰다.
② 쑥갓은 굵은 줄기를 떼어 내고 적당한 크기로 잘라 그릇에 담아 랩을 씌우고
전자 레인지에 약 1분간 가열한다. 꺼낸 즉시 소쿠리에 펼쳐 식혀 물기를 짠다.
③ 재어 놓은 닭고기를 내열 그릇에 담고 랩을 씌운 후, 전자 레인지에 넣어 5분
정도 가열한다. 꺼내어 위아래를 바꾸어서 다시 3분 정도 가열한다.
④ 닭고기를 식혀서 3cm 길이로 찢는다.
⑤ 와사비를 물에 갠 후, 진간장 · 육수를
넣고 잘 섞어 양념장을 만들어 닭
고기와 쑥갓에 넣고 고루
버무려 섞는다.

210 Kcal

야채 닭고기 말이

170 Kcal

 재료 · 4인분

닭고기 400g · 표고버섯 4개 · 껍질콩 50g · 당근 ½개 · 닭고기 양념(진간장 2큰술, 설탕 1큰술, 청주 1큰술)

 이렇게 준비하세요

1 닭고기는 가슴살로 준비하여 손바닥만한 크기로 얇게 저며 썬 다음, 진간장 · 설탕 · 청주에 재어 놓는다.
닭고기는 통째로 구입하지 말고 부위별로 따로 판매하는 것을 구입하는 것이 더 경제적이다.
2 표고버섯은 물에 불려 기둥을 떼고, 물기를 가볍게 짠 후 가늘게 채 썬다.
3 당근은 손질하여 0.5cm 두께로 막대썰기하고, 껍질콩도 손질하여 2등분한다.

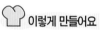 **이렇게 만들어요**

4 내열 그릇에 당근과 껍질콩 · 표고버섯을 담고, 랩을 씌워 전자 레인지에 2분 정도 가열하여 꺼낸다.
5 준비한 닭고기를 1장씩 넓게 펴놓고, 표고버섯 · 당근 · 껍질콩을 적당량씩 얹어 돌돌 말아 싼다.
6 넓은 내열 그릇에 닭고기 말이를 담고 랩을 씌워 전자 레인지에 약 5분간 가열한 다음, 위아래를 뒤집어 다시 약 5분간 가열한다.
7 닭고기 말이를 한입 크기로 어슷어슷하게 썬 후 접시에 상춧잎을 깔고 모양 내어 담는다. 진간장에 식초와 설탕을 넣어 섞어서 초간장을 만들어 함께 곁들인다.

POINT

1
닭고기 가슴살은 손바닥만한 크기로 얇게 저며 썬 다음 밑간해 둔다.

5
준비한 닭고기를 1장씩 넓게 펴놓고, 야채를 적당량씩 얹어 돌돌 말아 싼다.

6
넓은 내열 그릇에 닭고기 말이를 담고 랩을 씌워 전자 레인지에서 약 5분간 가열한다.

맛이 담백한 닭가슴살
닭의 가슴살은 날개의 뿌리 쪽에서 가슴을 뒤덮고 있는 부분으로, 살이 가장 많고 뼈가 없다. 옅은 분홍색에 고기의 질이 부드럽고 지방분이 적어서 산뜻하면서 맛이 담백하다. 양념해서 굽거나 기름이나 소스를 이용해서 조리하는 튀김 · 구이 · 찜 등에 좋으며, 작게 썰어 채소와 볶는 요리에 사용해도 좋다. 유럽에서는 통닭 구이처럼 통째로 요리한 것을 나눠 먹을 때 가슴살은 여성에게만 준다고 할 정도로 양질의 고기다.
닭고기는 다른 고기와 다르게 껍질이 붙어 있고, 독특한 냄새가 나므로 밑간하기 전에 레몬을 잘라 닭껍질에 문질러 주면 좋다. 술을 뿌려 15분 정도 두어도 특유의 냄새가 없어진다.

닭 밤 찜

재료 · 4인분

닭 1마리 · 밤 10개 · 마늘 4쪽 · 생강 1쪽 · 붉은고추 2개 · 피망 1개 · 식용유 2큰술 · 닭고기 양념(진간장 3큰술, 청주 1큰술, 설탕 1큰술)

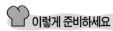

이렇게 준비하세요

1 닭은 깨끗이 손질하여 먹기 좋은 크기로 토막낸 후, 간이 고루 배도록 뼈 있는 부분을 포크로 군데군데 찌른다. 준비한 닭고기에 진간장과 청주 · 설탕을 뿌려 고루 섞은 다음 잠시 재어 둔다.

2 밤은 통조림된 것으로 준비해 뜨거운 물을 끼얹은 후 물기를 뺀다.

3 마늘과 생강은 껍질을 벗기고 깨끗이 씻어서 각각 얄팍하게 저민다.

4 피망은 반으로 갈라 속을 파내고 밤 크기 정도로 썬다. 붉은고추도 씨를 털어 낸 다음 피망과 같은 크기로 썬다.

이렇게 만들어요

5 내열 그릇에 준비해 놓은 닭고기를 담고, 저민 생강과 마늘을 위에 얹은 다음 식용유를 골고루 뿌린다.

6 준비해 놓은 밤을 군데군데 얹는다.

7 피망과 붉은고추도 넣고, 뚜껑이나 랩을 씌워 전자 레인지에 약 5분간 가열한 후 꺼낸다. 위아래를 뒤적여 다시 5분 정도 가열한다. 닭고기의 빛깔을 보아 가며 시간을 조절한다.

닭고기는 너무 오래 가열하면 고기가 질겨지고 육즙이 빠져 나와 퍼석퍼석해지고 맛이 없어지므로 닭고기 100g당 1분 정도만 가열한다.

닭은 토막을 내 간이 잘 배도록 군데군데 찌른 다음 양념을 넣어 밑간해 둔다.

내열 그릇에 닭고기를 담고, 저민 생강과 마늘을 위에 얹어 식용유를 골고루 뿌린다.

밤은 통조림된 것을 이용하거나 미리 삶아 군데군데 얹는다.

뚜껑이나 랩을 씌워 전자 레인지에서 가열한 다음 아래 위를 뒤집어 다시 가열한다.

401 Kcal

중국식 샐러드

재료 · 4인분

닭고기 200g · 콩나물 100g · 양배춧잎 2장 · 당근 ½개 · 오이 1개 · 당면 30g · 생강 1쪽 · 청주 ½큰술 · 소금 약간 · 양념장(진간장 2큰술, 식초 2큰술, 식용유 2큰술, 설탕 1큰술, 깨소금 ½큰술)

이렇게 만드세요

① 닭고기는 가슴살로 준비하여 큼직하게 저며 썬다.

② 콩나물은 머리와 뿌리를 떼어서 씻고, 양배추는 채썬다. 당근과 오이는 손질하여 5cm 길이로 토막내 채썬다. 생강은 강판에 갈아 즙을 낸다.

③ 닭고기에 청주 · 소금 · 생강즙을 넣고 섞어 내열 그릇에 담는다. 랩을 씌워 6분간 가열한 뒤 꺼내 식혀서 적당하게 찢는다.

④ 당근과 콩나물을 내열 그릇에 담아 랩을 씌우고 약 2분간 가열한다. 당면은 물에 불려 내열 그릇에 담고 물을 부은 뒤 뚜껑을 덮어 5분간 가열한다.

⑤ 접시에 준비한 재료를 돌려 담고, 진간장 · 설탕 · 식초 · 식용유 · 깨소금으로 양념장을 만들어 끼얹는다.

오징어 몸통에 찹쌀을 채워 만든 영양식으로 손님상에 놓아도 좋은

오징어 순대

441 Kcal

재료 · 4인분

오징어 2마리 · 찹쌀 ½컵 · 숙주 100g · 풋배추 ½포기 · 붉은고추, 풋고추 2개씩 · 마늘 4쪽 · 파 1뿌리 · 진간장 3큰술 · 청주 2큰술 · 밀가루 적당량

이렇게 준비하세요

1 찹쌀은 깨끗이 씻어서 물에 1시간 정도 담가 불린다.

2 오징어는 다리와 내장을 빼낸 후, 몸통은 소금이나 마른 헝겊을 이용해 껍질을 벗기고, 다리는 깨끗이 손질해 둔다.

3 숙주는 다듬어서 깨끗이 씻어 건지고, 풋배추도 물기를 뺀다.

4 붉은고추와 풋고추는 길게 반으로 갈라 씨를 털어 낸 다음 잘게 다진다. 마늘은 껍질을 벗겨 곱게 다지고, 파는 손질하여 잘게 썬다.

이렇게 만들어요

5 숙주와 풋배추를 각각 비닐 봉지나 랩에 싸서 전자 레인지에 넣어 약 1분 30초간 가열하여 꺼낸다. 어느 정도 식으면 잘게 썬다.

6 내열 그릇에 준비한 오징어 다리를 담고 랩을 씌운 다음, 전자 레인지에 넣어 약 4분 정도 가열하여 꺼낸 뒤 식혀서 다지듯이 송송 썬다.

7 그릇에 불린 찹쌀 · 오징어 다리 · 숙주 · 풋배추 · 붉은고추 · 풋고추, 다진 마늘과 잘게 썬 파를 넣고 고루 섞은 뒤 진간장과 청주로 양념한다.

8 오징어 안쪽에 밀가루를 바른 뒤 재료를 오징어에 채워 넣고 대꼬챙이로 꿰맨다. 익으면 오징어가 오므라들므로 너무 많이 넣지 않는다.

9 넓은 내열 그릇에 대발을 깔고 오징어를 얹은 다음, 랩을 씌우고 전자 레인지에 넣어 10분간 가열한다. 뒤집어서 다시 10분간 가열한 후 꺼내어 먹기 좋은 크기로 썬다.

POINT

6
내열 그릇에 오징어 다리를 담고 랩을 씌운 뒤 전자 레인지에서 가열한 다음 송송 썬다.

7
그릇에 찹쌀 · 오징어 다리 · 야채 · 양념을 넣고 섞은 뒤 진간장과 청주로 양념한다.

8
오징어 안쪽에 밀가루를 바른 뒤 재료를 오징어에 채워 넣고 대꼬챙이로 꿰맨다.

9
내열 그릇에 대발을 깔고 오징어를 얹은 다음 랩을 씌우고 전자 레인지에서 익힌다.

오징어 버터 구이

재료 · 4인분
오징어 2마리 · 마늘 1통 · 파 1뿌리 · 버터 50g · 파슬리 약간 · 백포도주 1작은술 · 소금, 후춧가루 약간씩

이렇게 만들어요
① 오징어는 다리를 떼어 내고 껍질을 벗긴 다음 깨끗이 씻어 물기를 뺀다.

② 버터는 거품기로 저어 크림 상태로 만든 다음 다진 파 · 마늘 · 백포도주 · 소금 · 후춧가루를 넣고, 파슬리도 잎만 떼어 포슬포슬하게 다져 넣어 잘 섞는다.

③ 오징어 안쪽에 사선으로 촘촘하게 칼집을 넣어 먹기 좋은 크기로 썬다.

④ 넓은 내열 접시에 오징어를 담고 버터 혼합물을 얹어 전자 레인지에 넣어 2분 정도 가열한다.

상큼한 레몬이 비린내를 없애 주어 고소한 맛이 더욱 살아나는

고등어 레몬 소스 찜

재료 · 4인분

고등어 2마리 · 오이 피클 2개 · 양파 1개 · 마늘 4쪽 · 레몬 1개 · 백포도주 3
큰술 · 후춧가루 약간 · 소금 적당량 · 버터 적당량

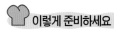
이렇게 준비하세요

1 고등어는 머리와 내장을 떼어 내고 뼈를 발라 낸 뒤 깨끗이 씻어 토
막낸다.
2 양파는 손질하여 잘게 다지듯이 썰고, 오이 피클도 물에 살짝 씻어
잘게 썬다. 마늘은 껍질을 벗기고 씻어서 곱게 다진다.
3 레몬 ½개는 반달썰기하고, ½개는 즙을 내놓는다.

이렇게 만들어요

4 손질한 고등어를 넓은 그릇에 펼쳐 담고, 소금 · 후춧가루 · 백포도
주(1큰술) · 레몬즙을 섞어 고루 뿌린 후 잠시 재어 둔다.
5 양파 · 오이 피클 썬 것과 마늘 다진 것에 백포도주(2큰술)를 섞어서
내열 그릇에 펴 담고, 버터를 군데군데 떼어 얹는다.
6 준비한 고등어를 껍질 부분이 아래로 가도록 하여 버터와 야채 다진
것 위에 놓고, 고등어 위에도 버터와 야채 다진 것을 얹는다. 랩 없이
전자 레인지에 넣어 약 5분간 가열한 후 꺼낸다.
7 접시에 레몬 썬 것을 깔고, 고등어를 야채와 함께 덜어 내어 담은 후
파슬리로 장식한다.

POINT

토막낸 고등어에 소금 · 후춧가루 · 백포도
주 · 레몬즙을 섞어 고루 뿌린 후 재어 둔다.

양파 · 오이 피클 썬 것과 마늘 다진 것을
섞고 군데군데 버터를 떼어 얹는다.

버터와 야채 다진 것을 밑간한 고등어 위에
놓고 전자 레인지에 넣어 가열한다.

전자 레인지로 해물 요리하기
생선 중에서 꽁치 · 고등어 등은 지방이 많아 불에 구우면 연기가 나고 그을음 때
문에 생선이 까맣게 된다. 전자 레인지에 가열하면 까맣게 되지 않아 좋은데, 약
간 탄 듯한 것을 좋아하는 사람은 전자 레인지에서 구운 생선을 다시 불에 익히
면 된다. 생선 찜을 할 때는 양념을 하여 그릇에 넣고 랩으로 씌워 가열하는데,
찜 요리는 구이보다 가열 시간을 짧게 해도 충분하다. 바지락 조
개나 대합 조개는 전자 레인지로 가열했을 때 입이
막 벌어졌을 때가 가장 연한 상태이다.

150Kcal

중국 된장으로 찐 매콤하고 향긋한 맛이 입맛을 당기는

꽃게 두반장 찜

176 Kcal

재료 · 4인분

꽃게 2마리 · 녹말가루 2작은술 · 식용유 적당량 · 붉은고추 2개 · 풋고추 2개 · 파 1뿌리 · 마늘 4쪽 · 양념장(두반장 1큰술, 진간장 1큰술, 청주 1큰술, 고춧가루 ½큰술 · 설탕 ½큰술, 후춧가루 약간, 참기름 약간, 생강 1쪽)

이렇게 준비하세요

1 꽃게는 싱싱한 것으로 준비하여 솔로 문질러 깨끗이 씻은 다음, 발끝을 잘라 내고 등딱지도 떼어 낸 후 먹기 좋은 크기로 토막낸다.
2 풋고추와 붉은고추는 길게 반으로 갈라 씨를 털어 내고 잘게 썬다.
3 마늘은 껍질을 벗기고 씻어 잘게 다지고, 파는 손질하여 송송 썬다. 생강은 다듬어 강판에 갈아 즙을 낸다.
4 녹말가루는 같은 양의 물에 풀어 놓는다.

이렇게 만들어요

5 밑이 넓은 내열 그릇에 잘게 썬 붉은고추 · 풋고추와 파 · 마늘을 섞어서 펴 담고, 위에 식용유를 골고루 뿌린다. 랩을 씌우지 않은 채로 전자 레인지에 넣어 약 1분 정도 가열한 후 꺼낸다. 이렇게 하면 양념의 향이 식용유에 골고루 밴다.
6 그릇에 두반장과 진간장을 넣고, 청주 · 참기름 · 고춧가루 · 후춧가루 · 설탕과 물 2큰술, 생강즙도 넣어 양념장을 만든다.
7 잘게 썰어 익힌 양념에 준비한 꽃게를 얹고, 양념장을 끼얹는다. 랩을 씌우지 않은 채로 전자 레인지에 넣어 3분간 가열한 뒤 꺼낸다.
8 꽃게에 풀어 놓은 녹말가루를 넣고 간이 고루 배고 잘 익도록 위아래를 뒤섞은 후, 랩 없이 전자 레인지에 넣어 다시 4분 정도 가열한다.

POINT

꽃게는 싱싱한 것으로 준비해 발끝과 등딱지를 떼어 낸 후 적당하게 토막낸다.

내열 그릇에 야채를 섞어서 펴 담고 위에 식용유를 뿌려 전자 레인지에 넣어 가열한다.

정량의 재료를 넣어 양념장을 만든다.

꽃게에 양념장을 끼얹어 가열한다.

전자 레인지를 이용할 때는 가열 시간에 주의한다

찜 요리에는 전자 레인지가 다른 어떤 것보다 간편하고 편리한 조리 기구라고 할 수 있다. 찜통으로 하는 조리는 증기가 식품 외부에서 들어오는 가열법이지만, 전자 레인지는 전자파가 식품 내부의 수분에 흡수되어 열에너지로 변화하는 것을 이용한 가열 방법이다. 찜통은 온도 변화가 외부에서 내부로 서서히 이루어지지만 전자 레인지 가열은 식품 내부의 온도가 동시에 급상승한다. 따라서 전자 레인지로 가열하면 조리가 빠르고 편리한 반면, 너무 많이 쪄져서 맛이 떨어질 수도 있으므로 조리 시간에 주의한다.

전자 레인지는 식품의 중량에 비례하여 조리 시간이 달라진다. 예를 들어 양배추 100g을 조리하는 데 600W 전자 레인지로 1분이 걸리고, 200g이 되면 2분이 소요된다. 찜통의 경우 양이 늘어도 약간의 차이는 있지만 조리 시간에 큰 차이가 나는 것은 아니다.

단백질과 칼슘이 풍부한 새우의 부드러운 맛을 살린

새우 양념 찜

 재료 · 4인분

새우 600g · 녹말가루 2작은술 · 양념장(붉은고추 1개, 풋고추 1개, 마늘 4쪽, 파 1뿌리, 생강 ½쪽, 청주 1큰술, 설탕 ½큰술, 진간장 2큰술, 고춧가루 1큰술, 식용유 2큰술, 참기름 ½큰술)

이렇게 만드세요

1 새우는 좀 큰 것으로 준비해 머리를 떼어 내고 등 쪽의 껍질을 갈라 대꼬챙이로 창자를 빼낸 다음, 꼬리 쪽의 뾰족하고 딱딱한 삼각 꼬리도 떼어 낸다.

2 붉은고추 · 풋고추는 반으로 갈라 씨를 털어 내고 잘게 썬다. 파는 다듬어 씻어서 잘게 썰고, 마늘 · 생강은 곱게 다진다.

3 녹말가루는 같은 양의 물에 풀어 놓는다.

4 그릇에 잘게 썬 붉은고추 · 풋고추 · 파와 다진 생강 · 마늘을 넣고, 청주 · 설탕 · 진간장 · 고춧가루 · 식용유 · 참기름을 넣어 양념장을 만든다.

5 준비한 새우를 내열 그릇에 담고 양념장을 넣어 고루 섞는다.

6 랩을 씌우지 않은 채로 전자 레인지에 넣어 약 2분간 가열한 다음, 풀어 놓은 녹말가루를 넣고 위아래를 뒤섞어 다시 3분 정도 가열한다. 새우는 크기에 따라 가열 시간이 달라지므로 새우의 상태를 보아 가며 시간을 조절한다. 새우가 빨갛게 되면 다 된 것이다.

163 Kcal

색깔과 모양새가 화려해 손님상에도 잘 어울리는

어묵 찜

 재료 · 4인분

어묵 300g · 당근 ½개 · 피망 1개 · 쇠고기 100g · 밀가루 1큰술 · 쇠고기 양념(파 ½뿌리, 마늘 2쪽, 진간장 2큰술, 깨소금 ½큰술, 참기름 2작은술, 후춧가루 약간)

 이렇게 만드세요

1 어묵은 찐 어묵을 준비하여 2㎝ 두께로 썬 다음 0.5㎝ 간격으로 칼집을 깊숙하게 넣는다.

2 쇠고기는 살코기로 준비하여 곱게 다지고, 파 · 마늘도 손질하여 곱게 다진다.

3 당근은 어묵 크기보다 조금 작게 골패썰기하고, 피망도 당근과 같은 크기로 썬다.

4 다진 쇠고기를 파 · 마늘과 진간장 · 참기름 · 깨소금 · 후춧가루로 양념한 뒤, 내열 그릇에 담고 전자 레인지에 넣어 약 2분간 가열한다.

5 어묵의 칼집 사이에 밀가루를 묻히고, 쇠고기 · 피망 · 당근을 채워 넣어 내열 그릇에 담아 랩을 씌운 후, 전자 레인지에 넣고 약 3분간 가열한다.

146 Kcal

밥 대신 달걀을 넣은 색다른 유부 요리

유부 달걀 찜

재료 · 4인분

유부 4장 · 달걀 4개 · 육수 1컵 · 진간장 2큰술 · 설탕 1큰술 · 무순 약간

이렇게 만드세요

1 유부는 뜨거운 물을 끼얹었거나 끓는 물에 넣었다 꺼내 기름기를 뺀 후, 한쪽 면을 잘라 내고 사이를 벌려 주머니로 만들어 놓는다.

2 무순은 뿌리를 잘라 내고 가지런히 씻어 물기를 말끔히 빼놓는다.

3 달걀은 노른자가 터지지 않도록 1개씩 작은 그릇에 깨뜨린 다음, 유부 주머니에 달걀을 부어 담은 후 대꼬챙이로 꿰매어 봉한다.

4 내열 그릇에 육수와 진간장 · 설탕을 넣고 잘 섞은 다음, 유부 주머니를 대꼬챙이로 꿴 부분이 위로 가게 하여 넣는다. 뚜껑이나 랩을 씌우고 전자 레인지에 넣어 약 5분간 가열한 후 꺼낸다.

5 식으면 대꼬챙이를 빼고 한입에 먹기 좋은 크기로 썰어서 준비한 무순을 곁들여 접시에 담는다.

곁들이는 양념장으로는 다시마 우린 물에 된장을 풀어 넣고 팔팔 끓여 송송 썬 실파를 띄워 함께 낸다.

133 Kcal

198 Kcal

아이들의 영양 간식과 미용식으로 좋은

야채 달걀 찜

재료 · 4인분

베이컨 3조각 · 양배춧잎 3장 · 당근 ½개 · 부추 50g · 달걀 2개 · 소금 약간 · 후춧가루 약간

이렇게 만드세요

1 베이컨은 유통 기한을 살펴보아 신선한 것으로 골라 0.5cm 폭으로 채썬다.

2 당근은 껍질을 벗겨 가늘게 채썰고, 양배추도 손질하여 가늘게 채썰어 놓는다.

3 부추는 깨끗이 씻어서 3cm 길이로 썬다.

4 달걀은 깨뜨려 노른자가 터지지 않도록 흰자와 나누어 놓는다.

5 베이컨 · 양배추 · 부추 · 당근을 섞고 소금 · 후춧가루로 양념한 다음, 달걀흰자도 넣어 고루 섞는다.

6 내열 그릇에 준비한 야채를 담고, 가운데에 달걀노른자를 얹은 다음 이쑤시개로 2, 3군데 구멍을 낸다. 랩을 씌워 전자 레인지에 넣고 약 3분간 가열한다.

두부 찜 · 깻잎 찜

● 두부 찜

 재료 · 4인분

두부 2모 · 소금 약간 · 양념장(고춧가루 1큰술, 마늘 4쪽, 파 1뿌리, 참기름 ½ 큰술, 깨소금 ½큰술, 실고추 약간, 진간장 3큰술)

이렇게 만드세요

1 두부는 흐르는 물에 가볍게 씻어서 2등분한 다음, 1cm 두께로 납작 납작하게 썰어 넓은 그릇에 펴놓고 소금을 뿌려 물기를 뺀다.
2 파는 가늘게 채썰고, 마늘은 곱게 다져 진간장 · 고춧가루 · 깨소금 · 참기름 · 실고추를 섞어서 양념장을 만든다.
3 두부를 양념장을 뿌려 가며 내열 그릇에 담은 후, 랩을 씌우고 전자 레인지에 넣어 약 3분간 가열한다.

● 깻잎 찜

 재료 · 4인분

깻잎 30장 · 양념장(고춧가루 3큰술, 마늘 4쪽, 붉은고추 1개, 진간장 3큰술, 참기름 1큰술, 깨소금 1큰술, 파 1뿌리, 설탕 2작은술)

이렇게 만드세요

1 깻잎은 흐르는 물에 1장씩 씻어 물기를 말끔히 빼놓는다. 파는 채썰고, 붉은고추는 씨를 털어 낸 후 잘게 썬다. 마늘은 곱게 다진다.
2 진간장에 파 · 붉은고추 · 마늘과 참기름 · 깨소금 · 고춧가루 · 설탕을 넣고 섞어 양념장을 만든다.
3 내열 그릇에 준비한 깻잎을 2, 3장씩 담으면서 양념장을 끼얹은 다음, 랩을 씌워 전자 레인지에 넣고 약 2분간 가열한다.

완두 달걀 푸딩

재료 · 1인분
달걀 1개 · 완두 5큰술 · 빵가루 2큰술 · 우유 2 큰술 · 소금 약간 · 설탕 ½작은술 · 브랜디 ½ 작은술 · 바닐라향 약간

이렇게 만들어요
① 달걀흰자는 소금을 약간 넣어 거품이 날 때 까지 잘 젓고, 노른자도 저어서 풀어 놓는다.
② 풀어 놓은 달걀노른자에 설탕 · 브랜디 · 바닐라향을 넣어 설탕이 녹을 때까지 거품기로 저은 다음 우유에 적신 빵가루와 끓는 물에 데친 완두를 넣고 잘 섞는다.
③ 달걀노른자 혼합물에 거품낸 흰자를 넣어 가볍게 섞어 내열 그릇에 담아 랩을 씌워 전자 레인지에서 약 5분간 가열해 겉이 노르스름해질 때까지 익힌다.

두부 찜

1
두부를 1cm 두께로 납작납작하게 썰어 소금을 뿌려 물기를 뺀 다음 양념장을 끼얹고 랩을 씌워 약 3분간 가열한다.

깻잎 찜

3
진간장에 정량의 양념을 넣고 골고루 섞어 양념장을 만든다.

4
내열 그릇에 깻잎을 2, 3장씩 담으면서 양념장을 끼얹고 랩을 씌워 2분간 가열한다.

207 Kcal

137

호박 찜 · 가지 찜 · 오이 찜

● 호박 찜

재료 · 4인분

호박 1개 · 파 1뿌리 · 마늘 4쪽 · 진간장 2큰술 · 실고추 약간 · 고춧가루 ½큰술 · 참기름 ½큰술 · 깨소금 ½큰술 · 설탕 1작은술

이렇게 만드세요

1 호박은 얄팍하게 통썰기하고, 파 · 마늘은 곱게 다진다.

2 진간장에 다진 파 · 마늘과 실고추 · 고춧가루 · 참기름 · 깨소금 · 설탕을 넣고 섞어 양념장을 만든다.

3 내열 그릇에 준비한 호박을 넓게 펴 담고, 양념장을 위에 뿌린다. 랩을 씌우고 전자 레인지에 3분간 가열한다.

● 오이 찜

재료 · 4인분

오이 2개 · 파 1뿌리 · 마늘 4쪽 · 진간장 2큰술 · 실고추 약간

이렇게 만드세요

1 오이는 5~6cm 길이로 토막내어 4등분하고, 파 · 마늘은 다진다.

2 오이에 진간장 · 파 · 마늘 · 실고추를 넣어 양념한 다음, 내열 그릇에 담고 랩을 씌워서 2분 정도 가열한다.

POINT

오이 찜

오이는 소금으로 문질러 깨끗이 씻어서 5~6cm 길이로 토막내 4등분한다.

진간장 · 파 · 마늘 · 실고추를 넣은 양념장을 오이에 넣어 버무려 랩을 씌워 가열한다.

● 가지 찜

재료 · 4인분

가지 2개 · 진간장 2큰술 · 붉은고추 1개 · 풋고추 1개 · 파 ½뿌리 · 마늘 4쪽 · 깨소금 ½큰술 · 고춧가루 ½큰술 · 설탕 2작은술 · 식초 1큰술

이렇게 만드세요

1 가지는 씻어서 4cm 길이로 토막낸 후 세워서 십자 모양의 칼집을 깊숙이 넣는다.

2 잘게 썬 붉은고추와 풋고추, 다진 파와 마늘에 진간장 · 깨소금 · 고춧가루 · 설탕 · 식초를 넣어 소를 만든다.

3 가지의 칼집 사이를 벌려 소를 넣고 소의 국물을 끼얹는다. 내열 그릇에 담아 랩을 씌우고 3분간 가열한다.

전자 레인지에 채소를 조리할 때

전자 레인지에 채소를 조리할 때는 풋내를 없애기 위해서 뿌리 밑에 칼집을 넣거나 씻은 다음 물기가 있는 채로 가열하고, 바로 찬물에 담가야 한다. 양파 · 당근을 데칠 때는 기름을 살짝 발라서 뚜껑을 덮어 가열하고, 가지는 썰어 소금에 절여 진을 뺀 다음 랩으로 잘 싸서 가열한다. 고구마 · 감자는 씻어서 껍질째 그릇에 넣거나 랩으로 싸서 100g에 3분 정도만 가열한다.

37Kcal

배추 초장아찌 · 양배추 초장아찌

175 Kcal

배추 초장아찌

배추와 당근은 채썰어 소금에 절였다가 물기를 짠다. **1**

식초에 설탕 · 소금을 섞어 랩을 씌운 후 전자 레인지에 약 2분간 가열한다. **2**

식촛물이 뜨거워지면 준비한 채썬 배추와 당근에 끼얹어 버무린다. **3**

양배추 초장아찌

양배춧잎을 내열 그릇에 담고 랩을 씌워 1분간 가열한다. **1**

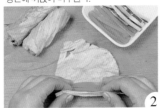

양배춧잎을 잘라 채썰어 소금에 절인 오이와 당근을 각각 얹어 돌돌 말아 싼다. **2**

식초 · 설탕 · 소금을 섞고 랩을 씌워 전자 레인지에서 가열해 양배추 말이에 뿌린다. **3**

● 배추 초장아찌

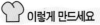 재료 · 4인분

배춧잎 3장 · 당근 1개 · 소금 약간 · 식촛물(식초 4큰술, 설탕 4큰술, 소금 1작은술)

 이렇게 만드세요

1 배추와 당근은 5cm 길이로 채썰어 각각 소금에 절였다 물기를 짠다.
2 식초에 설탕 · 소금을 섞어 랩을 씌운 후 전자 레인지에 약 2분간 가열한다.
3 식촛물이 뜨거울 때 준비한 배추와 당근에 끼얹어 버무린다.

● 양배추 초장아찌

 재료 · 4인분

양배춧잎 5장 · 당근 1개 · 오이 1개 · 소금 약간 · 식촛물(식초 4큰술, 설탕 4큰술, 소금 1작은술)

 이렇게 만드세요

1 양배춧잎은 내열 그릇에 담고 물을 약간 부은 다음, 랩을 씌워서 전자 레인지에 1분간 가열한다. 당근과 오이는 손질하여 5cm 길이로 채썬 뒤 각각 소금에 절였다가 물기를 짠다.
2 양배춧잎을 5cm 너비로 잘라 당근과 오이를 각각 얹어 돌돌 말아 싼 뒤 한입 크기로 썰어 그릇에 담는다.
3 식초 · 설탕 · 소금을 섞고 랩을 씌워서 전자 레인지에 2분간 가열한 다음 뜨거울 때 양배추 말이에 뿌린다.

양배춧잎을 빨리 떼어 내려면
양배추의 잎 모양을 그대로 살리면서 잎 하나하나를 재빨리 떼어 내려면 요령이 필요하다. 우선 양배추의 심을 통째로 잘 오려 낸 다음 그 구멍에 뜨거운 물을 붓는다. 잠시 후면 뜨거운 물이 잎 사이로 스며들어 깨끗이 떼어진다.

압력솥 요리

오래 익혀야 하는 반찬에 이용하세요

압력솥의 원리

압력솥은 이름 그대로 압력을 이용해 고온을 만든 뒤 짧은 시간에 조리하는 솥이다. 물의 경우 보통 솥으로는 100℃ 이상으로 올라가지 않지만, 꼭 끼는 뚜껑을 덮어 밀폐에 가까운 상태를 만드는 압력솥에서는 열에 의한 증기의 압력으로 120℃ 전후의 고온·고압이 된다. 따라서 보통 솥의 $\frac{1}{3}$~$\frac{1}{4}$ 정도의 빠르기로 조리할 수가 있다. 또 같은 요리라면 끓기 시작하는 시간이 다를 뿐 분량은 2인분이든 4인분이든 조리 시간이 같다.

압력솥. 뚜껑을 닫고 가열하면 고온 고압 상태가 되어 빠르게 조리를 할 수 있다.

압력솥의 종류와 선택

기본 구조는 비슷하고 주로 뚜껑을 닫는 방법이 다르다. 뚜껑과 몸체의 요철 부분을 맞추어서 밀착시키는 '슬라이드식', 뚜껑을 안으로 넣었다가 끌어 올려서 몸체의 안쪽에 밀착시키는 '안으로 들어간 뚜껑식', 뚜껑을 몸체의 바깥쪽에 겹쳐 놓고 나사를 돌려 밀착시키는 '2중 뚜껑식'이 있다. 그 외에 추를 이용해 솥 안의 압력을 조절할 수 있는 것과 압력 계기가 달려 있는 것이 있는데 어떤 방식이든 기능에는 거의 차이가 없다.

용량을 선택할 때는 보통 냄비는 재료를 가득 넣고 조리해도 되지만 압력솥은 $\frac{2}{3}$ 정도까지만 재료를 넣어야 하므로 이 점을 고려해 크기를 결정하면 된다.

압력솥의 특징

• 맛과 영양분을 보존한다

압력솥은 음식물이 다 익을 때까지 솥 안을 밀폐시켜 증기가 새어 나가지 못하게 한 채 고온 고압 상태에서 조리할 수 있는 기구다. 따라서 짧은 시간 동안 조리가 끝나기 때문에 맛과 영양분의 손실이 다른 조리 기구에 비해 훨씬 더 적다.

• 시간과 연료가 절약된다

밥을 지을 때 보통의 솥이나 냄비를 이용해 지으면 쌀을 불리는 시간까지를 포함하여 1시간 남짓 걸린다. 그러나 압력솥을 이용하면 밥 짓는 시간이 반 이하로 줄어들 뿐만 아니라 밥이 차지고 맛있게 된다.

또 조리 시간이 절약됨으로써 당연히 연료도 절약이 된다. 보통의 솥이나 냄비는 불을 끄면 곧 온도가 내려가지만, 압력솥은 불을 끄더라도 내부 압력이나 온도가 금방 내려가지 않아 불을 끈 다음에도 조리가 계속된다.

• 다양하게 조리할 수 있다

압력솥은 재료를 푹 익혀야 하는 요리에 적합하므로 밥은 물론 국·찜·조림·볶음·튀김 등 다양한 요리에 이용할 수 있다.

특히 찰밥·현미밥·약식·단팥죽과 같은 요리에서부터 곰국·스튜·로스트 치킨에 이르기까지 조리하기에 시간이 오래 걸리는 음식과 단단한 음식은 짧은 시간 안에 조리를 마칠 수 있다.

압력솥 사용 방법

1 재료를 씻고 넣은 다음 뚜껑의 신호추 구멍이 막히지 않았는지 살펴보고 구멍이 막혔을 경우 가느다란 핀으로 뚫어 준다. 뚜껑을 닫고 시계 방향으로 돌려 아래위 손잡이가 일치하도록 잠근다. 신호추와 안전 밸브를 세우고 가열을 시작한다. 신호추가 움직이기 시작하면 2~3분 후에 불을 끈다.

2 불을 끈 상태에서 10분 이상 뜸을 들인 후 신호추와 안전 밸브를 눕혀 김이 완전히 빠지게 한다. 손잡이의 버튼을 누르면서 시계 반대 방향으로 돌려 연다.

3 불 조절은 끓기까지는 센 불로, 가열 중일 때는 약한 불이나 중간 불 정도면 충분하다.

CHECK CHECK

압력솥 손질하기

압력솥을 사용한 후에는 몸통과 패킹 끼는 요철이 있는 부분은 보통 솥과 마찬가지로 세제를 묻힌 스폰지로 잘 닦는다. 뚜껑 쪽은 노즐에 찌꺼기 같은 것이 끼어 있지 않나 살펴보고 핀 등을 이용해 청소하고, 안전추 부분은 칫솔을 이용해 찌꺼기를 떨어 내야 냄새가 나지 않는다.

다 씻은 후에는 찬물로 잘 헹구어 습기를 깨끗이 닦아 낸 후 열어 놓은 상태로 보관한다. 뚜껑을 닫아 밀폐한 채로 두면 패킹이 상하고 나쁜 냄새가 난다.

여러 가지 재료로 조리를 하게 되는 압력솥에서 냄새가 나지 않게 보관하려면 조리가 끝나면 바로 다른 그릇으로 옮겨 담는 것이 가장 좋다.

압력솥 요리에서의 주의할 점

• 억지로 뚜껑을 열지 않는다

요리가 한창 끓고 있는 중이거나 불을 끈 직후에는 뚜껑을 열지 않는다. 어느 회사의 제품이건 안에 증기가 남아 있으면 뚜껑이 열리지 않게 되어 있다. 그러나 억지로 열면 열리므로 무리하게 열지 말고, 마지막에 안전추를 젖혀 남은 증기를 완전히 빼낸 다음 연다.

• 재료의 분량에 유의한다

압력솥에는 재료의 분량이 솥의 $\frac{2}{3}$가 넘지 않게 넣어야 한다. 이 때 재료의 분량이란 주재료·조미료·물·기름 등 모든 것을 포함한 것이다. 또 요리 방법에 따라서 분량이 많이 늘어나는 것은 $\frac{1}{3}$ 이하로 넣는다. 튀김을 할 때 기름의 양은 보통 냄비에서 튀김할 때의 $\frac{1}{2}$~$\frac{1}{3}$ 정도면 충분하다.

• 빈 솥으로 가열하지 않는다

빈 솥을 조리 준비가 다 된 줄 알고 착각하여 불 위에 얹는 수가 있는데, 이렇게 하면 고무 부품과 열판이 손상되고 손잡이도 파열되므로 조심한다.

• 몸체를 수시로 점검한다

노즐이 막히면 위험하므로 막혔는지의 여부를 자주 확인하고, 손잡이의 나사가 잘 고정되어 있는지도 점검한다.

압력솥은 노즐이나 안전추 부분이 막혀 있지 않은지 자주 점검을 해야 안전하게 요리를 할 수 있다.

• 충격을 주지 않는다

일단 솥을 불 위에 올려놓으면 솥을 흔들거나 두들기는 등 솥에 충격을 주어서는 안 된다.

고기를 덩어리째 익혀 깊고 뭉근한 맛이 나는 일품 요리

포크 로스트

재료 · 4인분

돼지고기 600g · 양파 ½개 · 당근 ½개 · 마늘 4쪽 · 파슬리 1줄기 · 육수 ½
컵 · 월계수잎 1장 · 브랜디 적당량 · 식용류 적당량 · 소금, 후춧가루 약간씩
· 토마토 케첩 적당량

이렇게 준비하세요

1 돼지고기는 덩어리로 준비하여 굵은 무명실로 단단히 동여맨 다음
소금과 후춧가루를 뿌린다.
2 양파는 껍질을 벗기고 깨끗이 씻어 채썬다. 당근도 손질하여 납작하
게 썬다.
3 마늘은 껍질을 벗겨 저미고, 파슬리와 월계수잎은 깨끗이 씻어 물기
를 뺀다.

이렇게 만들어요

4 압력솥에 식용유를 두르고 달구어 준비한 돼지고기를 넣고 양파와
당근, 파슬리 · 월계수잎 · 마늘도 넣어 순가락으로 뒤적이며 익힌다.
5 야채가 익고 돼지고기가 앞뒤로 노릇하게 지져지면 브랜디를 적당
량 넣는다.
6 돼지고기에 육수를 붓고 뚜껑을 덮은 다음 중불에서 서서히 익힌다.
7 압력솥의 신호음이 나면 김을 빼고 돼지고기를 꺼내어 망에 건져 기
름을 뺀 다음 먹기 좋게 저며 접시에 담는다.
8 프라이팬을 달군 뒤 돼지고기와 함께 익힌 야채들을 건져서 넣고 토
마토 케첩을 넣어서 섞는다. 소금과 후춧가루를 넣어 간한
다음 순가락으로 잘 저어서 걸쭉한 소스를
만든다.
9 접시에 담아 놓은 고
기 위에 소스를
끼얹는다.

POINT

압력솥에 식용유를 두르고 달구어 밑간한 돼지고기를 넣고 앞뒤로 뒤적이며 지진다.

야채가 익고 돼지고기가 앞뒤로 노릇하게 지져지면 브랜디를 적당량 넣는다.

돼지고기에 육수를 붓고 뚜껑을 덮은 다음 중불에서 서서히 익힌다.

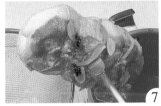
신호음이 나면 김을 빼고 돼지고기를 꺼내 망에 건져 기름을 뺀 다음 저민다.

압력솥을 맨처음 사용할 때는
압력솥은 구입한 뒤 처음 사용하기 전에 반드시 물을 ⅔ 정도만 넣어 뚜껑을 닫지 말고 끓여서 소독하고 건조시킨다. 이 때 물만 넣지 말고 우유 1컵을 섞으면 피막이 형성되어 검게 변색되는 것을 막을 수 있다.

292 Kcal

비프 카레

재료 · 4인분

쇠고기 400g · 양파 1개 · 당근 1개 · 토마토 1개 · 셀러리 2줄기 · 사과 ½개 · 생강 ½쪽 · 마늘 2쪽 · 육수 3컵 · 우스터 소스 2큰술 · 식용유 3큰술 · 토마토 케첩 1큰술 · 소금 약간 · 후춧가루 적당량 · 카레가루 2큰술 · 밀가루 2큰술

이렇게 준비하세요

1 쇠고기는 한입 크기로 썰어 소금 · 후춧가루를 뿌려 밑간한다.

2 양파 · 당근 · 셀러리는 손질하여 다지듯이 잘게 썰고, 마늘 · 생강은 곱게 다진다.

3 사과는 껍질을 벗기고 씨를 도려 낸 뒤 소금물에 담갔다 건져 강판에 갈고, 토마토는 끓는 물에 데쳐 껍질을 벗겨 씨를 뺀 뒤 잘게 썬다.

이렇게 만들어요

4 압력솥에 식용유를 두르고 달군 다음 쇠고기를 넣고 볶다가 준비해 놓은 양파 · 당근 · 셀러리 · 마늘 · 생강을 넣어 볶는다.

5 야채들이 충분히 볶아지면 카레가루와 밀가루를 넣고 섞으면서 계속 볶는다.

6 카레의 향이 재료에 배면 육수 · 토마토, 사과 간 것을 넣고 뚜껑을 덮은 다음 중간 불에서 20분간 끓인다.

7 신호음이 나면 안전추를 젖히고 김을 뺀 다음 뚜껑을 열고 소금 · 우스터 소스 · 토마토 케첩을 넣어 섞는다.

POINT

압력솥에 식용유를 두르고 달군 다음 쇠고기를 넣고 볶다가 야채를 넣어 볶는다.

야채들이 충분히 볶아지면 카레가루와 밀가루를 넣고 섞으면서 계속 볶는다.

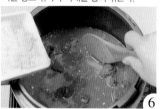

카레의 향이 재료에 배면 육수 · 토마토 · 간 사과를 넣고 뚜껑을 덮은 다음 끓인다.

고기를 삶을 때는

고기의 주성분인 단백질은 가열하면 수축하는 성질이 있다. 그러나 장시간 삶으면 오히려 결합 조직이 분해되어 젤라틴화되어 부드러워진다. 고기를 삶을 때 국물이 끓기 시작하면 불을 약하게 하여 서서히 끓이는 것이 좋다. 삶을 때 소금을 약간 넣는 것이 기본이고 파, 생강 등을 함께 넣어 삶아 내면 누린내가 없어지고 특유의 향을 살릴 수가 있다.

삶은 고기를 식힐 때는 반드시 제 육수에서 그대로 담근 채 식혀야 퍼석거리지 않으므로 바로 꺼내지 않도록 주의한다. 고기를 썰 때는 완전히 식은 다음 썰어야 조직이 부서지지 않는다.

314 Kcal

압력솥으로 가열해 고기가 연하고 뭉근한 맛이 일품인

쇠심찜

재료 · 4인분

쇠심 200g · 곱창 200g · 쇠고기 100g · 표고버섯 5개 · 밤 10개 · 은행 3
큰술 · 육수 ½컵 · 미나리 5줄기 · 갖은 양념 적당량 · 밀가루 약간 · 식용유
3큰술

이렇게 준비하세요

1 쇠심은 적당한 크기로 썰고, 곱창은 밀가루로 주물러 씻어 물로 헹
구어 냄새를 제거한 뒤 적당히 썬다.
2 쇠고기는 안심으로 준비해 곱게 다져 갖은 양념에 버무려 둔다.
3 표고버섯은 물에 불려 기둥을 떼어 내고 은행잎썰기한다. 밤은 겉껍
질과 속껍질을 말끔히 벗겨 둔다.
4 은행은 프라이팬에 기름을 두르고 볶은 후 마른 헝겊으로 비벼서 속
껍질을 벗긴다. 미나리는 손질하여 적당히 썬다.

이렇게 만들어요

5 압력솥에 물을 붓고 쇠심과 곱창 · 미나리를 넣고 뚜껑을 덮은 뒤 약
한 불에서 40분 정도 삶는다.
6 신호음이 나면 10분간 뜸을 들이고 안전추를 젖혀 김을 뺀 뒤, 쇠심
과 곱창을 건져 갖은 양념에 버무려 둔다.
7 압력솥에 기름을 두르고 쇠고기 다진 것을 넣고 볶다가 갖은 양념에
재어 놓은 쇠심과 곱창, 밤 · 표고버섯 · 은행을 넣고 볶는다.
8 재료가 어우러지면 육수를 붓고 뚜껑을 덮어 센 불에 찐다. 신호음
이 나면 안전추를 젖히고 김
을 뺀다.

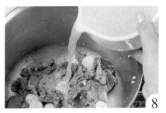

압력솥에 물을 붓고 쇠심과 곱창 · 미나리를
넣고 뚜껑을 덮은 뒤 삶아 고기를 건진다.

압력솥에 고기, 양념에 잰 쇠심과 곱창, 야
채를 넣어 볶다가 육수를 붓고 찐다.

사태찜

재료 · 4인분
사태 400g · 양 200g · 곱창 200g · 표고버섯 8개 · 무 ½개 · 당근 1개 · 은행 10
알 · 밤 8개 · 붉은고추 1개 · 미나리 30g · 배 ¼개 · 소금 약간 · 갖은 양념(파 1뿌리,
마늘 3쪽, 진간장 5큰술, 설탕 2큰술, 참기름 1큰술, 깨소금 1큰술, 후춧가루 약간)
이렇게 만들어요
① 사태는 덩어리째 씻고, 양 · 곱창은 소금으로 문질러 씻는다.
② 양은 끓는 물에 살짝 데쳐 검은 막을 긁어 내고, 곱창은 굳기름을 떼고 훑어 가
며 씻는다. 손질한 사태 · 양 · 곱창을 압력솥에 삶아서 큼직큼직하게 썬다.
③ 표고버섯은 2, 3등분하고 당근 · 무는 밤톨 크기로 깎는다. 은행 · 밤도 껍질을
벗긴다. 붉은고추는 굵직하게 썬다. 배는 강판에 갈아 즙을 내고 파 · 마늘은 다지
고 미나리는 3cm 길이로 썬다.
④ 삶은 고기에 갖은 양념과 배즙을 넣어 버무려 압력솥에 안치고 무 · 당
근 · 표고버섯 · 밤을 넣고 고기 삶은 육수 2컵을 부어 센
불에서 끓이다가 불을 줄여 조린다.
⑤ 국물이 졸면 은행 · 붉은고추 ·
미나리를 넣어 섞는다.

272 Kcal

지방분이 빠져 나가 깊고 진한 맛을 즐길 수 있는

돼지갈비 찜

 재료 · 4인분

돼지갈비 1.2kg · 표고버섯 3개 · 죽순(통조림) 2개 · 붉은고추 2개 · 생강 3쪽
· 마늘 4쪽 · 대파 1뿌리 · 청주 2큰술 · 양념장(진간장 5큰술, 설탕 4큰술, 참
기름 1½큰술, 마늘 4쪽, 실파 2뿌리, 깨소금 1큰술)

 이렇게 준비하세요

1 돼지갈비는 먹기 좋은 크기로 토막내어 기름을 떼어 낸 후 칼집을
넣는다. 찬물에 담가 핏물을 뺀 다음, 소쿠리에 건져 물기를 뺀다.
2 생강은 손질하여 강판에 갈아 즙을 내고, 마늘은 껍질을 벗겨 4쪽만
다져 놓는다. 실파는 다져 놓고 대파는 5cm 길이로 썬다.
3 표고버섯은 물에 불렸다가 기둥을 떼고 4등분한다. 죽순은 뜨거운
물을 끼얹어 도톰하게 썰고, 붉은고추는 반으로 갈라 씨를 털고 큼직
하게 썬다.
4 갈비에 대파와 청주 · 생강즙을 넣고 버무려 30분 정도 재어 둔다.

이렇게 만들어요

5 물 5큰술에 진간장 · 설탕 · 깨소금 · 참기름과 다진 실파 · 마늘을
넣고 섞어 양념장을 만든다.
6 압력솥에 돼지갈비를 넣고, 양념장을 뿌려 섞은 다음 뚜껑을 덮고
찐다.
7 신호음이 나면 불을 끄고, 3분쯤 지나서 안전추를 젖혀 김을 완전히
뺀 다음 뚜껑을 연다.
8 압력솥에 준비한 죽순 · 표고버섯 · 붉은고추 · 마늘을 넣고, 뚜껑을
연 채로 국물이 거의 없어질 때까지 뒤적이면서 조린다.

P O I N T

돼지갈비는 기름을 떼어 낸 후 칼집을 넣어
찬물에 담가 핏물을 뺀다.

압력솥에 돼지갈비를 넣고 양념장을 뿌려
섞은 다음 뚜껑을 덮고 찐다.

돼지갈비에 대파와 청주 · 생강즙을 넣고 버
무려 30분 정도 재어 둔다.

돼지갈비에 죽순 · 표고버섯 · 붉은고추 · 마
늘을 넣고 뚜껑을 열고 조린다.

344 Kcal

압력솥으로 찜 요리를 할 때
보통 갈비찜을 할 때는 칼집을 여러 군데 넣어야 잘 익지만 압력솥으로 할
때는 앞뒤로 한 번씩만 칼집을 넣어야 뼈와 살이 따로 떨어지는 일이 없게
된다. 또 양념장에 재워 두는 시간은 다른 조리 기구를 이용할 때와 다를 것
없이 1~2시간 충분히 담가 두어야 한다. 질긴 고기는 조리 전에 설탕이나
배즙 · 양파즙 · 생강즙 · 무즙 등으로 재어 두면 고기가 연하게 될 뿐만 아
니라 고기에서 나는 독특한 냄새도 없어진다.

도시락 반찬으로도 좋은 푸짐한 영양 요리

닭 야채 조림

 재료 · 4인분

닭고기 400g · 토란 100g · 곤약 ½모 · 우엉 100g · 연근 100g · 당근 1개 · 피망 1개 · 식용유 2큰술 · 소금, 후춧가루 약간씩 · 설탕 2큰술 · 조림장 (멸치 국물 1½컵, 진간장 4큰술, 청주 3큰술, 소금 1작은술)

 이렇게 준비하세요

1 닭고기는 껍질을 벗기고 기름을 떼어 낸 뒤 먹기 좋은 크기로 토막 내어 소금 · 후춧가루를 뿌려 둔다.

2 곤약은 끓는 물에 살짝 데쳐 한입 크기로 썬다.

3 토란은 껍질을 벗긴 뒤 소금으로 문질러 씻어 점액을 없애고 피망을 반으로 갈라 속을 빼내고 큼직하게 썬다.

4 우엉과 연근은 껍질을 벗기고 굵게 어슷어슷 썰어 찬물에 담가 둔다. 당근도 껍질을 벗기고 반으로 갈라 다른 재료와 비슷하게 썬다.

 이렇게 만들어요

5 멸치 국물 · 진간장 · 청주 · 소금을 넣고 섞어 조림장을 만든다.

6 압력솥에 기름을 두르고 달구어 뚜껑을 연 채 닭을 볶는다.

7 닭이 적당히 볶아지면 피망을 제외한 야채들과 곤약을 넣어 볶다가 설탕과 조림장을 넣고 섞는다.

8 뚜껑을 덮고 끓이다가 신호음이 나면 5분 정도 더 끓인 뒤 불을 끄고, 안전추를 젖혀 김을 뺀다. 뚜껑을 열고 조림장이 졸아들 때까지 숟가락으로 뒤적이며 조리다가 불에서 내리기 조금 전에 피망을 넣는다.

흰콩 조림

재료 · 4인분

흰콩 1컵 · 곤약 ½모 · 당근 1개 · 연근 100g · 피망 1개 · 진간장 6큰술 · 설탕 3큰술 · 식초 약간

이렇게 만들어요

① 흰콩은 티를 골라 내고 씻어 콩의 3배 분량의 물에 하룻밤 동안 불린다.

② 곤약은 씻어 밤알 크기로 어슷하게 썬다.

③ 연근은 껍질을 두껍게 벗기고 반으로 갈라 어슷어슷하게 썬 뒤 식촛물에 담갔다 헹군다. 당근은 껍질을 벗겨 내고 반으로 갈라 연근 크기로 썰고, 피망도 반으로 갈라 속을 빼내고 삼각형 모양으로 썬다.

④ 압력솥에 콩 불린 물을 붓고 콩과 당근 · 연근 · 곤약과 진간장 · 설탕을 넣어 고루 섞은 뒤 뚜껑을 닫고 끓인다.

⑤ 신호음이 나기 시작하고 3분 정도 있다가 불을 끄고, 10분쯤 뜸을 들인 후 안전추를 젖혀 김을 뺀다. 뚜껑을 열고 피망을 넣은 다음 보통 솥뚜껑을 덮고 윤기 나게 조린다.

6

압력솥에 기름을 두르고 달구어 뚜껑을 연 채 밑간해 둔 닭을 볶는다.

7

닭이 볶아지면 야채와 곤약을 넣어 볶다가 조림장을 넣고 뚜껑을 덮어 조린다.

닭고기를 조릴 때

닭고기는 껍질 부분에 지방이 많으므로 껍질째 조리하려면 껍질에 붙은 지방을 떼어 내야 한다. 특히 닭 조림과 같은 요리에서 황색 지방 덩어리를 그대로 두고 조리하면 음식에 기름 조각이 남게 되므로 맛이 느끼하고 불포화 지방산을 과다 섭취하게 될 우려가 있다. 지방을 떼어 낸 닭고기에는 지방분이 거의 없으므로 식용유를 사용해 조리하거나 소스를 넣고 끓여 맛을 낸다.

256 Kcal

재미있게 생긴 모양새가 먹는 재미를 더하는 부드러운

유부찜

재료 · 4인분

유부 8개 · 두부 1모 · 달걀 1개 · 표고버섯 2개 · 당근 ⅓개 · 완두 2큰술 · 멸치 국물 1컵 · 청주 3큰술 · 미림 3큰술 · 진간장 2큰술 · 설탕 2작은술 · 소금 적당량 · 박고지 적당량 · 어묵 200g

이렇게 준비하세요

1 유부는 한쪽 끝을 자른 뒤 끓는 물에 데쳐 기름기를 빼내고, 박고지는 소금으로 주물러 씻어 끓는 물에 삶아 낸다.

2 표고버섯은 물에 불려 다지고, 당근도 손질하여 다진다. 완두는 끓는 소금물에 데치고, 어묵은 잘게 다진다.

3 두부는 분마기에 넣고 고루 으깬 뒤, 소금을 넣고 푼 달걀을 부어 섞는다.

이렇게 만드세요

4 두부 으깬 것에 당근 · 표고버섯 · 완두 · 어묵을 넣고 섞는다.

5 유부에 준비한 속을 채운 뒤 박고지로 묶어 봉한다.

6 압력솥에 준비한 유부를 넣고 멸치 국물 · 청주 · 미림 · 설탕 · 진간장을 섞어 붓는다. 뚜껑을 덮고 강한 불에 찐 뒤 신호음이 들리면 불을 줄이고 5분간 두었다가 불을 끄고 김을 뺀다.

유부는 기름을 빼고 조리한다

유부 요리의 포인트는 유부의 기름기를 빼는 것이다. 끓는 물에서 1~2분간 삶거나 뜨거운 물을 끼얹어 기름을 빼야 부드러운 맛이 된다. 유부 주머니에 내용물을 넣을 때는 유부의 물기를 꼭 짠 다음 넣어야 맛이 좋아지며, 뜨거울 때 구멍을 벌려 놓아야 찢어지지 않아 내용물을 넣기도 쉽고 모양새도 잘 산다.

POINT

유부는 한쪽 끝을 자른 뒤 기름기가 빠지도록 끓는 물에 데쳐 낸다.

표고버섯 · 당근 · 완두 · 어묵은 손질하여 잘게 다져 놓는다.

으깬 두부에 소금과 달걀을 풀어 넣어 잘 섞는다.

두부에 당근 · 표고버섯 · 완두 · 어묵을 넣고 섞는다.

유부에 준비한 속을 채운 뒤 박고지로 묶어 봉한다.

압력솥에 유부를 넣고 양념장을 부어 센 불에서 찐다.

237Kcal

쫄깃쫄깃한 문어와 뭉근한 맛의 토란이 어우러진 별미

토란 문어 찜

재료 · 4인분

토란 400g · 문어다리 2개 · 멸치 국물 1컵 · 청주 3큰술 · 진간장 2큰술 ·
소금 약간 · 설탕 2큰술 · 파 1뿌리

이렇게 준비하세요

1 토란은 껍질을 벗겨 씻은 뒤 소금물에 담가 끈끈한 점액을 없앤다.
2 문어다리는 소금으로 문질러 씻어 끈끈한 기를 없앤 다음 끓는 물에
삶아 적당한 크기로 썬다. 파는 손질하여 길게 썬다.
3 멸치 국물에 청주 · 진간장 · 설탕을 넣고 섞어 장국을 만들어 둔다.

이렇게 만들어요

4 압력솥에 손질한 토란과 문어 다리를 넣고 준비해 놓은 장국을 부어
뚜껑을 연 채 끓인다.
5 떠오르는 거품을 걷어 낸 뒤, 뚜껑을 덮고 약한 불에서 5분 정도 끓
이다가 신호음이 나면 불을 끄고 압력솥째 찬물에 담가 식힌다.
6 압력솥의 뚜껑을 열어 썰어 둔 파를 넣고, 중간 불에서 국물이 졸아
들 때까지 끓인다.

찜에 넣는 야채는 모서리를 다듬어 놓는다
오래 가열하는 찜에 들어가는 재료는 부서지고 물러지기 쉬우므로 우엉 · 당
근 · 밤 · 토란 등 단단한 것을 사용하고 크기도 큼직하게 썬다. 또 모서리에
각이 있으면 서로 부딪쳐서 부서지므로 모서리를 깎아 둥글게 만들어야 음식
의 모양새가 깔끔하다. 조리할 때 너무 뒤적이면 음식을 망치므로 섞어 주는
정도로만 하고 간이 잘 배게 하려면 국물을 계속 끼얹어 가며 끓인다.

171 Kcal

우럭 무 조림

재료 · 4인분
우럭 1마리 · 무 1개 · 마늘 2쪽 · 파 1뿌리 · 생
강 1쪽 · 설탕 2큰술 · 진간장 4큰술 · 고춧가루
1큰술 · 참기름, 깨소금 약간씩

이렇게 만들어요
① 우럭은 손질해 큼직하게 토막낸다.
② 무는 껍질을 벗긴 뒤 2cm 두께로 통썰기한 후 은행잎썰기한다. 파와 생강은 손
질하여 채썰고, 마늘은 다진다.
③ 압력솥에 물 ⅔컵과 진간장 · 설탕 · 고춧가루 · 파 · 마늘을 넣어 뚜껑을 열고
양념을 넣은 다음 뚜껑을 연 채 끓여 조림장을 만든다.
④ 끓인 조림장에 우럭과 무, 생강채를 넣고 끓이다 거품을 걷어 낸 뒤 뚜껑을 덮
고 약한 불에서 10분간 끓인다. 신호음이 나면 김을 빼고 뚜껑을 열어 약한 불에
서 조리다 참기름과 깨소금을 넣는다.

POINT

2
문어 다리는 소금으로 문질러 씻어 끓는 물
에 삶아 적당한 크기로 썬다.

4
압력솥에 손질한 토란과 문어 다리를 넣고
장국을 부어 뚜껑을 연 채 끓인다.

압력솥으로 조리면 살이 단단하지 않고 부드럽게 조려져요

오징어 조림

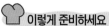 **재료 · 4인분**

오징어 4마리 · 껍질콩 50g · 진간장 ½컵 · 청주 2큰술 · 소금 약간 · 미림 1
큰술 · 생강 1쪽

 **이렇게 준비하세요**

1 오징어는 작은 것으로 준비하여 몸통과 다리를 분리하여 내장을 제
거한 다음 깨끗이 씻고, 몸통에 잘게 칼집을 낸다.
2 생강은 손질하여 강판에 갈아 즙을 낸다.
3 손질한 오징어에 진간장 · 청주 · 미림 · 생강즙을 섞어 붓고 20분
정도 재어 둔다.
4 껍질콩은 소금을 약간 넣은 끓는 물에 살짝 데친 뒤 2등분한다.

 **이렇게 만들어요**

5 압력솥에 오징어를 담고, 오징어를 잰 조림장에 물 ½컵을 섞어서
부은 다음, 뚜껑을 덮어 센 불에서 조린다.
6 압력솥의 신호음이 나면 불을 약하게 하여 2분간 더 끓이다 불을 끄
고 5분 정도 뜸을 들인다.
7 오징어를 꺼낸 뒤 남은 조림장에 데쳐 둔 껍질콩을 넣어 뚜껑을 열
고 숟가락으로 뒤적이며 조려 낸다.
8 그릇에 오징어를 담고 껍질콩도 곁들여 담는다.

93 Kcal

POINT

1

오징어는 다리를 잡고 내장을 살짝 빼낸 뒤
연골을 없애고 몸통에 잘게 칼집을 낸다.

5

압력솥에 오징어를 담고 조림장을 부은 다
음 뚜껑을 덮어 센 불에서 조린다.

즉석 잡채

압력솥에서 잡채를 조리하면 모든 재료를 한
데 넣고 볶을 수 있으므로 간편하다.

재료 · 4인분
당면 200g · 쇠고기 100g · 목이버섯 10개 ·
표고버섯 3개 · 양파 ½개 · 당근 ½개 · 소금
약간 · 중국부추 50g · 식용유 1큰술 · 진간장
3큰술 · 설탕 1큰술 · 참기름 2작은술 · 마늘 4
쪽 · 깨소금 1큰술

이렇게 만들어요
① 당면은 물에 씻어 찬물에 20분쯤 불렸다가 물기를 빼고 적당한 길이로 썬다.
② 쇠고기와 당근은 채썰고, 양파는 채썰어 찬물에 담갔다 건져 매운기를 없앤
다. 중국부추는 적당한 길이로 썰고 마늘은 다진다. 표고버섯은 미지근한 물에
불려 기둥을 떼고 목이도 물에 불려 건져서 물기를 없애고 1장씩 떼어 씻는다.
③ 압력솥에 식용유를 두르고 달구어 양파 · 당근 · 마늘을 먼저 볶고 쇠고기와 표
고버섯 · 목이버섯 · 중국부추 순서로 넣어 볶다가 진간장 · 설탕으로 맛을 낸다.
④ 야채와 쇠고기가 익으면 당면을 넣고, 참기름 · 깨소금 · 소금을 넣고 섞는다.
⑤ 뚜껑을 덮고 익히다 신호음이 나면 불을 끄고 안전추를 젖혀 김을 빼고 뚜껑
을 연다. 불을 끄고 나서 뜸을 들이면 채소와 당면이 흐물거리므로 주의한다.

도미찜

 재료 · 4인분

도미 1마리 · 돼지고기 50g · 표고버섯 2개 · 죽순(통조림) 1개 · 레몬 1개 · 생강 2쪽 · 마늘 2쪽 · 소금 ½작은술 · 파 1뿌리 · 청주 1큰술 · 녹말가루 2작은술 · 양념장(진간장 2큰술, 청주 2큰술, 참기름 ½큰술, 설탕 1큰술, 후춧가루 약간)

 이렇게 준비하세요

1 도미는 비늘을 긁고 내장을 제거하여 깨끗이 씻은 다음, 앞뒤로 칼집을 2, 3군데 넣어 청주와 소금으로 밑간한다.

2 돼지고기는 얇게 저며 길게 썬다.

3 표고버섯은 불려 기둥을 떼어 길게 썰고, 죽순은 얇게 썬다. 파는 5cm 길이로 썰어 반으로 가르고, 생강 · 마늘은 얇게 저민다.

4 녹말가루는 같은 양의 물에 풀어 놓는다.

이렇게 만들어요

5 내열 접시에 도미를 놓고 돼지고기 · 표고버섯 · 죽순 · 파 · 마늘 · 생강을 얹는다.

6 압력솥에 물 2컵을 붓고 망 그릇을 넣은 뒤 도미를 접시째 넣는다. 뚜껑을 덮고 센 불에서 5분간 찐다.

7 신호음이 나면 압력솥을 찬물에 식힌 뒤, 내열 그릇에 흘러 나온 국물은 압력솥에 따라 낸다. 도미는 꺼내어 파 · 마늘을 빼내고 레몬으로 장식한 접시에 담는다.

8 도미 찐 국물에 진간장 · 청주 · 참기름 · 설탕 · 후춧가루를 섞어 넣고 끓이다가 물에 갠 녹말가루를 풀어 넣고 도미 찜 위에 끼얹는다.

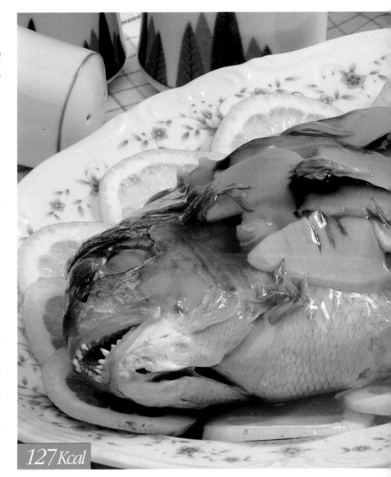

127 Kcal

POINT

1

도미는 비늘을 긁고 내장을 제거하여 깨끗이 씻은 다음 앞뒤로 칼집을 넣어 밑간한다.

6

압력솥에 물 2컵을 붓고 망 그릇을 넣은 뒤 도미를 접시째 찐다.

찜은 증기가 충분히 오른 뒤 재료를 올린다

찜은 열의 매체가 수증기이므로 증기가 위로 올라가면서 가열이 시작된다. 따라서 증기가 완전히 오른 다음 재료를 넣어야 한다. 찜통에 물은 8할만 붓는다. 너무 많으면 심발이 위에 물이 넘쳐 오르고 너무 적으면 증기가 약해 잘 쪄지지 않는다.

도미 구이

재료 · 4인분

도미 1마리 · 식용유 3큰술 · 소금 약간 · 양념장(식초 1큰술, 진간장 2작은술, 설탕 2작은술, 실파 약간, 붉은고추 약간)

이렇게 만들어요

① 도미는 묽게 탄 소금물에 씻어 비린내를 없애고 비늘을 긁고 아가미 사이로 내장을 빼고 씻어 칼집을 넣는다.

② 프라이팬에 식용유를 두르고 뜨겁게 달군 뒤 준비한 도미를 넣어 앞뒤로 노릇하게 지진다.

③ 물 2큰술과 정량의 양념을 섞어 양념장을 만들어 함께 내고, 단촛물에 담근 연근, 볶아서 껍질을 벗긴 은행, 쑥갓을 곁들인다.

별식처럼 만들어 먹을 수 있는 특별한 생선 요리

고등어 카레 찜

재료 · 4인분

고등어 2마리 · 양파 1개 · 당근 ½개 · 카레가루 2작은술 · 육수 2컵 · 백포
도주 5큰술 · 식용유 3큰술 · 진간장 2큰술 · 소금 적당량 · 후춧가루 적당량
· 밀가루 약간

이렇게 준비하세요

1 고등어는 머리와 내장을 제거하고 깨끗이 씻어 3~4cm 크기로 토막
낸 다음, 소금과 후춧가루를 뿌려 밑간을 해둔다.
2 양파와 당근은 손질하여 각각 같은 크기로 채썬다.

이렇게 만들어요

3 프라이팬에 기름을 두르고 달군 뒤 고등어에 밀가루를 묻혀 넣고 양
면을 노릇하게 지져 낸다.
4 프라이팬에 기름을 두르고 당근과 양파 채썬 것을 넣고 볶다가 소금
과 후춧가루, 카레가루를 넣어 섞는다.
5 압력솥에 고등어와 볶은 당근 · 양파를 넣은 뒤, 육수와 진간장 · 백
포도주를 부어 뚜껑을 덮고 센 불에서 찐다.
신호음이 나면 불을 약하게 줄여 5분간 두었다가 불을 끄고 10분간 뜸
을 들인다.

P O I N T

고등어는 깨끗이 손질해 3~4cm 크기로 토
막낸 다음 소금과 후춧가루로 밑간해 둔다.

팬을 달군 뒤 당근과 양파 채썬 것을 볶다가
소금 · 후춧가루 · 카레가루를 넣는다.

압력솥에 고등어와 볶은 당근, 양파를 넣은
뒤 뚜껑을 덮고 센 불에서 찐다.

압력솥으로 생선찜을 할 때는

압력솥으로 생선 요리를 하면 정어리나 은어 등의 작은 생선은 뼈까지 부드
러워지고, 큰 생선도 살이 매우 부드러워져 좋지만, 비린내가 나는 경
우가 있다.

보통 생선 조림을 할 때는
조림 국물이 끓기 시
작하면 그 속에
생선을 넣지
만, 압력
솥의 경
우 처음
부터 국
물과 생선
을 같이 넣고
뚜껑을 덮은
채 끓이기
때문에 안
에 비린내가
고이기 쉽다.
이것을 막으
려면 처음에 조
림 국물만을 끓여
여기에 생선을 넣고
뚜껑을 덮어 압력을
가하는 것이 가장 좋다.
또 생강이나 술을 보통
생선 조림을 할 때보다 더
많은 양을 사용하는 것도 방법
이다.

255 Kcal

오븐 요리

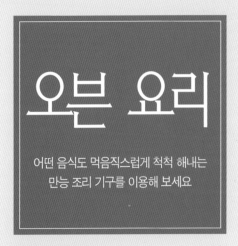

어떤 음식도 먹음직스럽게 척척 해내는
만능 조리 기구를 이용해 보세요

오븐의 특징과 종류

가스 오븐과 레인지 기능을
함께 갖춘 가스 오븐 레인지

오븐으로는 서양 요리의 경우 쿠키 · 케이크를 비롯하여 스테이크 · 그라탱 · 스튜에 이르기까지 다양하게 조리할 수가 있고 불고기 · 산적 · 찜 · 탕 등의 한국 요리도 빠르고 간편하게 해낼 수가 있다.

오븐은 건열로 음식을 익히는 조리 기구로 열원에 따라 전기식 · 가스식 · 전자식 · 복합식 등이 있지만 '공기를 가열하여 조리한다' 라는 기본 원리에는 변함이 없다. 전기식은 열의 분포가 고른 대신 화력이 약하며, 가스식은 화력은 강하지만 열의 분포가 고르지 않아 온도를 유지하는 데 경험이 필요하다.

오븐 능숙하게 사용하기

• 오븐의 특성을 알아 둔다

오븐에는 열원으로부터 나오는 열의 회전이 일정하지 않아 장소에 따라 온도가 다르다. 그런 성격은 각각의 오븐마다 차이가 있기 때문에 이것을 알지 못하면 케이크의 일부가 타거나 전혀 익지 않는 경우가 생긴다. 다라서 미리 가장자리를 떼어 낸 식빵을 석쇠에 나란히 놓고 열이 가해진 오븐에 넣어 본다. 2, 3분이 지나서 꺼내 보면 빵이 놓여진 위치에 따라 구워진 정도가 다른 것을 볼 수 있다.

• 미리 가열한다

조리를 시작하기 전에 미리 오븐을 달구어 오븐 내부가 조리할 음식에 적당한 온도로 가열된 뒤 재료를 넣고 굽는 것이 좋다. 이 때 지정 온도보다 20℃ 정도 높게 해두는 것이 요령이다. 이것은 뚜껑을 열거나 차가운 재료를 넣거나 해서 온도가 내려가는 것을 감안해서다.

• 도중에 문을 열지 않는다

오븐 요리 도중에는 문을 열지 않아야 온도가 일정하게 유지되어 실패하지 않게 된다.

오븐에서는 되도록이면 재료를 한 단만 넣고 조리해야 골고루 익는다. 또 조리 도중에 오븐의 문을 열면 오븐 내부의 온도가 내려가므로 도중에는 문을 열지 않는다.

오븐 손질하기

새로 구입한 오븐에는 녹을 방지하는 기름이

CHECK CHECK

오븐 요리 실패 이유찾기

요리의 밑면이 고르지 않게 익었다 용기의 밑면이 고르지 않거나 예열하지 않은 채 요리한 경우다. 또는 오븐이 수평으로 놓였는지 확인해 보자.

요리의 밑면이 너무 탔다 오븐 받침을 잘못 놓거나 조리 시간이 끝나지 않았는데 오븐 문을 연 경우다. 또는 용기와 벽 사이에 4cm 간격을 주었는지 생각해 보고 어두운 색 그릇을 사용하지 않았나 짚어 보자.

요리의 윗면이 너무 탔다 오븐의 온도와 재료가 정확하지 않고 너무 큰 그릇을 사용한 경우다. 또는 조리 중에 오븐 문을 열지 않았나 생각해 보자.

요리의 윗면이 가라앉았다 요리법 상의 정확한 오븐 온도(너무 낮은 경우)와 시간(지시 시간보다 긴 경우)을 지켰는지 확인하고 적당한 크기의 용기를 사용했는지, 표준 계량컵을 사용했는지 확인해 보자.

요리의 윗면이 삐져 올랐다 요리법상의 정확한 오븐 온도(너무 높은 경우)와 시간(지시 시간보다 긴 경우)을 지켰는지 확인하고 용기가 너무 크거나 작지 않았는지를 확인하자.

윗면이 고르지 않다 용기와 오븐 벽 또는 용기끼리 맞닿진 않았는지, 요리법상의 정확한 오븐 온도(너무 낮은 경우)와 시간(지시 시간보다 짧은 경우)을 지켰는지 확인하고 오븐이 수평으로 설치되었는지도 점검을 한다. 그래도 원인을 알 수 없을 때는 재료의 반죽이 잘못된 경우이므로 요리법을 확인한다.

나 칠이 발라져 있다. 사용하기 전에 이러한 것들을 잘 닦아 내야 한다. 또 주변이나 내부는 물기를 꼭 짠 행주로 닦고 석쇠의 망은 식기 세제로 씻는다. 그 다음에 석쇠의 망을 넣고 물을 약간만 적신 금속 볼을 넣어서 정화한다. 20~30분이 지나면 기름이 연소되면서 연기가 나지만 걱정할 필요는 없다.또 사용 후에 손을 넣을 수 있을 정도로 온도가 내려가면 종이 타월 등으로 오븐의 내부를 잘 닦아 둔다.

오븐 사용 체크 포인트

가능한 그릇만 사용한다
오븐은 높은 온도에서 조리를 하기 때문에 내열 처리가 되어 있지 않은 보통 그릇을 사용하면 그릇에 금이 가거나 깨지는 경우가 많다. -50℃~850℃의 급격한 온도 변화에도 안전해야 하며 오랫동안 가열해도 아무런 손상이 없어야 하므로 구입 전에 미리 확인을 해야 한다.
오븐에는 내열성이 강한 유리 그릇 · 팬 · 냄비 · 철제

빵 틀이나 과자 틀 · 범랑 냄비 · 도자기류 등은 사용할 수 있으나, 스테인리스 · 플라스틱 · 종이 · 칠기 · 크리스털 제품이나 무늬가 많은 그릇, 목기 등은 고온에서 녹거나 타므로 사용해서는 안 된다.

금 간 그릇을 사용하지 않는다
조금이라도 깨졌거나 금이 간 그릇을 사용하면 점점 더 금이 가는 것은 물론 작은 충격에도 갑자기 깨질 수가 있다.

끓으면 온도를 약하게 조절한다
그릇 안의 내용물이 끓기 시작하면 약한 불로도 계속

끓는 상태가 유지되므로 온도를 약하게 조절해야 한다. 또 조리가 거의 다 되었을 때는 불을 끄고 오븐 안의 열로 마저 익힌다.
오븐으로 우유 · 수프 · 소스 등을 데울 때는 영양분이 손실되지 않아 더욱 좋다.

그릇 받침대를 사용한다
식탁 위에 그릇을 놓을 때는 뜨거운 열에서 식탁을 보호하기 위해 반드시 받침을 놓도록 한다. 세척할 때는 부드러운 수세미를 사용하고 음식이 눌어 붙었을 때는 따뜻한 물에 불렸다가 닦는다.

집에서 직접 만들어 즐기는 부드럽고 촉촉한

웨딩 케이크

 재료 · 지름 24cm, 높이 18cm

밀가루 360g(약 3컵) · 달걀 15개 · 설탕 3½컵 · 식용유 7큰술 · 버터 90g(약 7큰술) · 버터 크림(설탕 5½컵, 달걀 4½개, 버터 1.8kg(약 8⅓컵), 진 6 큰술, 분홍색 식용 색소 적당량, 물 약간) · 장식(마지팬 적당량, 분홍색 식용 색소 약간)

 스펀지 케이크

1 그릇에 달걀과 설탕을 넣고 저어서 거품을 낸다.

2 거품이 완전히 오르면 밀가루 · 식용유와 녹인 버터를 순서대로 넣고 반죽한다.

3 지름 24cm와 18cm짜리 둥근 오븐용 팬의 바닥에 기름종이를 깐 뒤 준비된 반죽을 붓고, 180℃의 오븐에 30분간 구워 2가지 크기의 둥근 스펀지 케이크를 만든다.

버터 크림

4 설탕에 물을 섞어 불에 올려 끓인다.

5 달걀을 큼직한 그릇에 깨뜨려 넣고 잘 푼 다음 끓인 설탕물을 조금 씩 넣으면서 거품기로 계속 저어서 식힌다.

6 달걀과 설탕 혼합물에 버터를 넣고 저어서 크림 상태로 만든 다음 진을 넣고 잘 섞어서 흰색 버터 크림을 만든다. 흰색 버터 크림의 ⅔에 는 분홍색 식용 색소를 넣어 분홍색 버터 크림을 만든다.

 마무리

7 구워 낸 2개의 스펀지 케이크가 완전히 식으면 윗면과 옆면에 분홍색 버터 크림을 곱게 입힌 다음 2층으로 겹쳐 놓는다.

8 튜브에 둥근 깍지를 끼우고 흰색 버터 크림으로 케이크 옆면을 장식한 후, 별 모양 깍지를 끼우고 흰색과 분홍색 버터 크림으로 윗면과 옆면을 장식한다.

9 마지팬에 분홍 색소를 넣고 섞은 다음 얇게 밀어 하트 모양으로 오린 뒤 케이크 위에 올려 분홍색 버터 크림으로 가장자리를 장식하고 글씨를 써서 완성한다.

POINT

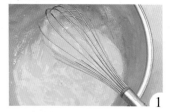
그릇에 달걀과 설탕을 넣고 거품기로 잘 저어서 충분히 거품을 낸다.

거품이 완전히 오르면 밀가루와 식용유, 녹인 버터를 순서대로 넣고 반죽한다.

오븐용 팬의 바닥에 기름 종이를 깐 뒤 준비된 반죽을 넣고 오븐에서 구워 낸다.

흰색 버터 크림과 분홍색 버터 크림을 튜브에 넣고 짜서 윗면과 옆면을 장식한다.

케이크 만들 때는 이런 점에 주의하세요

재료의 분량을 정확하게 재어 사용해야 하고 정해진 배합비대로 섞어야 실패하지 않게 된다. 달걀은 흰자와 노른자로 나누어 거품을 내고 버터는 설탕을 넣어 크림 상태로 만들어 주며 밀가루는 박력분을 사용하고 3번 정도 체에 친다. 그래야 밀가루 입자 사이에 공기가 충분히 들어가 잘 부풀고 부드러워진다. 그런 다음 거품과 밀가루 등의 재료를 넣고 끈기가 생기지 않도록 가볍게 섞는다. 살살 섞지 않으면 거품이 가라앉아 버리고 반대로 밀가루가 충분히 섞이지 않으면 눌거나 가루가 입자 상태로 남게 된다. 케이크는 중심부를 젓가락으로 찔러 보아 내용물이 묻어 나오지 않으면 다 익은 것이다.

동물 쿠키

재료 · 30개분

버터 108g(약 ½컵) · 마가린 144g · 쇼트닝 72g · 설탕 1½컵 · 달걀 1¼개 · 밀가루 480g(약 4컵) · 베이킹 파우더 ½큰술 · 바닐라 향 적당량 · 딸기 잼, 키위 잼 약간씩

반죽하기

1 달걀은 깨뜨려서 흰자와 노른자가 잘 섞이도록 풀어 놓고, 밀가루는 베이킹 파우더 · 바닐라 향과 섞어 체에 친다.

2 버터와 마가린 · 쇼트닝을 섞어서 크림 상태가 될 때까지 거품기로 젓는다.

3 크림 상태가 된 버터 · 마가린 · 쇼트닝 혼합물에 설탕을 넣으면서 계속 젓고, 풀어 놓은 달걀도 넣어 잘 섞는다.

4 크림 상태의 혼합물에 밀가루 · 베이킹 파우더 · 바닐라 향 섞은 것을 넣어 완전히 섞일 때까지 주물러 반죽한다.

굽기

5 준비된 반죽을 0.3㎝ 두께로 넓고 고르게 밀어 놓는다.

6 여러 가지 동물 모양의 쿠키 커터로 반죽을 찍어 낸다.

7 튜브에 딸기 잼이나 키위 잼을 넣어 동물 모양을 낸 반죽의 눈 · 코 · 입 · 귀 등에 짜서 무늬를 넣은 다음 오븐 팬에 나란히 놓는다.

8 준비된 동물 모양 반죽을 180℃의 오븐에 넣고 15~20분간 굽는다.

하나 더 **음료와 쿠키**
부드러운 맛의 우유에 어울리는 쿠키는 달거나 재료 자체의 맛이 강한 것이 좋다. 또 홍차와 어울리는 쿠키는 담백하면서도 바삭바삭한 맛의 쿠키가 좋다. 그래야 홍차의 맛을 해치지 않으면서 쿠키 맛도 함께 살릴 수 있다.

바삭바삭 부드러운 맛의 쿠키를 만들려면
반죽을 균일하게 배치한다 오븐에 비스킷 반죽을 넣고 구웠는데 어떤 것은 타고 어떤 것은 익지 않았던 경험이 있다면 오븐 팬에 반죽을 균일하게 배치하지 않아서일 것이다. 비스킷을 골고루 익히려면 오븐 팬에 비스킷 반죽을 균일하게 배치해야 한다.

버터와 설탕을 충분히 젓는다 버터와 설탕을 섞을 때는 충분히 저어 주어야 입자가 고운 크림 상태가 된다. 처음 섞었을 때보다 옅은 색깔이 되면서 걸쭉한 상태가 될 때까지 섞어 주어야 한다.

반죽은 가볍게 섞는다 밀가루는 체에 충분히 쳐서 사이에 공기가 들어가도록 해야 쿠키가 부드럽다. 또 밀가루 반죽을 오래 치대면 반죽의 점성이 높아져 쿠키가 딱딱해지므로 크림 상태의 혼합물과 밀가루를 섞을 때는 골고루 섞되 지나치게 치대지 말고 가볍게 섞는다.

쿠키 틀에서 쿠키가 잘 빠져 나오게 하려면
열심히 만든 쿠키가 틀에서 예쁜 형태로 빠져 나오지 못하면 낭패이다. 이럴 때를 대비하여 쿠키 틀에 반죽을 넣을 때는 우선 붓으로 기름을 묻혀 틀에 바른다. 이렇게 하면 나중에서 틀에서 쿠키가 쉽게 빠져 나오게 된다.

버터와 마가린 · 쇼트닝은 크림 상태가 될 때까지 거품기로 잘 젓는다. **2**

준비된 반죽을 0.3㎝ 두께로 넓고 고르게 밀어 놓는다. **5**

다양한 동물 모양의 쿠키 커터로 반죽을 찍어 낸다. **6**

딸기 잼 · 키위 잼으로 무늬를 만들어 넣고 오븐 팬에 놓아 180℃에서 20분간 굽는다. **8**

양념을 거의 쓰지 않고 구워 고기의 담백한 맛을 즐길 수 있는

로스트 비프

470 Kcal

🍳 재료 · 4인분

쇠고기 1kg · 셀러리 1줄기 · 양파 1개 · 식용유 4큰술 ·당근 1개 · 소금, 후춧가루 적당량씩

🍳 이렇게 준비하세요

1 쇠고기는 등심 부위를 덩어리로 준비해, 질긴 힘줄이나 기름을 떼어내고 모양이 흐트러지지 않게 무명실로 묶는다.

2 무명실로 묶은 쇠고기에 소금 · 후춧가루를 뿌려서 손으로 문지른 다음, 간이 배어들게 잠시 둔다.

3 양파는 손질해서 2등분하여 채썰고, 셀러리는 깨끗이 씻어 잎과 줄기를 굵게 어슷썰기한다. 당근은 껍질을 벗기고 씻어서 양파 크기로 골패썰기한다.

🍳 이렇게 만들어요

4 프라이팬에 식용유를 두르고 뜨겁게 달군 뒤, 센 불에서 쇠고기를 지진다.

5 썰어 놓은 채소의 ½ 분량을 오븐 팬에 넓게 편 뒤 식용유를 뿌리고, 지진 쇠고기를 올려놓는다.

6 쇠고기를 묶은 무명실 사이사이에 나머지 채소를 끼워 넣고, 오븐에 넣어서 160℃에서 약 60분간 굽는다.
기호에 따라 굽는 시간을 조절하고 굽는 도중 2~3회 식용유를 고기에 두른다.

7 먹기 좋게 구워지면 얇게 썰어 스테이크 소스를 곁들여 낸다.

P O I N T

쇠고기는 등심 부위를 덩어리로 준비해 모양이 흐트러지지 않게 무명실로 묶는다. **1**

프라이팬에 식용유를 두르고 뜨겁게 달군 다음 센 불에서 쇠고기를 지진다. **4**

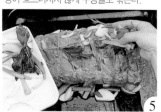

썰어 놓은 채소를 오븐 팬에 넓게 편 뒤 식용유를 뿌리고 지진 쇠고기를 올려 160℃ 오븐에서 약 60분간 굽는다. **5**

두터운 고기를 구울 때

비프 스테이크 등 두터운 고기를 구울 때는 처음에는 센 불에 구워 표면을 익힌 다음 불 조절을 해 가며 속까지 익도록 굽는다. 비프 스테이크는 굽는 정도를 레어, 미디움, 웰던의 3단계로 나눈다. 레어(rare)는 겉만 굽고 속은 거의 날고기나 마찬가지의 상태, 미디움(medium)은 레어 상태에서 불을 약하게 하여 양면을 2~3분 정도 더 구운 것, 웰던(well-done)은 마찬가지로 5분 정도 더 구워 고기가 완전히 익은 상태이다. 그러나 시간보다는 기호에 맞는 상태로 구우면 된다.

고기를 구울 때는 냉장고에서 막 꺼낸 고기를 굽는 것은 금물이다. 잠시 동안이라도 상온에 놓았다가 구워야 열전도율도 좋고 잘 구워진다. 오븐에서 고기를 굽는다면 굽기 30분 전에 냉장고에서 꺼내어 놓은 다음 미리 소금, 후추를 뿌려 두고 먹기 1시간 전에 굽기 시작한다.

고기의 풍부한 맛을 즐길 수 있는 주말의 특별 요리

티본 스테이크

재료·4인분

티본 1.2kg · 식용유 적당량 · 소금, 후춧가루 적당량씩 · 버터 $\frac{1}{2}$큰술 · 마디라 소스 1컵

이렇게 준비하세요

1 살이 많이 붙은 소의 어깨 부분의 T자형 늑골을 15cm 길이가 되게 도톰하게 썬다. 기름기를 제거하고 모양을 다듬은 후, 뼈와 살 사이에 칼집을 넣고 소금·후춧가루를 뿌린다.

이렇게 만들어요

2 프라이팬에 기름을 넉넉히 두르고 뜨겁게 달구어지면 준비한 고기를 넣어 센 불에서 앞뒤로 노릇노릇하게 지진다.

3 지진 고기를 오븐용 석쇠에 얹어 오븐에 넣고, 약간 높은 온도에서 원하는 정도까지 구워 익힌다.

4 접시에 구운 고기를 담고, 마디라 소스에 버터를 넣어 불에 올려서 녹인 후 고기 주위에 끼얹는다.

마디라 소스

마디라 소스(Madeira sauce)는 포르투갈령 마디라 섬에서 나오는 마디라산 포도주로 만든 육류 요리용 소스다.

재료 2컵분 쇠고기 120g · 양파 1개 · 당근 $\frac{1}{2}$개 · 월계수잎 1장 · 토마토 페이스트(토마토를 익혀 껍질과 씨를 없애고 버터에 녹여 물기 없이 조린 것) 1큰술 · 마디라(포도주) 3큰술 · 셀러리 $\frac{1}{2}$줄기 · 적포도주 3큰술 · 통후추 4개 · 브라운 소스 $2\frac{1}{2}$컵 · 버터 약간 · 소금, 후춧가루 약간씩

이렇게 만들어요 쇠고기와 양파·당근·셀러리를 적당히 썰어 버터에 갈색이 나도록 볶은 다음 토마토 페이스트를 넣어 볶는다. 포도주를 넣어 반으로 조린 후 브라운 소스를 붓고, 월계수잎·통후추도 넣어 끓인다. 분량의 $\frac{2}{3}$ 정도로 졸아들면 소금·후춧가루로 간한 뒤, 거즈에 거른다.

POINT

티본에 칼집을 넣고 소금·후춧가루를 뿌린 다음 프라이팬을 세게 달구어 지진다.

마디라 소스에 버터를 넣어 불에 올려서 녹인 후 구운 고기 주위에 끼얹는다.

햄버거 스테이크

식사 대신 빵에 끼워 먹거나 도시락 반찬으로도 좋으므로 많이 만들어 냉동실에 보관했다가 필요할 때마다 꺼내 구우면 좋다.

재료·4인분
쇠고기 200g · 돼지고기 200g · 우유 3큰술 · 빵가루 $\frac{3}{4}$컵 · 양파 1개 · 달걀 1개 · 버터 1큰술 · 소금, 후춧가루 약간씩 · 식용유 적당량

이렇게 만들어요
① 쇠고기와 돼지고기는 곱게 다지고, 양파도 손질하여 다진다. 다진 양파는 버터에 살짝 볶아 식힌다. 빵가루는 우유를 넣어 축여 놓는다.

② 다진 고기에 볶은 양파와 우유에 축인 빵가루, 달걀을 섞고, 소금·후춧가루로 간하여 한참 치댄 다음 동글납작하게 반대기를 만든다.

③ 오븐 팬에 기름을 바르고 얹어 180℃에서 30분 정도 굽는다. 달걀 프라이, 양송이 볶음, 야채나 과일 등을 곁들여도 좋다.

457 Kcal

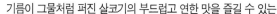
기름이 그물처럼 퍼진 살코기의 부드럽고 연한 맛을 즐길 수 있는

안심 스테이크

 재료·4인분

쇠고기 600g · 푸른후추 40개 · 소금, 후춧가루 적당량씩 · 식용유 적당량 · 푸른후추 소스 1컵

 이렇게 준비하세요

1 쇠고기는 스테이크에 적당한 안심 부위로 준비하여 손질한 다음, 5㎝ 정도의 두께로 도톰하게 썰어 모양이 흐트러지지 않도록 무명실로 가운데 부분을 묶는다. 소금 · 후춧가루를 뿌리고, 한쪽 면 위에 푸른후추를 박는다.

 이렇게 만들어요

2 프라이팬에 기름을 넉넉히 두르고 달구어지면 쇠고기를 넣어 센 불에서 노릇노릇하게 지진다.
3 지진 쇠고기를 오븐용 석쇠에 얹어 오븐에 넣고, 약간 높은 온도에서 원하는 정도까지 구워 익힌다.
4 쇠고기의 실을 풀어 접시에 담고, 당근 · 감자 · 아스파라거스 · 크레이프 주머니 등을 곁들인 후, 고기 주위에 푸른후추 소스를 끼얹어 상에 낸다.

POINT

쇠고기는 안심 부위로 준비해 도톰하게 썰어 소금 · 후춧가루를 뿌린다.

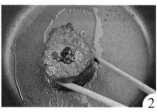

기름 두른 프라이팬을 달구어 쇠고기를 넣어 센 불에서 지진 후 오븐에 넣고 굽는다.

안심 스테이크 곁들이

안심 스테이크는 고기 자체에 가벼운 밑간만 해서 구워 소스나 샐러드를 곁들여 내는 것이 일반적이다. 샐러드는 맛과 영양에 있어서 스테이크와 조화를 이루는 만큼 빠질 수 없는 곁들이로, 싱싱한 채소를 사용해 차갑게 만들어 두었다가 낸다. 술은 붉은 포도주를 곁들이는 것이 일반적이다. 맛이 진한 고기 요리에는 맛이 강한 붉은 포도주로 조화를 이룬 것이라고 보면 된다.

푸른 후추 소스 만들기
재료 2컵분 푸른후추(Green pepper) 10개 · 코냑 1큰술 · 생크림 ½컵 · 브라운 소스 2컵 · 토마토 약간 · 소금, 버터 약간씩
이렇게 만들어요 ① 푸른후추를 으깨서 버터에 볶는다. ② 코냑을 넣고 불을 붙인 뒤, 생크림을 넣어 분량의 반으로 조린다. ③ 생크림 조린 것에 브라운 소스를 넣어 뭉근하게 끓인다. ④ 토마토는 껍질을 벗겨 0.5㎝ 크기로 깍둑썰기해서 넣고, 소금으로 간한다. 음식에 끼얹기 전에 버터를 넣어 섞는다.

브라운 소스 만들기
재료 2컵분 버터 2큰술 · 밀가루 2큰술 · 식용유 1큰술 · 당근 ½개 · 양파 ½개 · 타임 5g · 육수 2컵 · 셀러리 ½줄기 · 월계수잎 1장 · 토마토 ½개
이렇게 만들어요 ① 당근 · 양파 · 셀러리를 적당한 크기로 썰어 버터 1큰술과 식용유에 갈색이 나도록 볶아 낸다. ② 냄비에 남은 버터를 녹인 다음 밀가루를 넣어 약한 불에서 갈색이 나도록 볶는다. 여기에 육수와 잘게 썬 토마토를 넣어 푹 끓인다. ③ 야채 볶은 것과 타임 · 월계수잎을 넣어 은근한 불에서 오랫동안 끓인 다음 거즈에 거른다.

다진 고기와 야채, 달걀로 만들 수 있는 일품 요리

미트 로프

재료 · 4인분

쇠고기 400g · 달걀 4개 · 오이 피클 4개 · 양파 2개 · 후춧가루 적당량 · 소금 적당량 · 식용유 약간 · 빵가루 1컵 · 소스(우스터 소스 2큰술, 토마토 케첩 4큰술, 양파 약간)

이렇게 준비하세요

1 쇠고기는 살코기로 준비해 잘게 다진다.

2 달걀은 노른자가 가운데 오도록 굴려 가면서 삶아 껍데기를 벗기고, 길게 2등분한다.

3 오이 피클은 살짝 씻어 길게 4등분한다.

4 양파는 껍질을 벗기고 깨끗이 씻어 2등분한 뒤 다지듯이 잘게 썬다.

이렇게 만들어요

5 다진 쇠고기를 그릇에 담고 양파 썬 것과 빵가루를 넣은 뒤, 후춧가루와 소금을 넣어 반죽한다. 양파 썬 것 일부는 남겨 놓는다.

6 도마 위에 쿠킹 포일을 깔고 기름을 바른 뒤, 반죽한 쇠고기를 약간 도톰하게 놓는다. 달걀과 오이 피클을 쇠고기 위에 얹어서 단단하게 싼다.

7 쿠킹 포일에 싸 놓은 쇠고기를 오븐에 넣고 200℃에서 20분간 구운 다음, 식혀서 먹기 좋은 크기로 썬다.

8 냄비에 우스터 소스와 토마토 케첩, 잘게 썬 양파를 넣고 끓여 소스를 만든다.

9 접시에 소스를 담고 썰어 놓은 미트 로프를 얹어 낸다.

P O I N T

쇠고기는 살코기로 준비해 잘게 다지고, 양파는 껍질을 벗겨 다지듯이 잘게 썬다.

다진 쇠고기와 양파 썬 것, 빵가루를 넣은 뒤 후춧가루와 소금을 넣어 반죽한다.

쿠킹 포일을 깔고 쇠고기 · 달걀 · 오이 피클을 얹어 싼 다음 오븐에 굽는다.

곁들이로 좋은 매시드 포테이토 만들기
감자를 통째로 삶아 뜨거울 때 껍질을 벗기고 체에다 밭쳐 으깬 다음 감자 1개에 1큰술 정도의 버터를 넣어 잘 섞은 후 소금 · 후추를 친다. 감자를 작게 잘라서 삶으면 물기가 많아 고슬고슬하게 되지 않으므로 통째로 삶는다.

361 Kcal

양념장을 듬뿍 묻혀 먹음직스럽게 구워 내는 푸짐한

돼지갈비 구이

371 Kcal

재료 · 4인분

돼지갈비 600g · 식용유 약간 · 양념장(파 1뿌리, 마늘 6쪽, 양파 ½개, 생강 1쪽, 설탕 2큰술, 진간장 2큰술, 고추장 3큰술, 후춧가루 적당량)

이렇게 준비하세요

1 돼지갈비는 가장 연하고 맛있는 어린 암돼지 고기로 준비해 5cm 길이로 토막내어 찬물에 담가 핏물을 뺀다. 살코기만 있는 것보다는 중간중간 기름이 있는 것이 부드럽고 맛있다.

2 핏물이 빠지면 건져서 물기를 없애고 살코기 부분이 떨어지지 않게 앞뒤를 지그재그로 저며 썬 다음, 양념이 고루 배도록 칼로 자근자근 두드린다. 기름기가 있는 부분에는 칼집을 넣어 간이 잘 배어들게 하고 굽는 동안 오그라들지 않게 손질한다.

3 마늘과 파의 흰 부분은 손질하여 각각 잘게 다진다. 양파는 껍질을 벗기고 씻어서 강판에 곱게 갈고, 생강도 손질하여 강판에 갈아 즙을 내놓는다.

이렇게 만들어요

4 그릇에 다진 파 · 마늘과 간 양파, 고추장 · 설탕 · 진간장 · 후춧가루와 생강즙을 넣고 섞어서 양념장을 만든다.

5 준비한 돼지갈비를 양념장에 넣고 잘 버무려 2시간 정도 재어 둔다.

6 오븐 팬에 기름을 바르고, 양념장에 재어 둔 고기를 넓게 펴 얹는다. 200℃로 미리 달구어 둔 오븐에 넣어 15분간 굽는다. 오븐 팬에 석쇠를 놓고, 그 위에 고기를 얹어 구워도 좋다.

POINT

돼지갈비는 먹기 좋도록 5cm 길이로 토막내어 찬물에 담갔다가 칼로 자근자근 두드린 다음 기름기 있는 부분에 칼집을 낸다.

그릇에 다진 파와 마늘, 간 양파, 고추장 · 설탕 · 진간장 · 후춧가루와 생강즙을 넣고 섞어서 양념장을 만든다.

오븐 팬에 기름을 바르고, 양념장에 재어 둔 고기를 넓게 펴 얹고 15분간 굽는다.

질긴 고기는 기름 소스에 잰다

질긴 고기는 기름 · 향미 야채(양파, 마늘, 셀러리 등) · 와인 · 향료 등을 섞은 소스에 고기를 재어 두면 된다. 고기를 굽거나 삶기 전에 미리 이 소스에 담가 두면 누린내가 없어지는 것은 물론 기름의 성분이 단백질 속으로 스며들어 고기가 부드럽고 연해진다. 포도주는 붉은 포도주나 흰 포도주, 아무 것이나 상관없으며 고기는 하룻밤 정도 재어 두면 가장 맛이 좋다. 돼지고기는 누린내가 나므로 그 전에 미리 찬물에 담가 핏물을 뺀 후 건져서 물기를 없애고 요리한다.

부드럽고 연하게 씹히는 고기 맛이 별미라 술안주로도 좋은

돼지안심 통구이

재료 · 4인분

돼지고기 500g · 흑설탕 2큰술 · 녹차 2큰술 · 물엿 1큰술 · 양념장(진간장 2큰술, 된장 1큰술, 고추장 1큰술, 설탕 2큰술, 청주 2큰술, 마늘 4쪽, 생강 1쪽, 파 1뿌리, 팔각 회향 2개, 산촛가루 1작은술)

이렇게 준비하세요

1 돼지고기는 안심 부위를 덩어리로 준비하여 기름기와 질긴 힘줄 부분은 떼어 내고, 구웠을 때 오므라들지 않도록 굵은 무명실로 묶는다.
2 마늘과 생강은 껍질을 벗기고 씻어 마늘은 곱게 다지고, 생강은 강판에 갈아 즙을 낸다. 파는 반으로 잘라 송송 썬다.

이렇게 만들어요

3 그릇에 진간장 · 된장 · 고추장 · 청주 · 설탕을 넣고 잘 저어 섞은 다음 다진 마늘과 생강즙, 송송 썬 파도 넣어 섞는다. 여기에 팔각 회향과 산촛가루를 넣어 양념장을 만든다.
4 실로 묶은 고기에 양념장을 고루 바른 뒤, 냉장고에 넣어 하루 정도 재어 둔다.
5 오븐용 그릇에 흑설탕과 녹차를 고루 뿌리고, 양념장에 재어 두었던 고기를 얹는다.
6 180℃로 예열한 오븐에 그릇째 고기를 넣어 약 50분간 굽는다. 고기를 재고 남은 양념장에 물엿을 섞어 굽는 도중 고기에 바르면서 뒤집어 가면서 굽는다.
7 고기가 구워지면 도톰하게 썰어 그릇에 담고 구울 때 생긴 국물을 끼얹어 낸다.

P O I N T

그릇에 정량의 양념과 팔각 회향, 산촛가루를 넣어 양념장을 만든다.

오븐용 그릇에 양념장에 재어 두었던 고기를 얹어 양념장을 틈틈이 바르며 굽는다.

돼지고기 야채 구이

재료 · 4인분
돼지고기 300g · 양송이 4개 · 양파 ½개 · 당근 ½개 · 토마토 케첩 3큰술 · 버터 3큰술 · 우스터 소스 1큰술 · 빵가루 5큰술 · 소금, 후춧가루 약간씩 · 식용유 적당량

이렇게 만들어요
① 돼지고기는 0.5cm 두께로 큼직하게 썰어, 소금 · 후춧가루를 뿌려 기름을 두른 팬에 지져 낸다.
② 양송이는 껍질을 벗기고 손질하여 얄팍하게 저며 썰고, 양파는 손질하여 가늘게 채썬다. 당근은 껍질을 벗겨 1cm 크기로 납작하게 썬다.
③ 프라이팬에 버터 1큰술을 넣고 불에 올려 녹으면 당근 · 양파 · 양송이 순서로 넣어 볶는다. 야채가 익으면 토마토 케첩과 우스터 소스를 넣어 고루 섞는다.
④ 준비한 돼지고기 위에 볶은 야채를 적당량씩 얹고, 빵가루를 뿌린다. 버터를 조금씩 떼어 군데군데 얹은 다음, 180℃의 오븐에 넣어서 약 15분간 굽는다.

249 Kcal

약한 불에서 오랫동안 끓여 양배추의 단맛이 은근하게 전해지는

양배추 말이

301 Kcal

재료 · 4인분

양배춧잎 12장 · 돼지고기 150g · 쇠고기 150g · 양파 1½개 · 달걀 1개 · 빵가루 ½컵 · 베이컨 2조각 · 밀가루 적당량 · 소금, 후춧가루 약간씩 · 식용유 ½큰술 · 육수 1컵 · 토마토 케첩 ½컵 · 월계수잎 1장

이렇게 준비하세요

1 양배추는 깨끗이 씻어서 소금을 약간 넣은 끓는 물에 데쳐 낸 다음 두꺼운 줄기 부분을 잘라 낸다.

2 쇠고기와 돼지고기는 각각 살코기로 준비하여 곱게 다지고, 베이컨은 1cm 폭으로 썬다.

3 양파는 손질하여 1개는 곱게 다지고 나머지는 채썬다.

4 달걀은 깨뜨려 거품기로 저어 잘 푼다.

이렇게 만들어요

5 프라이팬에 기름을 두르고 달구어지면 다진 양파를 넣어 노릇하게 볶아서 식힌다.

6 그릇에 쇠고기 · 돼지고기 · 빵가루와 볶은 양파, 달걀 푼 것을 넣고, 소금 · 후춧가루로 간하여 치대어 섞는다.

7 준비한 양배추를 1장씩 펴서 밀가루를 훌훌 뿌린 다음 치대어 섞은 재료를 적당한 크기로 빚어 얹고, 잎의 양쪽을 안으로 접어 넣으면서 돌돌 말아 싼다.

8 내열 냄비에 채썬 양파와 베이컨을 깔고, 양배춧잎 싼 것을 얹는다. 육수에 토마토 케첩을 섞어서 붓고, 월계수잎을 넣어 가스 불에서 끓이다가 한소끔 끓으면, 뚜껑을 덮어 160℃의 오븐에 30분간 끓인다.

POINT

6

다진 쇠고기와 돼지고기 · 빵가루 · 다진 양파 · 달걀 푼 것을 넣고 간하여 섞은 다음 부드러워지도록 여러 번 치댄다.

7

양배추를 1장씩 펴서 밀가루를 뿌린 다음 재료를 적당한 크기로 빚어 얹고 잎의 양쪽을 안으로 접어 넣으면서 돌돌 말아 싼다.

서양 요리에 사용되는 야채와 소스를 구입하려면

서양 요리에 필요한 도구나 식품은 생소한 것들이 많지만, 수입 식료품을 취급하는 전문 가게들이 생겨 요리하는 즐거움을 찾게 해준다. 타임 · 바실 · 민트 등의 각종 향신료는 물론 소스 · 치즈 · 올리브 · 잼 · 홍차 등의 서양 식료품도 판매하므로 필요한 것은 대부분 구할 수 있다.

· **신세계 백화점 에디아르 코너**
본점과 영등포 · 미아리점 등의 지하에 있으며 향신료와 식료품을 판다.

· **인성상회**
향신료와 서양 야채를 주로 구할 수 있다. 가락동 농수산물 시장 청과물 시장 뒤편에 있다. 2:00am∼7:00pm. ☎ (02)406-3042

· **남양식품**
양식당을 주상대로 각종 조미료와 식재료, 향신료를 판매한다. 남대문 본동 상가 내에 있다. 6:30am∼6:00pm ☎ (02)776-5545

· **제천상사**
향신료 · 병조림 · 와인 · 소스 등 양식당에서 쓰는 식재료를 빠짐없이 갖추고 있다. 논현동 영동시장 내 중외약국 맞은편에 위치해 있다. 6:00am∼9:00pm ☎(02)548-6100

기름은 쏙 빼고 야채를 듬뿍 넣어 맛이 깔끔한

로스트 치킨

재료 · 4인분

닭 1마리 · 양파 1개 · 당근 ½개 · 셀러리 2줄기 · 식용유 적당량 · 소금, 후춧가루 적당량씩

이렇게 준비하세요

1 닭은 통째로 준비하여 내장을 꺼내고 말끔히 씻어 물기를 없앤 후, 발목을 잘라 내고 목뼈도 짧게 자른다. 구울 때 오그라들지 않도록 포크로 껍질을 군데군데 찔러 주고, 목 부분의 껍질을 등 쪽으로 바짝 잡아당겨 대꼬챙이로 고정시킨다.

2 양파는 껍질을 벗겨 씻어서 2등분한 다음 약간 굵게 채썰고, 당근 · 셀러리도 손질하여 양파 크기로 채썬다.

이렇게 만들어요

3 채썬 양파 · 당근 · 셀러리에 소금 · 후춧가루를 뿌려 고루 버무린다.

4 닭의 뱃속에 준비한 야채를 ⅔ 정도 채워 넣고 대꼬챙이로 아물린다. 닭날개를 꺾어 무명실로 묶고 다리도 모아 잡아 실로 묶어서 모양을 다듬는다.

5 오븐 팬 위에 닭의 뱃속에 넣고 남은 야채를 깐 다음, 기름을 둘러 뿌리고 닭을 얹는다. 기름에 소금 · 후춧가루를 섞어 닭의 표면에 붓으로 골고루 바르고, 160℃로 예열시킨 오븐에 넣어 60분간 굽는다. 굽는 도중 자주 꺼내서 흘러 내린 기름을 껍질 구석구석 발라 준다. 쇠꼬챙이로 살이 많은 부분을 찔러 보아 붉은 핏물이 나오지 않으면 다 익은 것이다.

343 Kcal

POINT

닭은 내장을 꺼내고 씻어 물기를 없앤 후 목 부분의 껍질을 당겨 대꼬챙이로 고정시킨다.

닭의 뱃속에 준비한 야채를 ⅔ 정도 채워 넣은 다음 대꼬챙이로 아물린다.

오븐 팬 위에 야채를 깐 다음 기름을 둘러 뿌리고 닭을 얹어 오븐에서 60분간 굽는다.

통닭 밑손질하기

통닭으로 요리를 할 때는 뱃속을 신경 써서 닦는 것이 좋다. 뼈 틈새에 엉겨 붙은 피 찌꺼기를 깨끗이 씻어 내야 누린내가 나지 않는다. 뱃속에다 직접 수도꼭지를 대고 물을 틀어서 씻어 내면 쉽다. 불필요한 기름인 꽁무니 안쪽의 노란 기름 덩어리와 껍질과 살 사이에 있는 노란 기름도 칼끝으로 긁어 낸다.

오븐 청소는 이렇게 하세요

새로 구입한 오븐에는 녹을 방지하는 기름이나 칠 등이 발라져 있으므로 이것을 잘 닦은 후 사용한다. 또 주변이나 내부는 물기를 꼭 짠 행주로 닦고, 석쇠의 망은 식기 세제로 씻는다. 오븐을 사용한 뒤에는 열이 남아 있을 때 젖은 행주로 닦아 내고, 세제는 사용하지 않는다. 음식물이 말라 붙었을 때는 고무주걱 등으로 긁어 내고 행주로 닦는다.

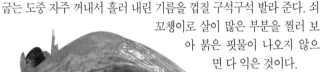

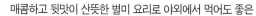

매콤하고 뒷맛이 산뜻한 별미 요리로 야외에서 먹어도 좋은

닭다리 겨자 구이

264 Kcal

 재료 · 4인분

닭다리 4개 · 식용유 적당량 · 양겨자 4큰술 · 빵가루 4큰술 · 소금, 후춧가루 약간씩 · 토마토 소스(밀가루 1½큰술, 버터 1큰술, 육수 1컵, 양파 ⅓개, 토마토 퓌레 5큰술, 월계수잎 1장, 소금 약간, 후춧가루 약간)

 이렇게 준비하세요

1 닭다리는 뼈를 발라 낸 뒤 살을 넓게 펴서 소금 · 후춧가루를 뿌려 잠시 재어 둔다.
2 양파는 껍질을 벗기고 씻어 2등분한 후 가늘게 채썬다.

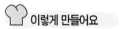 **이렇게 만들어요**

3 프라이팬에 기름을 두르고 달구어지면 닭다리를 넣어 앞뒤로 노릇노릇하게 지져 낸다.
4 지진 닭다리에 양겨자를 골고루 펴 바르고 빵가루를 뿌린다. 오븐팬에 놓고 180℃로 예열시킨 오븐에 넣어 3분간 굽는다.
5 냄비에 버터를 넣고 녹으면 채썬 양파를 넣어 노릇노릇하게 볶는다. 양파 볶은 것에 밀가루를 넣어 갈색이 될 때까지 볶다가 육수를 붓고 나무주걱으로 저어 잘 푼다.
6 재료들이 풀어지면 토마토 퓌레와 월계수잎을 넣고, 약한 불에서 30분 이상 푹 끓인 뒤 체에 거른다. 소금 · 후춧가루로 간하여 토마토 소스를 만든다.
7 접시에 구운 닭다리를 담고, 완두 · 옥수수 · 감자 등을 곁들인다. 토마토 소스는 따로 소스 그릇에 담아 낸다.

 P O I N T

청어 양념장 구이

재료 · 4인분
청어 2마리 · 소금 약간 · 양념장(진간장 3큰술, 청주 1큰술, 생강 ½쪽, 마늘 3쪽, 파 ½뿌리, 고춧가루 ½큰술, 깨소금 ½큰술, 참기름 1큰술, 후춧가루 약간, 설탕 2작은술)

이렇게 만들어요
① 청어는 깨끗이 손질하여 엷은 소금물에 흔들어 씻는다. 손질한 청어를 2등분하여 앞뒤로 1㎝ 간격의 칼집을 깊숙이 넣는다.
② 파 · 마늘은 곱게 다지고 생강은 강판에 갈아 즙을 내어 양념장을 만든다.
③ 오븐용 석쇠에 청어를 얹고 양념장을 골고루 바른 다음 쿠킹 포일을 잘 덮어 150℃ 오븐에서 15~20분간 굽는다.

닭다리는 뼈를 발라 내고 살을 넓게 펴서 밑간을 해둔다.

프라이팬에 기름을 두르고 밑간한 닭다리를 넣어 노릇노릇하게 지져 낸다.

지진 닭다리에 양겨자를 골고루 펴바르고 빵가루를 뿌려 오븐에 넣어 3분간 굽는다.

차게 준비한 흰 포도주를 곁들이면 더욱 맛이 살아나는

연어 구이

377 Kcal

 재료 · 4인분

연어살 500g · 레몬 ½개 · 소금 · 흰 후춧가루 적당량씩 · 식용유 적당량 · 적포도주 4큰술 · 버터 소스 1컵

 이렇게 만들어요

1 연어는 살만 토막내어 냉동시킨 것으로 구입해 1인분에 120g 정도 되게 포를 떠서 소금 · 흰 후춧가루를 뿌린다. 레몬은 즙을 낸다.

2 프라이팬에 기름을 두르고 연어를 넣어 노릇하게 지진다.

3 지진 연어에 레몬즙을 뿌린 후, 오븐에 넣어 센 불에서 10분 정도 구워 속까지 익힌다.

4 냄비에 적포도주를 넣어 ½분량으로 조린 후, 버터 소스 ½컵을 넣고 섞어서 적포도주 버터 소스를 만든다.

5 접시에 구운 연어를 담고, 버터 소스와 적포도주 소스를 끼얹는다.

버터 소스

재료 2컵분 양파 1개 · 통후추 5개 · 레몬 ¼개 · 파슬리 1줄기 · 월계수잎 1장 · 생크림 1컵 · 백포도주 1½컵 · 식초 4큰술 · 소금 약간 · 버터 약간

이렇게 만들어요 ① 통후추는 으깨고, 양파와 파슬리는 곱게 다진 다음 월계수잎 · 백포도주 · 식초와 함께 조린다.
② 생크림을 넣고 다시 조린 후, 불을 약하게 하여 버터를 넣으면서 젓는다.
③ 소금 · 레몬즙으로 맛을 낸 다음 고운 천에 거른다.

262 Kcal

버터 소스를 끼얹어 담백하고 향긋한 맛이 일품인

광어 구이

 재료 · 4인분

광어 1마리 · 감자 2개 · 청강채 2포기 · 레몬 ½개 · 바실잎 3장 · 소금, 흰 후춧가루 적당량씩 · 식용유, 버터 적당량씩 · 버터 소스 1컵

이렇게 만들어요

1 광어는 포를 떠서 1인분에 100~130g 정도씩 되게 준비한 다음, 소금 · 흰 후춧가루를 뿌린다.

2 감자는 껍질을 벗겨 둥근 틀로 찍어 낸 후 무늬칼로 얄팍하게 썰고, 청강채는 끓는 물에 데쳐서 찬물에 헹구어 적당한 크기로 썬다.

3 바실잎은 생것으로 준비해 다지고, 레몬은 씻어 길이로 4등분한다.

4 팬에 식용유와 버터를 두르고 달구어 준비한 광어를 넣고 앞뒤로 노릇하게 지진 다음, 180℃ 정도의 오븐에 넣어 구워서 속까지 익힌다.

5 기름 두른 팬에 감자를 넣고, 소금 · 흰 후춧가루를 뿌려 살짝 지진 후 오븐에 넣어 굽는다. 청강채는 버터에 볶으면서 소금으로 간한다.

6 버터 소스에 다진 바실잎을 넣어 함께 끓인다.

7 접시에 광어와 감자 · 청강채를 담고, 주위에 버터 소스를 끼얹는다. 광어 위에 레몬 1조각을 얹어 내어 먹기 직전에 즙을 내서 뿌린다.

163

조개 껍데기에 풍미 좋은 해물 재료를 담아서 구워 낸 향긋한

새우 생선살 코키유

482 Kcal

🧑‍🍳 재료 · 4인분

새우 200g · 생선살 120g · 양송이 8개 · 파슬리 1줄기 · 치즈 50g · 소금 약간 · 후춧가루 약간 · 백포도주 2큰술 · 버터 적당량 · 빵가루 적당량 · 크림 소스(버터 2큰술, 우유 1컵, 밀가루 2큰술, 생크림 ½컵, 달걀노른자 1개분)

🧑‍🍳 이렇게 준비하세요

1 새우는 등 쪽의 껍질 사이로 대꼬챙이를 넣어 내장을 빼낸 다음 깨끗이 씻어 물기를 뺀다.
생선살은 흰살 생선을 도톰하게 포 뜬 것으로 준비하여 소금 · 후춧가루를 뿌려 둔다.
2 양송이는 껍질을 벗겨 통째로 얄팍하게 저며 썬다. 파슬리는 곱게 다져 깨끗한 베보자기에 싸서 물에 넣고 흔든 후, 물기를 꼭 짜 보슬보슬하게 만들어 놓는다. 치즈는 잘게 썬다.

🧑‍🍳 이렇게 만들어요

3 새우는 끓는 물에 넣고 살짝 데쳐서 머리와 꼬리를 떼고 껍질을 벗긴다.
4 냄비에 생선살을 넣고 물 약간과 백포도주를 끼얹어 한소끔 끓인 다음 꺼내어 새우 크기로 썬다.
5 프라이팬에 버터를 넣고 불에 올려 녹으면, 손질한 양송이를 넣어 노릇노릇하게 볶은 후 소금과 후춧가루를 뿌려 간한다.
6 냄비에 버터를 녹인 후 밀가루를 넣고 볶는다. 따뜻하게 데운 우유를 조금씩 부어 가며 잘 저어 푼 다음 생크림을 넣는다. 걸쭉해지면 달걀노른자를 넣고 저어서 크림 소스를 만든다.
7 조개 껍데기나 조개 모양의 틀을 준비해 양송이 · 새우 · 생선살을 적당량씩 넣는다.
8 재료 위에 준비한 크림 소스를 끼얹고, 잘게 썬 치즈와 다진 파슬리, 빵가루를 솔솔 뿌린다.
9 180~200℃로 예열한 오븐에 넣어 7~8분간 구워 낸다.
코키유란 조개 껍데기나 비슷한 모양의 그릇 또는 빵에 재료를 담아서 굽는 요리를 말한다.

P O I N T

3
내장을 빼낸 새우는 끓는 물에 데쳐서 머리와 꼬리를 떼어 내고 껍질을 벗긴다.

6
냄비에 버터 · 밀가루 · 데운 우유 · 생크림 · 달걀노른자를 넣어 크림 소스를 만든다.

7
조개 껍데기 위에 얇게 저며 썬 양송이 · 새우 · 생선살을 넣고 크림 소스를 끼얹는다.

8
180~200℃로 예열한 오븐에 재료를 넣은 조개 껍데기를 넣어 8분 정도 구워 낸다.

🥔 고구마, 감자 굽기

고구마를 오븐이나 전자 레인지에 구우면 훨씬 더 포슬포슬한 맛을 즐길 수가 있다. 재료 자체의 수분을 이용하여 굽는 것이기 때문에 따로 물을 더 넣지 않아도 충분하다.
전자 레인지에 구울 때는 고구마와 감자를 깨끗하게 씻어 종이 타월이나 신문지에 싼 다음 물기를 조금 뿜어서 비닐 주머니에 담아 레인지 안에 넣어 가열한다. 오븐에서는 쿠킹 포일에 싼 다음 250℃의 오븐에 넣고 20~30분 정도 굽는다. 부드럽게 구워지면 뜨거울 때 위에 십자로 칼집을 넣고 벌려서 버터를 넣으면 더 고소한 맛이 난다.

크림 소스의 부드러운 맛이 입 안에서 살살 녹는 듯한

가자미 크림 찜

 재료 · 4인분

가자미 2마리 · 양파 ½개 · 당근 ½개 · 셀러리 1줄기 · 파슬리 ½줄기 · 양송이 4개 · 레몬 ⅓개 · 백포도주 2큰술 · 소금, 후춧가루 약간씩 · 버터 ½큰술 · 크림 소스(가자미 끓인 국물 ½컵, 생크림 ½컵, 버터 1큰술, 밀가루 1큰술, 달걀노른자 1개분)

 이렇게 준비하세요

1 가자미는 연한 소금물에 씻은 다음 머리 · 내장 · 지느러미를 없애고, 머리에서 꼬리 쪽으로 껍질을 벗긴 뒤, 살만 발라 내어 소금 · 후춧가루를 뿌려 둔다.

2 양파는 손질하여 굵게 채썰고, 당근은 같은 크기로 골패썰기한다. 셀러리는 줄기만 적당히 썬다.

3 레몬은 통썰기하고, 양송이는 손질하여 2등분한다. 파슬리는 곱게 다진다.

 이렇게 만들어요

4 냄비에 버터를 넣고 녹여 양파 · 당근 · 셀러리를 깐 다음 가자미를 얹는다.

5 가자미 위에 백포도주를 뿌리고 레몬을 얹은 후, 물 1컵을 붓고 센불에서 한소끔 끓인다. 가자미와 야채는 꺼내어 따로 놓아 두고, 국물은 받아 둔다.

6 가자미 끓인 국물에 생크림을 넣어 끓이다가 밀가루와 버터를 넣고 끓인다. 걸쭉해지면 달걀노른자를 넣고 크림 소스를 만든다.

7 오븐용 그릇에 야채와 가자미, 양송이를 담고 크림 소스를 끼얹는다. 파슬리 가루를 뿌린 후 200℃ 오븐에 넣고 4~5분 동안 구워 낸다.

POINT

냄비에 버터를 넣고 녹여 양파 · 당근 · 셀러리를 깐 다음 가자미를 얹어 한소끔 끓인다.

오븐용 그릇에 야채와 가자미, 양송이를 담고 크림 소스를 끼얹어 오븐에서 굽는다.

전갱이 케첩 구이

재료 · 4인분

전갱이 4마리 · 토마토 1개 · 양파 1개 · 밀가루 6큰술 · 식용유 3큰술 · 소금, 후춧가루 약간씩 · 버터 2큰술 · 빵가루 2큰술 · 백포도주 2큰술 · 토마토 케첩 3큰술

이렇게 만들어요

① 전갱이는 꼬리 쪽의 옆줄을 없애고 큼직하게 포를 떠 소금 · 후춧가루를 뿌려 재었다가, 앞뒤에 밀가루를 묻혀 팬에 기름을 두르고 노릇노릇하게 지진다.

② 양파는 채썰고 토마토는 끓는 물에 데쳐 껍질을 벗겨 씨를 빼고 잘게 다진다.

③ 오븐용 접시에 버터를 얇게 바르고 채썬 양파와 다진 토마토를 깐다. 그 위에 지진 전갱이를 껍질 부분이 위로 오도록 담고, 토마토 케첩을 끼얹는다.

④ 토마토 케첩 위에 빵가루를 뿌리고 버터를 적당량씩 얹은 후 백포도주를 뿌린다. 200℃로 예열한 오븐에 접시를 넣어 4~5분 정도 굽는다.

367 Kcal

고소한 소스 맛이 굴의 풍미를 더해 주는 일품 요리

굴 그라탱

재료 · 4인분

굴(껍데기째) 16개 · 시금치 200g · 소금 약간 · 화이트 소스(밀가루 1½ 큰술, 버터 2큰술, 생크림 ½컵, 우유 1컵, 소금 약간, 후춧가루 약간)

이렇게 준비하세요

1 굴껍데기는 수세미로 문질러 깨끗이 씻고 한쪽 껍데기를 떼어 낸 후 알맹이는 연한 소금물에 씻어 물기를 뺀다.

2 손질한 굴은 칼끝을 이용하여 껍데기에서 조심스럽게 떼어 낸다.

이렇게 만들어요

3 시금치는 다듬어 씻어 소금물에 데친 후, 찬물에 헹궈 물기를 짜고 굴 크기로 썬다.

4 냄비에 버터를 넣고 녹으면 밀가루를 넣어 눋지 않도록 볶는다. 따뜻하게 데운 우유를 조금씩 부어 가며 젓고, 생크림을 넣어 섞는다. 소금 · 후춧가루로 간하여 화이트 소스를 만든다.

5 굴 껍데기에 시금치를 적당량씩 담고, 그 위에 굴을 얹는다.

6 굴 위에 소스를 끼얹은 후 200℃~220℃로 예열시킨 오븐에 넣고 15분간 굽는다.

다양한 맛의 그라탱

그라탱은 빵가루와 치즈 혹은 버터 등을 주재료에 얹어서 오븐에 구워 내는 서양 요리다. 굴 외에도 고기와 해물 등을 넣어 가루 치즈를 골고루 뿌려 넣어 구우면 다양한 일품 요리가 된다. 그라탱을 만들 때는 오븐에서의 조리 시간과 온도가 맛을 변화시키는 중요한 요인이다. 굽는 시간은 그릇의 크기와 모양 또는 담는 방법에 따라 달라지며, 조리 온도는 개인의 기호에 따라 200℃~250℃ 정도로 조절해 윗면이 노릇노릇해질 때까지 구우면 맛의 변화를 느낄 수가 있다.

굴은 수세미로 문질러 씻어 한쪽 껍데기를 떼어 내고 알맹이는 연한 소금물에 씻는다.

손질한 굴은 물기를 빼고 칼끝을 이용하여 껍데기에서 조심스럽게 떼어 낸다.

시금치는 끓는 소금물에 넣어 데친 후, 찬물에 헹궈 굴 크기로 썬다.

냄비에 버터를 넣고 녹여 밀가루 · 우유 · 생크림 순으로 넣어 소스를 만든다.

굴 껍데기에 시금치를 적당량씩 담고 그 위에 손질한 굴을 얹는다.

화이트 소스를 끼얹은 후 예열시킨 오븐에 넣고 15분간 굽는다.

168 Kcal

살짝 익히면 쫄깃쫄깃한 맛이 별미라 손님 접대상에 좋은

문어 마늘 양념 구이

재료 · 4인분

문어 다리 2개 · 소금 약간 · 식용유 적당량 · 마늘 버터(버터 3큰술, 마늘 6쪽, 파슬리 1줄기, 소금 약간, 후춧가루 약간) · 양념장(진간장 2큰술, 실파 2줄기, 참기름 ½큰술, 고춧가루 2작은술)

이렇게 준비하세요

1 문어 다리는 소금으로 문질러 씻은 뒤 깨끗이 헹군다.
2 마늘은 껍질을 벗기고 씻은 다음 잘게 다지고, 실파는 다듬어 씻어서 송송 썬다. 파슬리는 줄기를 떼어 내고 곱게 다진 후, 베보자기에 싸서 물에 헹구어 꼭 짠다.

이렇게 만들어요

3 손질한 문어 다리에 대꼬챙이를 꿰어서 끓는 물에 넣어 살짝 데쳐 낸 다음, 물기를 빼고 적당하게 저며 썬다.
4 버터에 소금 · 후춧가루를 넣고, 다진 마늘과 파슬리도 섞어서 마늘 버터를 만든다.
5 진간장에 참기름 · 고춧가루와 송송 썬 실파를 넣고 섞어서 양념장을 만든다.
6 넓은 그릇에 문어 다리를 놓고 준비한 마늘 버터를 적당량씩 떠서 위에 얹는다.
7 오븐 팬에 식용유를 골고루 두르고 마늘 버터 얹은 문어를 군데군데 놓은 후, 300℃로 미리 달구어 둔 오븐에 넣어 약 2분간 구워 낸다. 마늘 버터가 녹아서 문어살로 스며들 정도면 된다.
8 문어가 뜨거울 때 준비한 양념장을 고루 끼얹어 낸다.

대합 양념 구이

재료 · 4인분
대합 4개 · 실파 2뿌리 · 마늘 4쪽 · 붉은고추 2개 · 풋고추 2개 · 소금 약간 · 진간장 2큰술 · 고춧가루 1큰술 · 참기름 ½큰술 · 설탕 2작은술 · 깨소금 ½큰술

이렇게 만들어요
① 대합은 껍데기를 솔로 문질러 씻은 후 소금물에 담가 해감을 토하게 한다.
② 실파는 손질하여 송송 썰고, 마늘은 곱게 다진다. 붉은고추 · 풋고추는 잘게 썬다.
③ 대합을 냄비에 담고 물을 자작하게 부어 삶은 후, 살을 꺼내서 잘게 썬다.
④ 잘게 썬 대합살에 마늘 · 실파 · 붉은고추 · 풋고추를 넣고, 진간장 · 고춧가루 · 참기름 · 설탕 · 깨소금으로 양념한다.
⑤ 대합 껍데기에 양념한 재료를 적당량씩 담아, 180℃의 오븐에 넣고 2분 정도 굽는다.

POINT

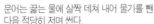

문어는 끓는 물에 살짝 데쳐 내어 물기를 뺀 다음 적당히 저며 썬다.

넓은 그릇에 문어 다리를 놓고 마늘 버터를 적당량씩 떠 얹는다.

문어는 삶을 때는

문어는 머리를 뒤집어 내장이 든 주머니를 터지지 않게 떼어 내고 뒤집어 원래의 모양대로 만든 다음 소금으로 문질러 씻는다. 삶을 때는 무를 갈아 넣고 그릇에 물을 넉넉히 붓고 끓이다가 통째로 넣어 20분쯤 삶아야 속까지 잘 익는데, 삶아 낸 다음에는 헹구지 말고 건져서 그대로 식혔다가 조리에 사용한다.

163 Kcal

따뜻할 때 먹어야 향긋한 제맛이 나는 일품 요리

채소 그라탱

 재료 · 4인분

토마토 2개 · 피망 1개 · 가지 1개 · 호박 ½개 · 피자 치즈 30g · 소금 약간
· 식용유 2큰술 · 버터 1큰술

 이렇게 만들어요

1 토마토는 깨끗이 씻어 꼭지를 떼고 0.5cm 두께로 통썰기한다. 피
망도 씻어서 같은 두께로 통썰기한 다음 속을 파낸다.

2 가지는 어슷썰기하고, 호박은 애호박으로 준비하여 통썰기한 후,
각각 소금을 뿌려 살짝 절여서 물기를 뺀다.

3 피자 치즈는 잘게 다져 놓는다.

4 프라이팬에 기름을 두르고 달구어지면 가지와 호박을 각각 살짝 볶
아 낸다.

5 오븐용 그라탱 그릇에 버터를 얇게 펴 바르고, 가지 · 토마토 · 피
망 · 호박을 모양내어 돌려 담는다. 위에 잘게 다진 피자 치즈를 고루
뿌린다.

6 180~200℃로 예열한 오븐에 넣어 10분 정도 굽는다.

112 Kcal

야채와 달걀을 넣어 촉촉하고 부드러운 두부 맛을 즐길 수 있는

두부 야채 구이

 재료 · 4인분

두부 2모 · 양파 ½개 · 당근 ½개 · 표고버섯 4개 · 완두(통조
림) 3큰술 · 식용유 2큰술 · 달걀 2개 · 소금 약간 · 후춧가루
약간

이렇게 만들어요

1 두부는 물기를 짜서 으깨고, 달걀은 소금을 넣어 푼다.

2 양파와 당근은 손질하여 가늘게 채썰고, 표고버섯은 물
에 불려 기둥을 떼어 낸 후 채썬다.

3 완두는 통조림된 것으로 준비하여 뜨거운 물을 끼얹어 물기를
뺀다.

4 기름 두른 팬에 양파 · 당근 · 표고버섯을 넣어 볶다가 으깬 두부와
완두를 넣고 소금 · 후춧가루로 간하여 볶는다. 어느 정도 볶아지면 달
걀을 넣어 섞는다.

5 오븐용 그릇에 담아 고르게 다듬어서 170℃ 오븐에서 15분 정도 굽
는다.

372 Kcal

해물 버터 구이

◀ 잠실에 사는 오향환씨

오향환 씨는 찌개, 전골에서부터 서양식 스테이크·쿠키에 이르기까지 다양한 요리를 가스 오븐 레인지로 연출해내지만, 특히 자랑하는 것은 해물 버터 구이이다. 가락시장에서 직접 사온 굴·대합·홍합 등의 해물에 마늘과 파슬리를 다져 넣고 만든 마늘 버터를 듬뿍 얹어 오븐에서구어 낸 해물 버터 구이의 맛이란 일류 호텔의 고급 요리에 뒤지지 않는다. 쉬워 보이지만 은근히 손이 가는 요리라 자주는 못하지만 남편의 별미 술안주로, 손님상의 특별 메뉴로 이 요리를 자신 있게 내놓는다. 가락 시장과 가깝다는 이점을 한껏 살려 신선도 최고인 해물을 구입하고, 마늘 버터는 한꺼번에 많이 만들어 냉장고에 넣어 두었다가 필요할 때마다 사용해 요리에 드는 시간을 줄이기도 한다.

■ 재료 · 4인분

대합 4개 · 굴 8개 · 홍합 8개 · 버터 2큰술 · 마늘 6쪽 · 파슬리 약간 · 소금 약간 · 레몬 ½개

POINT

일류 호텔 못지않은 버터 구이의 맛을 살리려면 대합과 굴 등의 신선도가 중요하므로 구입해서 바로 조리한다.

대합·홍합·굴 등은 깨끗이 씻은 후 소금물에 담가 해감을 토하게 한다.

대합과 홍합은 물에 넣어 살짝 삶고 굴은 한쪽 껍데기를 떼어 내고 씻는다.

POINT

대합과 홍합은 끓는 물에 먼저 살짝 데친 다음 오븐에 구우면 물기가 덜 생겨 맛있게 구워진다.

POINT

다진 마늘과 파슬리, 소금으로 만드는 마늘 버터는 우리 입맛에 잘 맞는 드레싱이다. 한꺼번에 많이 만들어 냉장고에 넣어 두면 요리 시간을 줄일 수 있다.

대합과 홍합, 굴 위에 마늘 버터를 얹어 접시에 담아 접시째 오븐에 넣고 익힌다.

오븐에서 꺼낸 대합, 홍합, 굴 위에 얇게 썬 레몬을 얹는다.

POINT

레몬은 해산물의 향기를 더욱 신선하게 만드는 양념이므로 먹기 직전에 얇게 썰어 해산물 위에 얹거나 즙을 짜서 조금씩 뿌린다.

■ 이렇게 만들어요

1 대합과 홍합은 깨끗이 씻어 각각 소금물에 담가 해감을 토하게 한다.
2 굴은 깨끗이 씻어 소금물에 담가 해감을 토하게 한 후 한쪽 껍데기를 떼어 낸다.
3 냄비에 물을 붓고 손질한 대합과 홍합을 넣어 입이 벌어질 정도로만 살짝 삶아 한쪽 껍질을 떼어 낸다.
4 마늘은 곱게 다지고, 파슬리는 씻어 물기를 뺀 후 잘게 다진다. 레몬은 깨끗이 씻어 얇게 반달썰기한다.
5 그릇에 버터를 담고 다진 마늘과 파슬리, 소금을 넣고 잘 섞어 마늘 버터를 만들어 준비한 대합 · 홍합 · 굴 위에 마늘 버터를 얹는다.
6 내열 접시에 담아 180℃ 오븐에서 2분 정도 가열한다.
7 오븐에서 대합 · 홍합 · 굴을 꺼낸 다음 얇게 썰어 놓은 레몬을 위에 얹어 상에 낸다.

식단 짜기

같은 재료라도 다양하고 색다르게, 가족의 건강도 고려해 식탁을 차리세요

메뉴는 가족의 건강을 고려한다

· 가족 구성원에게 필요한 영양소를 생각한다
바쁜 생활 속에서 한 가족 구성원 모두가 한 자리에서 식사하기란 그리 쉬운 일이 아니다. 아침은 간단히 때우고 점심은 밖에서 해결하고 결국 집에서의 가족 식사는 저녁 한 끼가 되기 쉽다.
따라서 한 끼로 영양을 생각해야 하고 건강을 생각해야 하고 또 식성까지 생각하자면 준비가 어려울 수밖에 없다.
가족의 건강을 위한 메뉴 준비는 우선 가족 구성원의 특징을 생각하는 것에서 출발한다. 성장기의 어린이, 비만 상태의 자녀, 열량 공급이 충분해야 할 수험생, 병약한 노인, 성인병의 위협을 받는 중년 등을 고려한다.
· 영양소가 골고루 든 다양한 재료를 선택한다
밥을 위주로 하는 식생활 패턴 때문에 아직도 탄수화물의 과잉 섭취, 비타민·단백질·무기

질의 부족 현상이 가시지 않고 있다. 때문에 메뉴를 정하는 데도 밥 위주의 식단에서 벗어나 부족되기 쉬운 영양소가 골고루 함유된 다양한 재료의 일품 요리를 생각한다. 활동과 성장·신체 기능을 위해 필요한 열량을 섭취해야 하지만 무조건 많은 음식을 섭취하기보다는 질 좋은 단백질 식품과 야채류를 이용한 메뉴로 영양의 균형을 잡는다.

재료의 변화를 생각한다

· 같은 날 식탁에 같은 재료가 겹치지 않게
식탁의 다양성은 우선 요리 재료가 되는 식품의 다양성에서 비롯될 것이다.
콩나물을 듬뿍 사서 반은 콩나물국을, 나머지 반은 콩나물 무침을 만들어서 저녁 식탁에 동시에 올렸다면 그 날의 메뉴는 0점. 한 가지 재료를 사서 두세 가지 요리를 만드는 아이디어는 좋지만 같은 날 식탁에는 올리지 말자. 채소 요리가 한 가지 있으면 그외 육류·어류·두부 등 다양한 식품으로 식탁의 변화를 연출한다.
· 밑반찬을 적절히 활용한다
최소의 시간을 들여서 즐거운 식탁을 마련하려면 밑반찬을 몇 가지 준비해 둔다. 장조림·깻잎 장아찌·마늘 장아찌 등 한동안 저장해 두고 먹을 수 있는 밑반찬들 가운데 서너 가지를 준비해 두었다가 그 날의 메뉴에 따라 적절히 상에 올린다.

· 같은 재료라도 다양한 조리법을
반찬거리 쇼핑을 하다 보면 자연 값이 싸고도 가족들이 즐기는 식품에 손이 가게 마련이다. 하지만 살 때마다 조리 방법마저 똑같으면 곤란하다. 값싼 고등어라도 소금구이·간장 조림·고추장 조림 혹은 무를 곁들인 조림, 양파·감자를 곁들인 조림 등 조리법을 달리해 메뉴의 폭을 넓혀 보자.

맛있고 즐거운 식사를 하려면

· 가족의 식성을 유도한다
가족의 식성은 주부에 의해 만들어진다. 얼큰한 음식을 좋아한다고 매운 음식만을 준비한다거나 단것을 좋아한다고 해서 설탕을 듬뿍 넣는다면 식성을 더욱 나쁘게 할 뿐만 아니라 건강까지 해치게 한다. 그러나 일단 자극적인 맛에 식성이 길들여지게 되면 더 짠것, 더 매운것을 찾게 되기 일쑤. 건강을 위해 싱거운 음식, 자극성이 없는 음식에 가족의 입맛이 길들여지도록 조리하는 습관을 기르자.
· 자신의 장기를 살린 요리를 확보한다
이것저것 음식을 만들다 보면 가족들이 가장 맛있게 먹는 것, 또 요리하는 데 자신이 있는 메뉴가 생기게 마련이다. 그런 메뉴를 몇 가지 가지고 있으면 자신의 요리 솜씨에 자신을 가질 수 있다. 예를 들어 가족 중에 피곤하여 입맛을 잃거나 컨디션이 안 좋은 사람이 있을 경우 그날 메뉴는 자신 있는 메뉴로 정한다.
· 끊임없이 새롭게 시도한다
매일같이 반찬 걱정을 하면서도 뭔가 새로운 노력은 하지 않은 채 그날그날 쉽게 때워 버리는 경우가 없지 않다. 식생활을 알차고 즐겁게 이끌려면 주부가 끊임없이 노력해야 한다. 절약하여 새 조리 기구를 구입해 메뉴의 폭을 넓히거나 요리 책을 통해 새 요리법을 배우는 등 솜씨를 키우는 노력을 한다.

빠르고 알차게 식사 준비하기

POINT 1 재료를 한꺼번에 구입한다
요리를 하는 데 걸리는 시간도 있지만 쇼핑하는 데 걸리는 시간도 무시할 수 없다. 쉬는 날을 택하여 일주일분의 재료를 한꺼번에 구입하여 밑손질을 하여 냉동시킬 것은 냉동실에, 냉장시킬 것은 냉장실에 넣어 두었다가 그때그때 조리한다. 특히 제철 식품은 많이 사서 말리거나 얼려 두면 저렴한 가격에 다양한 반찬으로 식탁을 꾸밀 수가 있다.

POINT 2 양념류와 국물류는 미리 만들어 둔다
요리할 때마다 파를 다지고 마늘을 다지고 생강즙을 내다 보면 은근히 시간을 걸린다. 어느 요리에나 들어가는 파·마늘·생강·양파 등은 다져서 냉장고에 늘

준비해 둔다. 또 멸치 국물·다시마 국물·육수는 미리 많은 양을 준비해 우유 팩 등에 담아 냉동실에 넣어 둔다. 오래 보관하지 않는다면 병에 담아 냉장고에 넣어도 된다. 우유 팩이나 병에는 이름표를 써붙이면 쉽게 찾아 쓸 수 있다.

POINT 3 통조림과 냉동 식품을 활용한다
통조림과 반조리된 냉동 식품은 밑손질을 하는 데 수고와 시간이 걸리지 않아 유용하게 이용할 수가 있다. 하나부터 열까지 통조림과 인스턴트 식품만을 이용한다면 문제가 있지만 여벌의 편리한 소재로는 효과적으로 이용해 볼 만하다. 단 냉동 식품은 천천히 해동

시키기 위해 저녁 식탁에 낼 때는 아침에 냉동실에서 냉장실로 옮겨 두는 것이 좋다.

POINT 4 한 번에 할 때 많이 해둔다
요리는 원래 시간이 많이 걸린다. 따라서 한 번에 요리하는 시간을 최대한 활용한다. 갈비찜이나 밥, 데친 나물, 으깬 감자 등은 얼마든지 냉동실에 보관했다가 해동시켜 먹어도 맛이나 영양가에 변함이 없다.

POINT 5 남은 음식은 충분히 활용한다
음식은 먹을 만큼 해도 남게 되게 마련이다. 이럴 때 똑같은 반찬을 그대로 올리기보다는 다른 조리법으로 변형을 하면 편리하다. 남은 나물로 비빔밥을 하거나 잡탕 찌개에 응용하고, 데친 오징어가 남았다면 양념을 더해 초무침을 만든다. 남은 음식으로 재조리를 하므로 시간도 별로 안 걸리고 새 음식이 더 생기게 된다.

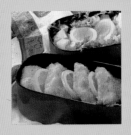

늘 집에 있는 재료로 맛있게 만드는 한끼 반찬

도시락 요리

도시락 요리

영양과 맛, 색깔도 살려서 만들어요

어묵 꼬치 · 피망전 도시락

음식점에서 사서 먹는 점심은 영양면에서나 위생적인 면에서 또 경제적인 면에서 바람직하다고 할 수 없다. 그래서 학생뿐 아니라 직장에 근무하는 사람도 차츰 도시락을 가지고 다니는 경우가 많아지고 있다.

🍱 도시락 준비하기

• 영양의 균형을 생각한다

바쁜 아침 시간대는 바쁘기 때문에 소홀히 하고 저녁 식사는 가볍게 한다면 도시락은 하루 필요량 가운데 충분한 영양이 갖추어져야 한다. 양은 적지만 단백질이 풍부한 육류 · 생선 · 달걀을 주된 반찬으로 야채 · 김치 · 밑반찬 등을 곁들이로 하여 조금씩 많은 종류의 반찬을 담는다.

밥이나 빵만 많고 반찬은 조금밖에 없다든가 고기와 생선 등 동물성 식품만 많고 야채는 부족한 도시락보다는 여러 가지 식품이 골고루 들어가게 한다.

• 맛과 색을 조화시킨다

단맛 · 짠맛 · 쓴맛 · 신맛 · 매운맛을 모두 살려서 만드는 것이 가장 이상적이다. 가장 기본이 되는 짠맛이 나는 멸치 조림 · 장아찌 등의 밑반찬을 기본으로 하고 달걀 · 치즈 · 고기 · 생선 등 단맛이 나는 단백질 식품, 신맛이 나는 김치 등을 곁들인다. 또 도시락 뚜껑을 열었을 때 산뜻한 빛깔이 입맛을 돋우므로 재료의 자연적인 색을 최대한 살려 조리하되 흰색 감자, 파란 채소, 붉은 고기 등 여러 가지 반찬을 골고루 담아 자연스럽게 색과 맛이 조화를 이루게 한다.

• 국물이 흐르지 않는 조리법으로 준비한다

국물이 흐르면 아무리 맛있는 음식이라도 입맛을 잃게 된다. 너무 마르고 빡빡해도 먹기에 좋지 않지만 조리거나 굽기 · 볶기 · 튀김 등으로 국물이 거의 없을 정도로 만들어야 한다. 특히 식초를 넣은 생채 종류는 국물이 생기고 맛이 변하므로 도시락 반찬으로 적당치 않다.

🍱 도시락 담기

• 맛과 냄새가 배지 않도록 담는다

도시락은 다른 사람들과 함께 먹는 음식이므로 특히 담기에 신경을 쓴다. 반찬이 아무리 맛있어도 서로 섞이거나 국물이 흐르면 맛있게 먹을 수가 없다. 주위의 밥이나 반찬에 섞이지 않도록 알루미늄 포일, 랩 등으로 싸거나 상추, 양배추로 칸막이를 한다. 여러 가지 모

여유만만, 도시락 반찬 싸기

전날 밤 반찬을 이용한다
아침에 일어나자마자 밥과 반찬을 준비하려면 바쁘게 마련이므로 전날 밤에 저녁 반찬을 덜어 놓거나 약간 맛을 달리 하여 다른 반찬으로 바꾸어 사용한다. 새로 만든다면 바로 조리할 수 있도록 밑준비를 미리 해둔다.

예비용 밑반찬을 준비한다
도시락 반찬뿐만 아니라 뜻밖의 손님상, 술안주 등으로 활용할 수 있는 밑반찬을 몇 가지 장만해 둔다. 쇠고기나 돼지고기 장조림 · 장아찌 · 콩자반 · 어포 볶음 · 오이 초절임 등 짭짤한 밑반찬을 마련해 놓고 도시락에 조금씩 담고 한두 가지의 새로운 반찬으로 변화를 주면 맛있는 도시락을 준비할 수가 있다.

가공 식품을 이용한다
아침밥과 도시락 반찬 2, 3가지를 한꺼번에 준비하기란 쉬운 일이 아니다. 이 때 요긴한 것이 별다른 손질없이 바로 반찬으로 간단하게 만들 수 있는 햄 · 소시지 · 어묵 · 각종 냉동 식품 · 통조림 등이다.

영양을 듬뿍 담은 도시락, 샌드위치 만들기

재료 · 4인분
식빵 12장 · 햄 3장 · 치즈 3장 · 오이 1개 · 토마토 1개 · 비트 1개 · 달걀 1개 · 셀러리 ½줄기 · 양파 ½개 · 마요네즈 5큰술 · 올리브, 검정 올리브 5개씩

이렇게 준비하세요
1 식빵은 구운 지 하루 정도 지난 것으로 준비하여 0.5cm 두께로 썬다.
2 햄과 치즈는 썰어진 것으로 준비하고, 오이와 토마토, 비트는 얄팍얄팍하게 썬다.
3 달걀은 완숙하여 껍질을 벗긴 다음 잘게 다지고 셀러리와 양파도 손질하여 잘게 다진다. 달걀 · 셀러

리 · 양파에 마요네즈를 넣어 고루 섞는다.

이렇게 만들어요
4 식빵에 마요네즈를 바르고 햄과 치즈를 빵 사이사이에 넣는다. 같은 방법으로, 오이 · 토마토 · 비트도 식빵에 마요네즈를 바르고 사이에 얹어 샌드위치를 만든다.
5 달걀 샐러드도 식빵에 얹어서 샌드위치를 만들고, 둥근 샌드위치는 식빵 가운데 올리브와 검정 올리브를 각각 놓고 햄이나 치즈를 얹어 돌돌 말아서 만든다.
6 여러 가지 샌드위치를 살짝 눌러 두었다가 모양이 잡히면 가장자리를 잘라 내고 먹기 좋은 크기로 썰어 도시락

에 담는다.

샌드위치 만들기 포인트
1 샌드위치의 속재료를 얹기 전에 반드시 빵에 버터나 마요네즈를 바른다. 그래야 시간이 지나도 눅눅해지는 걸 어느 정도 막을 수 있다.
2 젖은 행주로 싸서 무거운 것으로 눌러 두었다가 썰어서 담아야 빵도 부드럽고 속재료도 잘 붙어 있는다.
3 어린아이의 샌드위치는 말아서 작게 썰어 담는 게 한입에 쏙쏙 먹기 좋다. 꼬치에 끼워 담으면 모양도 좋고, 집어 먹기도 편하다.

양의 밀폐 용기를 사용하거나 비닐 봉지에 넣어 끈으로 묶는 것도 한 방법이다. 또 상하지 않도록 뜨거운 것과 찬것을 함께 담지 않고 뜨거운 것은 따로 식혀서 담는다.

• 모양이 흐트러지지 않도록 담는다
도시락은 가지고 다녀야 하므로 도중에 모양이 흐트러지지 않도록 신경을 써야 한다. 담는 분량과 도시락 용기가 꼭 맞게 넣어야 한쪽으로 몰리지 않는다. 밥이 한쪽으로 몰리지 않게 한쪽에만 반찬을 담는 것보다도 가운데 반찬을 둔다든지 밥 위에 덮어 씌운다든가, 주먹밥을 만들어 넣는다.

• 밥과 반찬의 비율을 맞춘다
밥과 반찬은 대체로 밥 1에 반찬 1~1.3 정도가 적당하다. 밥은 눌러 담지 않아야 하는데, 많이 넣고 싶을 때는 주먹밥이 좋다. 반찬은 단백질 식품을 1이라고 한다면 채소나 감자류는 2~3이 되게 한다.

🔱 여러 가지 도시락

스코치 에그 도시락

CHECK CHECK

계절별 도시락 싸기 포인트

봄 · 가을
벚꽃놀이나 단풍놀이와 같이 야외로 나가는 경우가 많다. 이럴 때 도시락 반찬은 물기가 빠지지 않는 것으로 간이 약간 진하게 하고 신선한 채소가 많이 나므로 계절의 미각을 살리는 채소 샐러드나 무침 등이 좋다.

여름
식욕이 감퇴하고 몸의 컨디션이 원활치 못하고 음식물도 부패하기 쉬운 여름철엔 특별히 주의를 기울여야 한다. 볶음밥이나 잡채밥 등은 상하기 쉬우므로 피하고 식빵도 굽거나 튀겨 수분을 없앤다. 뜨거운 것은 꼭 식혀 놓는다.

겨울
영양을 고루 섭취할 수 있는 도시락이 되도록 신경쓴다. 버터 · 식용유 등의 지방은 열량도 높고 위에서 머무는 시간도 길므로 반찬은 되도록 지방 위주의 튀김이나 볶음이 좋다.

• 어린이 도시락
즐겁게 먹을 수 있도록 준비하는 것이 좋다. 반찬이 주식이 되어도 괜찮으므로 좋아하는 반찬이나 과일을 많이 담아 주어 탄수화물 위주의 식사가 되지 않도록 한다. 반찬은 직사각형으로 가늘게 썰어 젓가락으로 쉽게 집을 수 있도록 하고 밥은 먹기 쉽도록 주먹밥을 만들어 주거나 반찬을 꼬챙이에 꿰어 재미있는 모양을 만들어 준다.

오므라이스 도시락

• 학생 도시락
중고등학생 때는 일생 중에서 신체적이나 생리적 · 정서적으로 가장 왕성한 성장기이므로 영양 요구량이 최대에 달한다. 이 때 섭취한 음식이 건강을 좌우하게 되므로 영양을 골고루 섭취할 수 있도록 한다. 단백질과 과일에 중점을 두고 비만이 되지 않도록 곡물 · 유지류 · 동물성 지방 · 설탕은 되도록 줄인다.

• 직장인 도시락
성장이 끝나고 안정된 때이므로 현재의 상태를 유지하기 위한 균형식이 필요하다. 따라서 밥을 많이 담은 당질 위주에서 벗어나 식품을 골고루 섞어서 먹기 좋게 한다. 비타민 A · C가 많이 들어 있는 녹황색 채소나 정신적 지구력에 영향을 주는 비타민 B_1이 많은 보리빵 · 돼지고기 · 호두 등과 소화 흡수가 잘 되는 우유 제품 · 채소 · 해초 · 버섯 등을 이용해 단백질과 비타민의 영양을 섭취하게 한다.

• 야외 도시락
놀러 나갈 때에 가지고 가는 것이므로 즐거운 기분을 충분히 살릴 수 있도록 준비한다. 야외에서 먹으므로 양념은 다소 진하게 하고 짠맛을 중심으로 신맛 · 단맛의 반찬에 김치 · 레몬 · 오렌지 등을 곁들여 상큼하고도 즐거운 기분을 살릴 수 있게 한다.
주먹밥 · 꼬치 요리 · 샌드위치 · 경단 등은 그

점심시간을 더욱 즐겁게 하는 과일
도시락은 집에서의 식사와는 달리 항상 부족한 점이 있기 마련. 정성과 사랑이 듬뿍 든 도시락을 싸려면 영양을 보충하는 것뿐만 아니라 식사 후의 입맛을 개운하게 해주는 제철 과일 등의 후식도 함께 보기 좋게 담아 점심 시간을 즐겁게 해주자.

포도 빛깔이 다른 것으로 조금씩 준비하여 흐르는 물에 여러 번 씻어 담는다.

바나나 껍질을 벗겨 통으로 썬 뒤 색이 변하지 않게 레몬 즙을 뿌려 담는다.

배 토끼 모양으로 깎아 설탕물에 잠깐 담갔다 꺼내어 담는다.

사과 씨를 빼고 예쁘게 무늬를 넣어 껍질을 깎은 뒤 설탕물에 담갔다 건져 낸다.

감 씨를 빼고 무늬를 예쁘게 넣어 껍질을 벗긴 뒤 담는다.

키위 껍질을 벗겨 통으로 썰어 담고 체리를 한두 개 곁들인다.

냥 손으로 집어 먹을 수 있어 간편하다. 담을 때는 빛깔을 고려해서 담되 몇 사람분을 한꺼번에 푸짐하게 담아 둘러 앉아 먹는 재미를 만끽하도록 한다.

상추쌈 도시락

다진 고기로 만들어 부드럽게 씹히고 성장기 어린이들에게 좋은

고기 완자 도시락

664 Kcal

고기 완자 소스 조림

다진 돼지고기에 파·생강즙·녹말가루·
양념을 넣고 치댄다. **2**

고기 반죽으로 동그랗게 완자를 빚어 중간
온도의 기름에서 튀긴다. **3**

토마토 케첩·물·소금·설탕을 넣고 끓이
다 튀긴 완자와 당근·피망을 넣고 조린다. **5**

● 고기 완자 소스 조림

 재료·1인분

돼지고기 100g · 당근 ¼개 · 피망 1개 · 파, 생강 약간씩 · 녹말가루 1큰술 ·
식용유 적당량 · 토마토 케첩 1큰술 · 설탕 ½큰술 · 소금, 후춧가루 약간씩

이렇게 만들어요

1 돼지고기와 파는 곱게 다지고 생강은 즙을 낸다.
2 돼지고기에 파·생강즙·소금·후춧가루·녹말가루를 넣고 잘 치
댄다.
3 고기 반죽으로 동그랗게 완자를 빚어 중간 온도(170~180℃)의 기
름에 넣고 튀긴다.
4 당근은 얇게 저며 꽃 모양으로 찍고, 피망은 손질하여 적당히 썰거
나 꽃 모양으로 찍어서 기름 두른 팬에 잠깐 볶는다.
5 냄비에 토마토 케첩과 물(3큰술)·소금·설탕을 넣고 끓인 후 튀긴
완자와 당근·피망을 넣고 자작자작하게 조린다.

● 오이 나물

 재료·1인분

오이 ½개 · 식용유 약간 · 참기름 약간 · 실고추, 소금 약간씩

이렇게 만들어요

오이는 얇게 통썰기하여 소금에 절였다가 기름 두른 프라이팬에 볶으
면서 참기름과 실고추를 넣는다.

● 주먹밥

 재료·1인분

밥 1공기 · 파슬리 1줄기 · 달걀 1개

이렇게 만들어요

1 달걀은 삶아 노른자만 가루를 내고, 파슬리는 다져서 베보자기에 싸
물에 헹군 뒤 짠다.
2 밥을 뭉쳐 주먹밥을 만들어서 그릇에 담고 위에 가루낸 노른자와 파
슬리를 뿌린다.

● 도시락 반찬을 보다 쉽게 장만하려면

도시락 반찬이라고 따로 정해 놓고 3~4가지씩 만들려면 번거롭고 힘드므로
집에 있는 반찬을 활용해 보는 것도 좋다. 시금치 나물이나 멸치 볶음, 장조
림 등 식탁에 올랐던 반찬을 약간 조리법을 달리 해서 싸주는 등의 지혜가 필
요하다.

꼬챙이에 뀐 모양새가 예쁘고 맛도 깔끔해 야외 도시락으로 좋은

풋고추 산적 도시락

● 풋고추 산적

 재료 · 1인분

쇠고기 100g · 풋고추 12개 · 파 1뿌리 · 마늘 2쪽 · 진간장 1큰술 · 설탕, 식용유 약간씩 · 참기름, 깨소금, 후춧가루 약간씩

이렇게 만들어요

1 쇠고기는 살코기로 준비하여 넓적하게 저며서 칼집을 넣은 다음 풋고추 크기로 썰어 놓는다.
2 쇠고기에 파 · 마늘을 곱게 다져 넣고 갖은 양념을 한 다음 꼭지를 뗀 풋고추와 번갈아 가면서 꼬챙이에 뀐다.
3 기름 두른 프라이팬에 풋고추 산적을 놓고 앞뒤로 지져 익힌다.

● 달걀 김말이

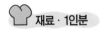 **재료 · 1인분**

달걀 2개 · 멸치 국물 1큰술 · 김 1장 · 식용유, 소금, 설탕 약간씩

이렇게 만들어요

1 달걀은 잘 풀어서 소금 · 설탕과 멸치 국물(또는 물)을 넣고 섞어 놓는다.
2 사각 팬에 거즈로 살짝 기름을 묻힌 뒤 달걀 푼 것을 부어 반쯤 익었을 때 김을 얹고 돌돌 말아 2cm 두께로 썬다.

● 어묵 조림

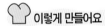 **재료 · 1인분**

어묵 100g · 진간장 1큰술 · 설탕 1큰술 · 청주 ½ 큰술

이렇게 만들어요

어묵은 얇게 썰어 더운 물을 끼얹어 기름을 뺀 뒤, 진간장 · 설탕 · 청주를 끓이다가 어묵을 넣어 간이 배도록 조린다.

● 곁들이

도시락에 밥을 담고 위에 풋고추 산적을 얹는다. 반찬 그릇에는 달걀 김말이와 어묵 조림을 담고 깍두기와 장아찌를 곁들인다.

도시락을 쌀 때는 조리법을 다양하게

도시락 반찬을 만들 때는 영양소도 골고루 갖춰져야 하지만 조리법도 최대한 다양하게 하는 것이 포인트. 짭짤한 맛이 강한 조림류가 있으면 담백하고 심심한 부침류, 상큼한 샐러드나 초무침, 매콤한 구이류 등을 중복되지 않게 곁들이면 훨씬 변화있고 즐거운 도시락 시간이 된다.

POINT

풋고추 산적

쇠고기는 넓적하게 저며 간이 잘 배도록 칼집을 넣고 풋고추 크기로 썬다.

쇠고기에 파 · 마늘을 곱게 다져 넣고 갖은 양념을 해 꼬챙이에 풋고추와 번갈아 뀐다.

기름 두른 팬을 달구어 풋고추 산적을 놓고 앞뒤로 지져 익힌다.

710 Kcal

고기를 싸서 구수한 쌈장과 함께 먹는 재미가 쏠쏠한

상추쌈 도시락

252 Kcal

● 상추쌈

🧑‍🍳 재료 · 1인분

상추, 쑥갓, 깻잎, 풋고추 적당량씩 · 오이 1개 · 당근 1개 · 쌈장(된장 5큰술, 표고버섯 2개, 쇠고기 50g, 풋고추 2개, 파 1뿌리, 마늘 2쪽, 생강 1쪽)

🧑‍🍳 이렇게 만들어요

1 쇠고기는 곱게 다져 놓고, 표고버섯은 물에 불려 채썬다.
2 파 · 마늘 · 생강은 손질하여 곱게 다지고, 풋고추는 꼭지를 떼고 송송 썰어 둔다.
3 된장을 표고버섯 불린 물(3큰술)에 푼 다음 다진 쇠고기와 표고버섯을 넣고 잘 섞어 중불에서 천천히 끓인다.
4 된장이 끓어 되직해지면 다진 파 · 마늘 · 생강과 풋고추를 넣고 고루 저어 한소끔 더 끓인 후 불에서 내린다.
5 상추 · 쑥갓 · 깻잎 · 풋고추는 흐르는 물에 여러 번 씻고, 오이와 당근은 손가락 크기로 길게 썰어 준비한다.

● 불고기

🧑‍🍳 재료 · 1인분

쇠고기 400g · 갖은 양념 적당량씩

🧑‍🍳 이렇게 만들어요

쇠고기는 얇게 저며 적당히 썰어서 다진 파 · 마늘, 깨소금 · 진간장 · 설탕 · 참기름 · 후춧가루에 재었다 팬에 익힌다.

● 곁들이

곁들이는 반찬을 2, 3가지 준비해 불고기와 함께 담으면 푸짐한데, 호박전 · 새우 볶음 · 달걀 조림 등이 좋다. 밥은 잡곡밥이 더 맛이 있다.

독특한 맛의 쌈장 만들기

마요네즈 된장
재료 2컵분 된장 3큰술 · 마요네즈 3큰술 · 고춧가루 ½큰술 · 실파 조금 · 레몬즙 1작은술 · 통깨 약간
된장에 마요네즈를 섞으면 부드러우면서도 고소한 맛의 쌈장이 된다. 오이나 당근 등의 야채를 찍어 먹어도 좋다.

혼합 쌈장
재료 2컵분 된장 ½컵 · 고추장 3큰술 · 다시마물 3큰술 · 다진 양파 4큰술 · 다진 멸치 2큰술 · 잘게 썬 붉은고추 · 풋고추 1큰술씩 · 다진 마늘 1큰술 · 설탕 ½큰술 · 참기름, 후춧가루 약간씩
팬에 참기름을 두르고 양파 · 멸치 · 붉은고추 · 풋고추 · 마늘을 넣고 볶다가 된장과 고추장을 넣고 같이 볶는다. 다시마물을 넣어 농도를 맞춘 다음 설탕 · 후춧가루 · 참기름을 넣고 조금 더 볶는다.

POINT

상추쌈

1

쇠고기는 곱게 다지고 표고버섯은 물에 불려서 채썬다.

4

된장을 표고버섯 불린 물에 푼 다음 재료를 넣고 끓이다 되직해지면 양념을 넣는다.

양념을 해 즉석에서 구우면 더욱 제 맛이 나는 야외 도시락

돼지갈비 구이 도시락

● 돼지갈비 구이

재료 · 1인분

돼지갈비 1.2kg · 대파 2뿌리 · 풋고추 50g · 마늘 2통 · 양념장(고춧가루 3큰술, 마늘 5쪽, 진간장 6큰술, 깨소금 2큰술, 설탕 2큰술, 참기름 2큰술, 청주 2큰술, 실파 5뿌리, 생강 2쪽)

이렇게 만들어요

1 돼지갈비를 적당한 크기로 토막내어 저민 뒤 뼈 부분에 칼집을 넣고 두꺼운 지방층만 적당히 떼어 낸 다음 찬물에 담가 핏물을 뺀다. 돼지고기 맛은 지방에 있는데 쇠고기와는 달리 살코기에 지방이 들어가 있지 않으므로 두터운 지방층만 떼어 내고 조리한다.

2 양념장에 쓸 실파 · 마늘 · 생강은 곱게 다져 놓고, 구이에 쓸 대파와 마늘은 굵직하게 썬다. 풋고추는 깨끗하게 손질한다.

3 볼에 고춧가루 · 진간장 · 깨소금 · 설탕 · 참기름 · 청주 · 파 · 마늘 · 생강을 섞어 고춧가루 양념장을 만든다.

4 준비한 돼지고기를 양념장에 넣어 골고루 손으로 버무린다.

5 프라이팬을 달구어 버무린 갈비를 놓고 앞뒤로 뒤집어 완전히 익혀 낸다. 대파와 마늘 썰어 둔 것과 풋고추를 남은 양념장에 버무려 갈비와 함께 살짝 굽는다.

● 곁들이

밥 4인분을 담아 갈비 구이와 함께 먹을 수 있도록 준비하고, 프렌치빵과 야채들을 먹기 좋게 손질하여 담는다.

돼지갈비 케첩 조림

토마토 케첩을 이용하면 평소 즐기던 것과는 다른 달콤한 돼지갈비 맛을 즐길 수 있다.

재료 · 4인분

돼지갈비 600g · 식용유 3컵 · 돼지갈비 양념(소금 $\frac{1}{2}$작은술, 진간장 2큰술, 밀가루 1큰술, 녹말가루 1큰술, 육수 2큰술) · 소스(식용유 2큰술, 고추기름 1큰술, 토마토 케첩 1큰술, 설탕 1큰술)

이렇게 만들어요

① 돼지갈비는 적당한 크기로 잘라 물에 담가 핏물을 뺀 뒤, 소금 · 진간장 · 밀가루 · 녹말가루 · 육수를 넣고 버무려 2~4시간 동안 재어 둔다.

② 팬에 기름을 두르고 뜨겁게 달군 다음 양념에 재어 놓은 돼지갈비를 넣고 센불에서 갈색을 띨 때까지 튀겨 낸다.

③ 팬에 기름 2큰술을 두르고 고추기름 · 토마토 케첩 · 설탕과 물 2큰술을 넣어 약한 불에서 끓여 소스를 만든다. 소스에 튀겨 놓은 돼지갈비를 넣고 잘 섞는다.

돼지갈비 구이
1 돼지갈비는 간이 잘 배도록 뼈 부분에 칼집을 넣어 찬물에 담근다.

4 돼지갈비를 양념장에 넣어 골고루 손으로 버무린다.

5 프라이팬을 달구어 버무린 갈비를 놓고 앞뒤로 뒤집어 완전히 익혀 낸다.

662 Kcal

금방 피로해지는 여름철 도시락에 어울리는 영양 많은 튀김

생선 커틀릿 도시락

607 Kcal

 ● 생선 커틀릿

재료 · 1인분

흰살 생선 100g · 밀가루 5큰술 · 빵가루 5큰술 · 달걀 1개 · 식용유 3컵 · 레몬 약간 · 소금, 후춧가루 약간씩

이렇게 만들어요

1 생선은 동태나 민어 등의 흰살 생선으로 준비하여 가시는 발라 내고 살만 포를 떠 적당한 크기로 자른 뒤 소금·후춧가루를 뿌려 밑간을 해둔다.
2 달걀은 깨뜨려 노른자와 흰자가 잘 섞이도록 젓는다. 레몬은 얇게 썰어 놓는다.
3 소금 간이 밴 생선살에 밀가루를 묻히고 여분의 가루를 털어 낸 뒤, 달걀 푼 것에 담갔다 빵가루를 입힌다.
4 튀김 냄비에 식용유를 두르고 가열한 뒤 준비한 생선살을 넣어 노릇 노릇하게 튀겨 낸다.
5 도시락에 생선 커틀릿을 담고 레몬을 1조각씩 사이에 끼워 넣는다.

 ● 야채 샐러드와 삶은 달걀

재료 · 1인분

달걀 1개 · 야채 샐러드 적당량

이렇게 만들어요

1 달걀은 노른자가 가운데 오도록 굴리면서 삶은 뒤 반으로 자른다.
2 당근과 감자는 적당한 크기로 깍둑썰기하여 끓는 물에 살짝 데친 뒤 물기를 빼고 소금으로 간하여 마요네즈에 골고루 버무린다.

POINT

생선 커틀릿

1

3

흰살 생선은 살만 포를 떠 소금·후춧가루로 밑간을 해둔다.

생선살에 밀가루·달걀·빵가루 순으로 옷을 입혀 가열한 튀김 냄비에 넣고 튀긴다.

튀김에는 밀가루를 얇게 입힌다

튀김을 만들 때 밀가루가 많이 묻으면 모양은 물론 맛도 좋지 않다. 또 밀가루를 너무 일찍 묻혀 놓으면 재료의 수분이 밀가루에 배어 뭉치게 되므로, 요리하는 중간중간 밀가루를 묻혀 가면서 튀겨야 예쁜 튀김을 만들 수 있다. 얇게 밀가루를 묻히려면 재료를 펴놓고 체에 밀가루를 담아 톡톡 쳐서 뿌리거나 비닐 주머니에 밀가루와 재료를 넣고 흔든 다음 여분의 밀가루를 털어 내는 방법이 있다.

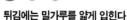

햄 · 치즈 샌드위치 튀김

재료 · 2인분

식빵 6장 · 햄 300g · 슬라이스 치즈 3장 · 버터 3큰술 · 양겨자 1큰술 · 식용유 3컵 · 튀김옷(튀김가루 ½컵, 달걀 1개, 후춧가루 · 소금 약간)

이렇게 만들어요

① 식빵은 가장자리를 잘라 정리하고 치즈와 햄은 식빵 크기에 맞게 자른다.
② 버터는 양겨자와 함께 섞어 되직하게 겨자 버터를 만든다.
③ 식빵의 한쪽 면에 겨자 버터를 바른 다음 햄을 얹고 그 위에 치즈를 얹는다. 치즈 위에는 다시 햄을 하나 더 얹고 겨자 버터 바른 식빵을 덮어 무거운 것으로 잠깐 눌러 놓는다. 샌드위치에 튀김옷을 입혀 노릇하게 튀긴다.

178

단백질이 풍부한 반찬으로 부족하기 쉬운 하루의 영양을 보충해 주는

생선 조림 도시락

● 생선 조림

 재료 · 1인분

병어 1마리 · 진간장 2큰술 · 설탕 ½큰술 · 청주 1큰술 · 식용유 적당량

 이렇게 만들어요

1 병어는 내장을 제거하고 깨끗이 씻은 뒤 살만 떠서 한입 크기로 토막낸다.

2 진간장 · 설탕 · 청주를 섞어 토막낸 병어에 끼얹어 간이 배도록 재어 놓는다.

3 팬에 기름을 두르고 병어를 잰 양념장을 먼저 따라 붓고 끓이다가, 준비한 병어를 넣어 센 불에서 재빨리 조린 뒤 윤기가 돌면 불에서 내린다.

● 오이 무침

 재료 · 1인분

오이 ½개 · 고춧가루 ½큰술 · 깨소금, 파, 마늘, 소금 약간씩

이렇게 만들어요

1 오이는 소금으로 박박 문질러 씻은 다음 얇게 통썰기하여 소금에 절였다가 물기를 꼭 짠다.

2 파와 마늘은 깨끗이 손질하여 잘게 다진다.

3 오이 절인 것에 다진 파 · 마늘, 고춧가루 · 깨소금을 넣고 버무린다.

● 달걀 말이

 재료 · 1인분

달걀 1개 · 시금치 4줄기 · 소금 적당량 · 식용유 약간

이렇게 만들어요

1 시금치는 다듬어 깨끗이 씻어서 끓는 소금물에 살짝 데친 후 기름 두른 프라이팬에 살짝 볶아 낸 다음 소금으로 간한다.

2 달걀은 소금을 넣고 흰자와 노른자가 풀어지도록 잘 저어 놓는다.

3 프라이팬에 식용유를 두르고 달구어 풀어 놓은 달걀을 부어 반숙 정도로 익히다가 준비한 시금치를 가지런히 얹고 돌돌 만다. 달걀말이가 식으면 적당한 크기로 썬다.

 생선 조린 국물에 야채를 조린다

생선을 조리고 난 국물은 고기의 맛이 배어 있어 버리기가 아깝다. 이 때는 생선의 맛과 잘 어울리는 미역 · 우엉 · 두릅 나물 · 파 등을 국물에 조려 내면 색다른 맛이 나는 반찬이 된다.

POINT

생선 조림
병어는 한입 크기로 썰어 진간장 · 설탕 · 청주를 끼얹어 밑간을 한다.

팬에 기름을 두르고 병어를 잰 양념장을 붓고 끓이다가 병어를 넣어 조린다.

오이 무침
오이 절인 것에 다진 파 · 마늘 · 고춧가루 · 깨소금을 넣고 버무린다.

달걀말이
프라이팬에 기름을 두르고 푼 달걀을 부어 익히다 시금치를 얹고 돌돌 만다.

589 Kcal

179

324 Kcal

● 옥수수 베이컨 볶음

 재료 · 1인분

옥수수(통조림) 2큰술 · 베이컨 2조각 · 마늘 2쪽 · 식용유 약간

 이렇게 만들어요

1 옥수수는 통조림으로 준비해 뜨거운 물을 살짝 끼얹어 물기를 빼 놓는다.
2 베이컨은 1㎝ 크기로 잘게 썬다.
3 프라이팬에 기름을 두르고 뜨겁게 달구어 얇게 저민 마늘을 먼저 볶아 향을 낸 다음, 베이컨을 넣고 볶다가 옥수수도 넣고 살짝 볶아 낸다. 베이컨은 센 불에서 살짝 익혀야 딱딱해지지 않는다.

264 Kcal

● 감자 베이컨 찜

 재료 · 1인분

감자 1개 · 베이컨 1조각 · 껍질콩 1개 · 육수 $\frac{1}{2}$컵 · 소금 약간 · 후춧가루 약간

 이렇게 만들어요

1 감자는 깨끗이 씻어 껍질을 벗긴 다음 한입 크기로 썬다.
2 베이컨은 감자 크기보다는 작게 썰어 놓는다.
3 껍질콩은 깨끗이 손질하여 어슷어슷하게 썬다.
4 냄비에 육수를 끓여 감자 · 베이컨 · 껍질콩을 넣고 끓이다가 감자가 익으면 소금과 후춧가루를 뿌린다.

● 오이 유부 초무침

 재료 · 1인분

오이 $\frac{1}{2}$개 · 유부 1장 · 소금 약간 · 설탕 1작은술 · 식초 2작은술

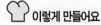 이렇게 만들어요

1 오이는 소금으로 껍질을 박박 문질러 씻은 다음 얇게 통썰기하여 소금을 약간 넣어 절인다. 다 절여지면 물기를 꼭 짜 둔다.
2 유부는 더운 물에 살짝 데쳐 내어 기름기를 뺀 다음 얇게 썰어 물기를 짜 놓는다.
3 그릇에 설탕 · 식초를 넣고 섞은 뒤 물기 짠 오이와 유부를 넣어 골고루 버무린다.

183 Kcal

영양이 풍부하고 칼로리도 높은 충실한 식사를 할 수 있는

도시락 반찬 모음 2

● 치즈 얹은 비엔나 소세지

 재료 · 1인분

비엔나 소시지 6개 · 치즈(슬라이스) 3장 · 식용유, 소금, 후춧가루 약간씩

이렇게 만들어요

1 비엔나 소시지는 뜨거운 물을 끼얹어 기름기를 빼고 어슷어슷하게 칼집을 낸다.
2 프라이팬에 기름을 두르고 달군 뒤 비엔나 소시지를 넣고 소금 · 후춧가루를 뿌리면서 볶는다.
3 치즈를 2등분하여 볶은 소시지 위에 얹고, 프라이팬의 뚜껑을 덮은 다음 약한 불에 잠깐 더 굽는다.

280 Kcal

246 Kcal

● 두부 쇠고기 볶음

 재료 · 1인분

두부 $\frac{1}{4}$모 · 쇠고기 50g · 식용유 적당량 · 파, 마늘 약간씩 · 육수 $\frac{1}{4}$컵 · 진간장 1작은술 · 청주 1작은술 · 녹말가루 1작은술

이렇게 만들어요

1 두부는 끓는 물에 데쳐 내어 주사위 모양으로 작게 썬다.
2 쇠고기와 파 · 마늘은 다진다.
3 프라이팬에 기름을 두르고 달구어 준비한 파 · 마늘을 넣고 볶다가 쇠고기와 육수 · 진간장 · 청주를 넣고 끓인다.
4 한소끔 끓으면 두부와 같은 양의 물에 갠 녹말가루를 넣어 끓인다.

● 곤약 조림

 재료 · 1인분

곤약 50g · 호박, 붉은고추 약간씩 · 베이컨 2조각 · 진간장 $\frac{1}{2}$큰술 · 미림 1작은술

 이렇게 만들어요

1 곤약은 끓는 물에 살짝 데쳐 길이로 가늘게 썬다.
2 호박은 깨끗이 손질하여 가늘게 채썰고, 붉은고추는 배를 갈라 씨를 털어 낸 뒤 길게 채썬다.
3 베이컨도 다른 재료와 같은 크기로 썰어 팬에 볶다가 준비한 곤약 · 호박 · 붉은고추를 넣어 볶고, 진간장 · 미림을 넣어 살짝 조린다.

303 Kcal

오징어 조림 도시락

527 Kcal

 오징어 조림

재료 · 1인분

오징어 ½마리 · 무 ¼개 · 풋고추 2개 · 붉은고추 2개 · 진간장 3큰술 · 설탕 1큰술 · 청주 ½큰술 · 마늘 2쪽 · 생강 약간

이렇게 만들어요

1 무는 도톰하게 반달썰기하여 끓는 물에 넣고 잠깐 동안 데쳐 꺼내 놓는다.

2 오징어는 내장과 다리를 떼어 내고 껍질을 벗긴 후 조금 굵게 고리 모양으로 썰어 끓는 물에 데친다.

3 냄비에 진간장 · 설탕 · 청주와 다진 생강 · 마늘, 물 5큰술을 섞어서 무를 넣고 조리다가 무가 갈색으로 변하면 오징어를 넣는다.

4 양념 국물이 반으로 졸아들면 2등분한 풋고추와 붉은고추를 넣고 국물이 없어질 때까지 조려 익힌다.

 불고기

재료 · 1인분

쇠고기 50g · 파, 마늘 약간씩 · 양파 ¼개 · 진간장 ½큰술 · 설탕, 깨소금, 참기름, 식용유 약간씩

이렇게 만들어요

1 쇠고기는 얇게 저미며 한입 크기로 썬 다음 진간장 · 설탕 · 참기름, 다진 파 · 마늘로 버무려 둔다.

2 양파는 껍질을 벗겨 굵직하게 채썰어 둔다.

3 기름 두른 팬에 먼저 양파를 넣고 볶다가 양념한 쇠고기를 넣어 익힌 뒤 깨소금을 뿌린다.

곁들이

오징어 조림과 불고기를 반찬 그릇에 담고, 오이와 당근을 막대 모양으로 썰어 마요네즈와 함께 곁들인다. 김치는 기름에 잠깐 볶으면 더욱 좋다. 밥은 완두밥을 준비한다.

POINT

오징어 조림

오징어는 내장과 껍질을 떼어 내고 고리 모양으로 썰어 끓는 물에 데친다.

냄비에 양념을 섞어서 무를 넣고 조리다가 오징어를 넣고 풋고추와 붉은고추를 넣는다.

오징어 손질하기

오징어는 단백질이 풍부하며, 특히 쌀과 같은 곡류에 부족한 리신이나 트레오닌 · 트립토판 등의 필수 아미노산이 들어 있는 영양가 높은 식품이다. 신선한 것은 회로 먹기도 하고 데친 숙회 · 조림 · 볶음 · 찜 · 튀김 · 찌개 · 전골 등에 다양하게 이용할 수 있어 응용 범위가 넓은 음식 재료이다.

손질할 때는 다리 부분을 쑥 잡아당겨 내장과 다리를 먼저 떼어 낸다. 몸통 속에 남아 있는 연골을 빼낸 다음 흐르는 물에서 몸통 속을 깨끗이 씻어 낸다. 껍질은 소금을 뿌리고 마른 헝겊이나 종이 타월로 벗겨 내면 말끔히 벗겨진다. 몸통과 분리한 다리는 칼끝으로 눈을 말끔히 도려 내고 다리 안쪽의 빨판을 엄지로 꾹 눌러 제거하고, 흡판을 말끔히 칼로 긁어 낸다.

오징어는 안쪽에 칼집을 넣으면 조직이 연해져서 먹기도 좋고 모양도 훨씬 돋보이는데 사선으로 촘촘하게 칼집을 넣은 뒤 다시 처음의 칼집과 직각이 되도록 칼집을 넣는다.

오징어는 너무 익히면 딱딱하고 질겨지므로 조리할 때는 팬을 달구어 센 불에서 재빨리 익혀 내야 한다.

메추리알 조림 도시락

● 메추리알 조림

재료 · 1인분

메추리알 10개 · 양송이 5개 · 진간장 2큰술 · 청주 ½큰술 · 설탕 1큰술 · 풋고추 3개

이렇게 만들어요

1 메추리알은 찬물에 넣고 삶아 껍데기를 벗기고, 풋고추는 길이를 반으로 자른다.
2 양송이는 길이로 2등분하여 냄비에 메추리알과 함께 담고 진간장 · 설탕 · 청주를 넣어 조린다. 메추리알과 양송이가 어느 정도 조려지면 풋고추를 넣어 함께 조린다.

● 새우 케첩 볶음

재료 · 1인분

새우 150g · 토마토 케첩 2큰술 · 녹말가루 ½컵 · 파 ½뿌리 · 마늘, 소금, 청주, 식용유 약간씩 · 완두 ½큰술 · 붉은고추 ½개

이렇게 만들어요

1 새우는 손질하여 청주와 소금을 뿌려 두었다가 녹말가루를 체에 내려 놓고 섞는다.
2 팬에 기름을 두르고 달군 뒤 파 · 마늘을 다져 넣고 볶다가 준비된 새우를 넣어 볶는다.
3 새우가 거의 익으면 토마토 케첩을 넣고 고루 섞은 뒤 완두와 송송 썬 붉은고추를 넣고 잠깐 더 볶는다.

● 야채 볶음

재료 · 1인분

감자 ½개 · 당근 ¼개 · 피망 ½개 · 식용유, 소금, 후춧가루 약간씩

이렇게 만들어요

감자 · 당근 · 피망을 채썰어서 볶다가 소금과 후춧가루로 양념한다.

간이 잘 맞게 재료를 조리려면

조림에서 가장 어려운 것은 단맛과 짠맛이 잘 어우러지도록 간을 맞추는 것이다. 양념은 생선 조림처럼 처음부터 양념장을 만들어 간을 하는 경우와 야채 조림처럼 국물을 내어 도중에 간을 하는 경우가 있는데 모두 마무리 단계에서 맛을 내면 실패가 적다.
맛을 낼 때는 '간이 지나치면 모자란 것보다 못하다' 는 것이 포인트. 처음부터 간을 딱 맞추려고 하지 말고 약간 모자란 듯이 양념을 했다가 완성될 때 맛을 보고 조절하면 된다.

559 Kcal

 POINT

냄비에 삶은 메추리알을 넣고 진간장 · 설탕 · 청주를 넣어 조린다. **2**

새우는 청주 · 소금을 뿌려 두었다가 녹말가루를 체에 내려 섞는다. **1**

새우가 거의 익으면 토마토 케첩을 넣고 고루 섞은 후 완두 · 붉은고추를 넣고 볶는다. **3**

김밥과 매콤한 오징어를 곁들여 먹는 담백한 맛의

충무 김밥 도시락

455 Kcal

마른 새우 튀김

재료 · 4인분
잔멸치 30g · 마른 새우 20g · 느타리버섯
50g · 생표고버섯 3개 · 당근 ⅓개 · 달걀 1개 ·
밀가루 ½컵 · 소금, 식용유 약간

이렇게 만들어요
① 멸치는 손질하여 젖은 헝겊에 싸두고 마른
새우도 손질하여 물에 불린다.
② 느타리버섯은 길이대로 찢고, 생표고버섯과 당근은 채썬다.
③ 밀가루에 소금을 약간 넣고 달걀과 물을 넣어 튀김옷을 만든 다음 재료를 튀김
옷에 넣고 잘 섞어 중온의 기름에 한 숟가락씩 넣고 바삭하게 튀긴다.

● **충무 김밥**

🧑‍🍳 **재료 · 1인분**

밥 4공기 · 김 10장 · 참기름 약간 · 소금 약간 · 오징어 무 무침(오징어 1마리, 무 ¼개, 고추장 3큰술, 진간장 ½큰술, 실파 약간, 마늘 약간, 소금 약간, 깨소금 적당량, 참기름 적당량, 설탕 적당량)

🧑‍🍳 **이렇게 만들어요**

1 밥을 고슬고슬하게 지어 뜨거울 때 소금 · 참기름을 넣고 섞는다.
2 김을 살짝 구워 길게 반으로 자른 다음 준비한 밥을 펴 얹고 가늘게 말아 3등분한다.
3 오징어는 몸통과 다리를 분리하고 내장을 제거한 뒤 껍질을 벗겨 끓는 물에 살짝 데친 다음 몸통과 다리를 손가락 길이로 썰어 놓는다. 무는 껍질을 벗기고 오징어와 비슷한 크기로 나박썰기하여 소금에 절였다가 물기를 짠다.
4 마늘은 곱게 다져 놓고, 실파는 송송 썰어 놓는다.
5 볼에 오징어와 무 썬 것을 담고 고추장 · 진간장 · 참기름 · 설탕 · 다진 마늘을 넣어 골고루 버무린 다음 담을 때 위에다 깨소금과 송송 썬 파를 얹는다.

● **어묵 조림**

🧑‍🍳 **재료 · 1인분**

어묵 100g · 당근 ¼개 · 완두 2큰술 · 설탕 1큰술 · 청주 ½큰술 · 진간장 2큰술

🧑‍🍳 **이렇게 만들어요**

1 어묵은 더운 물을 끼얹어 기름기를 빼놓고 완두는 끓는 소금물에 파랗게 데쳐 내 물기를 빼고, 당근은 완두보다 약간 큰 크기로 도톰하게 썬다.
2 냄비에 진간장 · 설탕 · 청주를 넣고 끓이다가 준비한 어묵 · 당근 · 완두를 넣고 간이 골고루 배도록 조린다.

POINT

오징어 무 무침

오징어는 끓는 물에 살짝 데쳐 손가락 길이 정도로 썰어 놓는다.

소금에 살짝 절인 무 썬 것과 오징어를 담고 양념으로 골고루 버무린다.

비빔밥 도시락

● 쇠고기 볶음

재료 · 4인분

쇠고기 200g · 식용유, 마늘, 진간장, 설탕, 깨소금, 참기름, 후춧가루 약간씩

이렇게 만들어요

1 쇠고기는 등심이나 안심으로 준비하여 가늘게 채썬다.

2 파 · 마늘은 깨끗이 씻어 다듬은 다음 다진다.

3 채썬 쇠고기에 파 · 마늘 다진 것과 진간장 · 설탕 · 깨소금 · 참기름 · 후춧가루를 넣고 양념한다.

4 프라이팬에 양념한 쇠고기를 넣고 볶아 낸다.

● 콩나물 무침 · 오이 나물 · 도라지 나물 · 고사리 나물

재료 · 4인분

콩나물 무침 콩나물 200g · 참기름, 깨소금, 소금, 다진 마늘 약간씩

오이 나물 오이 1개 · 소금, 파, 마늘, 참기름, 식용유 약간씩

도라지 나물 도라지 200g · 소금, 파, 마늘, 참기름, 깨소금, 식용유 약간씩

고사리 나물 고사리 200g · 소금, 파, 마늘, 참기름, 깨소금, 식용유 약간씩

이렇게 만들어요

1 오이는 소금으로 문질러 씻은 다음 반으로 갈라 어슷하게 썰어서 소금에 절여 물기를 짠 뒤 파 · 마늘 다진 것과 참기름을 넣고 기름 두른 프라이팬에 살짝 볶는다.

2 도라지는 잘게 찢어 소금을 넣고 주물러 헹군 뒤 물기를 거둔다. 도라지에 파 · 마늘을 다져 넣고 참기름 · 소금 · 깨소금을 넣어 무친 뒤 프라이팬에 볶는다.

3 고사리는 깨끗이 씻어서 긴 것은 적당히 자른 다음 소금 · 진간장 · 참기름 · 깨소금 · 후춧가루와 파 · 마늘 다진 것을 넣고 버무린 다음 프라이팬에 기름을 두르고 볶는다.

4 콩나물은 소금을 약간 넣고 뚜껑을 덮은 채 삶아 볼에 넣고 참기름 · 깨소금 · 소금 · 다진 마늘을 넣고 무친다.

● 양념 고추장

재료 · 4인분

쇠고기 100g · 잣 ½큰술 · 고추장 ½컵 · 참기름 1큰술 · 설탕 1큰술

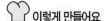 이렇게 만들어요

1 쇠고기는 잘게 다져 참기름과 설탕을 넣고 볶아 놓는다.

2 냄비에 고추장을 넣고 쇠고기 볶은 것과 잣을 넣어 섞은 뒤 부글부글 끓어오를 때까지 볶는다.

쇠고기는 살코기로 준비해 가늘게 채썰어 갖은 양념을 해 볶는다.

오이는 소금에 살짝 절였다가 물기를 꼭 짜고 양념한 뒤 프라이팬에 살짝 볶는다.

콩나물은 소금을 약간 넣고 삶아 양념을 넣고 무친다.

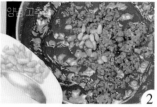

다진 쇠고기를 볶아 고추장에 넣고 고추장이 끓어오를 때까지 볶는다.

212 Kcal

소풍을 가거나 점심 도시락으로는 빼놓을 수 없는 단골 메뉴

김 초밥·유부 초밥 도시락

423 Kcal

● 김 초밥

👕 재료·4인분

초밥(쌀 2컵, 다시마 10×5㎝, 식초 2큰술, 설탕 1큰술, 소금 약간) · 김 6장 · 오이 1개 · 단무지 1개 · 달걀 4개 · 동태살 100g · 멸치 국물 ⅔컵 · 표고버섯 5개 · 소금, 설탕 적당량씩 · 청주 1큰술 · 식초, 진간장 약간씩 · 식용 물감 약간

👨‍🍳 이렇게 만들어요

1 냄비에 쌀과 물(2컵)을 붓고 다시마를 넣어 밥을 지은 뒤 뜨거울 때 식초 · 설탕 · 소금을 넣고 고루 섞어 놓는다.
2 오이 · 단무지는 막대 모양으로 길게 썰고, 표고버섯은 채썰어 진간장 · 설탕 · 멸치 국물로 조린다.
3 동태살은 끓는 물에 삶아서 설탕(1작은술) · 소금 · 식초 · 식용 물감을 넣고 약한 불에서 거품기로 저어 보푸라기를 만든다.
4 달걀은 풀어서 멸치 국물(4컵)과 소금(½작은술) · 청주 · 설탕(1큰술)을 넣고 섞은 다음 팬에 익혀 막대 모양으로 썬다.
5 김을 살짝 구워 발 위에 놓고 초밥을 편편하게 편 뒤 준비한 오이 · 단무지 · 생선 보푸라기 · 표고버섯 · 달걀을 얹고 눌러 말아 썬다.

● 유부 초밥

👕 재료·4인분

초밥(쌀 2컵, 다시마 10×5㎝, 식초 2큰술, 설탕 1큰술, 소금 약간) · 유부 8장 · 진간장 1큰술 · 설탕 1큰술 · 멸치 국물 ½컵

👨‍🍳 이렇게 만들어요

유부는 끓는 물을 끼얹고 대각선으로 2등분한 뒤, 냄비에 진간장 · 설탕 · 멸치 국물을 붓고 넣어 조린다. 김초밥과 같은 방법으로 초밥을 만들어 조려진 유부에 채운다.

POINT

김 초밥

1
다시마를 넣어 밥을 지은 뒤 뜨거울 때 식초 · 설탕 · 소금을 넣어 고루 섞는다.

3
동태살은 끓는 물에 삶아 양념을 한 후 약한 불에서 거품기로 저어 보푸라기를 만든다.

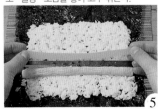
5
구운 김을 발 위에 놓고 밥을 편편하게 편 뒤 내용물을 얹고 말아 한입 크기로 썬다.

🌼🌼🌼🌼 김 초밥을 맛있게 만들려면
🌼**다시마를 넣고 밥을 짓는다** 밥을 지을 때 밥물에 다시마를 같이 넣고 끓여 다시마의 맛이 밥 전체에 고루 스며들게 한다. 다시마를 젖은 종이 타월로 닦고 가위로 몇 군데를 잘라서 넣고 끓인다. 처음에는 센 불에서 끓이다가 한 번 끓어오르면 불을 중불로 줄이고 물이 잦아들면 다시마를 꺼내고 뜸을 들인다. 너무 일찍 뜸을 들여 오랫동안 약한 불로 두면 밥이 질어질 수가 있다.
밥은 약간 되게 짓는다 진밥은 김초밥 싸기에 좋지 않으므로 약간 된 듯하게 짓는다. 쌀은 너무 오래 담가 두면 쌀알이 부서지므로 밥 짓기 30분 전에 씻어서 건져 놓는다. 밥물의 양은 평소보다 다소 적게 잡는데 햅쌀은 쌀의 1~1.1배, 묵은 쌀의 경우는 1.2~1.3배가 적당하다.
배합초는 밥이 뜨거울 때 섞는다 분량의 식초에 소금 · 설탕을 넣고 고루 저어 설탕이 완전히 녹으면 밥이 뜨거울 때 배합초를 뿌려 주걱으로 재빨리 으깨듯이 섞어 밥알에 끈기를 준다.

삼색 덮밥 도시락

● 삼색 덮밥

 재료 · 1인분

밥 1공기 · 쇠고기 80g · 설탕 1작은술 · 진간장 1큰술 · 달걀 1개 · 시금치 50g · 마늘 2쪽 · 참기름 약간 · 식용유 적당량 · 소금, 후춧가루, 깨소금 약간씩

이렇게 만들어요

1 쇠고기는 살코기로 곱게 다져 진간장 · 후춧가루 · 설탕 · 참기름, 다진 마늘로 양념해 팬에 보슬보슬해질 때까지 볶아 깨소금을 뿌린다.
2 달걀은 풀어서 소금 · 후춧가루를 넣고, 뜨겁게 달군 팬에 한꺼번에 부어 젓가락으로 저으면서 볶는다.
3 시금치는 끓는 소금물에 줄기 부분부터 넣어 데쳐 낸 뒤 잘게 썰어 진간장과 참기름, 다진 마늘을 넣고 무친다.

● 야채 튀김

 재료 · 1인분

호박 $\frac{1}{4}$개 · 양파 $\frac{1}{4}$개 · 감자 $\frac{1}{2}$개 · 붉은고추 1개 · 밀가루 4큰술 · 달걀 $\frac{1}{2}$개 · 식용유 3컵 · 소금 약간

이렇게 만들어요

1 호박 · 양파 · 감자는 곱게 채썰고, 붉은고추는 배를 갈라 씨를 뺀 뒤 채썬다.
2 달걀을 풀어 물(2큰술) · 소금 · 밀가루를 섞어 튀김옷을 만든 후 야채를 넣는다.
3 튀김 냄비에 기름을 붓고 가열한 다음 튀김옷 입힌 야채를 한 숟가락씩 떠 넣어 바삭하게 튀긴다.

● 오이 미역 초무침

 재료 · 1인분

미역 10g · 오이 $\frac{1}{4}$개 · 게맛살 20g · 설탕 2작은술 · 식초 1큰술 · 소금, 파 약간씩

이렇게 만들어요

1 미역은 물에 불려 끓는 물에 데친 후 잘게 썬다.
2 오이는 얇게 통썰기하여 소금에 절여 놓고, 게맛살은 길이로 3등분하여 가늘게 쭉쭉 찢는다.
3 냄비에 식초 · 설탕 · 소금, 다진 파와 물 1큰술을 섞어 잠깐 끓여 식힌다.
4 준비한 재료에 양념장을 뿌려 골고루 버무린다.

1 쇠고기는 살코기로 곱게 다져 양념한 후 팬에 볶는다.

2 달걀은 소금 · 후춧가루를 넣고 팬을 달구어 한꺼번에 부어 저으면서 볶는다.

3 시금치는 끓는 소금물에 줄기부터 넣어 데쳐 낸 뒤 잘게 썰어 양념을 넣고 무친다.

오이 미역 초무침
4 미역을 끓는 물에 넣어 데친 후 잘게 썰어 양념장을 뿌려 무친다.

835 Kcal

부드럽고 소화 흡수도 잘 돼 성장기 어린이에게 좋은 달걀 반찬

도시락 반찬 모음 3

● 유부 달걀 찜

 재료 · 1인분

유부 2장 · 달걀 2개 · 육수 ½컵 · 진간장 약간

 이렇게 만들어요

1 유부는 뜨거운 물에 데쳐 물기를 짠 뒤 한 면을 살짝 잘라서 자루 모양을 만들어 둔다.
2 유부에 달걀을 1개씩 깨뜨려 넣고 대꼬챙이로 봉한다.
3 냄비에 육수와 진간장을 넣고 끓이다가 준비한 유부 주머니를 넣고 15분 정도 끓인다.
4 달걀이 익으면 대꼬챙이를 빼고 적당한 크기로 썬다.

212 Kcal

250 Kcal

● 스패니시 오믈렛

 재료 · 1인분

달걀 2개 · 베이컨 1조각 · 양파, 붉은 피망 약간씩 · 감자 ⅓개 · 파슬리 약간 · 소금, 후춧가루 약간씩 · 버터 1큰술

 이렇게 만들어요

1 그릇에 달걀을 깨뜨려 넣고 소금 · 후춧가루를 넣고 푼다.
2 베이컨은 잘게 썰고, 양파와 붉은 피망도 다지듯이 썬다. 감자는 손질한 후 잘게 썰고 파슬리는 곱게 다져 달걀에 넣고 섞는다.
3 프라이팬에 버터를 넣고 달군 다음 달걀을 붓고 지져 낸 후 예쁘게 썬다.

● 메추리알 조림

 재료 · 1인분

메추리알 5개 · 육수 2큰술 · 설탕 ½큰술 · 미림 ½큰술 · 진간장 2큰술

 이렇게 만들어요

1 메추리알을 완숙이 되게 삶은 후, 찬물에 담갔다가 건져 껍질을 벗긴다.
2 냄비에 육수 · 설탕 · 미림 · 진간장을 넣고 끓으면 메추리알을 넣어 조린다.
3 메추리알을 중간 불에서 굴리면서 조려 진간장 색이 메추리알에 골고루 배도록 한다.

250 Kcal

도시락 반찬 모음 4

● 닭고기 김 말이

 재료 · 1인분

닭고기 70g · 시금치 1줄기 · 김 1장 · 달걀흰자 1개분 · 붉은 피망 약간 · 소금 약간 · 녹말가루 약간 · 식용유 적당량 · 진간장 약간

이렇게 만들어요

1 닭고기는 곱게 다지고 시금치는 소금을 약간 넣은 끓는 물에 데쳐 붉은 피망과 함께 잘게 썬다.

2 달걀흰자에 진간장을 약간 넣고, 녹말가루도 넣어 섞는다.

3 준비한 닭고기 · 시금치 · 붉은 피망에 달걀흰자를 넣고 잘 버무린 다음 김에 얹고 단단하게 말아 싼다.

4 기름을 가열해 닭고기 김말이를 튀겨 낸 뒤 먹기 좋은 크기로 썬다.

186 Kcal

216 Kcal

● 닭고기 조림

 재료 · 1인분

닭고기 70g · 청주 약간 · 생강즙 약간 · 녹말가루 약간 · 식용유 적당량 · 진간장 1큰술 · 물엿 약간

이렇게 만들어요

1 닭고기는 한입 크기로 얇게 저며 썬다.

2 닭고기에 청주와 생강즙을 넣고 버무려 30분 정도 잰다.

3 튀김 냄비에 기름을 넣고 중간 온도로 달구어 청주와 생강즙에 잰 닭고기에 녹말가루를 묻혀 튀겨 낸다.

4 냄비에 진간장과 물엿을 약간 넣고 튀겨 낸 닭고기를 조린다.

● 피망전

 재료 · 1인분

붉은 피망 1개 · 피망 1개 · 소금 약간 · 양파 ¼개 · 돼지고기 50g · 후춧가루, 밀가루 약간씩 · 달걀 1개 · 식용유 적당량

 이렇게 만들어요

1 붉은 피망 · 피망은 도톰하게 통썰기해 속을 빼내고 돼지고기와 양파는 곱게 다진 후, 양파만 기름에 살짝 볶는다.

2 돼지고기에 양파 · 소금 · 후춧가루 · 달걀 ½개분을 넣어 섞는다.

3 피망의 안쪽에 밀가루를 묻히고 고기를 채운 뒤 밀가루 · 달걀을 입혀 팬에 기름을 둘러 약한 불에서 지진다.

249 Kcal

빠른 시간 안에 만들어 내놓을 수 있는 즉석 아이디어 반찬

인스턴트 요리

인스턴트 요리

빠르고 간편하게 조리하세요

참치나 옥수수 통조림은 어린이의 영양 간식으로도 좋다.

🍳 냉동 식품

냉동 식품은 크게 요리 재료용과 조리 식품, 두 가지로 나눌 수 있다. 요리 재료로는 어패류 · 육류 · 채소류가 있는데 채소류는 해동 후 조직이 파괴되는 것을 방지하기 위해 가열 처리를 한 후 냉동하므로 해동할 필요 없이 바로 조리를 한다. 조리 식품은 만두 · 튀김 재료 · 햄버거 · 케이크 등 1차 조리를 끝내고 냉동시킨 식품이다.

• 구입할 때는

냉동 식품은 -18℃ 이하에서 보관하면 맛과 영양이 냉동 전과 별로 달라지지 않고 6개월 동안 보관할 수 있다. 고를 때는 포장 안에 성에가 붙어 있지 않고, 손으로 만져 보았을 때 단단하게 얼어 있어 형태의 변화가 없는 것을 고른다. 냉동 식품은 식료품 구입시 맨 마지막에 사도록 하고, 포장한 후 비닐 봉지에 넣어 녹지 않게 운반한다.

종류와 내용이 점점 다양해지는 가공 식품을 지혜롭게 이용하면 시간과 노력을 절약하면서도 풍성한 식탁을 차릴 수가 있다.

• 조리와 보관하기

냉동 식품을 구입하면 바로 냉동실에 넣어 보관하는데, 냉동실은 -18℃ 이하로 온도를 유지시킨다. 보통 보존 기간은 2개월이지만 냉장고의 문을 자주 여닫게 되므로 1개월 정도 보관하는 것이 안전하다. 또 한 번 해동한 것은 다시 냉동시키지 말아야 하는데, 굳이 해야 할 경우에는 일단 가열하여 잘 식힌 다음 냉동시킨다. 해동시킨 뒤에는 빨리 조리해야 하는데, 해동시킨 채 그대로 두면 급속도로 세균이 늘어나고 신선도가 떨어지게 된다.

• 냉동 식품 녹이기

냉동 식품의 맛은 해동 상태에 따라 좌우되므로 해동을 잘 해야 맛있게 요리할 수 있다. 특히 해산물은 식품의 중심부가 얼어 있을 정도의 반해동 상태가 알맞다. 냉동실에서 냉장고로 옮겨 해동할 때는 6~7시간 정도 걸리므로

냉동 식품별 취급 요령

육류 덩어리는 냉동한 채 필요한 양을 썰어 내고 나머지는 다시 냉동실에 보관한다. 해동시킬 때는 5~10℃ 정도의 비교적 낮은 온도에서 자연 해동시키면 맛의 손상이 없다.

어패류 냉동 어패류는 식품 중심부가 아직 얼어 있을 정도인 반해동 상태에서 반드시 조리해야 하며 해동된 것은 곧바로 사용해야 한다. 회에 쓸 토막 생선 역시 반해동시킨 상태에서 적당한 크기로 썬다.

튀김 재료 냉동된 상태에서 그대로 170~180℃ 정도의 기름에 튀기는데 속까지 익도록 충분히 튀겨 낸다. 만약 해동시켜서 튀기면 튀김이 딱딱해지거나 부서지기 쉽다.

만두 얼어 있는 그대로 찜통에 찌거나 프라이팬에 넣고 뚜껑을 덮은 채 익힌다. 이때 간격을 어느 정도 두어서 익은 후 서로 붙지 않도록 한다.

미트볼 포장된 채 그대로 따뜻한 물에 담가 녹이거나 냉동 상태로 그냥 조리한다. 프라이팬에서 구울 때는 약한 불에서 7, 8분간 익힌다.

야채 · 과일류 언 채 급속히 가열하는 것이 좋고, 과일류는 반해동 상태에서 조리하거나 얼린 채 주스로 만든다.

포장된 채로 녹인다. 상온에서 녹일 때 여름에는 도중에 부패하는 수가 있으므로 주의한다. 빨리 녹일 때는 10℃ 정도의 물이나 소금물에 담그면 된다. 식품을 비닐 봉지에 넣어 흐르는 물에서 녹이면 수용성 성분이 빠져 나가는 것을 막을 수 있다. 전자 레인지로 서서히 녹여도 된다.

🍳 인스턴트 식품

완전 조리된 즉석 식품

간식용으로 좋은 스튜류

반조리 식품인 즉석 국

반조리 식품인 라면과 수프에서부터 완전 조리 식품인 밥 · 국 · 죽 · 스파게티까지 즉석 식품은 날로 늘어나고 있다. 신속함과 편리함으로 각광받는 이들 제품에는 야채나 동물성 식품을 곁들여 영양의 균형을 잡아 준다.

• 라면

주성분은 탄수화물로 100g당 밥 2공기쯤에 해당되는 열량을 내는데, 달걀 · 치즈 · 만두 · 육류 · 야채 등을 곁들여 영양의 균형을 맞춘다.

• 즉석 수프 · 죽 · 국수

칼로리도 높지 않고 맛도 깔끔해 인기가 높다. 밤참, 아침 식사로 이용도가 점점 더 높아지고 있는 이들 식품에 메추리알 · 달걀 · 잣 · 김 · 치즈를 넣으면 한 끼 식사가 된다.

• 즉석 국 · 탕 · 찌개

그냥 먹어도 좋지만 국수나 밥을 넣어서 한 끼 식사로 먹거나 적당량의 파 · 마늘을 추가해 입맛에 맞게 먹는 것도 좋다.

• 밥

인스턴트이긴 하지만 주먹밥이나 쌈밥을 해서 먹으면 별식 느낌으로 먹을 수가 있다. 소금 · 설탕 · 참기름을 넣어 골고루 섞은 후 주먹밥을 만들어 케일 · 상추 · 김 등에 싸서 먹는다.

• 즉석 카레 · 짜장 · 미트볼 · 스파게티

빨리 간식을 만들어야 할 때 요긴하다. 삶은 완두콩 · 새우 · 베이컨 · 버섯 · 사과를 더 넣으면 영양식으로 좋다.

CHECK CHECK

인스턴트 식품의 선택과 보관

내용물의 상태를 확인하기 어려운 인스턴트 식품은 고온 압력으로 살균되어 포장되기 때문에 보존성이 높긴 하지만 보존 상태나 기간에 따라 변질될 우려가 있다. 따라서 식품을 구입할 때는 물품 회전이 빠르고 관리 회전이 잘되는 가게를 고르는 것이 좋다.

또 제조처 · 조리법 · 첨가물 · 보존 가능 기간과 유통 기한을 꼭 확인한다.

개봉 후에는 다시 밀봉하여 보관하되, 너무 오랫동안 보관하지 않는 것이 좋다. 라면류는 6개월, 분말류는 2년 정도가 보존 기간이므로 이를 넘기면 이용하지 않는 것이 좋다.

인스턴트 식품을 구입할 때는 유통과 보존 가능 기간을 확인한다.

어패류 가공품

날생선처럼 밑손질을 해야 하는 번거로움 없이 손쉽게 반찬으로 이용할 수 있는 생선 가공품도 많이 나오고 있다. 어란 · 생선묵 · 건어물 · 통조림 등은 냉장이나 냉동 보존하면 상할 염려가 없으므로 여유가 있을 때 대형 시장에서 구입해 두었다가 급할 때 술안주나 도시락에 반찬으로 쓰면 편리하다.

• 생선 알젓과 어란

생선 알을 가공한 것으로는 알젓과 어란이 있다. 명란젓 · 대구알젓 · 연어알젓 · 청어알젓 등 생선의 알을 소금에 절여 만든 것은 알젓이고, 소금에 절인 다음 다시 말려서 그대로 먹을 수 있게 한 것은 어란이다.

알젓을 고를 때는 자연의 붉은 빛이 돌고 살이 단단한가를 확인한다.

너무 빨간 것은 착색한 것이며, 또한 가격이 싸도 알주머니가 찢어진 것이라든지 질척거리는 것은 피한다.

• 생선묵(어묵)

생선살을 간 것에 달걀 · 녹말가루 · 소금 · 설탕 등을 섞어 나무판에 붙이거나 대나무로 된 작은 발로 말거나, 완자로 빚어 찌거나 튀긴 생선묵은 모양도 다양하지만 주재료인 생선살의 질에 따라 그 품질 또한 여러 가지다.

구입할 때는 신용 있는 회사의 것으로 제조일을 확인하여 가장 최근의 것을 이용한다. 착색이나 표백이 강한 것, 혹은 표면에 물기가 있는 것, 퀴퀴한 냄새가 나는 것은 피한다.

기름에 튀긴 생선묵은 끓는 물을 끼얹거나 살짝 데쳐서 여분의 기름을 뺀 후 요리하는 것이 맛있다.

어묵은 스피드 술안주나 도시락 반찬으로 적당하다.

• 통조림

어패류의 살을 조미 · 가공하여 만든 통조림은 고온에서 살균하기 때문에 비타민류는 많이 손실되지만 단백질이나 지방은 변화가 없고 손실되는 양도 적다.

생선 통조림은 뼈처럼 단단한 것도 부드러워져 먹을 수 있는 상태가 되므로 칼슘 섭취에

식품별 냉동하기

쇠고기 · 돼지고기

덩어리째 냉동하면 사용하기가 힘드므로 스테이크용, 국거리용, 볶음용 등으로 나누어 크고 작은 크기로 두께를 조절하여 자른 다음 랩이나 비닐 봉지, 알루미늄 포일에 1인분씩 싸서 냉동보관한다.

얇게 저민 고기는 랩에 싸서 랩째 접어 비닐 봉지에 넣는다. 비교적 상하기 쉬우므로 반드시 밀폐된 상태로 냉동시킨다. 다진 고기는 랩으로 싸서 얇고 납작하게 하여 냉동시키면 3주 정도 보관할 수 있다. 조리할 때는 부러뜨려서 사용하면 된다.

닭고기

닭 한 마리를 통째로 사가지고 그대로 얼려 버리면 고기가 굳게 붙어서 잘라 내기 어렵다. 가슴살과 다리 등으로 토막 낸 다음 랩에 싸놓으면 해동도 빠르고 사용도 편하다.

삶아서 보관할 경우는 너무 푹 삶지 말고 물기를 충분히 뺀 후 살만 발라 냉동시키면 곧바로 샐러드 재료로 쓸 수 있다. 삶은 국물도 수프용으로 냉동시켜 두면 편리하다.

생선

아주 신선한 것만을 냉동시켜 보존하며 그 이외의 것은 밑처리를 한 후에 냉동시키는 것이 기본이다. 생선을 살 때 그 자리에서 머리와 내장을 제거하고 비늘을 긁어낸 다음 집으로 가져와 한번 더 깨끗하게 씻는다. 2등분, 3등분으로 나누어 비닐 랩이나 알루미늄 포일에 싸서 밀폐 용기에 한 단씩 넣고 랩으로 층을 지어 가면서 담는다.

조개

소금물에 담가 모래를 토하게 한 다음 껍질끼리 세게 부딪쳐 깨끗이 씻는다.

물기를 없애고 지퍼 백에 넣어 냉동시키거나, 신선한 상태일 때 바로 냉동시킨다. 조리할 때는 자연 반해동시킨다.

야채 · 과일류

수분, 섬유질이 많은 야채는 신문지에 싼 다음 뿌리가 아래를 향하도록 비닐 주머니에 넣고 냉장고에 보관하는 것이 좋지만 반조리 상태라면 냉동 보관이 가능하다. 고구마 · 감자 · 당근 · 호박류는 살짝 삶아 냉동시키고, 양파는 곱게 다진 후 기름에 볶아서 1회분씩 나누어 냉동시켜 둔다. 냉동시킨 야채는 냉동 상태 그대로 조리한다.

과일 중 딸기 · 밀감 · 복숭아 등은 생것으로 얼리고,

냉동고를 알차게 이용하면 훨씬 손쉽고 빠르게 조리할 수 있다.

사과는 껍질을 벗겨 큼직하게 썬 다음 달게 조려 냉동시킨다. 제철의 흔한 과일은 주스로 만든 다음 냉동하여 이용하는 방법도 있다.

밥 · 빵 · 떡

냉장실에 보관하면 녹말이 노화되기 때문에 냉동 보관이 바람직하다. 1인분씩 랩에 싸서 냉동해 두었다가 꽁꽁 얼린 밥을 찜통이나 전자 레인지에 데워 먹으면 처음 한 것처럼 고슬고슬해져 보온 다음 밥통에 보관했던 것보다 오히려 맛있다.

국 · 찌개

남은 국 · 찌개의 경우는 한번 더 팔팔 끓인 다음 식혀 두었다가 국물과 건더기를 함께 지퍼백에 넣고 냉동시킨다. 먹을 때는 지퍼 백에서 꺼내어 바로 냄비에 부어 끓이면 된다.

멸치나 고기 육수, 소금 간한 맑은 국 역시 한번 더 끓여 살균한 다음 식혀 두었다가 냉동한다.

필요할 때마다 꺼내 쓸 수 있으므로 요리의 맛이 한결 깊어진다.

오히려 도움이 된다.
구입할 때는 겉으로 보아 통의 모양이 찌그러지지 않고 녹슬거나 겉이 부풀어 나오지 않은 것을 고른다.

통조림 요리에는 야채나 달걀을 곁들여 영양을 보충해 준다.

뚜껑을 열고 난 다음은 빨리 먹는다. 깡통째 담아 두는 것은 금물이다. 반드시 뚜껑 있는 다른 그릇에 옮겨서 보관한다.
그대로 먹을 수도 있지만 냄비에 옮겨 데우거나 끓이면서 양념을 약간 더 하면 더욱 맛있게 먹을 수 있다.
또한 깡통의 독특한 냄새를 없애기 위해 야채를 곁들이거나 조미료·향신료를 사용하는 것도 좋다. 이때 제품과 함께 들어 있는 국물, 기름은 되도록이면 없애고 건더기만 건져서 조리한다.

🍗 육가공품

쇠고기나 돼지고기 등의 육류를 장기간 저장할 수 있게 가공한 것으로 햄·소시지·베이컨 등이 대표적이다. 제조 방법이나 첨가되는 향신료에 따라 그 종류가 매우 다양하며 조림이나 볶음, 구이, 튀김 등으로 조리하면 육가공품 특유의 독특한 맛을 즐길 수가 있다.

• 햄
돼지고기를 소금에 절였다가 훈연한 햄은 단백질과 지방이 풍부하지만 소금기가 상당량 들어 있으므로 음식을 만들 때는 간은 짜지 않게 하고 기름은 되도록

햄과 스팸류는 개봉 뒤에는 랩이나 비닐 봉지에 담아 보관한다.

적게 사용해야 한다.
오랫동안 가열하여 조리하면 육질이 오히려 퍼석해지므로 프라이팬에 살짝 굽든지 간단히 데우는 정도로 조리한다. 날것을 얄팍하게 썰어 샐러드, 무침 등으로 이용해도 좋다. 개봉하지 않은 채 통째로 냉장고에 보관하면 1개월 정도 보관할 수 있으나 일단 개봉한 것은 랩이나 비닐 봉지, 밀폐 용기를 이용해 냉장고에 넣어 두고, 오래 보관할 때는 냉동고를 이용한다.
캔에 들어 있는 스팸류의 경우에는 캔에서 꺼내 다른 용기에 보관한다.

• 베이컨
돼지고기의 삼겹살을 소금절이한 다음 저온에서 장기간 훈연시켜 만든 것으로 전체의 70%가 지방이어서 칼로리가

비교적 보존 기간이 긴 베이컨은 빠른 시간에 조리해야 독특한 풍미를 살릴 수 있다.

매우 높다. 조리할 때는 독특한 풍미와 지방이 있으므로 이것을 살려서 조리하는 것이 포인트다.
볶음·조림에는 자체에서 기름이 많이 나오므로 그 기름을 써서 야채 등을 조리하는 것이 요령이다. 또 지져 낸 베이컨은 반드시 종이 타월에 놓아 기름기를 빼내는 것이 좋다.

• 소시지
돼지고기 등의 부스러기 고기를 소금에 절였다가 조미료나 향신료를 섞어 반죽한 다음 가축의 창자나 둥근 틀에 채워 넣은 것이 소시지다.
소시지는 단백질은 13%, 지방은 30% 정도나 함유하므로 고칼로리 식품이다. 그밖에 철분·비타민 B1·나이아신도 많이 가지고 있다. 소시지를 가열할 경우는 단시간 내에 조리하는 것이 포인트다. 오래 가열하면 지방이 녹아서 딱딱해져 버린다. 햄만큼의 보존성은 없으므로 빨리 사용하도록 하고 쓰다 남은 것은 절단면을 랩으로 꼭 싸 냉장고에 보관하는 것이 좋다.

소시지는 단시간 내에 조리한다.

• 콘 비프
소금에 절인 쇠고기를 말한다. 이름 그대로 본

래의 콘 비프는 쇠고기만을 쓴 것이지만 우리 나라의 경우 돼지고기를 섞어 쓰기도 한다. 콘 비프는 단백질과 지방이 풍부하지만 비타민류는 별로 없다. 샌드위치·볶음·샐러드 등에 폭넓게 이용된다.
통조림으로 된 콘비프는 뚜껑을 딴 후에는 날 고기와 마찬가지로 보관해야 한다. 콘 비프는 소금절이가 되어 있으므로 냉장고에 넣으면 3주 정도는 보관할 수가 있다.

🍄 CHECK CHECK

냉동고 100% 활용하기
신선한 재료를 구입했을 때나 남은 재료를 보관할 때는 냉동실을 사용하면 조리 시간과 노력을 줄여 줄 뿐만 아니라 계절 식품을 신선한 상태로 이용할 수 있어 합리적이고 변화 있는 식생활을 할 수 있다.

급속히 냉동시킨다
신선하고 금방 손질을 한 식품은 냉장시키기보다는 급속히 냉동시켜야 제맛을 유지할 수 있으며, 서서히 냉동시키는 것보다 급속히 냉동시키는 것이 신선도가 떨어지지 않는다.

식힌 후 냉동시킨다
뜨거운 것을 그대로 냉동시키면 냉동될 동안 맛이 변하고 다른 냉동 식품에도 나쁜 영향을 끼치므로 반드시 식힌 후 냉동시킨다.

포장을 이중으로 한다
냉동실 안은 건조해 식품이 공기 중에 노출되면 맛이 변하고 식품이 마르게 되므로 냉동하는 식품은 포장이 식품에 밀착하게 하고 포장을 이중으로 한다.

1회분씩 나누어 둔다
해동이나 조리할 때에 편리하도록 한 번에 쓸 분량으로 나누어 놓는다.
냉동한 것을 오래 두면 맛이 떨어지는 경우가 있으므로 최대 1개월을 넘지 않고 다 사용하도록 한다.

간식이나 술안주로 간단하게 만들어 내놓을 수 있는

미트볼 파인 꼬치

 재료 · 4인분

냉동 미트볼 300g · 파인애플 4조각 · 오이 1개 · 토마토 케첩 ½컵 · 설탕 1
큰술 · 식용유 3컵 · 소금 약간

 이렇게 만들어요

1 미트볼은 신선한 것을 준비하여 실온에 두어 녹이거나, 포장
상태 그대로 물에 담가 해동시킨다.
2 파인애플은 통조림된 것을 준비하여 물기를 걷어 낸 다음 8등분
하고, 오이는 소금으로 문질러 깨끗이 씻어서 길이로 2등분한 후
파인애플과 비슷한 두께로 썬다.
3 해동시킨 미트볼은 중온(170~180℃)의 튀김 기름에 넣고 갈색이
나도록 튀긴다.
4 냄비에 토마토 케첩과 설탕을 넣어 끓이다가 튀겨 낸 미트볼을 넣고
뭉근한 불에서 조린다.
5 꼬챙이에 준비해 둔 미트볼·파인애플·오이를 차례대로 꿴 다음
접시에 모양나게 담고, 반으로 자른 방울토마토로 가장자리를 예쁘게
장식한다.

183 Kcal

한입에 쏙쏙 들어가는 바삭바삭한 튀김 요리

미니 포크 커틀릿

 재료 · 4인분

냉동 미니 포크 커틀릿 30개 · 오이 1개 · 토마토 1개 · 식용유 3컵 ·
소스(양파 ½개, 당근 ⅓개, 토마토 케첩 3큰술, 우스터 소스 2큰술, 버터
1큰술, 소금 약간, 후춧가루 약간)

 이렇게 만들어요

1 양파와 당근은 껍질을 벗기고 깨끗이 씻어서 곱게 다진다.
2 튀김 냄비에 기름을 넉넉히 붓고 중온(170~180℃)으로 가
열해 냉동 포크 커틀릿을 넣어 앞뒤로 노릇노릇하게 튀겨 낸다.
3 냄비에 버터를 넣어 녹인 뒤 다진 양파와 당근을 넣어 볶다가 양
파가 말갛게 익으면 토마토 케첩과 우스터 소스를 넣고 소금·후춧가
루로 간하여 소스를 만든다.
4 오이는 씻어 0.5cm 정도 두께로 어슷어슷하게 썰고, 토마토는 꼭지
를 잘라 내고 2등분하여 도톰하게 썬다.
5 튀겨 낸 포크 커틀릿의 기름기를 뺀 다음 오이·토마토와 함께 가지
런히 담고 소스를 곁들여 상에 낸다.

621 Kcal

야채와 함께 볶아 영양가를 더 높인 도시락 반찬

미트볼 케첩 조림

재료 · 4인분

냉동 미트볼 300g · 피망 1개 · 양파 ½개 · 양송이(통조림) 5개 · 토마토 케첩 ½컵 · 진간장 적당량 · 식용유 3컵

이렇게 준비하세요

1 냉동 미트볼은 튀김옷이 완전히 입혀져 있는 것으로, -18℃의 냉동실에 보관된 신선한 것으로 준비한다.

2 피망은 깨끗이 씻어서 씨를 말끔히 털어 낸 다음 적당한 크기로 썰고, 양파도 껍질을 벗겨 깨끗이 손질하여 피망과 비슷한 크기로 썰어 놓는다.

3 양송이는 통조림된 것을 준비하여 뜨거운 물을 끼얹은 다음 물기를 걷어 내고 얄팍얄팍하게 썬다.

이렇게 만들어요

4 튀김 냄비에 기름을 부어 중온(170~180℃)으로 가열되면 냉동 미트볼을 넣어 튀긴 다음 튀김망으로 건져 기름기를 뺀다.

5 냄비에 기름을 두르고 뜨겁게 달군 다음 썰어 둔 양파와 피망을 넣어 볶다가 토마토 케첩과 적당량의 물을 넣어 끓인다.

6 소스가 한소끔 끓으면 튀겨 낸 미트볼을 넣어 뒤섞은 다음, 썰어 둔 양송이도 함께 넣고 진간장으로 간을 맞추어 뭉근한 불에서 서서히 조린다.

피망은 씨를 털어 내고 적당한 크기로 썰고, 양파도 피망과 비슷한 크기로 썰어 놓는다.

튀김 냄비에 기름을 부어 중온으로 가열해 냉동 미트볼을 넣어 튀긴다.

튀겨 낸 미트볼과 소스, 양송이를 넣어 뒤섞은 다음 진간장으로 간을 맞추어 조린다.

튀김 요리를 맛있게 하려면

튀김은 재료에 따라 온도를 달리 해야 제 맛이 난다

튀김용 온도계가 없을 때는 튀김옷을 조금 떨어뜨려 보면 온도를 알 수 있다. 튀김옷이 바닥에 가라앉아 버리면 아직 저온, 가라앉았다가 금방 떠오르면 160℃, 중간까지 내려갔다가 다시 떠오르면 170~180℃, 튀김옷을 넣자마자 표면에서 흩어지면 190~200℃ 정도이다.

기름의 온도를 일정하게 유지한다

기름에 재료를 넣고 계속 튀기다 보면 온도가 점점 올라가게 된다. 처음의 온도를 유지하려면 중간중간 불을 줄여 온도를 조절해야 하고, 재료를 한꺼번에 많이 넣으면 기름의 온도가 내려가므로 이 때는 불을 올려 온도를 적절하게 맞춘다.

튀김을 건져 기름을 뺀다

튀김을 바로 건져서 먹으면 바삭하지만 시간이 지나면 눅눅해지는 경우가 많다. 이 때는 종이를 여러 겹 깔고 그 위에 튀김을 건져 달라 붙지 않도록 떨어뜨려 놓아 기름과 열을 흡수하게 하면 바삭한 맛과 모양을 유지할 수가 있다.

295 Kcal

꽈리고추와 메추리알로 영양의 균형을 맞춘 짭짤한 밥반찬

햄버거 메추리알 조림

395 Kcal

재료 · 4인분

냉동 햄버거 5개 · 메추리알 10개 · 꽈리고추 8개 · 식용유 2큰술 · 참기름 약간 · 조림장(진간장 3큰술, 설탕 2큰술, 청주 2큰술, 생강 1쪽)

이렇게 준비하세요

1 냉동된 햄버거는 포장 안에 성에가 끼어 있지 않고, 딱딱하게 얼어 있어 손으로 만져 보아도 형태의 변화가 없는 신선한 것으로 준비하여 실온에서 해동시킨다.
2 메추리알은 끓는 물에 넣고 4~5분 정도 삶아 반숙한 다음 찬물에 담갔다가 껍질을 말끔히 벗긴다.
3 생강은 껍질을 벗겨 깨끗이 씻은 다음 얄팍얄팍하게 저며 썰고, 꽈리고추는 꼭지째 깨끗이 씻어서 꼭지를 짧게 자른다.

이렇게 만들어요

4 프라이팬에 기름을 두르고 달군 다음 햄버거를 넣어 앞뒤로 뒤집어 가며 갈색이 나도록 지지다가 적당히 익으면 불을 줄여 속까지 충분히 익힌다.
5 냄비에 진간장 · 설탕 · 청주, 저민 생강을 넣고 물을 약간 섞은 다음 팔팔 끓여 조림장을 만든다.
6 조림장이 끓기 시작하면 지져 낸 햄버거와 메추리알 · 꽈리고추를 넣고 은근한 불에서 서서히 조린다.
7 국물이 졸아들고 윤기가 돌면 참기름을 넣어 가볍게 뒤섞는다.

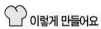
소스 얹은 햄버거

재료 · 4인분
냉동 햄버거 8개 · 양배춧잎 4장 · 래디시 4개 · 식용유 2큰술 · 레몬, 브로콜리 적당량씩 · 양파 소스(양파 1개, 피망 ⅓개, 식용유 2큰술, 토마토 케첩 5큰술, 우스터 소스 1큰술, 백포도주 2큰술, 소금 약간, 후춧가루 약간)

이렇게 만들어요
① 양파는 가늘게 채썰고, 피망은 꼭지를 잘라 씨를 털고 가늘게 채썬다. 양배추는 가늘게 채썰고 래디시는 얇게 통썰기해 찬물에 담갔다가 싱싱해지면 건진다.
② 프라이팬에 기름을 두르고 달군 후 실온에서 반해동시킨 햄버거를 넣어 앞뒤로 뒤집어가며 지지다가 적당히 익으면 불을 줄여 속까지 충분히 익힌다.
③ 다시 프라이팬에 기름을 두르고 뜨거워지면 채썬 양파를 넣어 볶다가 피망도 함께 넣어 볶는다. 알맞게 익으면 정량의 토마토 케첩 · 우스터 소스 · 백포도주 · 물을 넣고 끓이다가 소금과 후춧가루로 간을 맞춘다.
④ 접시에 지져 낸 햄버거를 담고 양파 소스를 끼얹은 다음 양배추와 래디시를 담고 레몬과 브로콜리로 장식하여 상에 낸다.

POINT

생강은 껍질을 벗겨 얄팍하게 저며 썰고, 꽈리고추는 씻어서 꼭지를 짧게 자른다. **3**

냄비에 진간장 · 설탕 · 청주, 저민 생강을 넣고 물을 약간 섞어 조림장을 만든다. **5**

조림장이 끓기 시작하면 지져 낸 햄버거와 메추리알 · 꽈리고추를 넣고 조린다. **6**

197

냉동 대구살로 즉석에서 만들어 내는 짭짤한 반찬

냉동 대구 조림

재료 · 4인분

냉동 대구 300g · 꽈리고추 6개 · 붉은고추 1개 · 청주 1큰술 · 소금 적당량 · 식용유 2큰술 · 조림장(파 ½뿌리, 마늘 2쪽, 생강 1쪽, 진간장 3큰술, 설탕 2큰술, 식용유 약간)

이렇게 준비하세요

1 냉동 대구는 토막으로 된, 신선한 것을 준비한 다음 실온에 두어 반쯤 녹인 다음 소금을 뿌려 밑간한다. 냉동 생선살은 너무 녹이면 조리하는 도중 살이 부서진다.
2 꽈리고추는 꼭지째 씻은 후 물기를 빼고, 꼭지를 짧게 자른다. 붉은고추는 깨끗이 씻어서 통썰기한다.
3 조림장에 넣을 파 · 마늘 · 생강은 깨끗이 손질한 다음 각각 곱게 다져 놓는다.

이렇게 만들어요

4 프라이팬에 기름을 두르고 뜨거워지면 밑간해 두었던 냉동 대구를 넣고 청주를 뿌려 가며 노릇하게 지진다.
5 냄비에 기름을 약간 두르고 다진 파 · 마늘 · 생강을 넣어 볶다가 정량의 진간장 · 설탕 · 물을 섞어 넣고 끓여 조림장을 만든다.
6 조림장이 끓으면 지져 낸 냉동 대구와 꽈리고추 · 붉은고추를 넣고 뭉근한 불에서 윤기나게 조린다.

191 Kcal

POINT

실온에서 반해동시킨 냉동 대구에 소금을 뿌려 밑간을 해둔다.

프라이팬에 기름을 두르고 뜨거워지면 냉동 대구를 넣고 노릇하게 지진다.

조림장이 끓으면 냉동 대구와 꽈리고추 · 붉은고추를 넣고 뭉근한 불에서 조린다.

냉동 참치 야채 볶음

냉동 식품이나 인스턴트 식품을 이용할 때는 비타민이 풍부한 야채와 버섯 등을 첨가해 인스턴트 식품의 부족한 영양분을 보완해 주는 것이 좋다.

재료 · 4인분
참치 200g · 대합 3개 · 양송이 6개 · 셀러리 1줄기 · 당근 ½개 · 양파 ½개 · 마늘 3쪽 · 식용유 3큰술 · 진간장 2작은술 · 소금 약간 · 후춧가루 약간

이렇게 만들어요
① 냉동 참치는 도톰하게 저민 다음 적당한 크기로 썰어 소금 · 후춧가루로 밑간을 한다. 대합은 소금물에 담갔다가 살을 발라 참치와 비슷한 크기로 썬다.
② 양파는 굵게 채썰고, 셀러리는 줄기 부분만 어슷어슷 썬다. 당근은 적당한 길이로 골패썰기하고, 양송이는 껍질을 벗겨 저민다. 마늘은 곱게 다진다.
③ 프라이팬에 식용유를 두르고 뜨겁게 달구어지면 다진 마늘을 넣어 볶다가 준비한 양파 · 당근 · 셀러리 · 양송이를 넣고 볶아 낸다.
④ 다시 프라이팬을 달구어 참치와 대합을 넣고 볶다가 꺼냈던 야채를 넣어 함께 섞고, 진간장 · 소금 · 후춧가루로 양념한다.

냉동 패주 조림

 재료 · 4인분

냉동 패주 10개 · 양송이(통조림) 20개 · 피망 1개 · 붉은 피망 1개 · 조림장(마늘 3쪽, 양파 ½개, 진간장 3큰술, 청주 1큰술, 물엿 2큰술, 후춧가루 약간)

 이렇게 만들어요

1 냉동 패주는 실온에 두어 반해동시키고, 양송이는 통조림된 것을 준비하여 물기를 빼놓는다.

2 피망과 붉은 피망은 씻어서 꼭지를 떼고, 씨를 털어 낸 다음 적당한 크기로 썬다.

3 양파와 마늘은 깨끗이 손질하여 다지듯이 잘게 썬다.

4 냄비에 다진 마늘 · 양파, 진간장 · 청주 · 물엿 · 후춧가루 · 물을 넣고 끓이다가 반해동시킨 패주 · 양송이를 넣어 센 불에서 끓인다.

5 끓어오르면 불을 줄여 조리다가 피망 · 붉은 피망을 넣고 잠깐 더 끓인다.

114 Kcal

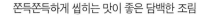

냉동 생선살 달걀 볶음

 재료 · 4인분

냉동 생선살 200g · 달걀 2개 · 실파 2뿌리 · 소금 적당량 · 청주 1큰술 · 녹말가루 2큰술 · 식용유 4큰술 · 달걀흰자 1개분

 이렇게 만들어요

1 냉동 생선살은 실온에 두어 반해동시킨 다음 한입 크기로 썰고, 소금 · 청주를 뿌려 밑간한다.

2 달걀은 흰자와 노른자를 나눈 다음 소금 · 후춧가루를 약간씩 넣고 잘 푼다. 실파는 잘게 송송 썬다.

3 달걀흰자를 잘 풀어서 녹말가루를 넣고 섞은 다음 밑간해 두었던 냉동 생선살에 골고루 묻힌다.

4 프라이팬에 기름을 두르고 뜨거워지면 준비된 생선살을 넣어 노릇노릇하게 지져 낸다.

5 달걀흰자와 노른자도 각각 프라이팬에 넣고 재빨리 저어 볶아 낸다.

6 프라이팬에 생선살과 달걀을 함께 넣고 실파를 마저 넣어 가볍게 뒤섞어 낸다.

우유에 담근 생선살을 버터로 구운 부드러운 맛의 일품 요리

냉동 생선살 버터구이

 재료 · 4인분

냉동 생선살 150g · 우유 1컵 · 밀가루 1큰술 · 버터 2큰술 · 소금 약간 · 후
춧가루 약간 · 곁들이(감자 1개, 귤 ½개, 버터 1작은술, 파슬리 1줄기, 소금 약간,
후춧가루 약간)

 이렇게 만들어요

1 냉동 생선살은 2㎝ 정도 두께로 넓적하게 포를 뜬 다음 큼직한 그
릇에 우유를 붓고 생선살을 담가 재어 둔다.

2 감자는 껍질을 깨끗이 벗겨 완전히 무를 때까지 삶아 낸 다음
건져서 식히고, 파슬리는 흐르는 물에 씻어 일부만 다진다.

3 냉동 생선살이 반쯤 녹으면 물기를 말끔히 닦아 내고 소금
과 후춧가루로 밑간한 다음 밀가루를 살살 털어 주면서 얇게
입힌다.

4 프라이팬에 버터를 넉넉히 넣고 뜨겁게 달구어지면 생선살
을 넣어 센 불에서 노릇노릇하게 되도록 굽다가 불을 줄여 속까
지 익힌다.

4 삶은 감자는 버터와 소금 · 후춧가루를 넣어 으깨 동그랗게 빚는다.

6 접시에 생선살을 담고, 귤이나 레몬을 썰어 얹고 으깬 감자도 옆에
담는다. 파슬리 다진 것을 감자 위에 얹어 뜨거울 때 상에 낸다.

669 Kcal

빠르게 만들어 상에 낼 수 있는 즉석 반찬

냉동 생선살 크로켓

 재료 · 4인분

냉동 생선살 300g · 달걀 2개 · 밀가루 ½컵 · 빵가루 1컵 · 소금 약간 · 후춧
가루 약간 · 식용유 3컵 · 레몬 약간

 이렇게 만들어요

1 냉동 생선살은 실온에 두거나 냉장실에 넣어 반해동시킨 다음
생선살은 큰 것은 대충 썰고, 작은 것은 그대로 분마기에 넣어 곱
게 간다.

2 달걀은 넓적한 그릇에 깨뜨려 소금 · 후춧가루를 넣고 잘 푼다.

3 분마기에 간 생선살에 소금과 후춧가루를 넣어 양념한 다음 손
으로 알맞게 떼어 둥글넓적하게 빚는다.

4 빚은 생선살에 밀가루를 묻히고, 풀어 놓은 달걀에 담갔다가 빵가루
를 손으로 눌러 가며 골고루 묻힌다.

5 튀김 냄비에 기름을 넉넉하게 붓고, 중온(170~180℃)으로 가열해
튀김옷을 입힌 생선살을 넣어 앞뒤로 뒤집으며 노릇노릇하게 튀긴다.

6 생선살 튀김의 기름기를 뺀 다음 접시에 가지런히 담고, 레몬즙을
뿌리거나 레몬을 곁들여 상에 낸다.

411 Kcal

사계절 내내 반찬으로 애용되는 감자를 간장에 푹 조린

어묵 감자 조림

 재료 · 4인분

어묵 300g · 감자 2개 · 풋고추 3개 · 붉은고추 2개 · 참기름 약간 · 통깨 약간 · 조림장(진간장 6큰술, 물엿 2큰술)

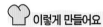 **이렇게 만들어요**

1 감자는 모양이 고른 것으로 준비하여 껍질을 말끔히 벗기고 씻은 다음 큼직큼직하게 썰어 찬물에 담가 두었다가 건져 물기를 뺀다.

2 풋고추와 붉은고추는 꼭지를 떼어 낸 후 어슷어슷하게 썰어 씨를 대강 털어 놓고, 어묵은 뜨거운 물을 끼얹어 겉도는 기름기를 제거한 다음 물기를 빼고 어슷썰기한다.

3 냄비에 정량의 진간장 · 물엿과 적당량의 물을 섞어 넣고 조림장을 만들어 잠깐 끓인다.

4 조림장이 끓으면 썰어 둔 감자를 넣고 뚜껑을 덮어 끓인 다음 감자가 반 정도 익었을 때 어묵 · 풋고추 · 붉은고추를 함께 넣고 뒤섞어 가며 중불에서 조린다.

5 감자와 어묵에 간이 충분히 배고, 감자가 완전히 익으면 참기름과 통깨를 넣고 가볍게 뒤섞어 준다.

171 Kcal

연하고 맛이 담백해 어린이와 노인 반찬으로도 좋은

어묵 야채 볶음

 재료 · 4인분

어묵 200g · 피망 2개 · 양파 1개 · 붉은고추 2개 · 마늘 2쪽 · 진간장 2큰술 · 설탕 1큰술 · 토마토 케첩 3큰술 · 후춧가루 약간 · 식용유 2큰술

이렇게 만들어요

1 어묵은 신선한 것으로 준비한 후 뜨거운 물을 끼얹어 겉도는 기름기를 뺀 다음 도톰하게 통썰기한다.

2 피망은 깨끗이 씻어서 꼭지를 떼어 내고 속을 털어 낸 다음 적당한 크기로 썰고, 붉은고추도 씨를 말끔히 털어 낸 다음 피망과 같이 썬다.

3 양파는 껍질을 벗기고 깨끗이 씻어서 피망과 비슷한 크기로 썰고, 마늘은 손질하여 곱게 다진다.

4 프라이팬에 기름을 두르고 썰어 둔 양파를 넣어 볶다가 양파가 말갛게 익으면 어묵 · 피망 · 붉은고추를 넣고 중간불로 줄여 잠깐 볶는다.

5 진간장 · 토마토 케첩 · 설탕 · 마늘 · 후춧가루를 섞어 케첩 소스를 만들고 어묵과 야채에 넣어 볶는다.

157 Kcal

어묵 게맛살 말이

85 Kcal

 재료 · 4인분

어묵 200g · 김 4장 · 시금치 60g · 게맛살 60g · 소금 적당량 · 참기름 2작은술 · 레몬 1개 · 래디시 1개

 이렇게 준비하세요

1 어묵은 얇고 넓적한 것으로 준비하여 뜨거운 물에 잠깐 넣었다가 꺼내어 겉기름을 제거하고, 김은 어묵의 크기에 맞게 잘라서 준비해 놓는다.

2 시금치는 깨끗이 다듬어 씻은 다음 끓는 물에 소금을 약간 넣고 데쳐서 찬물에 2, 3차례 행구고 물기를 꼭 짠다. 물기 짠 시금치는 소금 · 참기름을 넣어 무친다.

3 게맛살은 신선한 것을 준비한 후 어묵의 길이에 맞게 자르고 길이로 2등분한다.

 이렇게 만들어요

4 김발에 어묵을 놓고 김을 얹은 다음 시금치와 게맛살을 올려 김밥을 싸듯이 돌돌 말고, 풀어지지 않게 끝에다 물을 발라 고정시킨다.

5 어묵 게맛살 말이의 모양이 풀어지지 않게 조심하면서 한입 크기로 썬 다음 접시에 가지런히 담는다.

6 레몬은 반달썰기하고, 래디시는 얄팍하게 통썰기하여 접시의 가장자리를 장식하여 상에 낸다.

POINT

어묵은 얇고 넓적한 것으로 준비하고 게맛살은 어묵 길이에 맞게 잘라 2등분한다. **3**

김발에 어묵을 놓고 김을 얹은 다음 시금치와 게맛살을 올려 김밥을 싸듯이 돌돌 만다. **4**

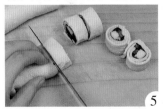

모양이 풀어지지 않게 조심하면서 한입 크기로 썬 다음 접시에 가지런히 담는다. **5**

어묵 오이 무침

어묵은 명태 · 조기 등의 생선에 부재료를 넣어 찌거나 구운 것으로 맛이 담백하고 소화 흡수도 잘 돼 노인이나 어린이에게 알맞은 가공 식품이다.

재료 · 4인분

어묵 200g · 오이 1개 · 마늘 2쪽 · 붉은고추 1개 · 소금 적당량 · 고춧가루 1작은술 · 설탕 2작은술 · 깨소금 1큰술 · 참기름 1큰술 · 후춧가루 약간

이렇게 만들어요

① 어묵은 구멍 뚫린 것으로 준비하여 0.5cm 정도 두께로 썬 다음 체에 넣고 뜨거운 물을 끼얹어 기름기를 뺀다.

② 오이는 소금으로 문질러 깨끗이 씻은 다음 소금을 뿌려 살짝 절이고, 붉은고추는 깨끗이 씻어 꼭지를 떼어 내고 송송 썰어 씨를 털어 낸다.

③ 마늘은 껍질을 벗겨 곱게 다진다.

④ 오이가 알맞게 절여지면 물기를 꼭 짠다.

⑤ 오목한 그릇에 준비한 어묵 · 오이 · 붉은고추를 섞고 고춧가루 · 설탕 · 깨소금 · 참기름 · 소금 · 후춧가루 · 마늘을 넣어 버무린다.

튀긴 어묵에 새콤달콤한 소스를 끼얹어 먹는 별미 요리

어묵 탕수

재료 · 4인분

어묵 400g · 피망 1개 · 죽순 1개 · 표고버섯 4개 · 당근 ½개 · 양파 ½개 · 달걀 1개 · 황도 4쪽 · 녹말가루 1컵 · 식용유 3컵 · 소스(육수 1컵, 녹말가루 6컵, 설탕 3큰술, 식초 3큰술, 진간장 2큰술, 참기름 2작은술, 후춧가루 약간)

이렇게 준비하세요

1 피망은 속을 빼낸 다음 알맞게 썰고, 죽순도 피망과 같이 썬다. 표고 버섯은 물에 불렸다가 3, 4등분하고, 양파는 큼직하게 채썬다. 당근은 꽃 모양 틀로 찍어 얄팍하게 썬다.

2 황도는 도톰하게 썰고, 달걀은 풀어서 녹말가루 · 물을 섞어 튀김옷 을 만든다.

이렇게 만들어요

3 튀김옷에 어묵을 넣어 골고루 섞는다.

4 중온의 튀김 기름에 어묵을 넣어 튀겨 낸 다음 건져 기름기를 뺀다.

5 프라이팬에 기름을 두르고 달군 다음 죽순 · 피망 · 표고버섯 · 양 파 · 당근을 넣어 볶다가 육수 · 설탕 · 식초 · 진간장 · 참기름 · 후춧가 루를 섞은 소스를 붓는다. 한소끔 끓으면 같은 양의 물에 갠 녹말가루 를 넣어 걸쭉하게 한다. 마지막으로 황도를 섞는다.

6 접시에 튀겨 낸 어묵을 가지런히 담고 소스를 끼얹어 낸다.

가공 식품은 끓는 물에 데친 후 조리한다

가공 식품에는 방부제 · 연화제 · 색소 등의 첨가물이 있다. 이런 식품 첨가물의 해를 줄이려면 한 번 데친 후 조리하는 것이 좋다. 햄이나 소 시지에는 아질산염이 첨가되는데, 이 성분은 끓는 물에 살짝 데치면 제거된다. 어묵의 방부제 역시 열 을 가하면 파괴 된다.

POINT

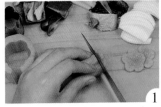
1
피망과 죽순, 표고버섯은 알맞게 썰고, 당근은 꽃 모양 틀로 찍어 얄팍하게 썬다.

2
달걀을 풀어서 녹말가루 · 물파 섞어 튀김옷 을 만든다.

3
녹말가루 · 달걀을 넣어 만든 튀김옷에 어 묵을 넣어 골고루 섞는다.

4
중온의 튀김 기름에 어묵을 넣어 튀긴 다음 기름기를 뺀다.

5
프라이팬에 야채를 넣어 볶다가 양념을 하 고 녹말가루를 푼다.

6
접시에 튀겨 낸 어묵을 담고 소스를 끼얹어 낸다.

358 Kcal

게맛살 잡채

116 Kcal

 재료 · 4인분

게맛살 150g · 양파 ½개 · 피망 1개 · 표고버섯 4개 · 마늘 1쪽 · 진간장 2 작은술 · 식용유 2큰술 · 소금 약간 · 후춧가루 약간

이렇게 준비하세요

1 양파는 껍질을 말끔히 벗겨 낸 다음 적당한 굵기로 채썰고, 피망은 깨끗이 꼭지를 떼어 내고 길게 반으로 갈라 속을 털어 낸 후 양파와 비슷한 굵기로 썬다.

2 표고버섯은 미지근한 물에 담가 충분히 불렸다가 물기를 가볍게 짜고 기둥을 떼어 낸 다음 도톰하게 채썬다.

3 게맛살은 유통 기한을 확인하고 진공 포장이 잘 되어 있는 신선한 것으로 준비한 후 4cm 정도 길이로 토막내어 손으로 도톰하게 찢어 놓는다.

4 마늘은 껍질을 벗기고 깨끗이 씻어서 곱게 다진다.

 이렇게 만들어요

5 프라이팬에 기름을 두르고 뜨겁게 달군 다음 양파와 표고버섯, 다진 마늘을 넣어 재빨리 저어 가며 볶는다.

6 양파가 말갛게 익으면 피망과 게맛살을 함께 넣고 가볍게 휘저어 볶은 다음 진간장을 넣어 색깔을 낸다.

7 재료들이 잘 어우러지면 소금과 후춧가루를 넣어 간을 맞춘다.

POINT

게맛살은 신선한 것으로 준비한 후 4cm 정도 길이로 토막내어 도톰하게 찢어 놓는다.

프라이팬에 기름을 두르고 달궈 양파 · 표고버섯 · 다진 마늘을 넣어 재빨리 볶는다.

양파가 익으면 피망과 게맛살을 함께 넣고 볶은 다음 진간장을 넣어 색깔을 낸다.

게맛살 적

게맛살은 손이 별로 가지 않고 짧은 시간에 조리를 할 수 있으며 상에 올렸을 때 모양새도 좋으므로 갑작스런 손님상이나 술안주 재료로 유용하게 쓸 수 있다.

재료 · 4인분

게맛살 250g · 파 10뿌리 · 달걀 2개 · 소금 약간 · 식용유 적당량 · 상춧잎 1장 · 래디시 1개

이렇게 만들어요

① 게맛살은 진공 포장이 잘 되어 있는 신선한 것을 골라 비닐을 벗겨 내고 4cm 정도 길이로 자른다.

② 파는 굵직한 것으로 준비해 깨끗이 다듬어 씻은 다음 게맛살과 같은 길이로 잘라 놓는다.

③ 달걀은 그릇에 깨뜨려 소금을 약간 넣고 흰자와 노른자가 잘 섞이도록 푼다.

④ 게맛살과 파를 꼬챙이에 차례대로 꿰고, 풀어 둔 달걀에 담갔다가 건져 옷을 입힌다.

⑤ 프라이팬에 기름을 넉넉하게 두르고 뜨겁게 달구어지면 불을 줄인 다음 꼬챙이에 꿴 게맛살 · 파를 넣어 앞뒤로 뒤집어 가며 노릇노릇하게 지져 낸다.

상큼한 오이와 해파리가 새콤달콤하게 입맛을 자극하는

게맛살 해파리 냉채

2

게맛살은 손으로 가늘게 찢어 놓고, 오이는 얄팍하게 돌려 깍아 가늘게 채썬다.

4

해파리는 더운 물과 찬물에 여러 번 담가 짠맛과 떫은 맛을 완전히 없앤다.

 재료 · 4인분

게맛살 150g · 해파리 150g · 오이 ½개 · 소금 약간 · 소스(마늘 3쪽, 파슬리 1줄기, 식용유 5큰술, 식초 3큰술, 설탕 2큰술, 소금 1작은술)

이렇게 준비하세요

1 해파리는 얇고 투명하며 색이 연한 것으로 준비하여 물 속에서 주물러 씻은 다음 30분 정도 물에 담가 놓아 짠맛을 없앤다.

2 게맛살은 5~6㎝ 길이로 잘라 손으로 가늘게 찢어 놓고, 오이는 소금으로 문질러 깨끗이 씻은 다음 게맛살과 같은 길이로 토막내고 얄팍하게 돌려 깍아서 가늘게 채썬다. 채썬 오이는 소금을 뿌려 살짝 절여 놓는다.

3 소스에 넣을 마늘과 파슬리는 깨끗이 손질하여 잘게 다진다.

이렇게 만들어요

4 해파리를 건져 게맛살과 같이 가늘게 채썬 다음 따뜻한 물에 넣었다가 찬물에 담그기를 2, 3차례 반복하여 해파리의 짠맛과 떫은 맛을 완전히 제거해 물기를 뺀다.

5 절인 오이는 물기를 꼭 짠다.

6 정량의 식용유에 다진 마늘 · 파슬리, 식초 · 소금 · 설탕을 넣어 소스를 만든다.

7 준비한 재료를 그릇에 고루 섞어 담고, 소스를 끼얹어 상에 낸다.

6

식용유에 양념을 넣어 소스를 만든 다음 재료를 고루 섞어 소스를 끼얹어 낸다.

게맛살 두부 냉채

더운 날씨에 차게 두었다가 먹으면 시원한 맛이 입맛을 돋우어 준다.

재료 · 4인분

게맛살 150g · 두부 1모 · 오이 1개 · 레몬 1개 · 상춧잎 4장 · 소금 약간 · 마늘 소스(마늘 1통, 진간장 1큰술, 식초 3큰술, 설탕 2큰술, 참기름 약간, 소금 1작은술)

이렇게 만들어요

① 두부는 흐르는 물에 씻어 도마나 손으로 눌러 물기를 빼고 끓는 물에 살짝 데쳐 낸다. 데쳐 낸 두부는 큼직하게 썰고, 게맛살은 어슷하게 썰어 차게 보관한다.

② 오이는 소금으로 문질러 깨끗이 씻어, 길이로 반 갈라 밑이 끊어지지 않을 정도로 칼집을 넣고 2㎝ 길이로 썰어 소금으로 살짝 절였다가 물기를 꼭 짠다.

③ 상추는 깨끗이 씻고, 마늘은 곱게 다지고, 레몬은 얄팍하게 반달썰기한다.

④ 오목한 그릇에 다진 마늘과 정량의 진간장 · 식초 · 설탕 · 참기름 · 소금을 넣고 잘 섞어서 마늘 소스를 만든다.

⑤ 넓은 접시에 상추를 깐 다음 준비한 게맛살 · 두부 · 오이 · 레몬을 잘 섞어 담고, 마늘 소스를 끼얹어 낸다.

19Kcal

버섯 향이 솔솔 풍기는 부드럽고 상큼한 맛이 좋은

양송이 게맛살 샐러드

205 Kcal

재료 · 4인분

게맛살 150g · 새우 100g · 마늘 2쪽 · 양송이 12개 · 양상춧잎 4장 · 드레싱 (식용유 5큰술, 레몬 주스 2큰술, 양파 ¼개, 파슬리 1줄기, 소금 약간, 후춧가루 약간)

이렇게 준비하세요

1 게맛살은 진공 포장된 신선한 것을 준비하여 5cm 정도 길이로 토막 내어 굵직하게 찢는다.

2 새우는 등 쪽에 있는 내장을 빼내고 껍질을 말끔히 벗긴 다음 끓는 물에 소금을 약간 넣고 살짝 데쳐 낸다.

3 마늘은 껍질을 벗겨 얄팍하게 저며 썰고, 양송이는 신선한 것으로 준비하여 깨끗이 씻은 다음 줄기 끝의 질긴 부분을 잘라 내고 양송이 의 모양을 살려 얄팍얄팍하게 썬다. 양상추는 씻어 물기를 뺀다.

4 드레싱에 넣을 양파는 깨끗이 손질하여 곱게 다지고, 파슬리는 줄기 를 잘라 내고 잎만 잘게 다진다.

이렇게 만들어요

5 오목한 그릇에 정량의 식용유 · 레몬 주스 · 소금 · 후춧가루를 넣고, 다진 양파와 파슬리를 함께 넣어 고루 섞는다.

6 넓은 그릇에 준비된 게맛살 · 양송이 · 새우 · 마늘을 넣고 드레싱을 부어 고루 섞은 다음 접시에 양상추를 펴고 먹음직스럽게 담아 낸다. 드레싱은 접시에 재료를 담은 다음 골고루 끼얹어 내거나 따로 곁들여 내어도 좋다.

3

게맛살은 굵직하게 찢어 놓고, 새우는 살짝 데쳐 내고 양송이는 얄팍얄팍하게 썬다.

6

넓은 그릇에 준비된 재료를 넣고 드레싱을 부어 골고루 섞는다.

 냉동 식품 녹이기
튀김옷이 입혀진 냉동 식품은 냉동된 상태 그대로 튀기고, 튀김옷을 입히지 않은 것은 해동 혹은 반해동시켜 조리한다. 냉동 식품을 녹일 때는 냉동실에 서 냉장실로 옮겨 해동시키는 저온 해동법, 실온에 포장된 상태 그대로 두어 녹이는 자연 해동법이 있으며, 급히 해동하고 싶을 때는 흐르는 물에 넣어 녹 이거나 전자 레인지를 이용한다.

냉동 게살 부침

게살만 발라 낸 냉동 게살은 단백질도 풍부 하고 간편하게 담백한 게맛을 즐길 수 있다.

재료 · 4인분
냉동 게살 100g · 달걀 4개 · 표고버섯 2개 · 파 1뿌리 · 육수 ½컵 · 녹말가루 1큰술 · 소금 약간 · 후춧가루 약간 · 식용유 2큰술

이렇게 조리하세요
① 냉동 게살은 해동시켜서 물기를 꼭 짜고, 표고버섯은 가늘게 채썬다.
② 파는 깨끗이 손질해 어슷썰기하고, 달걀은 소금과 후춧가루를 넣고 잘 푼다.
③ 달걀 · 냉동 게살 · 표고버섯 · 파 · 육수를 고루 섞은 다음 소금 · 후춧가루를 넣어 간한다.
④ 기름 두른 팬에 섞은 재료를 1cm 두께로 쏟아 붓고 재빨리 휘저어 반숙 정도 로 익힌 다음 뚜껑을 덮고 불을 줄여 완전히 익힌다.
⑤ 녹말가루를 개어 위에 끼얹고 잠시 더 익힌다.

출출할 때 밤참으로 먹으면 개운한 맛이 그만인

김치 라면 볶음

 재료 · 4인분

라면 4개 · 배추김치 ½포기 · 돼지고기 100g · 당근 ½개 · 붉은 고추 2개 · 피망 1개 · 마늘 2쪽 · 식용유 2큰술 · 소금, 후춧가루 약간씩 · 참기름 1작은술

이렇게 만들어요

1 돼지고기는 살코기로 준비하여 결대로 채썰고, 당근은 껍질을 벗겨 5㎝ 정도 길이로 토막내 가늘게 채썬다.
2 붉은고추는 반 갈라 씨를 털어 내고 당근과 같은 길이로 잘라 가늘게 채썰고, 피망도 꼭지를 잘라 내고 씨를 털어 낸 후 붉은고추와 같이 썬다.
3 배추김치는 속을 대강 털어 내고 물기를 꼭 짠 다음 적당한 굵기로 송송 썰고, 마늘은 껍질을 벗겨 곱게 다진다.
4 냄비에 물을 붓고 팔팔 끓으면 라면을 넣어 5분 정도 삶은 다음 소쿠리에 건져 물기를 뺀다. 이 때 라면은 찬물에 헹구지 않는 게 좋다.
5 프라이팬에 기름을 두르고 뜨겁게 달군 다음 다진 마늘을 볶다가 돼지고기를 넣고 불을 세게 하여 볶는다. 돼지고기가 익으면 배추김치 · 라면 · 당근 · 붉은고추 · 피망을 넣어 가볍게 뒤섞으며 볶다가 소금 · 후춧가루로 간을 맞추고, 참기름을 뿌린다.

657 Kcal

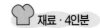

매콤한 카레에 비벼 먹는 맛이 색다른 라면 요리

카레 라면

재료 · 4인분

라면 4개 · 쇠고기 100g · 감자 2개 · 양파 1개 · 당근 1개 · 완두 (통조림) 4큰술 · 카레가루 3큰술 · 식용유 2큰술 · 소금 약간 · 후춧가루 약간

이렇게 만들어요

1 감자 · 당근 · 양파는 깨끗이 손질하여 사방 1㎝ 크기로 깍둑썰기하고, 쇠고기는 잘게 썬다. 완두는 통조림된 것으로 준비해 물기를 뺀다.
2 카레가루는 미지근한 물에 섞어 멍울지지 않게 푼다.
3 냄비에 기름을 두르고 쇠고기를 넣어 볶다가 감자 · 당근 · 양파를 함께 볶은 다음 완두와 물을 넣고 끓인다.
4 재료들이 익으면 풀어 둔 카레를 넣고, 소금 · 후추로 간하여 한소끔 더 끓인다.
5 라면을 끓는 물에 삶아서 물기를 뺀 다음 접시에 담고, 카레 소스를 끼얹는다.

458 Kcal

야채와 고기를 듬뿍 얹어 영양가를 높인 별미 간식

탕수 라면

재료 · 4인분

라면 4개 · 돼지고기 100g · 생강 1쪽 · 청주 1큰술 · 피망 1개 · 당근 ⅓개
· 표고버섯 4개 · 달걀 2개 · 녹말가루 2큰술 · 소금 적당량 · 식용유 2큰술
· 참기름 2작은술 · 양념장(진간장 3큰술, 식초 3큰술, 설탕 2큰술)

이렇게 준비하세요

1 돼지고기는 한입 크기로 썰고, 생강은 강판에 갈아 즙을 낸다. 돼지
고기에 생강즙 · 청주 · 소금을 뿌려 재어 둔다.
2 피망은 씨를 털어 내고 1×4㎝ 정도 크기로 썰고, 당근도 깨끗이 손
질하여 피망과 같은 크기로 얄팍하게 썬다.
3 표고버섯은 미지근한 물에 불려 기둥을 떼어 낸 다음 2, 3등분하고,
달걀은 소금을 넣고 잘 풀어 지단을 부친 후 피망과 같은 크기로 썬다.

이렇게 만들어요

4 그릇에 정량의 진간장 · 설탕 · 식초와 적당량의 물을 섞어 양념장을
만든다.
5 프라이팬에 기름을 두르고 뜨겁게 달군 다음 돼지고기를 볶다가 당
근 · 표고버섯 · 피망 · 달걀 지단을 함께 넣고 양념장을 부어 한소끔
끓인다. 재료들이 잘 어우러지면 녹말을 같은 양의 물에 개어 넣고 걸
쭉하게 한 다음 참기름을 뿌린다.
6 끓는 물에 라면을 넣고 삶아 물기를 뺀 다음 접시에 담고 소스를 끼
얹어 낸다.

705 Kcal

POINT

돼지고기는 한입 크기로 썰어 생강즙 · 청
주 · 소금을 뿌려 재어 둔다.

그릇에 정량의 진간장 · 설탕 · 식초와 물을
섞어 양념장을 만든다.

프라이팬에 기름을 두르고 돼지고기와 야
채를 볶다 녹말물을 넣어 소스를 만든다.

라면 튀김

라면 같은 인스턴트 식품을 이용할 때는 야
채나 달걀 등을 첨가하면 인스턴트 식품에
부족한 영양소를 보충할 수 있어서 균형 있
는 영양식이 된다.

재료 · 4인분
라면 4개 · 대추 8개 · 설탕 2컵 · 식용유 3컵
이렇게 만들어요
① 대추는 깨끗이 씻어 물기를 닦은 다음 씨를 발라 내어 곱게 채썰고, 라면은
젖은 베보자기를 살짝 덮어 두었다가 적당한 크기로 잘라 놓는다.
② 튀김 냄비에 기름을 넉넉하게 부어서 중온 정도로 가열한 다음 라면을 넣어
앞뒤로 뒤집어 가며 갈색이 나도록 튀겨 낸다.
③ 오목한 냄비에 설탕을 넣고 약한 불에서 눋지 않게 서서히 끓여 설탕 시럽을
만든다. 이 때 젓지 않아야 부드러운 시럽이 된다.
④ 설탕 시럽이 갈색이 나면 튀겨 낸 라면을 넣어 고루 묻힌 다음 대추채도 함께
넣고 가볍게 뒤섞어 버무린다. 라면에 시럽이 골고루 묻혀지면 서로 붙지 않게
하나씩 떼어 차게 식힌 후 접시에 담고 파슬리 가루를 솔솔 뿌려 낸다.

간단하게 만들어 먹을 수 있는 고소한 샐러드

땅콩 햄 샐러드

 재료 · 4인분

땅콩 ⅔컵 · 햄 150g · 오이 1개 · 체리 8개 · 양상춧잎 5
장 · 파슬리 3줄기 · 소금 약간 · 마요네즈 3큰술

이렇게 만들어요

1 햄은 신선한 것으로 골라서 한 변을 1cm 크기로
네모지게 썰고, 오이도 햄과 같은 크기로 썬 다음
소금을 뿌려 살짝 절인다.

2 양상추와 파슬리는 손으로 뜯어 찬물에 담갔다가
싱싱해지면 건져 물기를 뺀다.

3 땅콩은 껍질을 벗기고, 체리는 통조림된 것을 준비하여
물기를 거두어 둔다.

4 오이가 절여지면 깨끗한 헝겊에 싸서 물기를 꼭 짠다.

5 우묵한 그릇에 땅콩 · 햄 · 오이 · 체리 · 양상추 · 파슬리를 담고 마
요네즈를 넣어 가볍게 버무려 상에 낸다.

313 Kcal

316 Kcal

햄만으로 부족한 영양소를 골고루 채울 수 있는

토마토 햄 샐러드

재료 · 4인분

햄 150g · 치즈 100g · 오이 1개 · 게맛살 100g · 토마토 2개
· 마요네즈 4큰술 · 소금 약간

이렇게 만들어요

1 오이는 소금으로 문질러 깨끗이 씻은 다음 5~6cm 길
이로 토막내어 가늘게 채썰고, 게맛살도 오이와 같은
길이로 자른 다음 손으로 가늘게 찢는다.

2 햄과 치즈는 덩어리로 된 것이면 얄팍하게 저며 썰어서
채썰고, 썰어진 것이면 여러 장 겹쳐서 가늘게 채썬다.

3 토마토는 팔팔 끓는 물에 넣고 살짝 데친 다음 찬물에 헹궈
서 껍질을 말끔히 벗긴다.

4 채썰어 둔 햄 · 오이 · 치즈와 게맛살을 오목한 그릇에 섞어 담고 적
당량의 마요네즈를 넣어 먹기 직전에 골고루 버무린다.

5 껍질 벗긴 토마토를 세로로 4등분하여 접시의 가장자리에 돌려 담
고, 가운데에 마요네즈로 버무린 샐러드를 소복하게 담는다. 파슬리
로 토마토 사이사이를 장식한다.

팬에 살짝 익혀 뜨거울 때 먹는 즉석 부침 요리

햄 양파 피카타

재료 · 4인분

햄 400g · 양파 1개 · 달걀 2개 · 피자 치즈 50g · 파슬리 2줄기 · 소금 약간 · 밀가루 ½컵 · 식용유 3큰술 · 레몬 1개

이렇게 만들어요

1 햄은 둥근 것으로 준비하여 1cm 정도 두께로 도톰하게 썰고, 양파도 햄과 같은 굵기로 통썰기한 다음 소금을 약간 뿌려 밑간하고 고리가 떨어지지 않게 꼬챙이로 고정시킨다.

2 피자 치즈는 다지듯이 잘게 썰고, 파슬리도 깨끗이 씻어서 곱게 다진다.

3 오목한 그릇에 달걀을 깨뜨려 풀고 소금을 넣어 간을 맞춘 다음 다진 파슬리와 피자 치즈를 넣어 젓가락으로 저어 고루 섞는다.

4 썰어 둔 햄과 양파에 밀가루를 골고루 묻히고 달걀물을 입힌다.

5 프라이팬에 기름을 두르고 뜨겁게 달군 다음 햄과 양파를 넣어 앞뒤로 뒤집어 가며 노릇노릇하게 지진다.

6 접시에 지진 햄과 양파를 반으로 잘라서 담고, 사이사이에 레몬을 썰어서 끼운 다음 상추와 붉은피망 · 파슬리를 곁들여 낸다.

354 Kcal

햄과 치즈만으로 만드는 고칼로리 간식

치즈 얹은 햄구이

재료 · 4인분

햄 400g · 피자 치즈 300g · 파슬리 적당량 · 방울토마토 8개

이렇게 만들어요

1 햄은 네모진 것으로 준비하여 3×6cm 정도 크기, 1cm 두께로 도톰하게 썬다.

2 피자 치즈는 신선한 것을 준비하여 햄과 비슷한 크기로 도톰하게 썬다.

3 파슬리는 깨끗이 씻어서 물기를 빼고, 방울토마토는 깨끗이 손질하여 반으로 잘라 놓는다.

4 햄 위에 피자 치즈를 1조각씩 얹고, 170~180℃의 오븐에 넣어 15분 정도 가열한다. 가스 레인지의 그릴을 이용할 경우에는 10분 정도 가열하면 된다.

5 치즈가 먹음직스럽게 녹아 내리고 햄이 속까지 뜨거워지면 오븐에서 꺼내어 접시에 보기 좋게 담고, 햄 사이사이에 파슬리와 방울토마토를 놓아 장식한다.

500 Kcal

상큼한 파인애플을 곁들인 휴일의 일품 요리

햄 스테이크

재료 · 4인분

햄 800g · 파인애플 4쪽 · 감자 2개 · 당근 1개 · 피망 1개 · 브로콜리 100g
· 소금 적당량 · 버터 약간 · 식용유 2큰술 · 백포도주 1큰술 · 토마토 케첩 2
큰술 · 우스터 소스 1큰술

이렇게 준비하세요

1 파인애플은 통조림으로 준비해 깨끗한 헝겊으로 눌러 물기를 걷어
내고, 햄은 네모진 것을 준비해 2~2.5㎝ 두께로 도톰하게 저며 썬 다
음 한쪽 면에 잘게 칼집을 넣는다. 햄은 1인분에 200g 정도 준비한다.
2 감자와 당근은 깨끗이 씻어서 껍질을 벗긴 다음 1×3㎝ 길이로 네
모지게 썰어서 가장자리를 다듬고 찬물에 담가 놓는다. 손질한 감자
와 당근은 끓는 물에 소금을 약간 넣고 삶아 익혀 물기를 빼놓는다.
3 브로콜리는 송이가 작고 단단한 것을 준비해 끓는 물에 넣어 살짝
데친 다음 찬물에 담근다. 피망은 꼭지를 잘라 내고 씨를 털어 낸 다음
얄팍하게 통썰기한다.

이렇게 만들어요

4 프라이팬에 버터와 식용유를 섞어 넣고 뜨겁게 달군 다음 햄과 파인
애플을 넣어 먹음직스럽게 지진다. 이 때 햄은 칼집 넣은 면부터 지지
고 적당히 지져지면 백포도주를 뿌려 준다.
5 다시 프라이팬에 기름을 두르고 달군 다음 삶아 둔 감자 · 당근과 데
친 브로콜리를 넣어 볶으면서 소금을 뿌려 간을 맞춘다.
6 토마토 케첩에 정량의 우스터 소스를 섞어 스테이크 소스를 만든다.
7 둥근 접시에 지져 낸 햄을 얹고 소스를 약간 끼얹은 다음 파인애
플 · 피망을 얹는다. 당근 · 감자 · 브로콜리도 함께 담아 낸다.

햄 커틀릿

재료 · 4인분

햄 600g · 달걀 2개 · 밀가루 ½컵 · 빵가루 1
컵 · 소금 약간 · 후춧가루 약간 · 식용유 3
컵 · 토마토 케첩 적당량

이렇게 만들어요

① 햄은 1㎝ 정도 두께로 도톰하게 통썰기해
놓고, 달걀은 깨뜨려 소금과 후춧가루를 약간씩 넣고 잘 푼다.
② 썰어 놓은 햄에 밀가루를 적당히 묻힌 다음 풀어 놓은 달걀에 담갔다가 빵가
루를 골고루 묻힌다. 튀김 냄비에 기름을 넉넉히 붓고 중온 정도로 가열해 튀김
옷 입힌 햄을 넣어 노릇노릇하게 튀겨 낸 다음 기름기를 뺀다.
③ 접시에 튀긴 햄을 담은 다음 토마토 케첩을 끼얹는다. 상추, 채썬 양배추, 파
슬리와 모양내어 깎은 토마토를 곁들인다.

파인애플은 물기를 걷어 내고 햄은 2~2.5
㎝로 저며 썬 다음 잘게 칼집을 넣는다.

브로콜리는 송이가 작은 것을 골라 끓는 물
에 넣어 살짝 데친 다음 찬물에 담근다.

프라이팬에 버터와 식용유를 넣고 뜨겁게
달군 다음 햄과 파인애플을 넣어 지진다.

다시 프라이팬에 기름을 두르고 달군 다음
삶아 둔 감자 · 당근 · 브로콜리를 볶는다.

565 Kcal

햄 야채 볶음

167Kcal

재료 · 4인분

햄 200g · 양파 ½개 · 당근 ½개 · 피망 1개 · 식용유 2큰술 · 양념장(진간장 2큰술, 파 ⅓뿌리, 마늘 2쪽, 깨소금 2작은술, 참기름 약간, 후춧가루 약간, 설탕 약간, 실고추 약간)

이렇게 준비하세요

1 당근은 껍질을 대강 벗겨 내고 깨끗이 씻은 다음 1.5×4cm 크기로 얄팍얄팍하게 썰고, 양파도 껍질을 벗겨 당근과 비슷한 크기로 썰어 놓는다.

2 햄은 덩어리로 된 것을 준비하여 당근과 같은 길이로 토막낸 다음 납작납작하게 썰고, 피망도 꼭지와 씨를 제거한 후 햄과 같이 큼직하게 썬다.

3 양념장에 넣을 파와 마늘은 깨끗이 손질하여 잘게 다진다.

이렇게 만들어요

4 오목한 그릇에 진간장을 넣고 다진 파 · 마늘, 깨소금 · 참기름 · 후춧가루 · 설탕 · 실고추를 섞어 양념장을 만든다.

5 프라이팬에 식용유를 두르고 뜨겁게 달군 다음 양파 · 당근 · 피망을 넣어 볶다가 썰어 둔 햄을 넣어 함께 볶는다. 햄은 오랜 시간 익히면 단단해지므로 센 불에서 잠깐만 볶는다.

6 야채가 적당히 익으면 양념장을 넣어 고루 섞으면서 잠깐 더 볶다가 재료들이 잘 어우러지면 그릇에 먹음직스럽게 담아 낸다.

POINT

2
햄은 덩어리로 된 것을 준비해 당근과 같은 길이로 토막낸 다음 납작납작하게 썬다.

5
프라이팬에 식용유를 두르고 뜨겁게 달군 다음 야채를 넣어 볶다가 햄을 넣어 볶는다.

6
야채가 적당히 익으면 양념장을 넣어 고루 섞으면서 잠깐 더 볶는다.

볶음 요리 포인트

센 불에서 단시간에 볶는다

볶음은 다른 조리법에 비해 가열 시간이 짧은데, 한꺼번에 센 불에 단시간 내에 볶아 내는 것이 볶음의 특징이다. 재료에 따라서는 불이 세지 않아도 되는 것도 있지만 프라이팬이 달구어지지 않았을 때 볶음 요리를 하면 실패하기 쉽다. 따라서 볶기 전에 모든 재료를 손질해 놓고 조미료는 물론 담을 그릇까지 준비한 후 시작한다.

야채는 딱딱한 순서대로 볶는다

야채를 볶을 때는 볶는 순서를 정하여 놓고 볶아야 일도 빠르고 볶기도 쉽다. 볶는 순서는 파 · 생강 · 마늘 · 고추 등 양념을 먼저 넣은 다음 당근 · 양파 등 딱딱한 야채를 순서대로 넣고 볶는다. 나중에는 말린 버섯을 볶고 마지막으로 시금치 · 양배추 · 부추 등 쉽게 볶아지는 야채 순으로 볶는다.

조미료는 80% 정도 볶아졌을 때 넣는다

조미료는 소금, 설탕과 같은 고체와 간장, 술 등의 액상 조미료로 구분하여 준비한다. 소금, 설탕은 손으로 골고루 뿌리고, 간장 · 술은 냄비 주위로 흘려 넣으면 향이 더 좋아진다. 조미료는 재료들이 80% 정도 볶아졌을 때 넣는 것이 좋으며, 고기 · 어패류는 생강 · 술 · 간장으로 밑간을 한 다음 볶아야 맛이 더 좋다.

한입에 쏙쏙 들어가 술안주로 좋은

소시지 베이컨 말이

재료 · 4인분

베이컨 20조각 · 프랑크 소시지 4개 · 굴(훈제된 것) 60g · 파인애플 2
쪽 · 레몬 1개 · 브로콜리 50g · 식용유 2큰술 · 소금 약간

이렇게 만들어요

1 베이컨은 신선한 것으로 준비하여 2cm 폭으로 길게 썰
고, 소시지도 2cm 길이로 자른 다음 한 면에 열십자로 칼
집을 넣는다.
2 굴은 통조림된 훈제 굴을 준비하여 물기를 빼고, 파인애
플도 통조림을 준비한 후 물기를 걷어 내고 소시지와 비슷한
크기로 썬다.
3 브로콜리는 줄기를 나누어 끓는 소금물에 데친 다음 찬물에 담
가 식히고, 레몬은 얇팍하게 통썰기한다.
4 준비한 베이컨에 소시지 · 굴 · 파인애플을 각각 놓은 다음 돌돌 말
아 고정시키고, 기름 두른 팬에 넣어 굴리면서 지져 낸다.
5 접시에 파인애플과 레몬을 깔고 지져 낸 것들을 얹은 후 브로콜리로
장식한다.

393 Kcal

389 Kcal

파삭한 밤에 베이컨의 고소한 맛이 더해진

밤 베이컨 말이

재료 · 4인분

밤 40개 · 베이컨 20조각 · 설탕 4큰술 · 식용유 약간

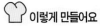
이렇게 만들어요

1 밤은 속껍질까지 말끔히 벗기고 고르게 모양을 다듬은 다
음 갈색으로 변하지 않도록 찬물에 담가 둔다.
2 냄비에 밤이 잠길 만큼 물을 붓고 설탕을 넣어 잘 저은 다
음 껍질 벗긴 밤을 넣고 조려서 달콤하게 익힌다.
3 베이컨은 반으로 자른 다음, 조려서 익힌 밤을 얹어 돌돌 말
아서 대꼬챙이로 고정시킨다.
4 프라이팬에 기름을 약간 두르고 달구어 밤 베이컨 말이를 얹어
뒤적여 가면서 지진다. 베이컨 자체에서 기름이 배어 나오므로 기름
은 프라이팬에 약간 묻을 정도로만 두르고, 불이 세면 베이컨 표면만
타서 딱딱하게 굳어지므로 뭉근한 불에서 앞뒤로 돌려 가며 익힌다.
5 엷은 갈색으로 먹음직스럽게 지져지면 꺼내어 대꼬챙이는 빼고 예
쁜 꼬챙이를 꽂아 보기 좋게 접시에 담아 상에 낸다.

소스의 깊은 맛이 소시지의 풍미를 더욱 돋우어 주는 별미 요리

소스 얹은 소시지 구이

재료 · 4인분

소시지 8개 · 콩 ½컵 · 버터 1큰술 · 밀가루 2큰술 · 토마토 케첩 4큰술 · 육수 1컵 · 소금 약간 · 후춧가루 약간 · 파슬리 약간 · 식용유 적당량

이렇게 준비하세요

1 콩은 미지근한 물에 담가 불려 놓고, 소시지는 신선한 것을 준비하여 어슷하게 칼집을 넣는다.

2 콩이 충분히 불려지면 끓는 물에 소금을 약간 넣고 삶은 다음 찬물에 헹구고 소쿠리에 건져 물기를 뺀다.

이렇게 만들어요

3 프라이팬에 기름을 두르고 뜨겁게 달구어지면 소시지를 넣어 살짝 지져 낸다.

4 다시 프라이팬을 달군 다음 약한 불에서 버터를 녹이고 밀가루를 넣어 갈색이 나도록 볶다가 토마토 케첩과 육수를 부어 끓인다.

5 소스가 끓으면 삶은 콩을 넣고 걸쭉하게 만든 다음 소금과 후춧가루를 넣어 간을 맞춘다.

6 지져 낸 소시지를 그릇에 담고 소스를 끼얹은 다음 파슬리를 다져 뿌린다. 소시지는 쇠고기 · 돼지고기를 갈아 염장해 조미료 등을 첨가한 후 양이나 돼지, 소의 소장 또는 대장에 넣어 삶은 것이다. 단백질은 13%, 지방은 30%를 함유한 고칼로리 식품이며, 철분 · 비타민 B1도 많이 함유하고 있는 소시지는 햄만큼의 보존성은 없으므로 되도록 빨리 사용하고, 남은 것은 잘린 면을 랩으로 싸서 냉장고에 보관한다.

289 Kcal

POINT

① 콩은 미지근한 물에 담가 불리고 소시지에는 어슷하게 칼집을 넣는다.

② 콩이 충분히 불려지면 끓는 물에 소금을 약간 넣고 삶아 찬물에 헹구고 물기를 뺀다.

④ 프라이팬을 달군 다음 약한 불에서 버터와 밀가루 · 토마토 케첩 · 육수를 넣어 끓인다.

⑥ 프라이팬에 지져 낸 소시지를 그릇에 담고 소스를 끼얹은 다음 파슬리를 다져 뿌린다.

참치 야채 밥

재료 · 2인분

밥 2공기 · 참치(통조림) ½통 · 완두(통조림) 4큰술 · 옥수수(통조림) 4큰술 · 당근 ⅓개 · 소금 ⅓작은술 · 후춧가루 약간

이렇게 만들어요

① 참치는 체에 밭쳐 기름을 뺀 다음 주걱으로 으깨어 잘게 만든다.

② 완두 · 옥수수도 뜨거운 물을 끼얹어 미끈미끈한 기를 없앤 뒤 물기를 뺀다.

③ 당근은 손질하여 완두 크기로 잘게 썰어 놓는다.

④ 준비한 완두 · 옥수수 · 당근을 내열 그릇에 담아 랩을 씌운 뒤 이쑤시개로 2, 3군데 구멍을 뚫어 전자 레인지에 넣고 약 2분간 가열한다.

⑤ 그릇에 밥을 담고, 참치와 완두 · 옥수수 · 당근을 넣어 주걱으로 골고루 섞어 소금과 후춧가루로 간한다. 접시에 참치 야채 밥을 담고 야채들을 곁들인다.

야들야들한 달걀 말이 안에 참치가 쏙 들어간

참치 달걀 말이

 재료 · 4인분

참치(통조림) 1통 · 달걀 4개 · 소금 약간 · 식용유 1큰술

 이렇게 만들어요

1 참치 통조림은 고운 체에 밭쳐 기름을 빼고, 달걀
은 오목한 그릇에 깨뜨려 소금을 약간 넣고 잘 푼다.
육수나 장국을 달걀의 $\frac{1}{4}$ 분량이 되게 넣으면 좀더 부
드러운 달걀 말이가 된다.
2 사각 프라이팬에 기름을 두르고 뜨겁게 달구어지면
기름은 따라 내고 달걀 푼 것을 반 정도 부어 넓게 편 다
음 참치를 가지런히 얹는다. 기름 묻힌 거즈로 살짝 닦아 내
는 정도로만 기름을 묻혀야 깨끗하게 지져진다.
3 달걀이 반 정도 익으면 돌돌 말아 팬의 끝부분에 놓고, 나머지 달
걀을 부어 반쯤 익힌 후 먼저 말아 놓은 달걀말이에 연결하여 만다. 달
걀 말이는 이미 말아 둔 달걀의 끝부분을 젓가락으로 들추고 달걀물이
흘러들어가도록 해야 끊기지 않고 자연스럽게 연결이 된다.
4 김발에 참치 달걀 말이를 놓고 말아 먹기 좋은 크기로 썬다.

277 Kcal

쉽게 구할 수 있는 야채에 참치 소를 넣어 만든

참치 야채 전

 재료 · 4인분

참치(통조림) 1통 · 양파 2개 · 애호박 1개 · 파 $\frac{1}{2}$ 뿌리 · 마늘
2쪽 · 달걀 2개 · 소금, 깨소금, 후춧가루 약간씩 · 식용유 3큰
술 · 밀가루 약간

 이렇게 만들어요

1 참치 통조림은 기름기를 빼고 잘게 부서뜨려 놓는다.
2 양파는 도톰하게 통썰기한 다음 속을 빼내고, 애호박
은 양파와 같이 통썰기한 후 가운데 칼집을 넣는다.
3 파와 마늘은 손질하여 곱게 다지고, 달걀은 오목한 그
릇에 깨뜨려 소금을 약간 넣고 잘 푼다.
4 준비해 둔 참치에 다진 파 · 마늘 · 깨소금 · 후춧가루로 양
념하여 잘 버무린다.
5 양파와 호박에 밀가루를 바르고 양념해 둔 참치를 넣어 속을 채운
다음 풀어 둔 달걀에 담갔다가 꺼내어 기름 두른 팬을 중불 정도로 달
구어 노릇노릇하게 지져 낸다. 한 번만 뒤집어야 모양새가 깔끔하다.

367 Kcal

바삭바삭한 튀김을 먹고 싶을 때 바로 만들 수 있는

참치 파슬리 튀김

233 Kcal

 재료 · 4인분

참치(통조림) 1통 · 파슬리 6줄기 · 상춧잎 4장 · 레몬 1개 · 방울토마토 4개 · 달걀 1개 · 밀가루 ½컵 · 튀김가루 ½컵 · 우유 ½컵 · 소금 적당량 · 식용유 3컵

이렇게 준비하세요

1 참치 통조림은 신선한 것으로 준비한 다음 기름을 따라 내고 깨끗한 거즈에 싸서 기름을 꼭 짜 내고 잘게 부서뜨린다.
2 파슬리는 깨끗이 씻어서 물기를 뺀 후 잘게 뜯어 놓고, 상추는 흐르는 물에 깨끗이 씻는다.
3 레몬은 얄팍하게 반달썰기하고, 방울토마토는 꼭지를 잘라 내고 길이로 4등분한다.

이렇게 만들어요

4 오목한 그릇에 달걀을 깨뜨려 담고, 우유와 적당량의 소금을 넣어 잘 푼 다음 밀가루와 튀김가루를 체에 쳐서 넣고 훌훌한 튀김 반죽을 만든다.
5 반죽에 준비해 둔 참치살과 파슬리를 넣고 골고루 잘 섞는다.
6 튀김 냄비에 기름을 넉넉하게 붓고 불에 올려 중온 정도로 가열한 다음 걸쭉하게 된 반죽을 숟가락으로 한입 크기 정도씩 떠 넣어 노릇노릇하게 튀겨 낸다.
7 넓은 접시에 씻어 둔 상추를 깔고, 종이 타월에 얹어 튀김의 기름기를 뺀 다음 먹음직스럽게 담고 레몬과 방울토마토를 군데군데 얹어 장식한다.

P O I N T

5

달걀과 우유, 소금을 넣어 섞은 반죽에 참치 살과 파슬리를 넣고 잘 섞는다.

6

중온 정도로 가열한 기름에 반죽을 한 숟가락씩 떠서 노릇노릇하게 튀겨 낸다.

참치의 영양
참치는 수분의 함량이 적고 근육 조직이 탄탄해 단백질 함량이 많은 생선으로 손꼽힌다. 지용성, 수용성 비타민도 많고 혈관을 확장시키고 동맥경화 예방과 고혈압 개선, 뇌혈전 · 심근경색 예방에도 좋다. 또 DHA를 다량 함유한 참치는 학습 능력 향상, 치매 · 암 · 알레르기 질환 등의 예방과 억제에도 효과적이므로 여러 가지 반찬에 이용하기에 좋다.

껍질콩 참치 겨자 무침

재료 · 4인분
참치(통조림) 1통 · 껍질콩 200g · 실파 2뿌리 · 레몬 1개 · 양겨자 2작은술 · 소금 약간

이렇게 만들어요
① 참치 통조림은 체에 쏟아서 맑은 기름은 따로 받아 두고 참치살은 큼직하게 부순다.
② 껍질콩은 끓는 물에 소금을 약간 넣고 파랗게 데쳐서 꺼내 물기를 뺀 다음 양 끝을 잘라 내고 4cm 길이로 자른다. 통조림 식품은 뜨거운 물을 끼얹은 후 쓴다.
③ 실파는 깨끗이 손질해 송송 썰고, 레몬은 반으로 나눠 반은 즙을 짜고 나머지는 길이로 4등분하여 얄팍하게 썬다.
④ 오목한 그릇에 참치 기름을 담고, 양겨자 · 레몬즙을 넣어 거품기로 저은 다음 소금으로 간을 맞춰 겨자 소스를 만든다.
⑤ 그릇에 준비된 참치 · 껍질콩을 담고 겨자 소스를 부어 고루 섞는다.

출출할 때 통조림으로 간편하게 만들 수 있는 영양 간식

다진 고기 옥수수 볶음

 재료 · 4인분

옥수수(통조림) 2컵 · 쇠고기 150g · 완두(통조림) 1컵 · 참기름 약간 · 소금,
후춧가루 약간씩 · 식용유 2큰술 · 고기 양념(파 ½뿌리, 마늘 2쪽, 진간장 1큰
술, 설탕 1작은술, 참기름 약간, 후춧가루 약간)

 이렇게 준비하세요

1 쇠고기는 살코기로 준비한 다음 얄팍하게 저며 썰어서 곱게 다지는
데, 갈아 놓은 것을 구입하면 편리하다.
2 고기 양념에 넣을 파와 마늘은 깨끗이 손질하여 잘게 다진다.
3 옥수수와 완두 통조림은 유통 기한을 살펴보아 신선한 것을 준비한
다음 체에 쏟아 국물을 빼고 뜨거운 물을 끼얹어 주거나, 팔팔 끓는 물
에 잠깐 넣었다가 건져서 물기를 말끔히 뺀다.

 이렇게 만들어요

4 오목한 그릇에 다진 쇠고기를 넣고 다진 파 · 마늘, 진간장 · 설탕 ·
참기름 · 후춧가루를 넣어 양념한 후 잘 주물러 놓는다.
5 프라이팬에 식용유를 두르고 뜨겁게 달구어지면 양념한 고기를 넣
어 볶는다.
6 고기가 거의 다 익었을 때 준비한 옥수수와 완두를 넣어 가볍게 뒤
섞으며 볶은 다음 소금 · 후춧가루로 잘 조미한다.
7 재료들이 잘 어우러지면 참기름을 뿌리고 크게 휘저어 준 다음 그릇
에 담아 낸다.

옥수수와 완두 통조림은 팔팔 끓는 물에 잠깐 넣었다가 건져서 물기를 뺀다.

다진 쇠고기에 갖은 양념을 넣어 잘 주물러 놓는다.

프라이팬을 뜨겁게 달구어 고기를 볶다가 옥수수와 완두를 넣어 가볍게 뒤섞는다.

프로방스풍 양송이 볶음

각종 통조림은 보관이 손쉬우므로 종류별로 마
련해 두었다가 야채나 고기를 한두 가지씩 첨가
해 도시락 반찬이나 술안주를 급히 준비해야 할
때 이용하면 편리하다.

재료 · 4인분
양송이(통조림) 1통 · 양파 ½개 · 피망, 붉은
피망 1개씩 · 마늘 2쪽 · 식용유 2큰술 · 소금, 후춧가루 약간씩

이렇게 만들어요
① 양송이는 망에 쏟아 국물을 빼고, 뜨거운 물을 끼얹어 미끈거림을 없앤다.
② 마늘은 껍질을 벗기고 깨끗이 씻어서 잘게 다지거나 얄팍하게 저며 썰고, 양파
도 깨끗이 손질하여 1×1㎝ 정도 크기로 잘게 썰어 놓는다.
③ 붉은 피망은 깨끗이 씻어서 손질한 다음 양파와 같은 크기로 썰고, 피망도 붉
은 피망과 같이 손질한 후 잘게 썬다.
④ 프라이팬에 식용유를 두르고 뜨겁게 달군 다음 마늘과 양파를 넣어 볶다가 양
파가 말갛게 익으면 양송이와 피망 · 붉은 피망을 함께 넣고 볶다 소금 · 후춧가
루를 넣어 간을 맞춘다.

252 Kcal

217

통조림 생선에 향긋한 야채를 곁들여 간편하게 만드는

정어리 깻잎 튀김

재료 · 4인분

정어리(통조림) 1통 · 감자 1개 · 당근 ⅓개 · 양파 ½개 · 달걀 1개 · 깻잎 12장 · 밀가루 2큰술 · 소금, 후춧가루 약간씩 · 식용유 3컵 · 튀김옷(달걀 1 개, 밀가루 5큰술, 소금 약간)

이렇게 준비하세요

1 정어리 통조림은 체에 쏟아 국물을 뺀 다음, 오목한 그릇에 담아 나 무주걱으로 살살 으깬다.

2 감자는 껍질을 벗기고 깨끗이 씻어서 2, 3등분하여 삶은 다음 뜨거 울 때 으깨어 두고, 양파와 당근은 깨끗이 손질하여 잘게 다진다.

3 깻잎은 1장씩 깨끗이 씻어서 물기를 걷어 낸다.

이렇게 만들어요

4 준비해 둔 정어리에 양파와 당근, 으깬 감자를 섞고 달걀 1개를 깨 뜨려 넣은 다음 소금 · 후춧가루로 조미하여 골고루 치댄다.

5 씻어 놓은 깻잎의 한 면에 밀가루를 골고루 뿌린 다음 정어리 반죽 을 알맞게 떼어 동글납작하게 빚어서 깻잎의 한 쪽에 얹고 맞덮어 살 짝 눌러 준다.

6 달걀 1개를 깨뜨려 소금과 물을 넣어 잘 섞은 다음 체에 친 밀가루 에 넣어 훌훌한 튀김옷을 만든다.

7 깻잎으로 싸 놓은 정어리를 튀김옷에 담갔다가 중온 정도로 가열시 킨 기름에 넣어 먹음직스럽게 튀겨 낸다.

8 튀김의 기름을 빼고 2, 3등분하여 접시에 가지런히 담은 후 레몬과 토마토로 장식하여 상에 낸다.

 P O I N T

정어리는 체에 쏟아 국물을 뺀 다음 오목한 그릇에 담아 나무 주걱으로 살살 으깬다.

정어리에 양파와 당근, 으깬 감자를 섞고 달 걀 1개를 깨뜨려 넣은 다음 양념을 한다.

깻잎에 밀가루를 뿌리고 정어리 반죽을 떼 어 깻잎의 한 쪽에 얹어 맞덮어 눌러 준다.

정어리를 튀김옷에 담갔다가 중온 정도로 가열시킨 기름에 넣어 튀겨 낸다.

캔 제품의 보관

생선이나 과일 통조림처럼 캔 제품은 개봉 즉시 먹는 것이 가장 좋지만 개봉하고 나 서 음식이 남았을 때는 유리나 사기 그릇에 옮겨 담아 보관해야 한다. 캔 제품들은 대 부분 주석으로 도금된 강철판을 사용하게 되는데 개봉하게 되면 공기 중의 산소와 캔 내용물의 산이 작용해 시간이 지날수록 주석의 용출량이 급격히 증가하게 된다. 따라 서 개봉 후 1일 이내에 모두 섭취하거나 유리나 사기 그릇에 옮겨 보관해야만 몸에 해로운 중금속으로 인한 피해를 예방할 수 있다.

240 Kcal

꽁치 깻잎 조림

재료 · 4인분

꽁치(통조림) 1통 · 양파 1개 · 깻잎 30장 · 양념장(꽁치 통조림 국물 6큰술, 붉은고추 1개, 풋고추 1개, 파 ½뿌리, 진간장 2큰술, 고춧가루 2큰술, 마늘 2쪽, 설탕 약간, 후춧가루 약간)

이렇게 준비하세요

1 꽁치 통조림은 유통 기한을 보아 신선한 것으로 준비한 다음 체에 쏟아 부서지지 않게 떼어 놓고 국물은 따로 받는다.

2 양파는 껍질을 벗겨 1㎝ 정도 굵기로 채썰고, 깻잎은 흐르는 물에 1장씩 깨끗이 씻은 다음 마른 헝겊으로 물기를 말끔히 걷어 내고 반으로 자른다.

3 양념장에 넣을 붉은고추와 풋고추는 깨끗이 씻어서 꼭지를 뗀 후 잘게 다지고, 파 · 마늘도 손질하여 곱게 다진다.

이렇게 만들어요

4 오목한 그릇에 받아 둔 꽁치 통조림의 국물을 담고, 다진 파 · 마늘 · 붉은고추 · 풋고추를 넣은 다음 진간장 · 고춧가루 · 설탕 · 후춧가루를 섞어 양념장을 만든다.

5 냄비에 썬 양파를 한 켜 깔고 그 위에 깻잎을 편평하게 늘어 놓는다.

6 깻잎 위에 꽁치를 가지런히 얹고 양념장을 골고루 끼얹어 센 불에서 끓인다. 재료들이 잘 어우러지면 불을 줄여 국물이 자작해질 때까지 조린다.

POINT

꽁치 통조림은 체에 쏟아 부서지지 않게 떼어 놓고 국물은 따로 받아 둔다.

냄비에 양파를 한 켜 깔고 그 위에 깻잎을 편평하게 늘어 놓는다.

깻잎 위에 꽁치를 가지런히 얹고 양념장을 골고루 끼얹어 센 불에서 끓인다.

고등어 튀김 조림

재료 · 4인분

고등어(통조림) 1통 · 메추리알 10개 · 달걀 ½개분 · 파 4뿌리 · 마늘 2쪽 · 녹말가루 4큰술 · 밀가루 1큰술 · 소금 약간 · 후춧가루 약간 · 조림장(진간장 3큰술, 청주 1큰술, 설탕 2작은술)

이렇게 만들어요

① 고등어는 국물을 따라 내고 오목한 그릇에 쏟아 나무주걱으로 잘 으깬다.

② 메추리알은 삶아 찬물에 담갔다가 껍데기를 깨끗이 벗긴다.

③ 달걀은 깨뜨려 소금을 넣어 잘 풀고, 파 · 마늘은 깨끗이 손질해 곱게 다진다.

④ 으깬 고등어에 다진 파 · 마늘과 소금 · 후춧가루를 넣고 밀가루와 풀어 둔 달걀을 넣어 잘 치대어 반죽한다.

⑤ 고등어 반죽을 메추리알보다 약간 크게 떼어 둥글게 빚은 다음 녹말가루에 놓고 굴려 골고루 입혀, 중온으로 가열한 튀김 기름에 넣고 튀긴다.

⑥ 냄비에 정량의 진간장 · 청주 · 설탕을 넣고 물을 약간 섞어 조림장을 만든 다음 팔팔 끓여 튀긴 고등어와 메추리알을 넣어 은근한 불에서 윤기나게 조린다.

215Kcal

어떤 모임 자리도 푸짐하고 깔끔하게 치를 수 있는 상차림

손님 초대 요리

손님 초대 요리

혼자서도 충분히 할 수 있어요

손님 치르기는 시간이 아무리 많아도 계획하고 준비하는 데 어려움이 많이 따른다. 좀 쉽게 하려고 출장 요리사를 부르거나 주변의 도움을 받으려고 하면 경제적인 부담이 만만치 않다.

스스로 정성껏 마련한 음식으로 손님을 초대하려면 초대 계획을 하나하나 세우는 것부터 시작하자. 먼저 손님 수 · 나이 · 성격이 결정되면 이에 맞추어서 예산을 정하고 식단을 짠다. 이것만으로 반은 완성된 셈이다. 다음은 식단에 따라 장을 보고, 미리 할 수 있는 음식, 당일 할 음식으로 나누어 일을 정리한다. 틈틈이 집안 정리도 겸하면 혼자서도 충분히 손님을 초대해 상을 차릴 수가 있다.

손님 초대 계획 세우기

초대하는 쪽이나 받는 쪽 모두에게 부담이 없고 즐거움이 남도록 미리 초대에 앞서서 계획을 세우자.

• 사람 수와 예산을 정한다

날짜와 사람 수 · 연령층 · 성별을 파악한다. 초대 날짜는 금요일 · 토요일 저녁이나 일요일 점심이 적당하다. 사람 수가 결정되면 초대 목적과 가계 형편에 맞추어 예산을 세우되 음식 비용 외에 음료수나 집안 장식비도 포함시킨다.

• 초대 날짜 알리기

초대 손님이 결정되면 적어도 1주일 전에는 미리 연락을 하고, 장소와 날짜를 전달한다.

• 손님 초대 식단을 짠다

예산이 정해지면 식단을 짠다. 조리법을 다양하게 하고 재료가 중복되는 것을 피하고 초대받는 이의 연령층을 고려하면 된다.

작성하기가 어렵게 느껴지면 조리법에 따른 음식의 종류를 몇 가지 생각해서 형편이나 기호에 맞는 것을 최종 선택하면 조금 더 쉽다. 음식의 가짓수보다는 모임의 성격에 맞는 주된 요리 한두 가지를 맛있고 푸짐하게 준비하면 충분하다는 것을 잊지 말자.

시장 보고 준비하기

• 상하지 않는 재료는 미리 사 둔다

초대 음식 재료는 재료와 양념은 미리 준비를 해놓아야 요리할 때 시간이 절약된다.

마른 안주나 고기 · 김치 재료 · 장아찌 · 생야채 등 미리 준비해도 괜찮은 재료들을 체크해서 장을 먼저 본다.

식품 외에도 술 · 음료수 · 냅킨 등도 미리 준비해 놓는다. 단, 생선류는 당일에 사서 하는 것이 맛있고 신선하다. 시장을 보았으면 재료를 다듬어 놓는다.

• 양념과 재료를 다듬어 둔다

파 · 마늘은 넉넉히 다져서 각각 병에 담아 두고 생강즙도 병에 담아 둔다. 갈비찜이나 갈비 구이는 미리 양념해서 냉동실에 넣어 둔다. 쇠고기는 여러 음식에 쓰이게 되므로 채 썬것, 다진 것 등을 양념해 놓는다. 호박전 같은 것만 빼놓고 다른 전은 전날 미리 만들어서 냉장보관한다.

조리법에 따른 손님 초대 음식 메뉴

손님 초대 식단 짜기가 의외로 까다롭다면 조리법에 따른 음식의 종류를 생각해 보는 것이 우선이다. 이 중에서 형편이나 기호에 맞는 것을 선택하면 손쉽게 결정할 수가 있다.

한식으로 상을 차릴 경우

갈비찜(또는 갈비구이) · 도미찜(또는 생선 탕수육이나 생선 튀김) · 전유어 · 숙채 무침 · 해파리 냉채(또는 오징어 냉채), 야채 요리 3~4가지, 숙주 나물(또는 볶은 나물)에 된장국을 곁들이면 충분하다. 그외 조리법에 따른 음식의 종류는 다음과 같다.

- 전식: 육포 · 어포 · 자반 · 은행 · 생률 · 호두 등
- 국 · 찌개 · 전골: 만두국 · 완자탕 · 무맑은장국 등
- 찜이나 조림: 갈비찜 · 닭찜 · 생선찜 등
- 전이나 편육: 각색 전유어 · 편육 등
- 구이나 적: 너비아니구이 · 생선구이 · 더덕구이 ·

닭구이 · 갈비구이 등
- 숙채(나물류): 구절판 · 잡채 · 죽순채 · 밀쌈 등
- 생채: 겨자채 · 깨즙채 · 탕평채 · 닭냉채 등
- 회: 육회 · 생선회 · 미나리강회 · 오징어회 등
- 김치: 배추김치 · 오이소박이 · 나박김치 등
- 밑반찬: 북어무침 · 장아찌류 · 젓갈류
- 후식: 떡 · 화채 · 차 · 과일 · 경단 등
- 주류와 음료: 맥주 · 소주 · 주스 · 콜라 등

중식으로 상을 차릴 경우

부부 동반으로 초대할 때에 좋다. 10명 정도라면 깐풍기 · 탕수육 · 오향 장육 · 해파리 냉채 · 탕 중에서 3가지 정도를 준비한다.

일식으로 상을 차릴 경우

단품 요리로 음식을 장만하고 싶을 때 선택하면 좋다. 샤브샤브는 생선과 고기, 해물과 각종 야채도 골고루 들어 있어 주요리로 손색이 없다. 철판구이에도 고기 외에 야채와 과일을 곁들여 풍성하게 준비하고 소스

초대 음식 메뉴를 짤 때는 조리법에 따라 결정하면 손쉽다.

맛에 신경을 쓰면 주요리로 충분하다. 샤브샤브와 철판 구이는 하나만 선택해도 된다.

일식 손님 초대 상차림 생선회 · 샤부샤부 · 문어 초회 · 새우 소금 구이 · 전복 초밥 · 송이 덮밥

각종 채소류는 깨끗이 씻어 물기를 없애고 통에 보관한다. 겨자 소스 등 식단에 따라 들어가는 양념장을 미리 만들어 두면 편리하다. 장아찌류도 미리 간을 맞추어 양념해 보관해 두었다가 먹기 직전에 참기름을 떨어뜨려 내놓으면 된다.

• 집안을 정리하고 그릇을 준비한다
당일에는 집안 정리를 할 시간이 없으므로 미리 정리해 둔다. 초대일 전 주말에 집안 먼지를 제거하고 커튼이나 방석 등을 세탁해 놓고 현관과 화장실도 잘 정리해 놓는다. 꽃 한송이라도 꽂아 놓는 여유도 잊지 말 것. 전날에는 옷걸이 · 우산 받침대 · 빗물 닦는 수건 · 의자 · 테이블 · 방석 등도 체크해 둔다. 식기류 역시 상차리기 직전에 꺼내지 말고 그릇과 수저 · 술잔 · 물컵 등이 모자라지 않도록 미리 살펴 보고 보충해 둔다. 손님 수보다 그릇이 부족하면 뷔페 식으로 하면 좋다.

손님 오는 날 상차리기
• 시간이 걸리는 요리부터 시작한다
시간이 걸리는 국이나 전골, 찜류는 먼저 끓이다가 낮은 불 위에 얹어 놓고, 볶음이나 무침을 하면 시간을 절약할 수가 있다.
냉채는 재료를 손질해 그릇에 미리 담아 냉장

고에 넣어 두고 상에 올리기 직전에 소스를 섞어 담는다. 튀김 안주는 미리 튀겨 놓았다가 손님이 왔을 때 한번 더 튀긴다.

· 전식과 후식을 준비한다
손님들이 한꺼번에 오는 일이 없으므로 미리 도착한 손님들이 담소를 즐길 수 있도록 간단한 다과와 음료수, 가벼운 술 등을 준비해 놓는다. 과일 · 커피 등 후식도 준비해 놓는다.

• 미리 상을 차린다
개인 접시 · 수저 · 물컵 등을 미리 준비해서 상 위에 갖춰 놓는다. 이 때 수저는 개인 접시 오른쪽으로, 컵은 위쪽으로 향하게 내놓는다. 간장 · 초간장 · 초고추장 · 밑반찬류는 미리 내놓아도 된다.

• 찬 음식부터 내놓는다
같이 도와 주는 사람이 있으면 찬 음식→국물 없는 더운 음식→국물 있는 더운 음식 순으로 내놓는다. 그렇지 않은 경우에는 국이나 밥 면류를 제외한 음식은 순서와 무관하게 내놓아도 된다. 음식을 내놓을 때는 약속 시간보다 늦게 도착하는 사람들을 위해 ⅓ 정도의 음식을 따로 덜어 놓는다.

CHECK CHECK

10명 기준 예산별 초대 메뉴짜기
· 8~10만 원대 : 닭고기 · 토마토 등 저렴한 가격의 재료를 이용한다.
갈비찜 · 잡채 등 집들이할 때의 고정 메뉴들을 지우고 지갑 사정에 맞게 새로운 메뉴를 짠다. 고기 중에는 닭고기 · 돼지고기, 과일 중에는 토마토 등 비교적 저렴한 가격의 재료를 골라 색다른 조리법을 선택한다. 예를 들어 닭고기는 닭강정이나 닭찜, 튀김보다는 스튜 같은 서양 요리를 응용해 본다. 스튜 소스 만드는 것이 번거롭다면 시판되는 인스턴트 소스를 이용한다. 또 테이블 세팅에도 세심하게 신경쓴다.
· 12~14만 원대 : 해물 · 고기를 이용한 요리로 고급스럽게 차린다
쇠고기찜 같은 것은 입맛에 관계없이 누구나 좋아하는 음식이므로 하나쯤 준비하고, 좀 여유가 있다면 해물 요리를 함께 준비하는 것이 좋다. 특히 대하나 홍합 같은 재료는 조리하기도 쉽고 술안주로도 그만이므로, 야채와 치즈 · 햄 등으로 장식한 오드볼로 만들어도 좋다.
· 16~18만 원대 : 신선한 회를 중심으로 맛깔스럽게 차린다
손님 1인당 1,600원의 넉넉한 예산이라면 메뉴를 정하는 게 어려울 것이 없다. 단 가짓수를 많이 준비하기보다는 평소 먹기 힘든 고급 요리 몇 개를 포인트로 준비한다. 가장 좋은 것은 생선회로 백화점이나 대형 슈퍼마켓 등을 이용하면 별다른 준비 없이도 간편하게 상을 차릴 수 있어 편리하다.

서양에서 즐기는 홈 파티
· **디너 파티** : 여러 가지 형식의 파티 중에서 가장 격식을 중요시하는 파티로서 부부 동반이나 남녀 쌍쌍으로 초대된다. 초대받은 손님이 테이블 주위에 둘러앉아 식사를 하는 파티와 음식을 한 군데 차려 놓고 덜어 먹는 뷔페식이 있다.
· **칵테일 파티** : 술과 오르되브르가 중심이 되는 칵테일 파티는 많은 손님을 초대하기에 적합하며 저녁 5시부터 7시까지 보통 2시간 정도 이어지는데 주로 선 채로 손님과 이야기를 나눈다.
· **티 파티** : 오전 10시나 10시 30분경부터 하는 파티를 모닝 티 파티, 오후 2시나 3시에 하는 파티를 애프터눈 티 파티라고 한다. 차나 커피, 과자와 샌드위치 등을 먹으면서 2시간 정도 티 타임을 즐기는 파티다. 술 종류는 나오지 않는 것이 원칙이며 차와 과자가 주이므로 어린이부터 노인까지도 즐길 수 있다.
· **샤워 파티** : 미국의 관습에서 나온 것으로 선물 샤워에 관련된 것으로 대신한다는 의미다. 결혼을 앞둔 사람에게 친구들이 취사 도구(키친 샤워)나 시트 · 타월류(린네르 샤워)를 선물한다든지 갓 태어난 아기가 있는 사람에게 유아 용품(베이비 샤워)을 선물하는 파티가 있다. 시간은 주말이 좋고 차와 과자 정도를 간단히 차려 놓고 2, 3시간쯤 담소를 즐긴다. 특히 이 때의 선물은 미리 의논하여 겹치지 않도록 한다.
· **결혼 기념일 파티** 결혼 1년째는 페이퍼 웨딩이라고 불리는, 종이 식기를 사용하는 파티를 연다. 5년째는 목혼식, 25년째는 은혼식, 50년째는 금혼식 등 연수에 따라 거기에 맞게 축하 파티를 여는 것이 서양의 습관이다.
· **포트 럭 파티** 특별히 친한 친구들끼리 쿠키나 디저트 등의 간단한 요리나 술 등을 1, 2가지씩 준비하여 들고 가서 여는 파티다. 초대하는 측도 부담이 되지 않을 뿐만 아니라 각자의 자신 있는 요리를 한 자리에서 맛볼 수 있는 것도 큰 즐거움이다.
· **브런치 파티** 아침과 점심 시간 중간에 아침 · 점심 겸용으로 하는 식사를 의미한다. 휴일의 늦은 아침 식사를 가깝게 사는 친한 친구들과 함께 가벼운 마음으로 즐기는 파티다.

티파티 상차림 핑거 샌드위치 · 쿠키 롤 케이크 · 에인절 페이스트리 · 커피 · 홍차 · 오렌지 주스

상차리기 1 명절 상차림

설날 상차림

사계절이 뚜렷하고 1년 내내 절기가 분명한 우리 나라는 예부터 지켜온 명절이 많았다. 그 가운데 설날은 가장 으뜸되는 명절이다. 설날 상차림에는 조상께 정성을 올리는 차례상, 세배객에게 대접하는 떡국상, 술 대접을 위한 주안상, 차와 과자·떡을 대접하는 다과상이 있다.

차례상에는 탕·적·전유어·포·찜·나물·과일·유과·유밀과·다식·정과·식혜·수정과 등을 올리고 제를 올린 후에는 손님에게 대접한다. 그러나 차례가 없는 가정에서는 손님을 대접할 안주나 떡국상에 올릴 음식을 준비한다.

떡국상에는 떡국과 안주에 해당되는 신선로·전유어·도미찜·빈대떡·편육·겨자채와 다과에 해당하는 절편·정과·식혜·과일 등을 차린다. 흰색의 떡국을 새해 설날 아침에 끓이는 뜻은 천지 만물의 새로운 생성을 기원하는 것이라 한다.

국물 있는 김치와 식혜는 각자 앞에 한 그릇씩 담아 놓고, 음식을 덜어 먹을 수 있는 개인 접시도 준비하는 것이 좋다.

하나 더 떡국

재료 · 4인분

양지머리 300g · 가래떡 4갈래 · 파 2뿌리 · 달걀 2개 · 마늘 2쪽 · 소금, 국간장, 후춧가루 약간씩

이렇게 만들어요

1 냄비에 물을 넣어 양지머리를 덩어리째로 넣고 파 1뿌리를 2토막내어 함께 넣고 끓인다. 2 가래떡은 하룻밤쯤 두어 꾸덕꾸덕해지면 얇게 썰어 찬물에 씻은 후 건져 물기를 뺀다. 딱딱한 떡은 물에 담가 불린다. 3 나머지 파는 얄팍하게 어슷썰기하고 마늘은 다진다. 4 양지머리는 얇게 썰어 고명이나 편육으로 쓴다. 국물은 식혀 기름기를 걷고 맑은 국물만 다시 끓인 다음 국간장과 소금으로 간을 맞춘다. 5 국물이 끓어오르면 떡을 넣고 끓이다가 떠오르면 파와 다진 마늘을 넣고 달걀을 풀어 나무젓가락에 대고 붓는다. 불을 끄기 바로 전에 후춧가루를 뿌린다.

설날 상차림 • 떡국, 전유어, 녹두전, 삼색 나물, 떡산적, 잡채, 갈비 찜, 유자 화채, 절편, 강정

대보름 상차림 • 대보름 나물, 김, 오곡밥, 약식, 부럼

대보름 상차림

대보름의 대표 음식은 오곡밥과 나물이다. 멥쌀·콩·팥·찹쌀·수수·차조 등을 섞어서 밥을 지은 것이 오곡밥이다. 오곡밥을 지을 때는 콩은 물에 푹 불리고 팥은 삶아서 밥을 지어야 고루 잘 퍼지는데 이 외에도 다른 잡곡을 섞어 지어도 좋다.

오곡밥에는 맑은 국을 곁들여 먹어야 제맛이다. 나물은 주로 묵은 나물을 이용하는데 호박고지·취·가지·고사리·고비·시래기·고구마줄기 등 가을에 말려 두었던 묵은 나물들을 데쳐서 갖은 양념하여 볶은 것이다.

예전에는 묵은 나물 아홉 가지를 준비해 대보름 음식으로 즐겼는데 요즘은 시금치·도라지·숙주 등 생채소로 나물을 만들어 함께 먹기도 한다.

한가위 상차림

한가위 상은 우리 옛조상의 음식 맛을 살린 고유의 상차림으로서 햇곡식과 과일, 나물을 이용한 음식이 주축이 된다. 차례상 외에 주안상·교자상·반상·다과상 차림 형식으로 차릴 수 있다. 한가위 음식으로 빠뜨릴 수 없는 것은 송편과 토란국이다. 그 외 한가위 음식으로는 가을에 제맛을 내는 닭으로 닭찜·닭산적·닭구이를 하면 좋다.

또 버섯을 종류별로 넣어 만든 버섯잡채와 버섯산적·버섯누름적과 가을에 제맛을 내는 송이버섯으로 만든 전골·산적·구이도 별미이다. 그외 돼지갈비찜·쇠갈비찜·화양적·대합구이·대하찜 등을 준비해도 좋다.

어른을 대접할 때는 주안상으로는 전유어·잡채·찜·적을, 반상으로는 풋콩밥·토란국·

토란탕

재료 · 4인분

사태 400g · 토란 300g · 무 ⅓개 · 다시마 15×10㎝ · 파 1뿌리 · 마늘 2쪽 · 국간장 3큰술 · 소금 적당량 · 참기름 1작은술 · 후춧가루 약간

이렇게 만들어요

1 사태는 찬물에 담갔다가 건져 낸 다음 2, 3덩어리로 토막내어 끓는 물에 넣고 푹 삶는다. 2 토란은 껍질을 말끔히 벗긴 다음 깨끗이 씻어 끓는 물에 소금을 넣고 데쳐 미끈끈한 성분을 없앤다. 3 무는 3×3㎝ 크기로 얄팍하게 나박썰기하고 다시마는 젖은 행주로 닦아 무와 같은 크기로 썬다. 4 파는 일부는 송송 썰고 나머지는 다진다. 마늘도 다진다. 5 고기가 익으면 건져 도톰하게 썰어 무·다시마와 함께 다진 파·마늘과 정량의 후춧가루·참기름·소금을 넣어 버무린다. 6 육수가 식으면 기름기를 걷어 내고 양념해 놓은 고기·무·다시마를 넣어 끓이다 송송 썬 파를 넣고 국간장으로 간을 맞춘다.

배추 김치 · 삼색 나물 · 버섯 산적 · 김구이 · 젓갈 등을 상에 올린다.

한가위 상차림 • 버섯볶음, 토란탕, 양지머리 편육, 회양적, 닭찜, 송편

명절날 손님 접대에 좋은 떡과 한과

• **떡** : 즐거운 명절의 큰 상이나 잔칫상·생일상·제사상 등에 빠져서는 안 되는 우리 고유의 음식인 떡은 크게 멥쌀로 만든 메떡과 찹쌀로 만든 찰떡, 더운 물로 익반죽하여 여러 모양으로 익혀 만든 물편으로 나눌 수 있다. 메떡에는 시루떡·개피떡·절편·증편·가래떡 등이 있고, 찰떡에는 찰시루떡·단자·인절미 등이 있다. 물편으로는 송편과 경단이 있으며 그외 찹쌀가루를 익반죽하여 소를 넣고 빚은 다음 기름에 튀긴 주악도 있다. 맛을 낼 뿐만 아니라 모양도 좋게 하기 위해서 떡에는 거의 고물을 묻히게 된다. 겉에 묻히는 고물이나 속에 넣는 소로는 보통 팥·콩·녹두·밤·대추·깨·석이 등이 쓰이며 빛깔을 좋게 하기 위해서는 쑥이나 계피가루·송화가루·치자 등이 반죽에 첨가된다.

• **한과** : 우리 나라 과자류는 제사상이나 잔칫상에 올리기도 하고 간식과 후식으로 먹기도 하는데 종류는 다양하다. 밀가루를 주재료로 하여 꿀·참기름·술로 반죽하여 여러 모양으로 빚어 기름에 지진 약과·다식과·매잡과와 과일을 다지거나 삶아 빻아서 꿀이나 설탕에 조려 잣가루에 굴린 것으로 밤초·대추초·율란·조란·생란 등이 있다. 또 찹쌀가루를 술로 반죽해 부풀려 그늘에 말렸다가 기름에 튀겨 꿀과 고물을 묻힌 강정과 익힌 콩가루나 깻가루를 등에 꿀을 넣고 반죽해 다식판에 박아 낸 다식, 생강·도라지·연근 또는 귤·모과 등을 꿀이나 설탕에 조린 정과 등이 있다.

• **화채와 전통차** : 오미자즙이나 꿀물에 제철의 과일을 얇게 저며 띄운 각종 화채류, 밥알을 엿기름물에 삭힌 식혜, 곶감을 생강·설탕·계피물에 담근 수정과, 원소병·유자차·구기자차·모과차·생강차·꿀차·계피차·인삼차 등이 있다.

명절 다과상에는 떡과 약과·다식·매잡과·강정 등의 한과와 식혜·수정과·녹차 등이 많이 오른다. 그 외 사과나 귤 등의 과일을 곁들이기도 한다.

상차리기2 가정 행사 상차림

돌상

첫돌은 아기가 태어나서 만 1년째 되는 생일을 축하하고 아기가 태어나서 처음으로 큰상을 받는 날이므로 아기의 앞날을 축복하기 위해 뜻있는 여러 가지 음식들을 장만하여 상을 차린다.

아기가 장수하라는 뜻에서 무명필을 통으로 준비하여 접어서 그 위에 아기를 앉히고, 그 앞에는 둥근 상에다 음식과 상징적인 물건들을 올린다. 큰 접시에 대추와 밤을 섞은 백설기·수수 경단·송편 등을 소복이 담는다. 백설기는 아기의 신성함과 정결함을 기원하고

수수 경단은 잡귀를 쫓고 무병하라는 의미를 담고 있다.

과일은 제철의 과일로 모양이 고운 것을 준비하여 고정시켜 담는 것이 좋다. 돌상 앞쪽의 가운데에 흰쌀을 소복이 담아 놓기도 하는데, 이것은 평생 동안 먹을 것이 풍부하라는 기원을 담고 있다.

딸의 돌상에는 쌀·무명필·붓·먹·실·대추·자·무지개떡 등을 올려놓고, 아들의 돌상에는 쌀·활·책·붓·먹·돈 등을 올려놓는다.

활과 화살은 무인을, 국수와 실은 장수를 상징한다. 대추는 자손의 번창을, 붓과 먹·벼루

는 글재주가 뛰어남을, 쌀은 부유함을, 자와 바늘은 손재주를, 칼은 뛰어난 음식 솜씨를 기원하는 의미를 가지고 아기의 앞날을 축복하는 것이다. 이렇게 차려놓은 상 앞에서 돌박이 아기는 제 마음에 드는 것을 집게 되는데, 그 집는 것이 무엇인가에 따라 아기의 앞날을 점친다.

어린이 생일 잔치상

어린이 생일 파티는 부모들의 애정 표시자 어린이들에게는 예절과 친구간의 우정을 더 든든히 쌓을 수 있는 작은 모임이기도 하다.

돌상 상차림 • 알쌈전, 겨자채, 도라지 산적, 사태찜, 수수 경단, 면 신선로, 무지개떡

어린이 생일 잔치상 • 감자 달걀 샐러드, 삼색 김밥, 햄버거 샌드위치, 소시지 말이 튀김, 나비 케이크

생신상 • 밥, 국, 찌개, 생선 구이, 호박전, 굴회, 삼색 나물, 명란젓, 북어 보푸라기, 장조림, 무생채, 갈비찜, 물김치, 김치, 마늘장아찌

돌상 • 쌀, 국수, 수수 경단, 대추, 송편, 과일, 백설기, 먹, 벼루, 붓, 책, 실, 돈, 활과 화살

제사상 • 메, 탕, 갱, 산적, 삼색 나물, 젓갈, 북어포, 대추, 밤, 곶감, 잣, 약과, 강정

파티 식단은 평소 아이가 즐겨 먹는 것으로 준비하되 생일 파티는 역시 케이크가 중심이다. 초대한 친구의 수를 고려해 적당한 것을 선택하고 구입한 케이크 위에 사탕이나 새알 초콜릿으로 아기자기하게 무늬를 놓거나 축하의 글을 새겨 준다.

주식은 밥·샌드위치·스파게티 등을 준비하고 과자·음료·아이스크림도 준비한다. 밥은 그냥 공기밥보다 김밥이나 유부초밥, 볶음밥이 좋다. 김밥은 작게 꼬치 김밥으로 만들고 볶음밥은 주먹밥식으로 만들어 쿠킹 포일 등에 싼다.

과일과 달걀을 주재료로 한 샐러드와 튀김, 식사 후에 아이들이 놀면서 먹을 수 있는 사탕이나 과자도 준비하고 아이들이 좋아하는 도넛·군만두·자장면·떡볶이·핫도그·햄버거 등을 준비해도 좋다.

담을 때는 그릇의 모양과 장식에 관심을 기울여 재밌고 아기자기하게 담는다. 아이들이 각자 덜어 먹기보다는 예쁜 앞접시에 1인분씩 나누어 주는 것이 좋다.

생신상

현대는 일상 생활이 복잡하고 바빠 자칫 신경을 덜 쓰면 어른의 생신상도 성의 없이 대충 차리기 쉽다. 또한 온 가족이 한자리에 둘러앉아 한때를 보내는 것으로 만족하는 편이다. 그러나 예전에는 어른들께 9첩 반상으로 독상을 올려 예의를 갖추었다.

생일 하면 역시 흰밥과 미역국이 연상된다. 생신상 차림도 밥을 위주로 하는 반상 차림의 형식이다. 반상 차림의 격식은 반찬의 가짓수에 따라 3첩·5첩·7첩·9첩·12첩으로 나누어진다. 이 때 쓰이는 그릇을 반상기라고 하는데, 밥은 주발에, 국은 탕기에, 찌개는 뚝배기나 조치보에, 찜은 합에, 김치는 보시기에, 장은 종지에, 찬은 접시에 담는다.

어느 차림에나 기본이 되는 것은 밥·국·찌개·찜·전골·김치·장이며 찬으로는 편육·전·수란·조림·구이·나물·생채·장아찌·젓갈·마른 반찬을 택한다.

상에 음식을 놓을 때는 먹는 사람의 위치에서 가장 편하게 먹을 수 있도록 배려하면 된다. 국이나 찌개, 국물김치는 흘리기 쉬우므로 오른쪽에, 뜨거운 구이나 찜은 앞에 놓아 드린다. 또 간간이 들게 되는 장아찌나 마른 반찬은 왼쪽에 놓는다. 더 예를 갖추면 왼쪽에 뚜껑이 있는 그릇을 놓아 생선 가시나 뼈를 담는 토구로 사용하시게 한다.

제사상

일반 가정에서 1년에 지내는 제사에는 차례(茶禮)·기제(忌祭)·시향(時享)·고사(告祀)의 4종류가 있다. 제상 차리기는 지방마다의 관습이나 풍속·가문의 전통에 따라 조금씩 다르기 때문에 특별한 법칙이 결정되어 있지는 않지만 각각의 경우에 따라 정해진 예법에 맞게 상을 차려야 한다.

우선 제수에 쓰일 음식에는 예부터 고춧가루와 마늘을 쓰지 않는다. 메는 보통밥인데 추석에는 송편, 설날 연시제에는 떡국으로 대신한다. 과일은 밤·감·배·대추를 준비하고 떡은 백편을 올린다.

탕·적과 시금치·도라지·고사리의 삼색 나물을 숙채로 준비하고, 국간장과 젓갈류·북어·건대구 등의 포, 무와 다시마를 넣고 끓인 갱, 약과산자 등의 유과류, 사탕류·다식·정과, 제주로 청주, 경수로 숭늉 등을 올리는데 때와 형편에 따라 정성을 다해 준비하는 것이 중요하다.

제사상에 음식 놓기

제사 음식을 법식에 따라 상 위에 벌여 놓는 것을 제수의 진설이라고 하는데 지방·관습 등에 따라 다 다르지만 몇 가지 공통점이 있다.

우선 제주가 상을 바라볼 때 오른쪽을 동(東), 왼쪽을 서(西)라 한다. 제수 진설의 순서는 앞에서부터 과일, 포와 나물, 탕, 적과 전, 메(밥)와 갱(국)을 차례대로 다섯 줄을 맞추어 놓는 것을 원칙으로 한다.

맨 앞줄의 과일은 조율시이(棗栗柿梨)의 원칙에 따라 왼쪽에서부터 대추·밤·감·배의 순으로 놓고, 붉은 빛이 도는 과일은 동쪽에 배열하고 흰 과일은 서쪽에 놓아 홍동백서(紅東白西)의 원칙에 따른다.

김치류는 동쪽에, 나물은 서쪽에 놓고, 포는 왼쪽에, 젓갈은 오른쪽에 놓으며, 생선은 동쪽에, 육류는 서쪽에 놓는다. 생선을 올릴 때 머리는 동쪽으로, 꼬리는 서쪽으로 놓는다.

여기에 덧붙여 마른 음식은 왼쪽에 놓고, 젖은 음식은 오른쪽에 놓으며, 접시는 동쪽에, 잔은 서쪽에, 메는 오른쪽에, 갱은 왼쪽에 놓는다.

이러한 원칙들에 따라 준비한 음식들을 정해진 줄에서 왼쪽·오른쪽·동쪽·서쪽을 구별해 진설한다.

상차리기 3 손님 상차림

신혼 초대 파티

갓 결혼한 신부에게 가장 먼저 닥치는 숙제가 바로 손님 초대. 옛날처럼 어머니로부터 가사 수업을 받을 겨를도 없이 살림을 시작하게 되는 요즈음의 신부들은 대부분 손님 초대를 앞두고 당황하게 된다. 하지만 대상자·사람 수·초대 시간에 따라 대접할 메뉴를 결정하고 준비해 나가면 적은 비용을 들이고도 멋진 초대상을 차릴 수가 있다.

메뉴를 정할 때는 살림에 익숙지 못하므로 되도록 음식의 가짓수를 줄이고 만드는 방법이 복잡한 것은 피한다.

신혼 파티는 분위기가 화사해야 하므로 자신 있게 만들 수 있는 음식을 택하되 음식의 빛깔도 고려해 메뉴를 정한다. 일반적으로 서양 요리가 빛깔도 화사하고 만드는 수고에 비해서 돋보이므로, 서양 요리 중에서 메뉴를 결정하는 것도 요령이다. 샐러드는 과일과 야채를 사용하여 마요네즈를 버무린 것, 마카로니나 햄과 함께 버무린 것 등을 준비한다.

주식은 밥보다 샌드위치·김밥·유부 초밥 등 덜어 먹기 편리한 것을 준비한다. 샌드위치는 치즈·햄·오이를 넣거나 참치 통조림·삶은 달걀·오이 등을 이용한다.

고기 요리나 해물 요리 가운데 한두 가지 요리를 준비하고 김치 등의 밑반찬과 후식도 잊지 말 것. 후식은 화채나 과일, 아이스크림 등을 준비한다. 술은 포도주나 맥주가 적당하며 안주는 마른 안주나 햄·치즈 등을 준비한다.

티 파티

많은 음식을 차려야만 손님 초대가 아니다. 따뜻한 차 한 잔과 손수 만든 케이크나 쿠키, 샌드위치를 곁들이면 부담 없이 즐거운 모임을

손님상 차림 1 • 신혼 초대 파티
돼지고기 야채 꼬치, 패주 레몬 샐러드, 새우 생선살 코키유, 현미 잡곡 주먹밥, 닭 양념구이, 오색 굴회

손님상 차림 2 • 송년 파티
호박 수프, 스틱 야채 샐러드, 새우 버섯 스파게티, 서양식 모듬 철판구이

열 수가 있다.

차는 계절에 따라 홍차나 커피, 아이스 티, 아이스 커피 등을 놓으면 된다. 잔 받침은 꼭 쓰도록 하고 스푼은 잔의 앞쪽에 손잡이는 왼쪽으로 가게 놓는다. 설탕이나 크림도 자유롭게 넣도록 따로 준비한다.

티 파티에 어울리는 메뉴로는 쿠키·샌드위치·케이크 등 어느 것이나 좋다. 한 개씩 덜어 먹기 쉬운 머핀·마들렌·슈크림 등 여러 가지 쿠키를 함께 내도 좋다. 쿠키·샌드위치·차·케이크 등 어느 것이나 작은 것으로 준비하되, 손으로 음식을 집어 먹을 수 있도록 끈적끈적한 것은 되도록 피한다.

음식은 4, 5종류로 집에서 손수 만들어 준비한다. 예쁜 무늬가 있는 아름다운 그릇에 담아 각자 따로따로 음식을 먹을 수 있도록 하는 것이 예의이다.

뷔페 파티

남편·주부 생일상, 집들이 파티, 발표회나 기념일 등 가까운 친지나 친구들을 초대할 때는 뷔페 차림이 편하다. 일일이 음식을 나르지 않아도 되고 좁은 장소에서도 손님을 치를 수가 있기 때문이다.

음식은 한식·양식·중식·일식을 고루 섞어 준비해도 되고, 한식이나 중국식 한 가지로만 차려도 된다. 단, 전채 요리와 쇠고기·돼지고기·생선 등의 주요리, 후식 등으로 골고루 나누어 배정하고, 조리법도 튀김·구이·찜·조림·볶음으로 다양하게 해 먹는 사람이 지루함을 느끼지 않도록 한다.

음식의 배열은 개인 접시·수저·냅킨을 맨 앞에 놓고 전채류·수프·안주류 등을 놓고 빵·채소 요리·육류 요리·생선 요리·닭 요리의 순으로 배열한다. 끝으로 젤리나 케이크, 화채 등의 후식과 과일을 놓는다.

상에 놓을 때는 큰 그릇에 화려하게 담되 먹는 도중 음식이 떨어지지 않도록 신경을 쓴다. 또 큰 접시에 담는다고 크게 잘라서는 안 되고 덜어 먹기 편리하도록 한입에 들어갈 수 있는 크기로 자른다.

외국인을 위한 파티

외국인을 집으로 초대할 경우는 메뉴는 가급적 전통 한국 요리 가운데서 정한다. 주식으로는 냉면이나 온면 또는 떡국·만두국을 내고 탕·찜·전·적·회·채(잡채·겨자채·구절판)·신선로·김치·생과·화채 등을 준비한다. 전체적으로 강한 맛이 나는 마늘 등의 양념을 피하고 매운 맛도 약하게 나도록 한다.

손님상 차림 3 · 생일 파티
양지머리 편육, 한국식 샐러드, 해물꼬치 양념 구이, 어선, 쇠고기 완자전, 섭산삼, 각색편, 모듬회, 오미자 화채

손님상 차림 4 · 집들이 파티
브로콜리 닭다리 볶음, 해파리 냉채, 난젠완쯔, 상어 지느러미 수프, 마파 두부

싱싱하고 담백한 생선의 맛을 즐길 수 있어 누구에게나 환영 받는

생 선 회

216 Kcal

🍳 재료 · 4인분

참치살 100g · 광어 100g · 도미 100g · 오징어 ½마리 · 전복 2개 · 피조개 2개 · 연어알 약간 · 소금 약간 · 무순 50g · 무 ½개 · 레몬 ½개 · 진간장 적당량 · 와사비 적당량

🍳 이렇게 준비하세요

1 참치는 살만 냉동된 것으로 준비하여 상온에서 해동시킨다. 광어와 도미는 싱싱한 것을 준비하여 머리와 내장 · 지느러미 · 비늘을 말끔히 제거한 다음 씻어서 살만 발라 낸다.
2 오징어는 다리와 내장을 떼어 내고 껍질을 벗긴 다음 씻어서 물기를 뺀다.
3 전복과 피조개도 신선한 것으로 구하여 껍데기 사이로 칼등을 들이밀어 입을 열고 살을 빼내 씻는다. 이 때 창자도 제거한다.
4 무는 껍질을 벗기고 토막을 낸 다음, 껍질을 벗기듯 얇게 돌려 깎아 곱게 채썬다. 레몬은 반달썰기하고 무순은 씻는다.

🍳 이렇게 만들어요

5 참치 · 광어 · 도미 살을 먹기 좋게 썬다.
6 오징어는 5㎝ 길이로 썰어 부챗살 모양의 칼집을 넣은 다음 돌돌 말아서 연어알을 얹는다. 전복과 피조개도 썰어서 껍데기에 담는다.
7 무 채썬 것을 접시에 깐 뒤, 생선 · 조개 들과 무순 · 레몬 · 오징어를 보기 좋게 담고 와사비와 진간장을 곁들여 낸다.

하나더 생선회는 신선도를 유지하는 것이 필수이므로 필요 이상 여러 번 씻는 것은 선도를 떨어뜨리게 되므로 되도록이면 빨리 씻고, 도마 위의 물기는 자주 닦아 낸다. 또 일단 칼을 댔으면 단숨에 원하는 모양으로 잘라야 한다.

모듬회

생선뿐만 아니라 싱싱한 멍게와 해삼도 생선회와 함께 곁들이면 훨씬 풍성한 상차림이 된다.
전복은 숟가락으로 살을 발라 내어 내장을 떼고 솔로 비벼 깨끗이 씻어 얄팍하게 저며 썰어 전복 껍데기에 다시 모양을 살려 담는다. 해삼은 배를 갈라 내장을 빼낸 후 소금물에 비벼 씻어 한입 크기로 썬다.
멍게는 윗부분을 잘라 낸 다음 손가락을 집어 넣어 살을 빼내고 한입 크기로 썬다.
곁들이로는 간장과 와사비, 초고추장(고추장 4큰술, 식초 2큰술, 설탕 1큰술, 생강 1쪽) · 상추 · 깻잎 · 레몬 등을 준비해 기호에 따라 덜어 먹을 수 있도록 한다.

POINT

5

광어와 도미는 살만 발라 내어 먹기 좋은 크기로 썬다.

6

전복과 피조개는 부챗살 모양으로 썰어 껍데기에 보기 좋게 담는다.

기름진 음식의 느끼함을 싹 없애 주는

한국식 샐러드

162 Kcal

재료 · 4인분

상추 100g · 쑥갓 50g · 부추 50g · 오이 ½개 · 붉은고추 4개 · 밤 4개 · 소금 약간 · 양념장(진간장 4큰술, 파 1뿌리, 마늘 5쪽, 깨소금 1큰술, 고춧가루 1큰술, 참기름 1큰술, 식초 2큰술, 설탕 1작은술)

이렇게 준비하세요

1 상추와 쑥갓은 굵은 줄기를 끊어 버리고 흐르는 물에 3, 4번 깨끗이 씻은 다음 손으로 적당히 뜯어 놓고 부추 · 오이도 씻어 다듬어 둔다.
2 파와 마늘도 깨끗이 씻어 손질해 두고, 붉은고추는 꼭지를 떼어 씻어 놓고 밤은 속껍질까지 벗겨 놓는다. 파와 마늘은 다진다.

이렇게 만들어요

3 다진 파와 마늘, 진간장 · 깨소금 · 고춧가루 · 참기름 · 설탕 · 식초와 섞어서 샐러드에 넣을 양념장을 만든다.
4 부추는 3~4cm 길이로 썰고, 오이는 얄팍하게 통썰기한다. 붉은고추는 어슷하게 썰어 물에 담가 씨를 털어 내고, 밤은 오이 두께로 썬다.
5 상추 · 쑥갓 · 오이 · 부추 · 붉은고추 · 밤 썬 것은 잠시 동안 얼음물에 담가 두어 싱싱해지게 한 다음 건져 물기를 뺀다.
6 준비된 재료들을 모아 담고 양념장을 끼얹어 버무린다. 먹기 직전에 버무려 내면 싱싱한 맛을 더할 수 있다.

겨자의 매콤한 맛을 즐길 수 있는 전채 요리

겨 자 채

재료 · 4인분

쇠고기 150g · 오이 1개 · 당근 1개 · 양배춧잎 2장 · 밤 5개 · 달걀 1개 · 배 ½개 · 잣 1큰술 · 소금 약간 · 겨자장(겨자 2큰술, 식초 2큰술, 설탕 2큰술, 소금 약간)

이렇게 준비하세요

1 쇠고기는 덩어리째 찬물에 씻어서 핏기를 없앤 다음 냄비에 넣고 무르게 삶는다.
2 오이는 소금으로 문질러 씻고, 당근은 껍질을 벗겨 씻는다. 양배춧잎은 1장씩 떼어 흐르는 물에 씻는다.
3 달걀은 흰자와 노른자를 나누어 소금을 약간씩 넣고 잘 푼 다음 황백 지단을 부친다.

이렇게 만들어요

4 삶은 고기와 오이 · 당근 · 양배추 · 황백 지단은 1×4cm 크기로 납작하게 썰고, 밤과 배도 껍질을 벗겨 얄팍하게 썬다.
5 납작하게 썬 오이 · 당근 · 양배추는 찬물에 담갔다가 싱싱해지면 모두 건져서 물기를 뺀다.
6 겨자는 미지근한 물을 넣고 갠 다음 따뜻한 곳에 엎어 두어 매운 맛이 나게 한다. 여기에 식초 · 설탕 · 소금을 넣고 섞어 겨자장을 만든다.
7 준비한 재료를 접시에 담고 잣을 얹고 겨자장을 뿌리거나 곁들인다.

193 Kcal

상큼하게 톡 쏘는 맛과 예쁜 담음새가 손님들에게 인기 만점인

패주 레몬 샐러드

216 Kcal

🎩 재료 · 4인분

패주 8개 · 레몬 ½개 · 양파 ¼개 · 셀러리 1줄기 · 래디시 4개 · 양상춧잎 5장 · 소금 약간 · 드레싱(파슬리 1줄기, 식초 2큰술, 식용유 ½컵, 소금 적당량, 후춧가루 적당량)

🎩 이렇게 준비하세요

1 패주는 신선한 것을 구하여 지저분한 것을 도려 내고 표면의 얇은 막을 벗긴 다음 소금물에 깨끗이 씻는다. 손질된 패주는 끓는 물에 살짝 데쳐서 얇게 저며 썬다.
2 레몬은 반달 모양으로 얇게 썰고, 셀러리는 줄기의 섬유질을 벗겨 낸 후 4~5cm 길이로 잘라 가늘게 채썰어 놓는다.
3 래디시는 얄팍하게 통썰기하여 얼음물에 담가 놓고, 양상추도 한입 크기로 뜯어서 얼음물에 담가 둔다. 래디시와 양상추가 싱싱해지면 건져서 물기를 뺀다.
4 양파는 잘게 채썰고, 파슬리는 씻은 다음 물기를 빼고 곱게 다진다.

🎩 이렇게 만들어요

5 그릇에 정량의 식용유를 넣고 식초 · 소금 · 후춧가루와 다진 파슬리를 섞은 다음 거품기로 저어 프렌치 드레싱을 만든다.
6 준비된 패주 · 레몬 · 래디시 · 양파 · 셀러리에 드레싱을 부어 골고루 섞는다.
7 샐러드 그릇에 양상추를 예쁘게 돌려 담고 드레싱으로 버무린 패주 · 레몬 · 셀러리 · 양파 · 래디시를 먹음직스럽게 얹은 다음 셀러리 잎으로 장식하여 상에 낸다.

POINT

셀러리는 줄기의 섬유질을 벗겨 낸 후 4~5cm 길이로 잘라 가늘게 채썰어 놓는다.

한입에 먹기 좋은 크기로 양상추를 뜯어 얼음물에 담갔다가 건져 물기를 뺀다.

식용유와 식초 · 소금 · 후춧가루 · 다진 파슬리를 섞어 프렌치 드레싱을 만든다.

패주 고르기

패주는 가리비나 피조개 등의 살을 껍데기에 고정시키는 근육 종류인 조개관자를 말한다. 단백질과 무기질이 풍부하게 들어 있는 패주는 황백색을 띠며 만져 보았을 때 살이 탄력 있고 탄탄하게 조여진 것이 싱싱한 것이다. 말린 패주도 나와 있지만 가격은 생것이 더 싸며, 회 · 샐러드 · 양념 구이 등에 골고루 이용할 수 있다. 김치 찌개나 된장 찌개에 넣어도 구수한 맛이 난다.
손질할 때는 주변의 지저분한 살을 떼어 내고 표면의 얇은 막을 벗겨 낸 다음 소금을 넣고 팍팍 주물러 미끈미끈한 액체가 없어질 때까지 깨끗이 씻어서 이용한다. 떼어 낸 살은 국에 넣는 등 다른 요리에 쓴다.

톡 쏘는 독특한 맛의 홍어를 야채와 함께 매콤하게 버무린

홍 어 회

 재료 · 4인분

홍어 1마리 · 식초 ½컵 · 배 ½개 · 오이 1개 · 무 ½개 · 소금 1큰술 · 붉은
고추 1개 · 고춧가루 1큰술 · 고추장 양념장(진간장 1큰술, 파 ½뿌리, 마늘 3쪽,
소금 1작은술, 식초 1큰술, 고추장 1큰술, 참기름 1큰술, 설탕 1큰술, 깨소금 1큰술)

이렇게 준비하세요

1 홍어는 등 쪽에서 목뼈 부분에 칼집을 넣어 한 손으로 홍어를 잡고
다른 한 손으로 검은 껍질을 벗기고, 뒤집어 배 쪽에 칼집을 넣어 내장
을 발라 낸 다음 깨끗이 씻는다. 머리와 꼬리를 떼어 내고 길이 6㎝,
너비 1㎝ 크기로 직각이 되게 썬다.
2 홍어에 식초를 넣고 1시간 동안 재어 둔다.
3 무는 골패처럼 썰고 오이는 반을 갈라 얇게 썰어 소금에 절인다. 배
도 무처럼 썰고 붉은고추는 어슷하게 썬다.

이렇게 만들어요

4 홍어를 깨끗한 헝겊에 싸서 물기를 거둔다. 홍어에 물기가 있으면
무친 후에 물이 나와서 맛이 없어진다.
5 오이와 무가 적당히 절여지면 물기를 꼭 짜고 붉은고추 · 배와 섞어
고춧가루에 버무린다.
6 파 · 마늘을 다져서 진간장 · 소금 · 식초 · 고추장 · 참기름 · 깨소
금 · 설탕과 섞어 고추장 양념장을 만든 다음 홍어를 고춧가루로 버무
린 재료에 넣고 버무린다. 홍어를 무치고 난 양념장에는 메밀 국수를
버무려 함께 내면 좋다.

POINT

홍어는 껍질을 벗기고 내장을 없앤 다음 깨
끗이 씻어 먹기 좋은 크기로 썬다.

홍어에 분량의 식초를 넣고 버무려서 1시간
동안 절인다.

무는 골패 모양으로 썰고 오이는 얇게 썰어
소금에 절인다.

식초에 절인 홍어를 깨끗한 헝겊에 싸서 물
기를 꼭 짠다.

절인 오이와 무를 물기가 없도록 꼭 짠 다음
붉은고추 · 배 · 고춧가루에 버무린다.

고추장 양념장을 만들어 홍어와 고춧가루
로 버무린 재료에 넣고 함께 무친다.

하나더 홍어는 겨울철이 제철이며 흑산도산
이 가장 상품이다. 고를 때는 살이
단단하고 붉은색을 띠는 싱싱
한 참홍어 가운데 작
은 것을 골라야
맛있다.

153 Kcal

고소한 맛에 야들야들한 촉감이 좋아 입 안에 착착 감기는

탕평채

173 Kcal

🍳 재료 · 4인분

청포묵 1모 · 미나리 50g · 숙주나물 100g · 달걀 1개 · 쇠고기 100g · 김 1장 · 소금 약간 · 참기름 약간 · 식용유 적당량 · 고기 양념(파 ⅓뿌리, 마늘 2쪽, 진간장 1큰술, 설탕 ½큰술, 깨소금 약간, 후춧가루 약간) · 초간장(깨소금 2작은술, 진간장 2큰술, 식초 2큰술, 설탕 1큰술)

🍳 이렇게 만드세요

1 청포묵은 길이 4cm, 굵기 1cm 정도의 막대 모양으로 도톰하게 썰어 소금과 참기름을 넣고 가만가만 버무려 둔다.

2 미나리는 억센 줄기와 잎을 없애고, 숙주나물도 머리와 꼬리 부분을 떼어 낸 다음 소금을 넣은 끓는 물에 각각 데쳐 찬물에 헹군다. 데쳐 낸 미나리는 4cm 길이로 자른다.

3 달걀은 흰자와 노른자로 나누어 소금을 넣고 풀어서 얇게 지단을 부친 다음 미나리와 같은 길이로 곱게 채썬다.

4 파 · 마늘은 곱게 다지고, 김은 바삭하게 구워 부숴 놓는다.

5 쇠고기는 곱게 채썰어 다진 파 · 마늘, 진간장 · 후춧가루 · 깨소금 · 설탕을 넣고 버무려 잠시 재어 놓은 다음 팬에 기름을 두르고 볶는다.

6 정량의 깨소금 · 진간장 · 식초 · 설탕을 섞어 초간장을 만든다.

7 청포묵을 그릇에 가지런히 담고 쇠고기 · 김 · 숙주나물 · 미나리 · 황백 지단 · 실고추를 얹어 초간장과 함께 낸다.

살짝 얼렸다가 썰면 연하고 신선한 고기 맛을 즐길 수 있는

육 회

🍳 재료 · 4인분

쇠고기 300g · 배 ⅓개 · 마늘 1통 · 잣 1큰술 · 설탕 약간 · 양념장(파 1뿌리, 마늘 2쪽, 진간장 3큰술, 참기름 1큰술, 설탕 2작은술, 깨소금 1큰술, 후춧가루 약간)

🍳 이렇게 만드세요

1 쇠고기는 안심이나 홍두깨살로 준비해 기름기와 힘줄을 발라 내고 결의 반대 방향으로 가늘게 채썬다. 살짝 얼려 얼음기가 있을 때 썰면 잘 썰어진다.

2 파 · 마늘은 다져서 정량의 진간장 · 설탕 · 깨소금 · 참기름 · 후춧가루와 섞어 양념장을 만든다.

3 고기의 소화를 도와 주는 배는 채썰어 연한 설탕물에 담가 두고, 마늘은 저며 썬다.

4 잣은 곱게 가루를 낸다.

5 곱게 채썬 쇠고기에 양념장을 넣고 손을 차갑게 해 골고루 간이 배도록 주물러 무친다.

6 접시에 상추 등의 푸른 잎을 깔고 육회를 담은 다음 잣가루를 솔솔 뿌린다. 채썬 배는 물기를 빼서 옆에 담고 마늘도 담아 낸다.

238 Kcal

밀전병에 쇠고기와 채소를 담아 골고루 싸 먹는 화려한 전채 음식

구절판

재료 · 4인분

쇠고기 150g · 오이 2개 · 숙주 150g · 표고버섯 8개 · 석이버섯 10개 · 달걀 3개 · 당근 1개 · 참기름 1큰술 · 식용유 적당량 · 소금 약간 · 양념장(진간장 2큰술, 설탕 1큰술, 깨소금 1큰술, 참기름 1큰술, 파 1뿌리, 마늘 3쪽, 후춧가루 약간) · 밀전병(밀가루 1½컵, 물 1½컵, 식용유 약간, 소금 ½작은술) · 겨자장(겨자 2큰술, 식초 2큰술, 설탕 1큰술, 소금 약간)

이렇게 준비하세요

1 쇠고기는 사태나 우둔살을 선택하여 고기의 결과 같은 방향으로 채 썰고, 표고버섯은 물에 담가 불렸다가 기둥을 떼고 채썬 다음 각각 양념장으로 양념한다. 양념장은 파 · 마늘을 곱게 다져서 정량의 진간장 · 설탕 · 깨소금 · 참기름 · 후춧가루와 섞어서 만든다.

2 오이는 5cm 길이로 토막을 내어 껍질을 벗기듯 돌려 깎은 다음 곱게 채썰고, 당근과 석이버섯도 손질하여 곱게 채썬다. 달걀은 흰자와 노른자를 나누어 각각 소금 약간씩을 넣고 잘 풀어서 지단을 부친 다음 채를 썬다.

이렇게 만들어요

3 채썬 오이는 소금을 뿌려 절였다가 물기를 짜고, 채썬 당근은 끓는 소금물에 데쳐서 물기를 뺀다. 숙주도 깨끗이 손질하여 데쳐서 물기를 빼놓는다.

4 절인 오이에 참기름을 넣어 무치고, 당근 · 숙주 · 석이는 소금과 참기름으로 무쳐서 각각 볶는다. 쇠고기와 표고버섯도 각각 볶는다.

5 밀가루에 같은 양의 물을 붓고 소금으로 간을 맞춰 반죽한 다음 기름을 둘러 뜨겁게 달군 팬에 1큰술 떠서 넣고 둥글고 얇게 밀전병을 부친다. 밀전병을 뒤집어서 뒷면도 살짝 익힌 후 채반에 꺼내어 식힌다.

6 겨자를 개어 뜨거운 곳에 엎어 두었다가 식초 · 설탕 · 소금을 넣어 잘 섞어서 겨자장을 만든다.

7 준비된 재료들을 아홉 가지 칸으로 나누어져 있는 구절판에 가지런히 담고 가운데에는 밀전병을 담은 다음 겨자장을 곁들여 낸다. 밀전병에 여러 재료를 놓고 겨자장(또는 초장)을 넣어 싸서 먹는다.

POINT

오이 · 당근 · 석이버섯은 손질해 곱게 채썰고 달걀은 지단을 부쳐 곱게 채썬다.

당근 · 숙주 · 석이 · 쇠고기는 양념하여 기름을 두른 프라이팬에서 볶아 펴서 식힌다.

구절판의 가운데 칸에 알맞은 크기로 밀전병을 얇게 부친다.

구절판에 준비한 여덟 가지를 같은 색끼리 마주 보도록 담는다.

330 Kcal

잡 채

298 Kcal

재료 · 4인분

쇠고기 100g · 당면 100g · 표고버섯 4개 · 목이버섯 5개 · 오이, 당근, 양파 ½개씩 · 달걀 1개 · 파 ½뿌리 · 식용유 3큰술 · 참기름 1큰술 · 설탕 1큰술 · 마늘 3쪽 · 깨소금, 소금, 진간장 적당량씩 · 고기 양념(파 ½뿌리, 마늘 2쪽, 진간장 1큰술, 설탕 ½큰술, 깨소금 약간, 참기름 약간)

이렇게 준비하세요

1 오이는 손질하여 5cm 길이로 얇게 채썬다. 당근과 양파도 깨끗이 씻어서 오이와 같은 길이로 채썰고, 파 · 마늘은 다진다.

2 표고버섯은 물에 불렸다가 기둥을 떼어 낸 다음 굵직하게 채썰고, 목이버섯은 물에 불려 한 장씩 떼어 놓는다. 쇠고기는 가늘게 채썬다.

3 달걀은 흰자와 노른자로 나누어 얇게 지단을 부친 다음 얇게 썬다.

4 끓는 물에 당면을 넣고 삶은 다음 건져 찬물로 헹구고 물기를 뺀다.

이렇게 만들어요

5 프라이팬에 기름을 두르고 오이 · 당근 · 양파를 넣어 소금으로 간을 맞춘 다음 각각 볶아 낸다. 당면은 진간장을 넣어 잠깐 볶는다.

6 채썬 쇠고기에 갖은 양념을 한 후 달군 프라이팬에 볶는다. 고기가 어느 정도 익으면 표고버섯과 목이버섯을 넣어 함께 볶는다.

7 당면에 야채 · 고기 · 버섯 · 파 · 마늘 · 깨소금 · 참기름 · 설탕을 넣어 골고루 섞는다. 그릇에 담은 후 그 위에 지단을 얹어 낸다.

하나더 당면을 좀더 쫄깃하게 삶으려면 데친 당면은 얼른 찬물에 헹궈야 매끈하고 물기를 뺀 후에는 기름에 볶아 식혀야 붇지 않는다. 각각 볶은 야채 역시 물기를 짜서 당면과 섞어 무쳐야 야채의 물로 당면이 불어나는 것을 막을 수 있다.

POINT

오이 · 당근 · 양파는 얇게 채썰어서 팬에 기름을 두르고 달구어 각각 볶아 낸다.

1

당면은 끓는 물에 넣고 삶아 건진 다음 기름 두른 팬을 달궈 진간장을 넣어 살짝 볶는다.

5

당면에 볶은 야채와 고기 · 버섯, 양념을 넣어 골고루 버무린다.

7

콩나물 잡채

재료 · 4인분

콩나물 300g · 무 ⅓개 · 고사리 80g · 도라지 100g · 미나리 50g · 오이 ⅓개 · 밤 20개 · 배 ⅓개 · 잣 2큰술 · 실파 2뿌리 · 마늘 3쪽 · 표고버섯 4개 · 석이버섯 2개 · 실고추 약간 · 달걀 2개 · 겨자장(겨자 2큰술, 식초 1큰술, 설탕 1큰술, 소금 약간, 진간장 2작은술)

이렇게 만들어요

① 콩나물은 머리와 꼬리를 떼고 물을 약간 부은 다음 뚜껑을 덮어 삶는다.

② 고사리는 삶아 찬물에 헹구고, 도라지는 소금물에 데친다. 표고버섯 · 석이버섯은 살짝 데쳐 채썬다. 오이 · 무는 채썬 후 소금에 약간 절였다가 꼭 짠다.

③ 미나리 · 실파는 다듬어 3~4cm 길이로 썰고 밤과 배는 얄팍하게 썬다.

④ 겨자는 물에 개어 따뜻한 곳에 잠시 두었다가 식초 · 설탕 · 소금 · 진간장을 넣고 잘 개어 겨자장을 만들어 모든 재료를 넣어 골고루 무친다.

족 편

재료 · 4인분

쇠족 1개 · 쇠고기(사태) 300g · 마늘 4쪽 · 생강 1쪽 · 통후추 3개 · 소금 2
작은술 · 고명(달걀 1개, 석이버섯 3개, 실고추 약간, 잣 1큰술, 식용유 약간) ·
초간장(진간장 3큰술, 식초 약간, 깨소금 약간)

이렇게 준비하세요

1 쇠족은 5cm 정도로 토막내어 깨끗이 씻은 다음 큼직한 냄비나 솥에
물 12컵을 붓고 끓이다가 통후추도 함께 넣고 푹 끓인다.
2 쇠족이 끓으면 사태를 덩어리째 넣고 곤다.
3 쇠족의 살이 잘 떨어질 정도로 푹 고아지면 쇠족과 사태를 건진 다
음 쇠족은 살만 발라 내어 사태와 함께 잘게 다진다.
4 마늘은 껍질을 말끔히 벗겨 다지고, 실고추는 짧게 끊어 놓는다. 생
강은 즙을 낸다.
5 달걀은 황백으로 나누어 각각 지단을 부쳐 채썰고, 석이버섯은 더운
물에 불려서 채썬다.

이렇게 만들어요

6 다진 쇠족살과 사태살을 다시 냄비에 붓고 다진 마늘과 생강즙, 소
금도 함께 넣어 약한 불에서 걸쭉하게 끓인 다음 식힌다.
7 끓인 고기가 한김 식으면 도시락이나 모양이 반듯한 그릇에 쏟아 붓
고 윗면이 굳기 시작하면 황백 지단과 석이버섯 · 실고추 ·
잣 등의 고명을 골고루 뿌려 굳힌다.
8 완전히 굳으면 알맞은 크
기로 썰어 초간장을
곁들여 낸
다.

3
사태와 쇠족은 찬물에 넣고 통후추를 넣고
살이 잘 떨어질 정도로 푹 고아 건져 내 살
만 잘게 다진다.

6
다진 쇠족살과 사태살을 다시 냄비에 붓고
다진 마늘과 생강즙, 소금도 함께 넣어 약한
불에서 걸쭉하게 끓인 다음 식힌다.

7
끓인 고기가 한김 식으면 도시락이나 모양
이 반듯한 그릇에 쏟아 붓고 식힌다.

하나더 쇠족에는 젤라틴이 많아서 순 살코기와는 달리 오돌도돌하게 씹히는 맛이
한층 입맛을 돋우고, 지방과 단백질이 풍부해서 운동량이 많은 사람에게 좋은 음식이
다. 쇠족을 삶을 때는 압력솥을 이용하면 편리하며, 생강 · 파 · 통후추 등을 넣어야 누
린내가 나지 않는다. 꼬챙이로 찔렀을 때 피가 묻어나지 않으면 다 익은 것이다.

357Kcal

아삭아삭 씹히는 상큼한 맛에 담음새도 화려한

오 이 선

 재료 · 4인분

오이 3개 · 쇠고기 50g · 달걀 1개 · 표고버섯 2개 · 붉은고추 1개 · 소금 약간 · 식용유 적당량 · 양념장(파 $\frac{1}{2}$뿌리, 마늘 1쪽, 진간장 1큰술, 설탕 약간, 참기름 · 후춧가루 · 깨소금 약간씩) · 단촛물(식초 4큰술, 설탕 3큰술, 소금 $\frac{1}{2}$작은술)

이렇게 만들어요

1 오이는 소금으로 문질러 씻은 다음 0.5cm 간격으로 어슷하게 칼집을 넣고 네 번째에서는 어슷하게 썬다.

2 쇠고기는 3cm 길이로 채썰고, 표고버섯은 기둥을 떼고 채썬다. 파 · 마늘은 다지고 붉은고추도 채를 썰어 둔다.

3 재료들을 잘 섞어 양념장을 만들고, 쇠고기와 표고버섯에 양념하여 볶는다. 절인 오이는 물기를 거두고 팬에 재빨리 볶아 낸 다음 넓은 그릇에 펼쳐 식힌다.

4 달걀은 황백 지단을 부쳐 3cm 길이로 가늘게 채썬다.

5 쇠고기 · 표고버섯 볶은 것과 달걀 지단을 각각 오이의 칼집 사이에 채우고 붉은고추도 얹는다. 그릇에 담고 식초 · 설탕 · 소금과 물 2큰술로 만든 단촛물을 뿌려 낸다.

92 Kcal

여름철 손님상에 전채 요리로 좋은 산뜻한 맛의

호 박 선

 재료 · 4인분

호박 2개 · 쇠고기 80g · 달걀 1개 · 표고버섯 2개 · 붉은고추 1개 · 육수 1컵 · 소금 약간 · 양념장(파 $\frac{1}{2}$뿌리, 마늘 2쪽, 진간장 1큰술, 깨소금 1작은술 참기름 1작은술, 후춧가루 약간)

 이렇게 만들어요

1 호박을 4~5cm 크기로 토막내어 열십자로 칼집을 넣은 다음 끓는 물에 소금을 넣고 살짝 데쳐 낸다.

2 파 · 마늘은 곱게 다지고, 붉은고추는 가늘게 채썰어 놓는다.

3 쇠고기와 물에 불린 표고버섯은 가늘게 채썰어 양념장을 넣고 섞어 버무린다.

4 달걀은 흰자와 노른자로 나누어 풀어 각각 지단을 부친 다음 가늘게 채썬다.

5 호박에 쇠고기 · 표고버섯 소를 넣어 냄비에 육수를 붓고 살짝 끓인 다음 자작해지면 꺼내어 지단 · 붉은고추를 얹어 낸다.

121 Kcal

신선한 흰살 생선에 화려한 소를 넣고 말아서 찐 정성어린 음식

어선

 재료 · 4인분

흰살 생선 300g · 생강 2쪽 · 청주 1큰술 · 쇠고기 100g · 표고버섯 3개 · 석이버섯 3개 · 미나리 50g · 달걀 4개 · 녹말가루 ½컵 · 식용유 1큰술 · 소금, 후춧가루 약간씩 · 갖은 양념(파 ½뿌리, 마늘 3쪽, 참기름 1큰술, 깨소금 1큰술, 진간장 2큰술, 설탕 약간)

 이렇게 준비하세요

1 흰살 생선은 도미나 민어 · 광어 등으로 준비하여 껍질을 벗기고 살을 발라 내어 얇고 넓게 포를 뜬다.

2 생강을 강판에 갈아 즙을 낸 후 포를 뜬 생선에 뿌리고 소금 · 후춧가루 · 청주도 약간씩 뿌려 재어 둔다.

3 쇠고기는 가늘게 채썰고, 표고버섯과 석이버섯은 물에 불렸다가 깨끗이 손질하여 가늘게 채썬다. 파와 마늘은 곱게 다진다.

4 미나리는 깨끗이 손질하여 끓는 물에 소금을 약간 넣고 데쳐서 물기를 꼭 짠다. 채썬 쇠고기와 표고버섯은 다진 파 · 마늘, 깨소금 · 참기름 · 진간장 · 설탕을 넣어 갖은 양념을 한다.

5 달걀은 소금을 넣고 고루 젓는다.

 이렇게 만들어요

6 풀어 놓은 달걀을 두 번에 나누어 곱게 지단을 부치고 갖은 양념을 한 쇠고기와 표고버섯은 살짝 볶는다. 석이버섯도 잠깐 볶는다.

7 김밥 발 위에 달걀 지단을 놓고 녹말가루를 고루 뿌려 얹은 다음 흰살 생선을 펴 얹는다. 꼭 맞게 놓으면 말았을 때 생선살이 밀려 빠져 나오므로 양옆으로 1.5cm 정도는 남겨 둔다.

8 흰살 생선 위에도 녹말가루를 골고루 뿌린 다음 준비된 미나리 · 석이버섯 · 쇠고기 · 표고버섯을 차례로 얹어 김밥을 말듯이 돌돌 만다.

9 깨끗한 헝겊을 적셔서 준비된 재료를 싼 다음 김이 오른 찜통에 넣고 5분 정도 찐다.

10 완전히 식은 다음에 말았던 발을 풀고 1~1.5cm 두께로 썰어서 초간장이나 겨자장을 곁들여 상에 낸다. 차갑게 식혀서 먹어도 좋으므로 미리 준비해 두어도 좋다.

달걀 지단을 예쁘게 부치려면

흰자와 노른자를 나누어 소금을 조금 넣고 잘 저어 거품을 걷어 낸다. 달구어진 팬에 기름을 조금 두르고 냅킨으로 닦아 낸다. 약한 불에서 노른자부터 부어서 얇게 고루 퍼지도록 팬을 이리저리 기울여 가며 익힌 다음 꺼내고 다시 흰 지단을 부친다. 팬이 너무 달구어졌을 경우에는 물 묻은 행주로 닦아 주거나 불 위에서 얼른 팬을 내려 아래 위로 살짝 흔들어 식혀 준다. 흰 지단이 안 될 경우 녹말이나 기름을 약간 넣으면 잘 부쳐진다. 기름이 많거나 팬을 너무 뜨겁게 달구면 달걀 지단이 곱지 않으므로 유의한다.

POINT

2 넓게 포 뜬 생선에 생강즙을 고루 뿌려 밑간해 둔다.

4 채썬 쇠고기와 표고버섯은 갖은 양념을 해 살짝 볶아 식힌다.

8 펴놓은 생선 위에 녹말가루를 뿌리고 소를 얹은 다음 김밥 싸듯이 꼭꼭 누르면서 단단하게 만다.

9 전체를 거즈로 싼 다음 김이 오른 찜통에 넣어 5~10분간 찐다. 완전히 식은 후에 발을 풀고 1~1.5cm 두께로 썬다.

407 Kcal

떡 선

🎩 재료 · 4인분

가래떡(30cm 길이) 3가래 · 쇠고기 150g · 달걀 1개 · 석이버섯 3개 · 붉은고추 1개 · 파 ½ 뿌리 · 소금 약간 · 참기름 2작은술 · 식용유 약간 · 고기 양념장(진간장 2큰술, 파 ½ 뿌리, 마늘 2쪽, 설탕 2작은술, 참기름 1작은술, 후춧가루 약간, 깨소금 적당량) · 조림장(진간장 3큰술, 설탕 1큰술)

🎩 이렇게 준비하세요

1 가래떡은 3cm 정도의 길이로 토막내어 열십자로 칼집을 넣은 다음 끓는 물에 넣어 말랑말랑해질 정도로 데쳐 물기를 빼고 식힌다.
2 쇠고기는 기름기가 없는 살코기로 골라 곱게 다진다.
3 달걀은 소금으로 간하여 황백 지단을 각각 부친 다음 식혀 가늘게 채썰고, 석이버섯은 물에 불려 채썬 다음 살짝 볶는다.
4 파는 껍질을 벗긴 다음 양념장용은 다지고 나머지는 잎 부분만 가늘게 어슷썰기한다. 붉은고추는 채썰고, 마늘은 다진다.
5 진간장에 정량의 양념을 넣어 잘 섞어서 고기 양념장을 만든다.

🎩 이렇게 만들어요

6 다진 고기에 양념장을 넣어 무친 다음 열십자로 칼집낸 떡에 고기를 채워 냄비에 진간장 · 설탕, 적당량의 물과 함께 넣고 윤기나게 조린다. 조릴 때는 뭉근한 불에서 국물을 끼얹으며 떡에 간이 고루 배게 한다.
7 충분히 조려지면 참기름을 넣어 살짝 버무린 후 그릇에 담고 각각의 떡 위에 황백 지단 · 석이버섯 · 붉은고추 · 파를 얹는다.

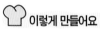

451 Kcal

P O I N T

1

가래떡은 3cm 길이로 토막내어 열십자로 칼집을 넣은 다음 끓는 물에 넣어 데친다.

6

다진 고기에 양념장을 넣어 무친 다음 열십자로 칼집낸 떡에 고기를 채워 조린다.

떡찜

재료 · 4인분

가래떡 3가래 · 사태 300g · 곱창 200g · 양 200g · 우둔살 100g · 표고버섯 5개 · 은행 20알 · 밤 12개 · 당근 1개 · 소금 약간 · 식용유 약간 · 갖은 양념(파 1뿌리, 마늘 6쪽, 진간장 12큰술, 설탕 2큰술, 깨소금 1½ 큰술, 후춧가루 약간, 참기름 1큰술)

이렇게 만들어요

① 사태는 덩어리째 준비하고, 양은 끓는 물에 넣었다 꺼내 껍질을 벗긴다. 곱창은 기름을 떼고 소금으로 주물러 씻은 다음 사태 · 양과 섞어 무르게 삶는다.
② 사태 · 양 · 곱창이 삶아지면 건더기는 건져 한입 크기로 썰어 갖은 양념을 하고, 육수는 식혀 기름기를 걷어 낸다.
③ 우둔살은 잘게 썰어 갖은 양념을 하고 가래떡은 굵기를 이등분해 4~5cm 길이로 썬다. 파 · 마늘은 곱게 다지고 당근은 밤알 크기로 썬다. 표고버섯은 2, 3등분하여 썰고, 밤과 은행은 말끔히 껍질을 벗긴다.
④ 양념한 사태 · 양 · 곱창과 당근 · 밤 · 표고버섯 · 은행을 한데 섞어 육수를 붓고 끓인다. 양념한 우둔살과 가래떡을 볶아 끓는 재료들과 섞어 함께 푹 익힌다.

갖은 재료를 뭉근하게 익혀 어떤 상에 놓아도 먹음직스럽고 푸짐한

갈비찜

재료 · 4인분

쇠갈비 1kg · 무 ⅓개 · 달걀 1개 · 표고버섯 10개 · 붉은고추 1개 · 밤 12개 · 은행 12알 · 식용유 적당량 · 양념장(배 ½개, 파 1뿌리, 마늘 3쪽, 진간장 6큰술, 설탕 2큰술, 깨소금 2큰술, 참기름 1큰술, 후춧가루 약간)

이렇게 준비하세요

1 쇠갈비는 5~6㎝ 크기로 토막을 내어 군기름을 발라 내고 찬물에 담가 핏물을 뺀 다음 건진다. 끓는 물에 무와 함께 넣어 갈비가 약간 물러질 정도로 삶는다. 삶을 때 통파나 통마늘을 함께 넣으면 누린내가 없어진다.

2 갈비가 어느 정도 익었으면 무와 함께 건져 내어 갈비는 적당하게 썰고 무는 한입 크기로 썰어 모서리를 둥글게 다듬는다. 남은 육수는 식혀서 위에 뜬 기름기를 걷어 낸다.

3 표고버섯은 물에 불려 기둥을 뗀 다음 2등분하고, 붉은고추는 씨를 털어 낸 다음 마름모꼴로 썬다. 달걀은 흰자와 노른자를 나누어 풀어 각각 황백 지단을 부쳐 마름모꼴로 썬다. 파·마늘은 깨끗이 씻어 잘게 다진다.

4 밤은 속껍질까지 벗겨 찬물에 담갔다 건져 놓고, 은행은 팬에 굴리면서 살짝 볶아 속껍질을 벗긴다. 배는 껍질을 벗긴 다음 강판에 곱게 갈아 배즙을 낸다.

5 진간장에 배즙과 다진 파·마늘, 참기름·깨소금·설탕·후춧가루를 넣고 잘 섞어서 양념장을 만든다.

이렇게 만들어요

6 큼직한 그릇에 갈비를 담고 양념장을 넣어 손으로 충분히 뒤적여 무친다. 이 때는 간이 잘 배도록 여러 번 버무리는 것이 중요하다.

7 냄비에 갈비와 무·표고버섯·밤을 안친 다음 육수를 5컵 정도 부어 약한 불에서 뭉근히 끓인다.

8 국물이 자작해지면 은행과 붉은고추를 넣어 그릇에 먹음직스럽게 담고 황백 지단을 몇 개 얹는다.

갈비 찜을 맛있게 하려면

갈비 찜은 야채를 함께 넣어야 양이 푸짐하고 야채에 고기 맛이 배어 제 맛이 난다. 부재료로는 무·당근·밤·표고버섯·떡 등이 주로 쓰이고 감자나 양파는 부서지므로 잘 쓰이지 않는다. 양념을 할 때는 양념장에 배를 갈아 넣어야 고기가 좀더 연해진다. 또 생고기에 직접 양념을 하면 질겨지고 색도 까맣게 되며, 먹을 때 뼈에서 살이 잘 떨어지지 않으므로 익힌 고기에 여러 번에 걸쳐 양념을 해야 부드럽다. 또 국물은 넉넉히 잡아 넣고 도중에 아래위의 위치를 바꾸어 간이 고루 배도록 한다. 갈비 찜이 식어 생기는 군기름을 막으려면 찜을 하기 전에 고기를 미리 삶아서 식혀 하얗게 뜬 기름을 모두 떠낸다. 먹을 때는 식지 않도록 따뜻한 상태로 상에 놓도록 한다.

POINT

약간 물러질 정도로 삶은 갈비를 건져 내어 먹기 좋도록 적당하게 썬다.

배는 껍질을 벗긴 다음 강판에 곱게 갈아 즙을 내어 양념장에 넣는다.

큼직한 그릇에 갈비를 담고 간이 잘 배도록 여러 번 버무린다.

국물이 자작해질 때까지 끓인 재료에 은행과 붉은고추를 넣어 먹음직스럽게 담는다.

438Kcal

꾸덕꾸덕하게 말린 홍어를 쪄서 독특한 향미를 돋운 잔치 음식

홍어찜

204 Kcal

 ### 재료 · 4인분

홍어 1마리 · 달걀 2개 · 석이버섯 5개 · 파 1뿌리 · 실고추 약간 · 잣 1큰술 · 소금 적당량 · 식용유 약간 · 양념장(깨소금 1큰술, 진간장 3큰술, 식초 1큰술, 고춧가루 2작은술, 파 ½ 뿌리, 마늘 3쪽)

이렇게 준비하세요

1 홍어는 살이 단단하고 붉은색을 띠는 중간 크기의 참홍어로 고른다. 내장을 없애고 껍질을 벗긴 뒤 먹기 좋은 크기로 썰어 물기를 닦아 낸 다음 소금을 뿌려 절인다. 물기가 많으면 잘 절여지지 않는다.
2 절인 홍어를 채반에 펴 얹고 햇볕이 잘 들고 바람이 잘 통하는 곳에서 꾸덕꾸덕해질 때까지 2, 3일 동안 깔끔하게 말린다.

 ### 이렇게 만들어요

3 말린 홍어를 물에 잠깐 씻어서 찜통에 베보자기를 깔고 홍어 토막들이 서로 겹치지 않게 안친 다음 센 불로 찐다.
4 달걀은 노른자와 흰자를 나누어 소금을 약간 넣고 저어서 각각 지단을 부친 다음 곱게 채썬다. 이 때 노른자에 흰자를 1큰술 정도 섞으면 노른자 지단이 뻣뻣해지는 것을 막을 수 있다.
5 석이버섯은 물에 담가 불렸다가 씻은 다음 물기를 거두고 채썬다.
6 파는 줄기 쪽으로만 3~4cm 길이로 채썰고, 실고추는 적당한 길이로 끊어 놓는다.
7 쪄서 익힌 홍어 위에 준비된 달걀 지단 · 석이버섯 · 파 · 실고추 등을 보기 좋게 얹고 잣도 얹은 다음 양념장을 준비하여 함께 낸다.

POINT

홍어는 내장과 껍질을 깨끗이 없애고 소금에 절여 2, 3일 간 꾸덕꾸덕하게 말린다.

쪄서 익힌 홍어 위에 웃기를 보기 좋게 얹은 다음 양념장과 함께 낸다.

북어찜

재료 · 4인분

북어 2마리 · 쇠고기 50g · 무 ½개 · 파 ½ 뿌리 · 실고추 약간 · 잣 1큰술 · 소금 적당량 · 식용유 약간 · 북어 양념장(파 ½ 뿌리, 마늘 3쪽, 진간장 4큰술, 설탕 1큰술, 깨소금 1작은술, 참기름 1작은술) · 쇠고기 양념장(파 ¼ 뿌리, 마늘 1쪽, 진간장 1작은술, 깨소금 약간, 참기름 약간)

이렇게 만들어요

① 북어는 방망이로 두들겨 뼈를 발라 내고 머리를 뗀 다음 토막을 내 쌀뜨물에 담가 불린다. 충분히 물에 불렸으면 손바닥으로 눌러 물기를 뺀다.
② 쇠고기는 다진 다음 파와 마늘을 다져 넣고 정량의 양념을 넣어 섞는다.
③ 북어에 양념장을 골고루 펴 발라 잠시 잰다. 냄비에 무를 깔고 물 ½컵을 부은 다음 북어를 펴놓고 위에 다진 쇠고기를 얹는다. 이렇게 북어를 켜켜로 고르게 안쳐 중간불에 올려 뭉근하게 끓인다. 물이 거의 졸아들고 무와 북어에 맛이 들면 채썬 파, 깨소금 · 실고추를 넣어 고루 뒤섞어 준다.

미더덕과 나물의 상큼한 향이 어울린 별미로 술안주로도 좋은

미더덕 찜

151 Kcal

재료 · 4인분

미더덕 300g · 콩나물 100g · 조갯살 100g · 쇠고기 100g · 미나리 100g · 붉은고추 2개 · 멥쌀 4큰술 · 진간장 2큰술 · 소금 약간 · 참기름, 국간장 적당량씩 · 후춧가루, 설탕 약간씩 · 갖은 양념(파 1뿌리, 마늘 3쪽, 깨소금 약간, 참기름 약간, 후춧가루 약간)

이렇게 준비하세요

1 미더덕은 겉껍질을 벗겨 낸 다음 끝을 터뜨려 물기와 해감을 빼내고 깨끗이 씻는다. 쇠고기는 얄팍하게 한입 크기로 썬다.
2 조갯살은 소금물에 씻어 헹군 다음 물기를 빼고 콩나물은 다듬어 씻은 후 삶아 낸다. 미나리도 손질하여 데친 다음 적당히 썬다.
3 파와 마늘은 다듬어 다지고, 붉은고추는 씻어서 다진다. 멥쌀은 물에 담가 불린다.
4 쇠고기는 진간장과 설탕, 갖은 양념으로 무치고, 콩나물과 미나리도 소금으로 간하여 각각 갖은 양념으로 무친다.
5 불린 쌀과 다진 붉은고추를 분마기나 믹서에 넣고 물을 부어 곱게 간다.

이렇게 만들어요

6 냄비에 참기름을 넣고 쇠고기 · 조갯살을 볶다가 미더덕을 넣고 다시 볶은 다음 물을 약간 넣어 끓인다.
7 어느 정도 끓으면 콩나물과 미나리를 넣고 쌀과 붉은고추 간 것도 넣어 국간장과 후춧가루로 조미한 다음 끓인다. 한소끔 끓으면 불을 줄여 뭉근히 찐다. 참기름을 넣어 섞는다.

POINT

미더덕은 겉껍질을 벗겨 낸 다음 끝을 터뜨려 깨끗이 씻는다.

냄비에 참기름을 넣고 쇠고기 · 조갯살을 볶다가 미더덕을 넣고 다시 볶는다.

미더덕이 끓으면 야채와 쌀 · 붉은고추 간 것 · 국간장, 후춧가루를 넣어 끓인다.

미더덕 찜을 맛있게 하려면

미더덕은 멍게의 한 종류로 황갈색을 띠며 껍질이 딱딱하다. 날로 먹어도 멍게처럼 상큼한 맛이 있으며 씹으면 오도독 소리와 함께 차갑게 터져 나오는 향기가 먹는 즐거움을 더해 준다.
미더덕으로 맛있는 찜을 만들려면 풋고추 · 어린 깻잎 · 원추리 · 취 · 두릅 · 풋나물 등 각종 야채를 넣어 향긋한 맛을 내는 것이 좋다. 야채는 너무 익으면 독특한 맛과 향을 잃게 되므로 잘 익지 않은 야채를 넣을 때는 살짝 데쳐서 사용하고, 향이 있는 미나리는 마지막에 넣고 살짝 버무려 불에서 내린다. 조갯살 · 개조개 · 우렁이 등과 낙지 · 오징어 · 전복 등 각종 해물을 함께 넣어 끓여도 개운한 맛이 더해진다.

야채와 해산물, 고기가 어울어져 은근하고 부드러운 맛이 일품인

대하찜

144 Kcal

재료 · 4인분

대하 4마리 · 사태 200g · 죽순 2개 · 오이 1개 · 소금 약간 · 식용유 약간 · 잣즙(잣 4큰술, 소금 1작은술, 흰 후춧가루 약간, 참기름 2작은술, 육수 2큰술)

이렇게 준비하세요

1 대하는 등 쪽에 꼬챙이를 넣어 내장을 빼고 깨끗이 씻은 다음 소금을 약간 뿌려 찜통에 찐다.
2 사태는 덩어리째 끓는 물에 넣고 삶는다.
3 오이는 깨끗이 씻어서 반을 가른 다음 어슷어슷 썰어 소금에 절인다. 죽순은 통조림으로 준비하여 뜨거운 물을 끼얹어 미끈거림을 제거한 다음 빗살 모양으로 썬다.

이렇게 만들어요

4 적당히 절여진 오이의 물기를 꼭 짜서 프라이팬에 기름을 두르고 잠깐 볶는다.
5 죽순도 프라이팬에 기름을 둘러 살짝 볶는다.
6 쪄서 익힌 대하의 껍질을 벗기고 칼을 눕혀 저민 다음 먹기 좋은 크기로 썬다.
7 삶아 익힌 사태는 건져서 대하와 비슷한 크기로 썬다.
8 칼등으로 잣을 다져서 소금 · 육수 · 흰 후춧가루 · 참기름과 섞어서 잘 휘저어 잣즙을 만든다.
9 준비된 대하 · 사태 · 오이 · 죽순을 한데 섞어 담고 잣즙을 넣어 골고루 주물러 무친다. 소금으로 간을 맞춘다.

POINT

절여진 오이의 물기를 꼭 짜서 프라이팬에 기름을 두르고 잠깐 볶는다.

빗살 모양으로 채썬 죽순은 프라이팬에 기름을 둘러 살짝 볶는다.

쪄서 익힌 대하의 껍질을 벗기고 칼을 눕혀 저민 다음 먹기 좋은 크기로 썬다.

대하 · 사태 · 오이 · 죽순을 한데 섞어 담고 잣즙을 넣어 골고루 주물러 무친다.

죽순채

재료 · 4인분

죽순(통조림) 4개 · 쇠고기 100g · 콩나물 30g · 미나리 50g · 붉은고추 2개 · 식용유 적당량 · 소금, 후춧가루 약간 · 양념장(파 ⅓뿌리, 마늘 2쪽, 진간장 1큰술, 깨소금 2작은술, 참기름 약간, 후춧가루 약간)

이렇게 조리하세요

① 죽순은 빗살 모양으로 얄팍하게 썰어 팬에 기름을 두르고 볶다가 소금 · 후춧가루로 간한다.
② 쇠고기는 얇게 저며 채썰어 양념장을 1큰술 정도 넣어 고루 섞은 다음 팬에 기름을 두르고 달구어 볶아 낸다.
③ 미나리와 콩나물은 다듬어 소금물에 살짝 데쳐 물기를 짜내고 미나리는 5cm 길이로 썬다. 붉은고추도 채썬다.
④ 죽순 · 쇠고기 · 미나리 · 콩나물 · 붉은고추에 양념장을 넣어 골고루 섞이도록 무친다.

모양새도 좋고 빨리 만들 수 있어 갑작스러운 손님 접대에 좋은

알 쌈 전

🧑‍🍳 재료 · 4인분

쇠고기 100g · 달걀 6개 · 소금 약간 · 식용유 4큰술 · 고기 양념(파 ½뿌리,
마늘 3쪽, 진간장 1큰술, 깨소금 ½큰술, 참기름 ½큰술, 설탕 1작은술, 후춧가루
약간)

🧑‍🍳 이렇게 준비하세요

1 쇠고기는 연한 살코기를 골라 얇게 저민 다음 곱게 다지고, 파·마
늘은 깨끗이 손질하여 다져 놓는다.

2 다진 쇠고기에 다진 파와 마늘을 넣고, 진간장·깨소금·참기름·
설탕·후춧가루도 넣어 손으로 주물러 양념한다.

3 달걀은 깨뜨려 잘 풀고 소금을 약간 넣어 젓가락으로 섞어 놓는다.

🧑‍🍳 이렇게 만들어요

4 양념해 놓은 쇠고기를 조금씩 떼어서 대추알 크기의 완자를 동그랗
게 빚는다.

5 프라이팬에 기름을 두르고 달구어 고기 완자를 얹어 굴려 가며 지
져 익힌다.

6 프라이팬에 다시 기름을 약간만 두르고 풀어 놓은 달걀을 숟가락으
로 떠서 살며시 부어 둥근 지단을 부친다.

7 지단이 반숙 정도로 익으면 지져 놓은 완자를 한쪽에 얹고 지단을
반으로 접어 가장자리를 눌러 주면서 익힌다.

8 반달 모양의 알쌈을 보기 좋게 접시
에 담아 뜨거울 때 상
에 낸다.

쇠고기에 다진 파·마늘과 양념을 넣어 간
이 골고루 배도록 주무른다.

프라이팬에 기름을 약간 두르고 달구어 고
기 완자를 얹어 굴려 가면서 익힌다.

지단이 반쯤 익으면 완자를 얹고 지단을 접
어 익힌다.

알쌈전을 부칠 때

알쌈전은 우리 고유의 요리로서 모양새도 좋으면서 쉽게 그리고 짧은 시간
내에 만들 수 있어서 갑작스러운 손님 접대나 술안주로 적당하다. 알쌈전을
더 모양내어 부치려면 달걀을 흰자와 노른자로 나누어 따로따로 지단을 부
쳐서 만들면 좋다. 또 쇠고기에 두부를 으깨어 넣고 함께 완자를 만들어 지
단 속에 넣으면 색다른 맛을 낼 수 있다. 알쌈전은 뜨
거울 때 먹어야 제 맛이 나므로 상에 내
기 직전에 부치는 것이 좋다.

233 Kcal

쇠고기 완자전

재료 · 4인분

쇠고기 300g · 두부 ½모 · 달걀 1개 · 풋고추 2개 · 붉은 고추 2개 · 양파 ½개 · 식용유 6큰술 · 갖은 양념(실파 3뿌리, 마늘 3쪽, 진간장 3큰술, 깨소금 2큰술, 참기름 1큰술, 설탕 1작은술, 소금 약간, 후춧가루 약간)

이렇게 준비하세요

1 쇠고기는 연한 살코기를 골라 얇게 저민 다음 곱게 다지고, 두부는 대강 으깬 다음 깨끗한 헝겊에 싸서 물기를 뺀다.

2 풋고추 · 붉은고추는 반을 갈라 씨를 털어 낸 다음 다지듯이 잘게 썰고, 양파도 고추처럼 잘게 썰어 놓는다.

3 실파와 마늘은 다듬어 씻어서 실파는 잘게 송송 썰고, 마늘은 곱게 다진다.

이렇게 만들어요

4 다진 쇠고기와 으깬 두부를 섞고 여기에 풋고추와 붉은고추도 넣은 다음 실파 · 마늘 · 진간장 · 소금 · 설탕 · 깨소금 · 참기름 · 후춧가루 도 넣어 갖은 양념하면서 달걀을 깨뜨려 넣는다.

5 고기 반죽을 여러 번 치대어 끈기가 생기면 밤알만큼씩 떼어 동글납 작하게 완자를 빚어 놓는다.

6 프라이팬에 기름을 두르고 뜨겁게 달군 다음 준비된 완자를 얹어 앞 뒤로 뒤집어 가면서 구워 익힌다. 너무 불이 세면 고기가 타므로 중간 불에서 구워 속까지 잘 익힌다. 상에 낼 때는 상추 등의 푸른 잎 위에 가지런히 담고 양념장을 곁들인다.

POINT

다진 쇠고기와 으깬 두부를 섞고 갖은 양념 을 한 다음 달걀을 깨뜨려 넣는다.

프라이팬에 기름을 두르고 뜨겁게 달군 다 음 고기 완자를 약한 불에서 속까지 익힌다.

연근적

연근은 사각사각 씹히는 맛이 좋아 무침 · 조 림 · 튀김 등의 재료로 이용되어 쓰임새가 넓은 편으로 가을에서 겨울에 걸쳐 나오는 것이 맛이 가장 좋다.

재료 · 4인분

연근 500g · 식초 1큰술 · 밀가루 ½컵 · 소금, 참기름 약간씩 · 식용유 6큰술

이렇게 만들어요

① 연근은 0.5㎝ 두께로 약간 도톰하게 썬 다음 찬물에 한동안 담가 떫은 맛을 우 려 내고, 끓는 물에 식초를 넣어 살짝 데친다.

② 밀가루와 소금을 섞어서 적당량의 물을 붓고 반죽하면서 참기름을 떨어뜨려 골고루 젓는다. 연근 구멍이 막히지 않도록 밀가루 반죽의 농도는 약간 묽다 싶은 것이 좋다.

③ 연근의 물기를 거두고 준비된 반죽에 넣었다가 기름 두른 팬을 달구 어 구워 낸다.

273 Kcal

전유어

피망전

4 피망은 통썰기를 해 소금물에 파랗게 데친 후 다진 고기 반죽을 채운다.

5 고기 반죽을 채운 피망에 밀가루와 달걀을 차례로 입혀 팬에 노릇노릇하게 지져 낸다.

● 생선전

재료 · 4인분

흰살 생선 100g · 붉은고추 1개 · 달걀 2개 · 밀가루 5큰술 · 쑥갓 3잎 · 소금 약간 · 후춧가루 약간 · 식용유 적당량

이렇게 만들어요

1 흰살 생선은 한입 크기로 도톰하게 포를 뜬 다음 소금과 후춧가루로 밑간한다.

2 붉은고추는 꼭지를 떼고 갈라서 씨를 털어 낸 다음 잘게 썬다. 쑥갓은 깨끗이 씻어서 모양이 고른 잎을 작게 떼어 놓는다.

3 생선은 밀가루를 골고루 묻힌 다음 달걀을 잘 풀어 담갔다 꺼낸다.

4 팬에 기름을 두르고 달군 다음 달걀 푼 물에 넣었던 생선을 얹어 지진다. 뒤집기 전에 잘게 썬 붉은고추와 쑥갓을 올려 장식한다.

● 피망전

재료 · 4인분

피망 2개 · 쇠고기 80g · 달걀 2개 · 두부 ⅓모 · 소금 약간 · 식용유 적당량 · 밀가루 5큰술 · 갖은 양념(파 ⅓뿌리, 마늘 2쪽, 진간장 2작은술, 설탕 1작은술, 후춧가루 약간)

이렇게 만들어요

1 피망은 깨끗이 씻어 통썰기한 다음 씨를 말끔히 털어 낸다. 썬 피망은 끓는 소금물에 파랗게 데쳐 물기를 뺀다.

2 두부는 꼭 짜서 물기를 빼고, 파 · 마늘은 곱게 다진다. 달걀은 풀어 놓는다.

3 쇠고기는 잘게 다져 두부를 으깨 섞은 다음 갖은 양념을 넣어 주무른다.

4 피망에 밀가루를 묻혀 고기 반죽을 채운다.

5 고기 반죽을 채운 피망에 밀가루와 달걀을 차례로 입혀 팬에 노릇노릇하게 지져 낸다.

전을 잘 부치려면

고기 · 생선 · 채소 등의 재료를 크기가 알맞고 얇게 준비한다. 또 반죽은 너무 되면 꾸덕꾸덕해서 맛이 없고 반대로 너무 묽으면 모양이 흐트러지므로 다소 묽게 한다. 부칠 때는 타지 않으면서 노릇노릇하게 잘 익고 물기가 돌지 않아야 하므로 길이 잘 든 팬에 기름을 둘러 고루 펴서 뜨거워지면 부치고 도중에 뒤집개로 꾹꾹 눌러 준다. 부치는 도중에 기름이 모자랄 때는 팬 가장자리에 기름을 두른다. 또 부쳐 낸 전을 곧 겹쳐 두게 되면 김이 서려서 물기가 돌고 달걀이 벗겨지므로, 넓은 채반에 펴서 식힌다. 여러 가지 전을 부쳤을 때는 색을 맞추어서 담고 초간장을 함께 낸다.

314 Kcal

불고기 산적

재료 · 4인분

쇠고기 100g · 가래떡 5가래 · 표고버섯 3개 · 당근 ½개 · 대파 3뿌리 · 식용유 2큰술 · 소금 약간 · 잣 적당량 · 양념장(파 1뿌리, 마늘 2쪽, 진간장 2큰술, 참기름 1큰술, 설탕 1큰술, 깨소금 약간, 후춧가루 약간)

이렇게 준비하세요

1 쇠고기는 칼로 자근자근 두드린 다음 연필 굵기, 6~7cm 길이로 썰고, 표고버섯은 물에 불려 기둥을 뗀 후 굵게 채썬다. 대파는 6cm 길이로 썰어 4등분한다.

2 가래떡은 6cm 길이로 썰어 4등분하고, 파와 마늘은 깨끗이 씻어 다듬어 곱게 다진다.

3 당근은 떡과 같은 길이로 썰어 끓는 물에 소금을 넣고 데쳐 낸다.

이렇게 만들어요

4 파 · 마늘과 갖은 양념을 섞어 양념장을 만든 다음 쇠고기 · 표고버섯에 넣고 손으로 주물러 잠시 재어 둔다.

5 대꼬챙이에 준비한 재료들을 차례대로 꿴다.

6 팬에 기름을 두르고 꼬챙이에 꿴 재료들에 양념을 조금씩 바르면서 지진다. 알맞게 지져지면 끝에 잣을 하나씩 꿰어 접시에 담는다.

꼬챙이에 꿰는 산적 요리

산적이란 쇠고기 등을 길쭉하고 얇게 썰어 양념을 한 다음 꼬챙이에 꿰어서 구운 음식이다. 산적은 기본 재료에 따라 육산적 · 어산적 · 잡산적 등으로 나뉜다.. 육산적은 쇠고기 · 버섯 · 대파를 이용하여 만들며, 어산적은 흰살 생선을 포 떠서 다른 재료와 함께 꿰어 굽는다. 잡산적은 고기류 · 채소 · 해물 등 다양한 재료가 쓰이며, 파산적 · 화양적 · 떡산적 등이 있다.

POINT

쇠고기는 칼로 자근자근 두드려 연하게 한 다음 연필 굵기로 썬다.

당근은 떡과 같은 길이로 썰어 끓는 물에 넣어 데친다.

대꼬챙이에 준비한 재료들을 색깔을 맞춰 차례대로 꿴다.

가래떡은 6cm 길이로 썰어 4등분하고, 너무 딱딱하면 물에 살짝 데친다.

갖은 양념을 섞은 양념장을 쇠고기와 표고버섯에 넣고 주물러 잠시 재어 둔다.

팬에 기름을 두르고 뜨겁게 달구어지면 양념을 조금씩 바르면서 지진다.

679 Kcal

섭 산 적

재료 · 4인분

쇠고기 300g · 두부 ⅓모 · 잣 1큰술 · 소금약간 · 양념장(파 1뿌리, 마늘 2쪽, 진간장 2큰술, 참기름 1큰술, 깨소금 1큰술, 후춧가루 약간)

이렇게 준비하세요

1 쇠고기는 기름기가 없는 우둔살로 골라 곱게 다진다.
2 두부는 물에 씻어 깨끗한 헝겊으로 싸서 물기를 거둔 다음 도마 위에 놓고 큼직하게 썰어 칼등으로 으깬다. 곱게 으깬 두부는 베보자기에 싼 다음 꼭 짜서 물기를 완전히 짜 놓는다.
3 파는 껍질을 벗겨 곱게 다지고, 마늘도 말끔히 손질하여 다진다.
4 잣은 손질하여 곱게 가루를 낸다.
5 다진 파와 마늘, 진간장 · 참기름 · 깨소금 · 후춧가루를 섞어 양념장을 만든다.

이렇게 만들어요

6 그릇에 다진 쇠고기와 으깬 두부를 담은 다음 만들어 둔 양념장을 넣어 손으로 여러 번 골고루 주물러 끈기가 날 때까지 치대어 반죽한다. 간을 좀 세게 하고 싶으면 소금을 적당량 넣어 고루 섞어 준다.
7 양념하여 반죽한 고기를 창호지 위에 얹고, 0.7cm 두께로 편평하게 편 다음 고르게 모양을 잡는다. 고기 반죽에 잘고 고른 칼집을 내 속까지 잘 익도록 한다.
8 석쇠를 불에 올려 달군 다음 창호지째 고기 반죽을 얹어서 앞뒤로 뒤집어 가며 속까지 충분히 익힌다.
9 앞뒤가 노릇노릇해지고 속까지 완전히 익으면 불에서 내려 잠시 식힌 후 3×4cm 크기로 썰어 접시에 담고 고기 위에 잣가루를 뿌린다.

POINT

두부는 곱게 으깨 베보자기에 싸서 물기를 완전히 짜 놓는다.

그릇에 다진 쇠고기와 으깬 두부를 담은 다음 양념장을 넣어 반죽한다.

양념하여 반죽한 고기를 창호지 위에 얹고 0.7cm 두께로 편평하게 펴 칼집을 낸다.

석쇠를 불에 올려 달군 다음 창호지째 고기 반죽을 얹어서 앞뒤로 뒤집어 가며 익힌다.

223 Kcal

연근 빈대떡

재료 · 4인분

연근 500g · 당근 ½개 · 파 2뿌리 · 풋고추 6개 · 밀가루 ⅔컵 · 달걀 1개 · 소금 1작은술 · 후춧가루 약간 · 식용유 6큰술 · 식초 1큰술

이렇게 만들어요

① 연근은 껍질을 벗기고 깨끗이 씻은 다음 식촛물에 담가 떫은 맛을 없앤다.
② 당근은 껍질을 벗겨서 채썰고, 파는 깨끗이 씻어서 당근처럼 채썬다.
③ 풋고추는 꼭지를 떼어 낸 다음 반을 갈라 씨를 털어 내고 채썬다.
④ 밀가루에 달걀 · 소금 · 후춧가루 · 물 1컵을 부어 걸쭉한 반죽을 만든다.
⑤ 연근의 물기를 없애고 강판에 간 다음 밀가루 반죽에 넣고, 채썬 당근 · 풋고추 · 파도 넣어 골고루 섞는다.
⑥ 팬에 기름을 두르고 달구어, 재료를 한 숟가락씩 얹고 모양을 다듬으며 지진다.

양념한 돼지갈비를 튀겨서 조린 연하고 얕은 맛의

돼지갈비 튀김 조림

375 Kcal

🍳 재료 · 4인분

돼지갈비 600g · 진간장 2큰술 · 생강 2쪽 · 청주 1작은술 · 달걀 2개 · 녹말
가루 ½컵 · 식용유 3컵 · 마른 붉은고추 2개 · 마늘 5쪽 · 파 ½뿌리 · 조림장
(육수 ½컵, 식초 2큰술, 설탕 2큰술, 청주 1큰술, 진간장 1큰술, 소금 약간)

🍳 이렇게 준비하세요

1 돼지갈비는 기름기를 떼어 내고 적당한 크기로 토막을 내어 잔칼질
을 한 다음 생강 1쪽을 즙을 내어 넣고 진간장 · 청주를 넣어 밑간을
한다.

2 파는 5cm 정도 길이로 썰고 마른 붉은고추는 큼직하게 썰어서 씨를
털어 낸다. 마늘과 나머지 생강 1쪽은 껍질을 벗겨 얇게 저며 썬다.

🍳 이렇게 만들어요

3 밑간했던 돼지갈비에 달걀을 깨뜨려 넣고 녹말가루도 넣어 잘 주물
러 섞는다.

4 튀김 냄비에 기름을 붓고 중온(170~180℃)으로 가열이 되면 준비
된 돼지갈비를 넣고 튀김용 젓가락으로 뒤적여 가며 노릇노릇하게 튀
긴다.

5 프라이팬에 기름을 두르고 썰어 놓은 붉은고추와 마늘, 생강을 넣어
볶다가, 파와 튀겨 낸 돼지갈비를 마저 넣고 잘 섞이도록 몇 차례 휘젓
는다.

6 돼지갈비에 정량의 육수 · 식초 · 설탕 · 청주 · 진간장 · 소금을 섞어
서 만든 조림장을 붓고 센 불에서 뒤적이면서 조려서 맛을 들인다.

POINT

3
밑간한 돼지갈비에 달걀을 깨뜨려 넣고 녹
말가루도 섞어 잘 주물러 놓는다.

6
돼지갈비에 조림장을 붓고 센 불에서 뒤적
이며 조린다.

🌼 고기가 질길 때

질긴 고기를 구입했더라도 조금만 연구를 하면 좀더 맛있는 요리를 할 수가 있
다. 고기를 도마 위에 놓고 헝겊을 덮고 빈 병으로 가볍게 두드리면 고기의 힘줄
이 파괴되어 살이 부드러워진다. 단, 너무 세게 두드리면 오히려 역효과가 난다.
또 요리하기 한두 시간 전에 식초로 씻어 두었다가 사용하거나 칼로 섬유질과 직
각이 되도록 살짝 칼집을 넣는 것도 좋다. 고기를 재울 때 흔히 설탕을 넣는데 이
것 역시 고기를 연하게 만들며 배즙이나 황도 · 백도 등의 과일 통조림, 파인애
플 · 파파야 등을 끼워 넣어도 과일의 달콤한 맛과 향이 배어 좋다.

삼겹살 구이

돼지고기 삼겹살은 지방과 살이 세 겹으로
되어 있어 살코기만 있는 부분보다 그 맛이
연하고 부드럽다. 구울 때는 소금과 후춧가
루를 솔솔 뿌려 밑간한 다음 두터운 팬이나
돌판을 미리 불에 올려 달군 다음 굽는다.

완전히 익으면 참기름과 소금 · 후춧가루를 섞은 기름 소금과 파 생채를 곁
들인다. 파 생채는 파를 가늘게 채썰어서 고춧가루 · 진간장 · 설탕 · 깨소
금 · 참기름을 약간씩 넣어 버무려 만든다. 그 밖에 상추 · 깻잎 · 파 등도 같
이 곁들여 내면 좋다.

닭 찜

재료·4인분

닭 1마리 · 표고버섯 5개 · 붉은고추 2개 · 당근 1개 · 밤 10개 · 은행 20알
· 육수 적당량 · 소금, 식용유 적당량씩 · 양념장(파 2뿌리, 마늘 1통, 진간장 6
큰술, 참기름 2작은술, 깨소금 1큰술, 설탕 1큰술, 후춧가루 약간)

이렇게 준비하세요

1 닭은 깨끗이 손질하여 적당한 크기로 토막을 낸 다음 소금을 솔솔
뿌려 밑간한다.

2 표고버섯은 물에 불려 2등분하고 밤은 속껍질까지 벗긴다. 당근은
적당한 크기로 썰어 둥글게 다듬는다.

3 은행은 겉껍질을 벗겨 팬에 살짝 볶은 다음 속껍질을 벗기고, 붉은
고추는 마름모꼴로 썬다.

4 파와 마늘을 다진 다음 진간장·참기름·깨소금·설탕·후춧가루
와 물 4큰술을 섞어 양념장을 만든다.

이렇게 만들어요

5 프라이팬에 기름을 두르고 달군 다음 닭을 넣어 나무주걱으로 저으
며 볶는다.

6 어느 정도 볶아지면 밤·표고버섯·당근·붉은고추를 넣는다.

7 양념장을 넣고 육수를 부어 뚜껑을 덮고 끓인 다음 은행을 넣어 살
짝 뒤섞는다.

적당한 크기로 토막을 낸 닭에 소금을 뿌려 밑간을 한다. **1**

팬에 기름을 두르고 달구어 닭을 넣어 나무 주걱으로 저으면서 볶는다. **5**

닭이 어느 정도 볶아지면 밤과 표고버섯·당근·붉은고추를 넣는다. **6**

다진 파와 마늘을 넣어 양념장을 만든 다음 육수를 부어 뚜껑을 덮고 끓인다. **7**

닭강정

재료·4인분

닭 1마리 · 붉은고추 2개 · 풋고추 2개 · 생강
3쪽 · 후춧가루 약간 · 식용유 5큰술 · 양념
장(진간장 5큰술, 청주 2큰술, 설탕 2큰술,
물엿 2큰술, 참기름 2큰술)

이렇게 만들어요

① 닭은 적당한 크기로 토막을 낸 다음 소금과 후춧가루로 밑간한다.

② 풋고추와 붉은고추는 반을 갈라 씨를 털어 내고 다시 4, 5등분하여 썬다.

③ 생강은 얄팍하게 저며 놓는다.

④ 프라이팬에 기름을 넉넉히 두르고 달구어 붉은고추와 생강을 넣고 잠깐 볶
아 붉은고추와 생강의 맛이 기름에 배어 들게 한 다음 닭을 넣고 함께 볶는다.

⑤ 정량의 진간장과 청주·설탕·물엿·참기름을 섞어 양념장을 만든 다음 닭
의 표면이 노릇노릇하게 익을 무렵에 넣고 물 ½컵 가량도 부어 뚜껑을 덮은 채
중불에서 조린다.

⑥ 닭이 반쯤 익었을 무렵 다시 물 1컵을 2번에 나누어 붓고 풋고추도 넣어 뭉
근한 불에서 국물이 다 졸아들어 엷은 갈색을 띨 때까지 익힌다.

⑦ 닭고기가 익으면 아래위를 뒤섞어 그릇에 담고 달걀 지단을 얹어 상에 낸다.

469 Kcal

갈비 구이

694 Kcal

 재료 · 4인분

쇠갈비 1.2kg · 배 ½개 · 청주 2큰술 · 마늘 3통 · 상추 150g · 깻잎 30~40장 · 파 3뿌리 · 소금, 후춧가루 약간씩 · 양념장(진간장 8큰술, 파 2뿌리, 마늘 1통, 설탕 3큰술, 후춧가루 약간, 참기름 2큰술, 깨소금 2큰술)

 이렇게 준비하세요

1 쇠갈비는 6~7cm 길이로 토막내어 굳기름을 발라 낸 다음 갈비에 붙은 살을 양쪽으로 갈라 얇게 펴서 앞뒤로 잘게 칼집을 넣는다.
2 배는 강판에 갈아 즙을 낸 다음 청주 2큰술을 섞어 칼집 넣은 쇠갈비에 골고루 뿌려 2시간 정도 잰다.

 이렇게 만들어요

3 파와 마늘을 곱게 다져 정량의 진간장과 설탕 · 깨소금 · 참기름 · 후춧가루를 섞어 양념장을 만든 다음 배즙에 재어 두었던 쇠갈비에 넣고 골고루 양념하여 잘 주무른 후 30분 정도 다시 재어 둔다.
4 마늘은 껍질을 벗기고 3개씩 꼬챙이에 꿰어 양념장을 바르고, 파도 깨끗이 다듬은 후 3cm 정도 길이로 4, 5개씩 나란히 꿴 다음 양념장을 바른다.
5 상추와 깻잎은 흐르는 물에 깨끗이 씻어 물기를 거둔다.
6 숯불이나 가스 불 위에 석쇠를 얹어 뜨겁게 달군 다음 양념장에 재어 두었던 쇠갈비와 꼬챙이에 꿰어 놓은 파 · 마늘을 얹어 굽는다. 준비된 상추와 깻잎을 곁들여 내고, 기호에 맞는 쌈장도 함께 낸다.

POINT

3 쇠갈비는 토막내어 굳기름을 발라 낸 다음 갈비에 붙은 살을 양쪽으로 갈라 펴서 칼집을 넣는다.

6 배즙에 재어 두었던 쇠갈비에 청주와 양념장을 넣고 잘 주무른 후 간이 잘 배어 들게 다시 재어 둔다.

바비큐 돼지갈비

재료 · 4인분
돼지갈비 1kg · 소금 약간 · 후춧가루 약간 · 바비큐 소스(양파 2개, 마늘 2쪽, 토마토 케첩 4큰술, 식용유 2큰술, 식초 2큰술, 설탕 3큰술, 고춧가루 적당량, 소금 약간)

이렇게 만들어요
돼지갈비는 기름을 떼어 내고 찬물에 담가 핏물을 없앤 다음 칼집을 넣어 소금 · 후춧가루로 밑간한다. 버터와 식용유를 두른 팬에 다진 양파와 마늘을 넣어 볶다가 양념을 넣어 소스를 만든다. 석쇠를 불에 올려 뜨겁게 달군 다음 갈비를 놓고 버터를 바르면서 살짝 굽다가 어느 정도 익으면 준비한 소스를 끼얹으면서 맛이 배도록 굽는다.

육류는 센 불에서 굽는다
고기를 가열하면 근육의 단백질이 응고하여 조직이 단단해지며, 고기 전체가 수축하여 즙과 지방이 녹아 나온다. 고기 특유의 맛을 내는 성분도 즙과 함께 손실 된다. 따라서 고기를 구울 때는 장시간 가열하는 것을 피하고 짧은 시간에 센 불로 굽는 것이 좋다. 센 불에 고기 표면의 단백질이 응고되어 고기 속에 있는 맛있는 즙이 빠져 나오지 않아 고기 맛도 더 좋다. 고기를 센 불로 구울 때는 중심 부분까지 익지 않을 수도 있으나 쇠고기의 경우는 바싹 익지 않아도 상관이 없다.

양념장에 재워 구운 구수한 맛이 생일상과 술안주로 좋은

닭 양념 구이

재료 · 4인분

닭 1마리 · 생강 1쪽 · 청주 3큰술 · 설탕 2큰술 · 후춧가루 약간 · 식용유 적당량 · 양념장(진간장 ½컵, 파 1뿌리, 마늘 5쪽, 설탕 2큰술, 참기름 1큰술, 깨소금 1큰술, 후춧가루 약간, 실고추 약간)

이렇게 준비하세요

1 닭은 깨끗이 손질하여 10토막 정도로 썰어 놓는다. 구이용으로는 살이 연한 영계로 구입하는 것이 좋다.

2 닭 토막에 붙은 기름기를 떼어 내면서 양념이 잘 배도록 여러 군데 칼집을 넣는다.

3 생강즙을 내어 닭에 넣고 청주 · 설탕 · 후춧가루도 넣어서 밑양념을 한다.

이렇게 만드세요

4 파 · 마늘을 다져서 진간장 · 설탕 · 참기름 · 깨소금 · 후춧가루 · 실고추와 섞어 양념장을 만든다.

5 밑양념했던 닭 토막에 준비된 양념장을 넣고 골고루 주물러서 2시간 이상 재어 둔다.

6 프라이팬에 기름을 두르고 뜨겁게 달구어서 양념장에 재었던 닭 토막을 얹어 뭉근한 불에서 천천히 구워 익힌다. 양념장이 팬에 달라붙지 않도록 기름을 넉넉히 넣는다.

POINT

닭은 깨끗이 손질해 먹기 편하게 10토막 정도로 썰어 놓는다.

닭 토막에 붙은 기름기를 떼어 내고 양념이 잘 배도록 칼집을 넣는다.

닭고기에 생강즙 · 청주 · 설탕 · 후춧가루를 넣어 골고루 밑간을 한다.

다진 파 · 마늘에 갖은 양념을 넣어 양념장을 만든다.

밑간한 닭고기에 양념장을 넣고 버무려 재어 둔다.

프라이팬에 기름을 두르고 달구어 닭을 얹어 굽는다.

472 Kcal

닭고기의 보관

닭고기는 수분이 많아 상하기 쉬우므로 되도록 빨리 사용한다. 주위 온도, 수분, 공기 접촉 정도에 따라 다르지만 여름에는 3일, 겨울에는 7일 정도 보관이 가능한다. 냉장고에 보관할 때는 랩에 싸서 공기에 닿아 색이 변하는 것을 막는다. 닭고기를 통째 구입했을 경우 내장을 없앤 것이면 냉장고에 그대로 넣고 내장을 빼지 않은 것은 내장을 꺼내 따로 분리 보관하는 것이 좋다. 또 양념장에 재어 두거나 쪄서 냉동해 두면 보다 안전하게 보관할 수 있다.

담백한 닭고기와 신선한 브로콜리의 깔끔한 맛이 조화된

브로콜리 닭다리 볶음

375 Kcal

 재료 · 4인분

닭다리 8개 · 진간장 2큰술 · 청주 1큰술 · 녹말가루 3큰술 · 실파 4뿌리 · 생강 2쪽 · 마늘 8쪽 · 마른 붉은고추 6개 · 브로콜리 150g · 식용유 3컵 · 소금 약간 · 녹말가루 1큰술 · 양념(진간장 2큰술, 청주 1큰술, 식초 ½큰술, 참기름 약간, 설탕 약간)

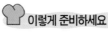 이렇게 준비하세요

1 닭다리는 깨끗이 손질하여 뼈는 발라 내고 한입 크기로 저며 썬 다음 진간장 · 청주 · 녹말가루를 넣고 잘 버무려 둔다.
2 실파는 다듬어서 5cm 길이로 썰고, 생강과 마늘은 얇게 저며 썬다.
3 붉은고추는 잘 마른 것으로 골라 씨를 털고 2, 3토막으로 자른다.
4 브로콜리는 잘게 나누어 끓는 물에 소금을 약간 넣고 데쳐서 물기를 뺀 다음, 기름 두른 프라이팬에 넣어 살짝 볶는다.

 이렇게 만들어요

5 양념한 닭을 기름에 노릇하게 튀겨 낸다.
6 닭을 튀겼던 식용유를 2큰술 정도만 남기고 따라 낸 후 마늘 · 생강 · 마른 붉은고추 · 실파를 넣고 볶아서 향을 낸다.
7 튀긴 닭을 다시 넣고 함께 볶다가 진간장 · 청주 · 식초 · 참기름 · 설탕 등을 넣어 양념한 후 녹말가루를 같은 양의 물에 개어 걸쭉하게 만든다.
8 접시 중앙에 튀긴 닭을 담고 볶은 브로콜리를 가장자리에 돌려 담아 상에 낸다.

POINT

닭다리는 뼈를 발라 내고 저며 썬다.

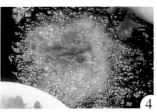
양념한 닭은 기름에 넣고 노릇하게 튀긴다.

  닭다리 조리의 포인트

닭고기의 다리살은 다른 부위에 비해 가장 맛있는 부분이고 모양도 좋아 흔히 뼈와 함께 조리한다. 가슴살의 색이 흰색인데 반해 다리살은 붉은 색을 띠며 독특한 풍미가 있다. 다리살은 두꺼워 뼈째로 조리할 때는 양념이 속까지 스며들기 어려울 뿐만 아니라 잘 익지 않기 때문에 칼끝으로 칼집을 넣거나 포크로 군데군데 찔러서 조리하면 쉽게 익고 간도 잘 배어든다. 닭다리는 구이 · 튀김 · 조림 · 찜 요리 등에 주로 이용한다.

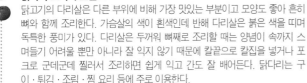

닭다리 찜

재료 · 4인분
닭다리 6개 · 파 3뿌리 · 생강 1쪽 · 소금 2작은술 · 청주 1½작은술 · 식용유 6큰술

이렇게 만들어요
① 닭다리는 손질해 청주와 소금을 차례로 뿌려 30분 정도 재어 둔다.
② 파는 깨끗이 씻어서 흰 줄기만을 7~8cm 길이로 가늘게 채썰고, 생강은 껍질을 벗기고 깨끗이 씻어서 알팍하게 저미듯 썰어 놓는다.
③ 손질해 재어 두었던 닭다리를 김이 오르는 찜통에 넣어 센 불에서 5분 정도 쪄서 익힌 다음 불을 끄고 5분쯤 더 두었다가 꺼내 먹기 좋은 크기로 썬다.
④ 큼직한 접시에 토막낸 닭다리를 가지런히 담고, 그 위에 저민 생강을 얹은 다음 채썰어 놓은 파도 넓게 펴 얹는다.
⑤ 상에 낼 때 팬에 식용유를 넣고 불에 올려 뜨겁게 가열시킨 다음, 국자로 떠서 닭다리 위에 얹은 파에 골고루 뿌리면 파와 생강의 향이 배어 향긋한 맛을 즐길 수 있다.

달착지근하게 씹히는 감칠맛과 향을 즐길 수 있는

오징어 불고기

🍳 재료 · 4인분

오징어 3마리 · 대파 3뿌리 · 마늘 1통 · 풋고추 4개 · 식용유 2큰술 · 양념
장(진간장 4큰술, 파 1뿌리, 마늘 5쪽, 깨소금 1큰술, 참기름 1큰술, 설탕 1큰술,
고춧가루 4큰술, 후춧가루 약간)

🍳 이렇게 준비하세요

1 오징어는 탄력 있고 싱싱한 것을 골라, 배를 갈라 다리를 떼어 내고
내장을 제거한 다음 헝겊을 이용하여 껍질을 벗기고 깨끗이 씻는다.
2 오징어의 물기를 거두고 안쪽에 바둑 무늬 칼집을 잘게 넣은 다음
한입에 먹기 좋은 크기로 썬다. 다리도 손질하여 적당하게 썬다.
3 대파 3뿌리는 5cm 정도 길이로 썰고, 풋고추도 손질하여 대파와 같
은 길이로 썬다. 마늘 2통은 껍질을 벗겨 얇게 저미고 양념용 마늘은
곱게 다진다. 파도 다진다.

🍳 이렇게 만드세요

4 진간장에 다진 파 · 마늘을 넣고 깨소금 · 참기름 · 설탕 · 고춧가
루 · 후춧가루도 넣어 골고루 섞어서 고춧가루 양념장을 만든다.
5 손질해 놓은 오징어에 양념장을 넣어 잘 주무른 다음 대파, 저민 마
늘, 풋고추를 섞어 30분 정도 잰다.
6 팬에 기름을 두르고 뜨겁게 달구어 양념해 놓은 오징어를 넣어 굽는
다. 오징어에서도 물이 나오므로 따로 물을 넣지 말고, 오랫동안 가열
하면 물기가 생기고 맛도 덜하므로 센 불에서 재빨리 볶듯이 익힌다.

280 Kcal

오이 문어 초무침

재료 · 4인분
오이 1개 · 문어 300g · 미역 30g · 소금 적당
량 · 설탕 2큰술 · 진간장 1큰술 · 식초 2큰술 ·
레몬 ⅓개
이렇게 만들어요
① 오이는 소금으로 문질러 씻어 얄팍하게 통썰기하고 소금을 뿌려 잠깐 절인다.
② 문어도 소금으로 문질러 말끔히 씻는다. 냄비에 물을 부어 끓이다가 손질한 문
어를 넣고 데쳐서 식힌 다음 먹기 좋은 크기로 얄팍하게 썬다.
③ 미역은 물에 불렸다가 소금을 넣고 두 손으로 문질러서 깨끗이 씻는다. 손질한
미역은 끓는 물에 넣고 파랗게 데쳐서 다시 한 번 헹군 뒤 먹기 좋게 썬다.
④ 절인 오이의 물기를 가볍게 짜고 썰어 놓은 문어 · 미역과 섞어 놓는다.
⑤ 설탕 · 진간장 · 식초를 한데 섞고 소금을 약간 넣어 간을 맞춘 다음 잘 섞어 단
촛물을 만든다.
⑥ 섞어 놓은 문어 · 오이 · 미역에 단촛물을 넣어 가볍게 버무려 상에 낸다. 미리
버무려 두면 물기가 생기므로 먹기 직전에 버무린다. 버무릴 때 레몬을 몇 조각 얄
팍하게 썰어 넣으면 레몬의 독특한 신맛으로 초무침의 풍미가 한결 좋아진다.

P O I N T

2
깨끗이 씻어 손질한 오징어에 대각선 모양
의 칼집을 넣는다.

5
오징어에 양념장을 넣어 잘 주무른 다음 대
파 · 저민 마늘 · 풋고추를 넣어 재어 둔다.

고소한 생선 튀김에 소스를 넣어 버무린 새콤달콤한 맛

생선 매리네이드

 재료 · 4인분

흰살 생선 1마리 · 청주 1큰술 · 생강즙, 소금, 후춧가루 약간씩 · 녹말가루 5큰술 · 식용유 3컵 · 토마토, 피망, 붉은 피망, 레몬 1개씩 · 양파 $\frac{1}{2}$개 · 방울토마토 3개 · 소스(식용유 $\frac{1}{2}$컵, 식초 2큰술, 레몬 $\frac{1}{2}$개, 양파 $\frac{1}{4}$개, 소금 2작은술, 후춧가루 약간)

이렇게 준비하세요

1 생선은 동태나 민어 · 광어 등의 흰살 생선으로 구해 껍질을 벗기고 가시를 제거한 다음 한입에 먹기 좋은 크기로 썰어 청주와 생강즙 · 소금 · 후춧가루를 뿌려 밑간을 한다. 손질된 냉동 생선을 구하여 쓰면 시간도 절약되고 손쉽다.
2 밑간한 흰살 생선에 녹말가루를 입힌다. 녹말가루는 골고루 입히되 너무 많이 묻지 않게 주의한다.

이렇게 만들어요

3 튀김 냄비에 기름을 붓고 가열하여 녹말가루를 묻혀 둔 생선을 튀긴 다음 튀김망에 건져 기름을 뺀다. 생선은 중온(170℃)에서 튀기는 것이 좋다.
4 토마토는 끓는 물에 넣어 살짝 데쳐 껍질을 벗기고 씨를 빼낸 다음 잘게 썬다.
5 양파는 깨끗이 손질하여 잘게 썰고 피망과 붉은 피망도 꼭지를 떼고 반을 가른 후 씨를 빼고 잘게 썬다. 레몬은 얇게 저며서 부채꼴 모양으로 썰어 놓는다.
6 소스에 넣을 양파는 강판에 갈아 즙을 낸다. 레몬도 즙을 짜 둔다.
7 정량의 식용유에 식초와 양파즙을 넣고, 레몬즙과 소금 · 후춧가루도 약간씩 섞어 소스를 만든다.
8 튀겨 놓은 흰살 생선과 피망 · 양파 · 토마토 · 레몬을 한 그릇에 담고 소스를 부어 맛이 잘 어우러지도록 버무린다. 이 때 먹음 직스럽게 보이도록 방울토마토를 작게 썰어 넣어 함께 버무린다.

P O I N T

밑간한 흰살 생선에 녹말가루를 골고루 입힌다. ②

녹말가루 묻힌 생선을 중온의 기름에서 튀겨 낸다. ③

식용유에 식초 · 양파즙 · 레몬즙 · 소금 · 후춧가루를 넣어 섞는다. ⑦

튀긴 생선과 피망 · 양파 · 토마토 · 레몬에 소스를 부어 섞는다. ⑧

흰살 생선의 영양
생선의 지방 함유율은 평균 5~10%로, 특히 흰살 생선은 2%에 그쳐, 쇠고기 · 돼지고기와 비교하면 생선이 저지방, 저칼로리 식품임을 알 수 있다. 그러나 단백질 함유량은 높아 단백질에서 가장 중요한 8가지 필수 아미노산이 골고루 들어 있는 최고의 영양 식품이다.

404 Kcal

영양가 높고 술맛도 돋우는 별미 안주

술안주

술안주

술맛도 돋우고 휴일의 별미도 되는
영양 풍부한 안주로 손님을 맞아요

술과 안주의 궁합

모임과 손님 초대상에 빠뜨릴 수 없는 술과 안주는 분위기를 기분 좋게 이끄는 꼭 필요한 아이템이다. 안주 마련이 고민스럽지만 재료와 조리법만 잘 선택하면 쉽게 만들 수 있을 뿐 아니라 별미 역할도 톡톡히 해낸다.

안주를 마련할 때는 무엇보다 술에 어울리는지를 생각한다. 술 종류에 따라 재료 선택과 조리법이 달라지기 때문이다. 아무리 맛있고

술안주는 술의 종류에 따라 재료를 선택하는 것이 포인트다.

영양이 풍부한 안주라도 술맛과 어울리지 않으면 좋은 안주가 아니다.

보통 차게 마시는 술에는 마른 안주가, 따뜻하게 마시는 술에는 국물 있는 음식이 적당하다. 또 순한 술에는 담백하고 신선한 과일과 야채가, 알코올 농도가 높은 술에는 소화가 잘 되는 고단백 식품이 좋다.

그릇과 담음새도 분위기에 맞추어 수수한 모양의 그릇에 푸짐하게 담아내거나 산뜻한 그릇에 화려하게 담아내는 등 변화를 준다.

맥주에 어울리는 안주

알코올 농도가 비교적 낮은 맥주는 차게 식혀 시원하게 마시는 술이다. 맥주의 제맛을 내려면 8℃ 정도가 적당하므로 여름철엔 적어도 3시간 전에는 냉장고에 넣어 두고 컵도 함께 냉장고에 넣는다. 뉘어서 보관하면 꺼낼 때 거품이 많이 생기므로 세워서 넣고, 컵도 함께 냉장고에 넣는다.

맥주는 주원료가 호프 · 효모 · 전분 등이라 열량이 높으므로 전분질이 많은 음식은 어울리지 않는다. 너무 걸쭉하고 진맛 맛 역시 어울리지 않으므로 깔끔하고 담백한 맛의 안주로 준비한다. 재료는 튀기거나 굽는 것이 좋다. 갑자기 안주 준비를 해야 할 때는 오징어나 땅콩 · 치즈 등을 기본 안주로 하고 성성한 야채나 과일을 곁들이면 충분하다.

청주와 약주에 어울리는 안주

맑고 깨끗한 술인 청주와 약주는 명절 상에 자주 등장한다. 대개 청주는 따뜻하게 데워야 제맛이 나므로 중탕으로 데워서 내고 술주전

자와 술잔도 미리 데워 놓는다.

술 자체가 순하므로 안주도 진한 맛보다는 재료 자체의 맛을 살려 깔끔하고 개운하게 조리한다. 맑고 따뜻한 국물이 있는 지리나 전골을 기본으로 전 · 회 · 구이 · 나물 · 숙채 등에서 한두 가지를 더하고 초간장과 초고추장을 곁들인다. 전골이나 찌개는 식지 않도록 상에서 끓이고, 주재료를 고기 · 야채 · 버섯 · 낙지 등으로 바꾸면 식사로도 충분하다.

소주에 알맞은 안주

소주로 술상을 낼 때는 호화로운 안주를 준비하기보다는 소탈하고 편안한 분위기에서 마실 수 있도록 배려하는 것이 좋다. 식사 전이라면 파전이나 빈대떡처럼 기름지고 요기가 되는 것을 준비하는 것이 기본이다. 여기에 속을 풀어 주는 얼큰한 찌개나 시원한 국, 무침이나 구이 등을 2, 3가지 준비하면 충분하다. 산뜻한 생채나 초나물 · 생선 매운탕 · 숙회 등으로 변화를 주는 것도 요령이다.

양주에 알맞은 안주

양주는 대체로 알코올 농도가 높은 술로 브랜디 · 위스키 · 진 등 종류도 많으므로 취향을 미리 알아두는 것이 좋다. 잔도 미리 차게 식혀 두고 순하게 마실 수 있도록 물과 얼음 · 탄산수 · 레몬 등을 넉넉히 준비해 둔다. 주스나 음료수도 함께 준비해 둔다. 안주는 서양 요리가 잘 어울리는데 백포도주에는 생선 · 닭고기요리, 샐러드등을, 적포도주에는 고기요리를, 그 외에는 영양소를 고루 갖추고 소화 흡수가 잘 되는 단백질 식품을 택한다.

모임 자리에 알맞은 술과 안주, 음식

젊은이나 친구들인 경우

젊은층이나 주부 친구처럼 여성이 많을 때는 오이 · 당근 · 고구마 등의 야채를 이용한 샐러드나 튀김의 인기가 높다. 맥주 · 와인 등의 가벼운 술과 크래커에 치즈와 햄을 얹은 카나페 · 감자 튀김, 치즈볼 튀김 등을 준비한다.

회사 사람들을 초대한 경우

남자들이 많은 직장 상사 · 동료들인 경우 다양한 술

과 안주를 내놓는 것이 포인트. 소주 · 양주와 이에 맞는 해물 전골 · 대구 지리 · 쇠고기 야채 전골 등을 준비하고 양주에는 얇게 썬 햄과 치즈 · 겨자 소스 샐러드 · 소시지 야채 꼬치구이 등을 준비한다. 맥주에는 마른 안주 외에 은행과 잣 · 곶감쌈 · 정과류도 준비한다.

연령대가 높을 경우

시댁 친척들이나 친정 어른들처럼 연령대가 높은 경우에는 한국 음식 위주로 밑반찬을 곁들인다. 우선 쇠고기를 이용한 한식, 해산물이 들어가는 중국식을 준

비하는 것이 무난하다. 쇠고기 · 낙지 전골 · 떡산적 · 굴숙회 · 매콤한 맛이 일품인 홍어회 · 생선회 등이 인기가 좋다. 죽순 · 붉은고추 · 숙주 · 미나리 · 쇠고기 등 각종 재료를 채썰어 맛깔스럽게 무친 죽순채 · 양장피 등 평소에 잘 먹기 힘든 중국식 요리를 선보이는 것도 좋다.

너무 맵거나 짠 자극적인 국물 안주, 딱딱한 야채를 생으로 잘라 놓은 샐러드, 씹기 힘든 오징어, 기름기 있는 튀김 등은 피하는 것이 좋다.

햄과 소시지로 스피디하게 준비할 수 있는

마른 안주

재료 · 4인분

소시지 200g · 새우포 150g · 슬라이스 치즈 5장 · 슬라이드 스모크 햄 5장 · 아몬드 ½컵 · 땅콩 ½컵

이렇게 만들어요

1 소시지는 먹기 좋은 크기로 얇게 저미듯 썬다.

2 치즈는 얇게 썰어진 슬라이스로 선택하여 큼직큼직하게 모양내어 썬다.

3 스모크 햄은 치즈와 비슷한 크기로 보기 좋게 썬다.

4 준비된 재료들을 담을 수 있도록 냅킨을 접는다. 냅킨은 큼직한 정사각형으로 골라 네 꼭지점을 가운데로 모아 접고, 다시 한번 꼭지점을 가운데로 모은 다음, 뒤집어서 다시 또 네 꼭지점을 가운데로 모은다. 그런 다음 네 꼭지점 뒤쪽의 자락을 들어 올려 둥글고 오목하게 만든다.

5 쟁반에 꽃모양으로 접은 냅킨을 얹은 다음 스모크 햄과 치즈, 소시지를 가지런히 펼쳐 담는다.

6 새우포는 조미되어 있는 것으로 골라 꼬리 쪽이 위로 가도록 담고, 가운데에 조미된 아몬드와 땅콩을 섞어 알루미늄 컵에 담아서 놓는다.

고소한 견과류로 준비하는 맥주 · 청주 안주

오색 마른안주

재료 · 4인분

호두 8개 · 은행 30알 · 밤 20개 · 육포 80g · 잣 6큰술 · 소금 약간 · 녹말가루 1큰술 · 참기름 1큰술 · 식용유 적당량 · 솔잎 적당량

이렇게 만들어요

1 호두는 딱딱한 겉껍질을 깨뜨리고 살만 빼낸 다음 따뜻한 물에 불려서 대꼬챙이로 얇은 속껍질까지 벗긴다. 껍질 벗긴 호두는 녹말가루를 묻혀서 기름에 넣고 노릇노릇하게 튀겨 낸 다음 뜨거울 때 소금을 약간 뿌린다.

2 은행은 겉껍질을 벗기고, 기름 두른 팬에 넣어 볶아 낸 다음 마른 헝겊으로 비벼 속껍질을 벗기고 3알씩 꼬챙이에 꿰고 끝에 잣을 1개씩 꿰어 장식한다.

3 밤은 겉껍질을 벗기고 물에 담가 불려 칼로 속껍질을 벗긴다.

4 잣은 솔잎을 하나씩 박아서 5개가 1묶음이 되도록 다홍실로 묶는다. 육포 위에 뿌릴 잣(½큰술)은 곱게 다진다.

5 육포는 참기름을 발라 석쇠에 구워 낸 다음 1×3cm 크기로 썬다.

6 준비된 재료를 보기 좋게 쟁반에 담고 육포 위에 잣가루를 뿌린다.

육 포

683 Kcal

🍳 재료 · 4인분

쇠고기(우둔살) 600g · 설탕 2큰술 · 진간장 6큰술 · 후춧가루 약간 · 꿀 1½ 큰술 · 참기름 3큰술 · 잣솔(잣 2큰술, 솔잎 적당량)

🍳 이렇게 준비하세요

1 쇠고기는 우둔살로 준비한 뒤 결대로 0.3㎝ 두께 정도로 얇고 넓게 저며 썬다. 썬 고기는 기름기와 힘줄을 모두 제거한다.
2 진간장 · 꿀 · 설탕 · 후춧가루를 정량씩 넣고 잘 저어서 양념장을 만든다.

🍳 이렇게 만들어요

3 저며 썬 고기를 준비한 양념장에 한 번씩 넣어 앞뒤로 고루 묻힌 다음 함께 모아 주물러서 간이 배도록 한다.
4 채반에 고기를 펴서 놓은 다음 햇볕이 들고 바람이 잘 통하는 곳에서 말린다. 겉물이 마르면 뒤집어서 말리는데, 오그라들지 않도록 잘 펴서 얹는 것이 중요하다.
5 쇠고기가 약간 꾸덕꾸덕해지면 채반에서 걷어 차곡차곡 쌓아 눌러 두었다가 어느 정도 육포의 모양이 잡히면 잠깐 다시 한 번 널어 바람을 쐰 다음 보관한다.
6 먹을 때는 참기름을 앞뒤로 바르고 석쇠에 놓아 살짝 구운 다음 적당하게 썰어 낸다.
7 잣을 솔잎에 하나씩 꿰어 5개 정도씩 묶어 잣솔을 만들어 육포와 함께 낸다.

POINT

3

저며 썬 고기는 양념장에 한 번씩 넣어 앞뒤로 고루 묻힌 다음 함께 모아 주물러 간이 배게 한다.

4

채반에 고기를 펴서 놓은 다음 햇볕이 들고 바람이 잘 통하는 곳에서 오그라들지 않도록 잘 펴서 말린다.

6

먹을 때는 고기 앞뒷면에 참기름을 골고루 발라 석쇠에 살짝 굽는다.

섭산삼

재료 · 4인분
더덕 300g, 찹쌀 1컵, 소금 약간, 식용유 3컵, 설탕 적당량, 꿀 적당량

이렇게 만들어요
① 찹쌀은 깨끗이 씻어서 3~4시간 불렸다가 물기를 빼고 곱게 빻아 둔다.
② 더덕은 색깔이 희고 굵으며 곧게 뻗은 것으로 준비하여 껍질을 벗기고 반으로 가른 후 방망이로 자근자근 두드려 얄팍하고 부드럽게 펴놓는다.
③ 손질한 더덕을 찬물에 담가 더덕 특유의 쓴맛을 우려 낸 다음 건져서 깨끗한 헝겊으로 꼭꼭 눌러 물기를 걷어 내고 소금을 뿌려 밑간한다.
④ 찹쌀가루에 물을 약간 뿌려 습기를 준 다음 고운 체에 친다.
⑤ 더덕을 찹쌀가루에 놓고 손으로 눌러 가며 골고루 옷을 입힌다.
⑥ 튀김 냄비에 기름을 넉넉하게 붓고 불에 올려 중온(170℃) 정도로 가열되면 찹쌀가루 입힌 더덕을 넣어 튀긴다. 앞뒤로 뒤적여 노릇하게 튀겨지면 건져서 기름기를 빼고, 뜨거울 때 설탕을 뿌리거나 꿀을 곁들여 상에 낸다.

아삭아삭 신선한 생야채의 맛을 그대로 살린

야채 스틱 샐러드

재료 · 4인분

오이 2개 · 당근 2개 · 셀러리 3줄기 · 콜리플라워 200g · 소금 약간 · 마요네즈 소스(마요네즈 4큰술, 양겨자 1큰술, 달걀 2개) · 오로라 소스(마요네즈 4큰술, 토마토 케첩 1큰술, 실파 ½뿌리, 달걀 2개)

이렇게 만들어요

1 오이와 당근은 씻어서 껍질을 대강 벗겨 7cm 길이로 토막낸 다음 손가락 정도의 굵기로 잘라서 모서리를 다듬고 찬물에 담가 둔다.

2 셀러리는 줄기의 섬유질을 벗기고 오이와 같은 길이로 썰어 찬물에 담가 두고, 콜리플라워는 끓는 물에 넣어 살짝 데쳐 내 먹기 좋은 크기로 토막낸다.

3 소스에 쓸 달걀은 완숙한 다음 노른자만 꺼내고 고운 체에 내려 두고 실파는 곱게 다진다.

4 오목한 그릇에 마요네즈 · 양겨자 · 달걀노른자를 넣고 잘 섞어 마요네즈 겨자 소스를 만들고, 케첩과 마요네즈, 다진 실파, 달걀노른자를 섞어 오로라 소스를 만든다.

5 찬물에 담근 오이 · 당근 · 셀러리를 건져 물기를 잘 뺀 후 넓은 그릇에 돌려 담고 겨자 소스와 오로라 소스를 따로 담아 곁들여 낸다.

214 Kcal

150 Kcal

안주와 후식을 겸하는 싱그러운 색색의 제철 과일

과일 모듬

재료 · 4인분

바나나 1개 · 키위 1개 · 오렌지 1개 · 복숭아 1개 · 포도 적당량 · 레몬 ⅓개

이렇게 만들어요

1 바나나는 양끝을 잘라 낸 다음 반을 잘라 가로로 칼집을 넣고, 칼을 넣은 채로 다른 칼로 중간 정도에서 어슷하게 다시 칼집을 넣어 모양 내어 자른다.

2 칼집 넣은 바나나를 떼어 내어 갈변을 막기 위해 레몬즙을 바른다.

3 키위는 껍질을 벗겨 한쪽 끝에서 모아 잡고 도톰하게 통썰기한다.

4 오렌지는 껍질을 두껍게 벗겨 낸 다음 괴육에 깊숙이 칼집을 넣어 조각조각 떼어 낸다.

5 복숭아는 깨끗이 씻어 반을 갈라 씨를 빼내고 길이로 8등분한다.

6 포도는 흐르는 물에 깨끗이 씻어서 물기를 뺀 다음 가위로 적당히 송이를 나눈다.

7 접시에 레몬즙을 발라 둔 바나나와 키위 · 오렌지 · 복숭아 · 포도 등을 모양 있고 푸짐하게 담아 낸다.

돼지고기 야채 꼬치

410 Kcal

 재료 · 4인분

돼지고기 300g · 피망 4개 · 감자 2개 · 당근 1개 · 양파 2개 · 밀가루 ½컵 · 달걀 2개 · 빵가루 1컵 · 소금 약간 · 후춧가루 약간 · 식용유 3컵

 이렇게 준비하세요

1 돼지고기는 기름이 없는 살코기를 준비하여 한입 크기로 도톰하게 썰어서 간이 잘 배도록 잔칼질을 한 다음 소금 · 후춧가루를 뿌려 주물러 놓는다.

2 피망은 반을 갈라 씨를 빼낸 후 3등분하여 썰고, 감자 · 당근 · 양파는 껍질을 벗기고 도톰하게 반달썰기한다.

3 달걀은 깨뜨려 소금을 약간 넣고 간하여 잘 풀어 놓는다. 빵가루도 보슬보슬하게 비벼 놓는다.

 이렇게 만들어요

4 대꼬챙이에 손질한 재료를 양파 · 당근 · 감자 · 피망 · 돼지고기 순으로 꿴다.

5 꿰어 놓은 재료에 밀가루를 골고루 묻히고, 풀어 놓은 달걀에 담갔다가 빵가루를 살짝 입힌다.

6 중온(170~180℃) 정도의 기름에 넣고 재료가 타지 않도록 주의하면서 노릇노릇하게 튀겨 낸다.

7 꼬치의 끝부분에 쿠킹 포일을 감아 정리한 다음 접시에 가지런히 담는다.

POINT

1
돼지고기는 한입 크기로 썰어 잔칼질을 한 다음, 소금 · 후춧가루를 뿌려 주물러 둔다.

4
대꼬챙이에 손질한 재료를 차례로 꿰어 밀가루 · 달걀 · 빵가루 순으로 옷을 입힌다.

6
너무 높지 않은 중온 정도의 기름에 넣고 노릇노릇하게 튀겨 낸다.

모듬 튀김

재료 · 4인분

마른 오징어 1마리 · 당근 1개 · 감자 1개 · 완두 ½컵 · 달걀 2개 · 새우 150g · 밀가루 2컵 · 소금 약간 · 식용유 3컵

이렇게 만들어요

① 완두는 통조림된 것으로 준비하여 물기를 빼고, 당근 ½개는 완두 크기와 비슷하게 깍둑썰기한다. 새우는 껍질을 벗기고 내장을 뺀 다음 깨끗이 손질한다.

② 감자와 남은 당근 ½개는 굵게 채썰고, 마른 오징어는 물에 충분히 불렸다가 껍질을 벗긴 다음 0.7×4cm 크기로 썬다. 오징어 다리도 적당하게 자른다.

③ 밀가루에 소금과 달걀을 넣어 튀김옷을 만든 다음 2등분한다.

④ 2등분한 튀김옷 중 하나에 채썰어 둔 감자 · 당근과 마른 오징어를 넣어 섞고, 다른 하나에는 완두와 새우, 완두 크기로 썬 당근을 넣고 잘 섞는다.

⑤ 튀김 냄비에 기름을 넉넉하게 부은 다음 중온(170~180℃) 정도로 가열되면 2가지 튀김 재료를 한입 크기로 떼어 놓고 노릇노릇하게 튀긴다.

⑥ 튀김이 바삭하게 튀겨지면 튀김망으로 건져 기름기를 빼고 접시에 담아 낸다.

빵에 치즈를 곁들여 간식으로도 좋은 영양가 높은 안주

치즈 스틱

재료·4인분

식빵 8장 · 치즈 8장 · 땅콩 5큰술 · 파슬리 2줄기

이렇게 만들어요

1 식빵은 토스트용으로 얇게 썰어진 것을 준비하여 가장자리를 잘라 정리한다.

2 치즈는 얄팍하게 썰어진 것을 준비하고, 땅콩은 껍질을 깨끗이 벗긴 다음 잘게 다져 둔다.

3 파슬리는 흐르는 물에 깨끗이 씻어서 물기를 거둔 다음 줄기는 떼어 내고 잎만 다지듯이 잘게 썬다.

4 식빵에 치즈를 올리고 그 위에 땅콩과 파슬리를 골고루 뿌린 다음 오븐에 넣고 치즈가 먹음직스럽게 녹아 내릴 정도로 굽는다.

5 오븐에서 꺼내어 적당히 식힌 다음 모양이 흐트러지지 않게 주의하여 5, 6등분한다. 오븐 대신 팬이나 전자 레인지를 이용해도 좋다.

하나 더 소화가 잘 되는 유제품, 치즈
치즈는 단백질과 지방의 함량이 높은 고칼로리식이면서도 유제품에 비해 소화가 잘 되는 이유는 발효·숙성되는 동안 단백질이 분해되었기 때문이다. 치즈에는 비타민 A · 비타민 B가 풍부하고 칼슘도 우유 못지않게 들어 있어서 어린이의 영양 간식으로도 활용되고 있다. 그 밖에도 숙취를 예방하는 작용도 있어서 술 마실 때 안주로도 좋다.

438 Kcal

532 Kcal

고기에 녹아 든 치즈 맛이 맥주 맛을 더욱 감칠나게 하는

완자 치즈 튀김

재료·4인분

쇠고기 400g · 치즈 300g · 마늘 3쪽 · 파 1뿌리 · 달걀 1개 · 진간장 4큰술 · 참기름 1큰술 · 깨소금 1큰술 · 녹말가루 4큰술 · 후춧가루 약간 · 식용유 3컵

이렇게 만들어요

1 치즈는 덩어리로 준비하여 주사위 모양으로 큼직하게 썰고, 파와 마늘은 껍질을 벗겨 곱게 다져 놓는다.

2 쇠고기는 곱게 다져서 다진 파 · 마늘, 진간장 · 깨소금 · 참기름 · 후춧가루를 넣고, 달걀을 깨뜨려 넣어 잘 주물러 놓는다.

3 양념한 고기를 넓적하게 빚어서 썰어 놓은 치즈를 가운데 얹고 둥글게 싼다.

4 고기 완자에 녹말가루를 골고루 묻힌 다음 중온(180℃) 정도로 가열한 기름에 넣어 연한 갈색이 되도록 튀긴다.

5 튀긴 완자를 반으로 썰어 접시에 담는다.

담백한 패주맛과 바삭하게 구워진 베이컨의 맛이 어우러진 맥주 안주

패주 베이컨 말이 구이

364 Kcal

재료 · 4인분

패주 20개 · 베이컨 10조각 · 파인애플 4쪽 · 파슬리 1줄기

이렇게 준비하세요

1 패주는 옆에 붙어 있는 지저분한 부분을 떼어 내고 깨끗이 손질하여 씻은 다음 물기를 빼놓고, 베이컨은 신선한 것으로 준비하여 반을 잘라 준비해 놓는다.

2 파인애플은 통조림된 것을 준비하여 물기를 거둔 다음 패주와 비슷한 크기로 먹기 좋게 썰고, 파슬리는 흐르는 물에 깨끗이 씻어 곱게 다져 둔다.

이렇게 만들어요

3 반으로 자른 베이컨을 펴놓고 그 위에 패주를 얹어 얌전하게 돌돌 만 다음 꼬챙이에 2개씩 꿰고 끝에 파인애플을 1조각씩 꿰어 가지런하게 준비한다.

4 꼬치의 끝부분에 쿠킹 포일을 조금 감아 손잡이를 만든 다음 오븐 토스터나 가스 레인지의 그릴에 넣어 10분 정도 굽는다. 굽는 중간에 한두 번 뒤집어 앞뒤를 노릇노릇하게 굽는다.

5 먹음직스럽게 구워진 베이컨을 꺼내어 그릇에 보기 좋게 담고 파슬리 가루를 위에 솔솔 뿌려 낸다.

POINT

패주는 깨끗하게 손질하고 파인애플은 물기를 거두고 패주와 같은 크기로 썬다.

반으로 자른 베이컨 위에 패주를 얹어 돌돌 만 다음 파인애플과 함께 꼬챙이에 꿴다.

꼬치의 끝부분에 쿠킹 포일을 감고 그릴에 넣어 10분 정도 굽는다.

햄 감자 볶음

급하게 맥주나 양주의 안주가 필요할 때는 햄이나 소시지, 치즈 등의 인스턴트 식품을 이용하는 것도 좋다. 야채나 과일 등의 한두 가지 재료만 더하면 영양가 있고 맛있는 안주가 된다.

재료 · 4인분

햄(통조림) 1통 · 양파 1개 · 감자 2개 · 완두(통조림) 3큰술 · 식용유 2큰술 · 소금, 후춧가루 약간씩

이렇게 만들어요

① 햄은 통조림으로 준비해 0.5㎝ 두께로 큼직큼직하게 썰고, 완두도 통조림으로 준비하여 체에 밭쳐 국물을 뺀다.

② 양파는 껍질을 벗기고 깨끗이 씻어서 도톰하게 채썰고, 감자도 깨끗이 손질한 다음 2등분하여 납작납작하게 썬다.

③ 팔팔 끓는 물에 소금을 약간 넣고 썰어 둔 감자를 넣어 익힌 다음 건져서 물기를 빼고, 완두는 끓는 물을 끼얹어 미끈미끈한 기를 없애고 물기를 빼놓는다.

④ 프라이팬에 식용유를 두르고 뜨겁게 달군 다음 채썬 양파를 넣어 말갛게 될 때까지 볶는다.

⑤ 양파가 말갛게 익으면 햄과 삶은 감자, 완두를 넣어 볶다가 소금 · 후춧가루를 약간씩 넣어 간을 맞춘다.

급하게 안주를 마련해야 할 때 손쉽게 만들어 모양 좋게 내놓을 수 있는

소시지 꼬치 구이

311 Kcal

재료 · 4인분

프랑크 소시지 8개 · 풋고추 10개 · 오이 피클 4개 · 파인애플 4쪽 · 양배춧잎 4장 · 식용유 2큰술 · 소스(진간장 4큰술, 마늘 2쪽, 황설탕 2큰술)

이렇게 준비하세요

1 프랑크 소시지는 유통 기한을 확인하고 껍질 색이 변하지 않은 것으로 준비하여 3cm 정도 길이로 자르고, 풋고추는 굵기가 고른 것을 준비해 꼭지를 잘라 내고 프랑크 소시지와 같은 길이로 잘라 놓는다.

2 오이 피클은 물기를 닦아 내고 길이로 4등분하여 프랑크 소시지와 같이 자른다. 통조림된 파인애플도 물기를 빼고 6, 7등분한다.

3 마늘은 껍질을 벗겨 곱게 다지고, 양배추는 깨끗이 손질하여 가늘게 채썬 다음 찬물에 담가 두었다가 싱싱해지면 소쿠리에 건져 물기를 뺀다. 푸른 잎도 흐르는 물에 깨끗이 씻어서 물기를 빼놓는다.

이렇게 만들어요

4 정량의 진간장에 다진 마늘과 황설탕을 섞고 물을 약간 넣어 잘 저은 다음 뭉근한 불에서 5분 정도 저으면서 끓여 소스를 만든다.

5 긴 대꼬챙이를 준비하여 프랑크 소시지와 풋고추 · 오이 피클 · 파인애플을 번갈아 꿴다.

6 프라이팬에 기름을 두르고 뜨겁게 달군 다음 꼬치를 넣고 솔로 소스를 발라 가며 앞뒤로 지진다. 미리 소스를 발라서 오븐이나 가스 레인지의 그릴에 넣고 5분 정도 구워도 좋다.

7 접시에 채썰어 둔 양배추를 편평하게 깔고 먹음직스럽게 구워진 소시지 꼬치를 얹은 다음 푸른 잎으로 가장자리를 장식하여 낸다.

POINT

2
소시지 · 풋고추 · 오이 피클 · 파인애플을 3cm 정도의 길이로 잘라 놓는다.

4
정량의 진간장에 다진 마늘과 황설탕을 섞고 물을 약간 넣고 끓여 소스를 만든다.

5
긴 대꼬챙이에 소시지 · 풋고추 · 오이 피클 · 파인애플을 번갈아 꿴다.

6
프라이팬에 기름을 두르고 달군 다음 꼬치를 넣고 소스를 발라 가며 앞뒤로 지진다.

양배추 소시지 찜

독일에서 즐겨 먹는 요리로 양배추와 소시지의 맛이 어우러져 독특한 맛을 즐길 수 있다.

재료 · 4인분

프랑크 소시지 8개 · 양배추 ½포기 · 베이컨 4조각 · 레몬 1개 · 버터 1작은술 · 소금, 후춧가루, 식초 약간

이렇게 만들어요

① 양배추는 잎을 낱장으로 떼어 낸 다음 물에 깨끗이 씻어 적당한 크기로 썰고, 프랑크 소시지는 끓는 물에 데쳐 비스듬하게 2등분한 다음 어슷어슷하게 칼집을 넣는다. 베이컨은 잘게 썰고, 레몬은 깨끗이 씻어 얄팍하게 썬다.

② 두꺼운 냄비에 버터를 녹여 뜨겁게 달군 다음 베이컨을 넣어 볶는다.

③ 어느 정도 볶아져서 베이컨의 기름이 배어 나오면 양배추를 넣어 숨을 죽인 다음 뚜껑을 덮고 잠시 찌듯이 익힌다.

④ 물을 5큰술쯤 넣고 뚜껑을 덮어서 10분 정도 끓여 양배추가 무르면 레몬과 소시지, 식초를 넣어 나무주걱으로 잘 섞어 준다. 재료들이 충분히 익으면 소금 · 후춧가루로 맛을 내고 약한 불에서 5분쯤 끓인 다음 뜨거울 때 상에 낸다.

훈제 연어

 재료 · 4인분

훈제 연어 300g · 오이 1개 · 레몬 1개 · 양파 ½개 · 양배춧잎 5장 · 파슬리 2줄기 · 케이퍼(향신 열매), 소금 약간씩

이렇게 준비하세요

1 오이는 소금으로 문질러 깨끗이 씻은 다음 얄팍하게 어슷어슷 썰고, 레몬은 반으로 잘라서 1cm 정도 두께로 썰어 가운데와 껍질의 양끝을 잘라 낸다.

2 양파는 껍질을 벗긴 후 통썰기하여 하나하나 떼어 놓고, 양배추는 곱게 채썰어서 찬물에 담가 싱싱하게 해 둔다. 파슬리도 찬물에 담가 둔다.

3 훈제된 연어는 냉장고에 넣어 차게 해 두었다가 얇게 저며 썬다.

이렇게 만들어요

4 저며 썬 연어는 반으로 모양나게 접고, 손질하여 찬물에 담가 둔 양배추와 파슬리는 건져서 물기를 뺀다.

5 넓은 접시에 채썬 양배추를 생선의 몸통 길이로 도톰하게 깔고, 접은 훈제 연어를 양배추 위에 서로 겹치게 담는다.

6 연어 위에 둥글게 썬 양파를 얹은 다음 준비해 둔 케이퍼(향신 열매)를 몇 알씩 얹는다.

하나더 칵테일 파티를 할 때
칵테일 파티는 향기를 즐기는 술이므로 안주는 양보다는 질에 중점을 둔다. 소화 흡수가 잘 되는 단백질 식품을 이용하는 것이 좋으며 분위기 있게 마실 수 있도록 맛은 위에 부담이 가지 않게 가볍게 하고 음식의 담음새나 모양에 신경을 쓴다.

POINT

훈제 연어는 냉장고에 넣어 차게 해 두었다가 얇게 썬다.

저며 썬 연어는 먹기 좋도록 반으로 접어 서로 겹치지 않게 접시에 담는다.

모듬 오르되브르

오르되브르란 가볍고 바삭바삭한 과자에 대조적인 맛의 크림이나 어패류 등을 얹어 한입에 먹을 수 있도록 한 전채 음식이다. 살짝 구운 햄과 런천 미트, 어묵 등을 2×3cm크기로 도톰하게 썰어 위에 오이 · 오이 피클 · 체리 · 오렌지 · 올리브 · 파인애플을 모양 내어 얹으면 된다. 이 위에 삶은 달걀노른자만을 으깨어 튜브에 넣어 짜서 장식하면 더욱 화사한 차림새의 안주가 완성된다.

134Kcal

한입에 쏙 들어가는 예쁘고 간편한 칵테일 안주

햄 치즈 카나페

재료 · 4인분

크래커 20개 · 오이 1개 · 오이 피클 $\frac{1}{3}$개 · 햄 2장 · 치즈 2장 · 마요네즈 2
큰술 · 버터 1큰술 · 파슬리 약간 · 체리 3개 · 소금 약간

이렇게 만들어요

1 크래커는 네모진 것이나 둥근 것으로 단맛이 적은 것을 준비한다.

2 햄은 얇게 썰어진 것을 준비하여 크래커보다 약간 작게 사각형이나
둥근 모양으로 썰고, 오이 피클 위에 얹을 것도 삼각형으로 작게 썬다.

3 치즈도 얇게 썰어진 슬라이스로 준비하여 크래커보다 약간 작은 크
기의 사각형과 좀더 작은 크기의 삼각형, 반원 모양으로 썬다.

4 오이는 소금으로 문질러 깨끗이 씻은 다음 반은 통썰기하고, 반은
어슷하게 썬다. 오이 피클도 물기를 거두어 두었다가 오이와 같은 두
께로 어슷하게 썰어 놓는다.

5 체리는 적당한 크기로 썰고, 파슬리는 흐르는 물에 깨끗이 씻어 잘
게 찢어 놓는다.

6 크래커 위에 마요네즈나 버터를 바르고 썰어 두었던 치즈와 햄을 각
각 하나씩 얹은 다음 오이와 오이 피클을 각각 올려놓고 그 위에 치
즈 · 햄 · 파슬리 · 체리 등을 보기 좋게 얹어 모양을 낸다.

POINT

햄과 치즈는 크래커보다 약간 작게 사각형
이나 둥근 모양으로 썬다.

크래커 위에 마요네즈나 버터를 바르고 치
즈와 햄 · 오이 · 오이 피클을 얹는다.

튀긴 감자 햄 샐러드

재료 · 4인분
감자 1개 · 햄 40g · 우유 3큰술 · 파슬리 1줄
기 · 마요네즈 1큰술 · 식용유 3컵 · 소금 약
간 · 후춧가루 약간

이렇게 만들어요
① 감자는 굵게 채썬 후 물에 담갔다가 건져 물기를 닦아 기름에 넣어 튀긴다.
② 햄은 감자와 같은 모양으로 썰어 프라이팬에 기름을 두르고 달구어 살짝 볶
는다. 파슬리는 곱게 다져 베보자기에 싸서 물에 헹군 뒤 꼭 짠다.
③ 마요네즈에 우유를 조금씩 넣으면서 저어 묽게 하고, 소금 · 후춧가루를 넣는다.
④ 햄과 감자를 마요네즈에 섞어 그릇에 담고 파슬리 가루를 뿌린다.

233 Kcal

카나페란

카나페란 전채 요리, 즉 오르되브르의 한 종류다. 오르되브르는 정식 요리에
맨 처음 나오는 것으로 입맛을 돋우어 다음에 나오는 음식을 맛있게 먹기 위
한 것이다. 오르되브르는 크게 4종류로 나뉘어지는데 핫 오르되브르 · 콜드
오르되브르 · 카나페 · 스낵과 디프로 구분된다.
카나페는 칵테일 파티에서는 가장 애용되는 안주로 맛은 위에 부담이 가지 않
게 가볍게 하고 양보다는 모양이나 담음새에 신경을 쓴다. 주로 쓰이는 재료
는 식빵이나 페이스트, 크래커 등의 부드러운 재료 위에 익힌 달걀 · 새우 ·
치즈 · 래디시 · 정어리 · 연어 · 오이 피클 · 올리브 · 캐비어 등을 색을 맞추
어 얹어 만든다.

양주 안주로 제격인 고단백의 담백한 닭고기 튀김 요리

닭살 말이 커틀릿

422 Kcal

🍳 재료 · 4인분

닭다리 6개 · 달걀 6개 · 밀가루 1컵 · 빵가루 2컵 · 버터 5큰술 · 파슬리 1줄기 · 셀러리 2줄기 · 마늘 2쪽 · 소금 1작은술 · 식용유 3컵 · 후춧가루 약간

🍳 이렇게 준비하세요

1 닭다리는 깨끗이 손질한 다음 깊숙이 칼집을 넣어 뼈를 발라 내고 두께가 고르게 되도록 잔칼질을 하여 소금과 후춧가루로 밑간을 해 놓는다.

2 마늘과 파슬리는 손질하여 곱게 다져 두고, 셀러리는 길이로 2등분하여 적당한 길이로 자른다. 달걀은 깨뜨려 소금을 약간 넣고 잘 풀어 놓는다.

🍳 이렇게 만들어요

3 버터는 거품기로 저어 부드럽게 한 다음 다진 마늘과 파슬리를 넣고 골고루 섞어서 마늘 버터를 만든다. 쿠킹 포일에 마늘 버터를 연필 굵기의 원통형으로 놓고 돌돌 만 다음 냉장고에 넣어 차갑게 굳힌다.

4 닭살을 넓게 펴고 굳힌 마늘 버터와 셀러리를 얹어 김말이하듯 돌돌 만다.

5 말아 놓은 닭살에 밀가루와 달걀, 빵가루를 차례로 묻혀 저온(160℃)의 기름에서 젓가락으로 뒤집어 가며 속까지 천천히 익힌다. 닭튀김도 다른 고기 튀김과 마찬가지로 2번 정도 튀겨 주는 것이 속까지 충분히 익고 맛도 좋다. 어느 정도 익으면 건져 두었다가 중온에서 다시 한 번 노릇노릇하게 튀겨 따끈할 때 반으로 썬다. 한쪽에는 싱싱한 양상추를 담고 파슬리로 색을 맞춰 장식한다.

POINT

1

닭다리는 깊숙이 칼집을 넣어서 뼈를 발라 내고 잔칼질을 한다.

3

버터에 다진 마늘과 파슬리를 넣고 고루 섞는다.

5

말아 놓은 닭살을 저온의 기름에서 천천히 튀긴다.

갑자기 술 손님이 왔을 경우

먼저 간단한 마른 안주를 한두 가지 내서 상을 차린다. 갑작스런 방문이라 당황해서 음식을 만들다가 손님을 기다리게 하는 실례를 막을 수 있다. 한두 잔 술이 오가는 동안 찌개와 간단한 요리 한두 가지를 더해 본안주를 내고 과일 등의 디저트를 내는 것이 좋다. 메뉴도 식사 때와 다름없는 것 가운데 고르는 것이 재료 구하기도 쉽다. 술자리가 오래 간다면 시원하고 담백한 맛의 온면이나 따뜻한 차 등을 준비할 필요가 있다.

쫄깃쫄깃하게 씹히는 맛과 예쁜 모양새가 술상의 분위기를 살리는

패주 버터 구이

재료 · 2인분

패주 10개 · 청주 1½큰술 · 마늘 5쪽 · 버터 약간 · 생강 ⅓쪽 · 소금, 후춧가루 약간씩 · 소스(버터 4큰술, 달걀노른자 1개분, 레몬 ⅓개, 소금 약간, 후춧가루 약간)

이렇게 준비하세요

1 마늘은 껍질을 벗겨 곱게 다지고, 생강도 껍질을 벗기고 깨끗이 씻어서 곱게 다진다.

2 패주는 주위에 붙어 있는 지저분한 부분을 말끔히 떼어 내고 깨끗이 씻어서 물기를 뺀 다음 윗면에 가로 세로로 잘게 칼집을 넣고, 다진 마늘과 생강 · 소금 · 후춧가루로 밑간하여 20~30분 동안 재어 둔다.

이렇게 만들어요

3 프라이팬을 불에 올려 버터를 두르고 뜨겁게 달군 다음 밑간한 패주를 얹어 칼집낸 부분이 벌어지도록 지진다. 청주를 골고루 뿌려 주며 지지는데 지나치게 익히면 패주가 질겨지므로, 패주의 색이 노릇하게 되고 칼집이 꽃잎처럼 벌어지면 재빨리 꺼낸다.

4 큼직한 그릇에 달걀노른자와 버터를 넣고 레몬즙을 떨어뜨려 거품기로 충분히 저으면서 소금 · 후춧가루로 조미하여 소스를 만든다.

5 접시에 준비된 소스를 조금씩 적당하게 부은 다음 그 위에 꽃 모양으로 노릇노릇하게 지져 낸 패주를 보기 좋게 얹는다. 뜨거울 때 상에 내어 식기 전에 먹는다.

POINT

프라이팬에 버터를 넣고 뜨겁게 달군 다음 밑간한 패주를 얹어 지진다.

그릇에 달걀노른자와 버터, 레몬즙을 넣고 거품기로 충분히 저어 소스를 만든다.

오징어 토마토 버터 구이

재료 · 4인분
오징어 1마리 · 토마토 2개 · 마늘 6쪽 · 파슬리 2줄기 · 버터 3큰술 · 밀가루 ½컵 · 브랜디 1큰술 · 소금 약간 · 후춧가루 약간

이렇게 만들어요
① 오징어는 껍질을 벗겨 깨끗이 씻어 1㎝ 두께로 도톰하게 통썰기하고 소금과 후춧가루를 뿌려 밑간한다.
② 토마토는 꼭지를 잘라 내고 2등분하여 오징어와 비슷한 두께로 썬다.
③ 마늘은 2, 3조각으로 저며 썰고, 파슬리는 씻어 물기를 빼고 잎만 다진다.
④ 오징어에 밀가루를 묻힌 다음, 팬에 버터를 넉넉히 녹여 불을 세게 해 오징어를 볶는다. 적당히 볶아지면 브랜디를 뿌려 섞고 불을 끈다.
⑤ 다시 프라이팬에 버터를 넣고 썰어 둔 토마토와 마늘을 넣어 살짝 지져 낸다.
⑥ 그릇에 오징어와 토마토, 마늘을 곁들인 다음 파슬리를 뿌려 낸다.

554 Kcal

소주에 어울리는 깔끔하고 시원한 맛의 해산물 안주

새우 오징어 숙회

 재료 · 2인분

오징어 1마리 · 새우 4마리 · 멍게 4개 · 소금 1작은술 · 양배춧잎 5장 · 초고추장 약간

 이렇게 만들어요

1 오징어는 싱싱한 것으로 준비해 다리를 잡아당겨 떼어 내고 내장, 뼈를 떼어 낸 다음 껍질을 벗겨 씻어 놓는다. 가로로 반을 잘라 가로 세로로 칼집을 넣은 다음 한입 크기로 썬다.

2 새우는 소금물에 살살 흔들어 씻어 머리를 떼어 내고 꼬리 부분만 껍질을 남기고 벗긴 다음 칼집을 넣어 한 장으로 넓게 펴서 내장을 빼낸다.

3 멍게는 윗부분을 잘라 낸 후 껍질 안으로 손을 넣어 다른 손으로 밑부분을 꼭 잡은 채 돌려서 살을 빼낸 다음 반을 갈라 내장을 잘라 내고 씻어서 먹기 좋게 썬다.

4 양배추는 줄기를 도려 내고 씻어 물기를 빼고 가늘게 채썬다.

5 오징어는 끓는 소금물에 넣고 재빨리 데쳐서 건져 내고, 새우도 끓는 소금물에 살짝 데친다.

6 채썬 양배추를 깔고 오징어 · 새우 · 멍게를 보기 좋게 담고 초고추장을 곁들여 상에 낸다.

181 Kcal

신선하고 향긋한 굴 맛이 술 맛을 더욱 개운하게 하는

굴 회

 재료 · 4인분

굴 200g · 오이 1개 · 당근 1개 · 쑥갓 100g · 레몬 1개 · 청포묵 1모 · 소금, 참기름 약간씩 · 겨자 초장(겨자 1큰술, 진간장 3큰술, 식초 1큰술, 통깨, 레몬즙, 설탕 약간씩)

 이렇게 만들어요

1 굴은 중간 크기로 준비해 체에 밭쳐 소금물에 살살 흔들어 씻은 다음 물기를 빼놓는다.

2 오이와 당근은 5㎝ 정도 길이로 잘라 곱게 채썬 후 찬물에 담갔다가 싱싱해지면 건진다. 쑥갓은 연한 잎 부분만 떼어 물에 잠깐 담갔다가 건지고, 레몬은 얄팍하게 반달썰기한다.

3 청포묵은 연필 굵기 정도로 길쭉길쭉하게 썰어서 소금과 참기름을 넣고 골고루 버무려 놓는다.

4 겨자는 따뜻한 물로 되직하게 개어 뜨거운 냄비 뚜껑 위에 30분간 엎어 두었다가 양념을 넣고 잘 섞어 겨자 초장을 만든다.

5 그릇에 오이 · 당근 · 쑥갓 · 청포묵을 예쁘게 돌려 담고 중심에 반달썰기한 레몬을 돌린 후 굴을 소복하게 담아 겨자 초장을 곁들여 낸다.

123 Kcal

싱싱한 야채와 시원한 맛의 골뱅이를 매콤하게 버무린 소주 안주

골뱅이 오이 생채

 재료 · 4인분

골뱅이 400g · 오이 1개 · 양파 ½개 · 붉은고추 2개 · 소금 약간 · 마늘 1쪽 · 양념장(고추장 2큰술, 식초 2큰술, 파 ½뿌리, 마늘 2쪽, 물엿 ½큰술, 깨소금 약간, 참기름 약간)

 이렇게 준비하세요

1 골뱅이는 통조림되어 있는 것을 준비하여 체에 쏟아 국물을 걸러 낸 다음 큰 것은 적당한 크기로 자른다.

2 양파는 채썬 다음 소금을 뿌려 살짝 절여 두고, 붉은고추는 반으로 갈라 씨를 빼고 3~4cm 길이로 채썬다.

3 오이는 깨끗이 씻어 반으로 나눈 후 얇게 어슷어슷하게 썰어 소금에 절인다.

4 파와 마늘은 깨끗이 손질하여 씻은 다음 곱게 다져 놓는다.

 이렇게 만들어요

5 고추장에 정량의 식초와 다진 마늘 · 파, 물엿 · 깨소금 · 참기름을 넣고 고루 섞어 양념장을 만든다.

6 소금에 절였던 오이와 양파는 깨끗한 헝겊이나 종이 타월에 싸서 물기를 꼭 짠다.

7 국물을 걸러 낸 골뱅이와 준비된 오이 · 양파 · 붉은고추를 함께 섞어서 양념장을 넣고 잘 버무린다.

8 고루 버무려진 골뱅이 오이 생채를 그릇에 담고 마늘을 다져 솔솔 뿌려 낸다. 오이 대신 파를 깨끗이 손질하여 토막낸 다음 가늘게 채썰어 버무려도 개운한 맛의 안주가 된다.

146 Kcal

POINT

① 통조림 골뱅이는 체에 쏟아 국물을 걸러 내고 큰 것은 적당한 크기로 썬다.

③ 오이는 깨끗이 씻어 반으로 나눈 후 얇게 썰어 소금에 절인 다음 꼭 짜 물기를 없앤다.

⑦ 골뱅이와 오이 · 양파 · 붉은고추를 함께 섞어서 양념장을 넣고 버무린다.

두부 냉채

소주에는 얼큰하고 기름진 안주나 속을 풀어 줄 수 있는 매운탕이나 찌개가 잘 맞지만 구이류나 생선회, 육회 등의 깔끔하고 개운한 맛도 칼칼한 소주와 잘 맞는다.

재료 · 2인분

두부 1모 · 새우살 30g · 숙주, 쑥갓, 토마토 약간씩 · 갖은 양념 약간씩

이렇게 만드세요

① 두부를 적당한 크기로 썰어 소금을 넣은 끓는 물에 부드럽게 데친 다음 가운데를 파낸다.

② 숙주와 시금치는 살짝 데치고, 새우도 데쳐서 잘게 썬 다음 합하여 간장 · 식초 · 설탕 · 소금 · 깨소금 · 고춧가루를 약간씩 넣어 무친다.

③ 무친 재료를 두부에 채우고 토마토를 잘게 썰어 얹는다.

양과 곱창 특유의 맛을 살린 구수한 스태미너 안주

내장 볶음

재료 · 4인분

곱창 300g · 양 300g · 양파 1개 · 깻잎 10장 표고버섯 5개 · 붉은고추 2
개 · 밀가루 약간 · 식용유 3큰술 · 소금 적당량 · 양념(마늘 1통, 파 1뿌리, 생
강 1쪽, 고춧가루 5큰술, 설탕 1큰술, 파 1뿌리, 참기름 · 깨소금 · 소금 · 후춧가루
약간씩)

이렇게 준비하세요

1 곱창(소의 작은 창자)은 얇은 막처럼 생긴 껍질을 말끔히 벗겨 내고
밀가루를 뿌리고 잘 주물러 냄새를 없앤 다음 흐르는 물에 씻는다.
2 양(소의 위벽을 감싸는 주머니)은 소금을 뿌려 주무르면서 씻어 안
쪽에 붙은 굳기름과 막을 벗겨 내고, 바깥쪽의 검은 껍질을 벗긴다. 검
은 껍질은 안의 흰막까지 깨끗이 벗겨 내야 질기지 않다. 손질한 양은
끓는 물에 잠깐 넣었다 건져 물기를 뺀다.
3 양의 앞뒤에 칼집을 넣고 자근자근 두드려 2cm 정도의 먹기 좋은 크
기로 썰고, 곱창도 같은 크기로 썬다. 파 · 마늘 · 생강은 다진다.
4 양파는 손질하여 굵게 채썰고, 깻잎은 깨끗이 씻어서 길쭉길쭉하게
썬다. 표고버섯은 물에 불려 기둥을 떼고 깻잎 크기로 썰고 붉은고추
는 씨를 뺀 뒤 어슷어슷 썬다.

이렇게 만들어요

5 그릇에 고춧가루 · 참기름 · 설탕 · 깨소금 · 소금 · 후춧가루를 담고
다진 파 · 마늘 · 생강을 섞어 양념장을 만든다. 양념을 곱창과 양에
넣고 버무려 재어 두고, 표고버섯과 깻잎 · 양파 · 붉은고추 썬 것도
양념에 따로 버무려 둔다.
6 팬에 식용유를 두르고 곱창과 양을
볶은 뒤, 어느 정도 고기가
익으면 야채들도
넣고 함께 볶
는다.

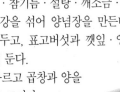

POINT

곱창은 질기지 않도록 흰 막을 벗겨 내고
밀가루를 뿌려 잘 주물러 냄새를 없앤다. 1

양은 굳기름과 검은 껍질을 벗겨 내고 먹기
좋은 크기로 썬다. 3

간회 · 처녑회

간회

간(300g)은 소금으로 비벼 씻어 핏물을 뺀 뒤 냉동실에 잠시 넣어 살짝 얼렸다
가 얄팍하게 저며 한입 크기로 썬다. 준비한 간에 참기름을 넣어 무친 뒤 잣을
얹어 돌돌 만다. 접시에 간회를 담고 소금 · 후춧가루 · 참기름을 섞어 만든 기름
소금을 곁들인다.

처녑회

처녑은 소금으로 박박 문질러 깨끗이 씻은 다
음 길이 5cm 정도로 썬다. 그릇에 처녑을 담고
참기름을 넣어 주물러 무친 다음, 1장씩 펴놓
고 잣을 얹어 돌돌 만다. 접시에 보기 좋게 담
고 기름장을 곁들여서 상에 낸다.

338 Kcal

즉석 요리에는 안성맞춤인 어묵으로 빨리 만들어 내는

어묵 꼬치 구이

 재료 · 4인분

어묵 600g · 피망 4개 · 붉은 피망 4개 · 파 2뿌리 · 식용유 3큰술 · 양념장
(진간장 6큰술, 마늘 2쪽, 고춧가루 1½큰술, 파 ½뿌리, 설탕 1큰술, 깨소금 2작은
술, 물엿 2작은술, 참기름 1½큰술)

 이렇게 준비하세요

1 어묵은 뜨거운 물을 끼얹어 겉도는 기름기를 없앤 다음 꼬챙이에 꿰
기 좋게 2~3cm로 썬다. 어묵은 넓적하고 두툼한 종류로 준비하는 것
이 좋고 구멍이 있는 것을 준비해도 괜찮다.
2 피망과 붉은 피망은 표면에 윤기가 도는 싱싱한 것으로 골라 꼭지를
잘라 내고 길이로 2등분하여 씨를 말끔히 뺀 다음 어묵과 같은 크기로
썬다. 파는 굵은 대파로 준비하여 어묵의 길이에 맞추어 썬다.
3 양념장에 넣을 파와 마늘은 깨끗이 씻어 곱게 다져 놓는다.

 이렇게 만들어요

4 준비한 재료들을 어묵 · 피망 · 어묵 · 붉은피망 · 파 · 어묵의 순서로
꼬챙이에 꿴다.
5 진간장에 다진 마늘과 파를 넣고 고춧가루 · 설탕 · 깨소금 · 물엿 ·
참기름을 넣어 양념장을 만든 다음 꼬치 위에 뿌려 간이 배게 한다.
6 팬에 기름을 두르고 달군 다음 양념장에 재어 두었던 꼬치를 얹어
앞뒤로 뒤집어 가며 골고루 익혀 접시에 담는다.

하나더 접시를 따뜻하게 데워 내야 할 때는 하나하나 끓는 물을 부어 데우는데 이럴
때 전자 레인지를 사용하면 간단히 데울 수 있다. 컵이나 접시를 물에 적신 뒤 전자 레
인지에 넣기만 하면 된다. 단, 금속제 · 목제 식기는 전자 레인지에 넣으면 안 된다.

P O I N T

어묵과 피망을 순서대로 색을 맞추어 꼬챙
이에 꿴다.

양념장을 만들어 꼬치 위에 골고루 뿌려 간
이 배게 한다.

팬에 기름을 두르고 달군 다음 양념장에 재
어 두었던 꼬치를 얹어 익힌다.

253 Kcal

어묵 즉석 지짐

스피디하게 안주를 내놓고 싶다면 어묵을 살
짝 기름에 지져 내기만 해도 된다. 이 때는
신선한 오이와 색깔있는 게맛살을 곁들여 담
백한 맛과 색을 살리는 것이 좋다.
어묵은 구멍난 것, 동그란 것, 나무판에 붙인
것 등 다양한 종류로 준비해 뜨거운 물을 끼
얹어 겉도는 기름기를 없앤다. 오이는 소금으로 문질러 씻어 길이로 4~5등
분하여 소금으로 살짝 절였다가 종이 타월에 싸서 물기를 뺀 후 게맛살과 함
께 어묵에 끼운다. 프라이팬에 기름을 살짝 두르고 뜨거워지면 어묵과 게맛
살을 넣어 노릇하게 지져 따뜻할 때 내놓는다.

기름지고 푸짐해서 식사 전 요깃거리로도 좋은 안주

녹두전

재료 · 4인분

녹두 5컵 · 멥쌀 ½컵 · 배추김치 ½포기 · 돼지고기 100g · 숙주나물 50g · 파 2뿌리 · 붉은고추 2개 · 풋고추 2개 · 식용유, 소금 적당량씩 · 김치 양념(참기름 1작은술, 깨소금 약간) · 고기 양념(파 ⅓뿌리, 마늘 1쪽, 생강 1쪽, 소금 약간) · 숙주나물 양념(파 ⅓뿌리, 마늘 1쪽, 소금 · 깨소금 · 참기름 약간씩)

이렇게 준비하세요

1 녹두와 쌀은 깨끗이 씻어 인 다음 물에 담가 3~4시간 정도 불려 손으로 비벼 껍질을 벗긴다. 녹두는 부침에 쓰려면 쪼갠 것을 써야 불려서 껍질 벗기기가 쉽다.

2 파는 깨끗이 손질하여 굵직하게 어슷썰기하고, 양념에 쓸 파와 마늘은 껍질을 벗겨 곱게 다진다. 생강은 즙을 낸다.

3 배추김치는 속을 대충 털어 낸 다음 송송 썰어 참기름 · 깨소금으로 가볍게 버무려 양념하고, 돼지고기는 잘게 썰어 다진 파 · 마늘, 생강즙 · 소금으로 양념한다.

4 숙주나물은 끓는 소금물에 넣고 잠깐 삶은 다음 파 · 마늘 · 깨소금 · 소금 · 참기름을 넣고 손으로 주물러 양념한다.

5 풋고추와 붉은고추는 깨끗이 씻어 꼭지를 뗀 다음 적당한 굵기로 어슷썰기하여 씨를 털어 낸다.

이렇게 만들어요

6 충분히 불린 녹두와 쌀은 믹서에 넣어 되직하게 간다. 갈아 놓은 것에 배추김치 · 돼지고기 · 숙주나물을 넣어 고루 섞는다.

7 프라이팬에 기름을 둘러 충분히 달군 다음 적당한 양의 반죽을 떠 넣어 둥글게 모양을 잡은 다음 붉은고추 · 풋고추 · 파를 보기 좋게 올려 앞뒤로 뒤집어가며 노릇하게 익힌다.

8 접시에 푸짐하게 돌려 담고, 양념장을 곁들여서 낸다.

POINT

물에 불린 녹두와 쌀을 믹서에 되직하게 간 다음 배추김치 · 돼지고기 · 숙주나물을 넣어 골고루 섞는다. **6**

팬에 기름을 둘러 달군 다음 반죽을 떠 넣어 둥글게 모양을 잡은 다음 고추와 파를 올려 앞뒤로 노릇하게 익힌다. **7**

술은 영양가 높은 안주와 함께

술은 즐겁게, 건강을 해치지 않을 정도로 마시는 것이 바람직하다. 공복에 물을 마시듯이 술을 마시거나 안주를 먹지 않고 술을 마시는 것처럼 건강에 나쁜 영향을 주는 일은 없다.
술을 마실 때는 균형 잡힌 영양가 높은 안주와 함께 마시는 것이 바람직한데 특히 단백질이 충분히 들어 있는 음식을 함께 먹는 것이 좋다. 이는 단백질이 간장을 보호하는 데 중요한 영양소이며 알코올을 분해하는 효소도 합성하기 때문이다. 또 비타민과 무기질도 충분히 섭취하는 것이 좋다.

496 Kcal

연한 파를 해산물과 함께 큼직하게 지져 낸

해물 파전

재료 · 4인분

밀가루 2컵 · 달걀 2개 · 실파 150g · 부추 100g · 깻잎 30장 · 굴, 홍합, 조갯살 100g씩 · 식용유 4큰술 · 소금 약간 · 양념장(진간장 4큰술, 파 ⅓뿌리, 마늘 3쪽, 식초 2큰술, 고춧가루 · 깨소금 · 참기름 · 설탕 적당량씩)

이렇게 준비하세요

1 실파와 부추는 깨끗이 씻어 다듬은 후 가지런히 모아 12㎝ 정도의 길이로 썰고, 깻잎도 길게 채썬다.
2 굴은 소금물에 흔들어 씻어 물기를 빼고, 홍합과 조갯살은 내장을 제거한 다음 깨끗이 씻어서 물기를 뺀다.
3 손질된 굴과 홍합 · 조갯살을 굵게 다진다.
4 밀가루에 소금을 섞어 달걀을 깨뜨려 넣고 적당량의 물을 부어 멍울이 지지 않게 거품기로 반죽한 다음 굵게 다져 놓은 굴과 홍합 · 조갯살을 넣어 잘 섞는다. 반죽은 다소 묽다 싶게 하는 것이 좋다.

이렇게 만들어요

5 프라이팬에 기름을 넉넉하게 두르고 충분히 달궈지면 준비된 실파와 부추 · 깻잎을 적당량씩 모양을 만들어 얹은 다음 해물 반죽을 끼얹어 중불에서 서서히 지져 낸다. 반죽을 먼저 얇게 깔고 파와 부추 · 깻잎을 얹은 후 다시 한번 반죽을 끼얹어 지져 내도 좋다.
6 진간장에 파와 마늘을 다져 넣고 식초 · 참기름 · 깨소금 · 고춧가루 · 설탕을 섞어 양념장을 만든다. 파전이 따뜻할 때 양념장을 곁들여 상에 낸다.

POINT

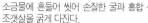

소금물에 흔들어 씻어 손질한 굴과 홍합 · 조갯살을 굵게 다진다.

밀가루에 소금 · 달걀 · 물을 부어 거품기로 묽게 반죽해 해물을 섞어 넣는다.

하나 더 파전은 밀가루와 쌀가루를 섞어서 부치면 밀가루만으로 했을 때보다 반죽이 덜 질기고 부드러운 감을 더해 준다. 부칠 때는 파와 부추가 타지 않도록 반죽을 얇게 바르고 뒤집어 부친다. 약한 불에서 은근히 익혀야 속까지 잘 익는다.

264 Kcal

고추 산적

재료 · 4인분
쇠고기 200g · 꽈리고추 150g · 표고버섯 3개 · 당근 ½개 · 식용유 4큰술 · 소금 약간 · 양념장(파 1뿌리, 마늘 3쪽, 진간장 3큰술, 깨소금 1큰술, 후춧가루 약간, 참기름 2작은술)

이렇게 만들어요
① 쇠고기는 살코기로 골라 도톰하게 저며 6~7㎝ 길이로 썰어 앞뒷면에 잔칼질을 한다. 표고버섯은 기둥을 뗀 다음 3등분하여 썬다.
② 당근은 껍질을 벗겨 고기와 비슷한 크기로 막대썰기해 소금물에 살짝 데쳐 물기를 뺀다. 꽈리고추는 씻어 꼭지를 뗀 다음 꼬챙이로 몇 군데 구멍을 뚫어 지질 때 매운 맛과 수분이 빠지게 한다.
③ 파와 마늘을 다져 양념장을 만들어 쇠고기와 표고버섯을 각각 양념한다.
④ 꼬챙이에 쇠고기 · 고추 · 당근 · 표고버섯의 순으로 가지런히 꿰어 팬에 기름을 두르고 준비해 놓은 재료들을 얹어 앞뒤로 골고루 지진다.

낙지를 나무젓가락에 돌돌 말아 양념장을 끼얹어 구운

낙지 호롱

146 Kcal

재료 · 4인분

낙지 2마리 · 마늘 2통 · 소금 적당량 · 양념장(진간장 3큰술, 파 1뿌리, 마늘 1통, 고춧가루 1큰술, 설탕 약간, 깨소금 1큰술, 참기름 1큰술, 후춧가루 약간)

이렇게 준비하세요

1 낙지는 먹통을 떼고 내장을 빼낸 후 소금을 넣고 손으로 바락바락 주물러 깨끗이 씻는다.

2 손질된 낙지는 다리를 하나씩 떼고 머리도 갸름하게 썰어 칼집을 넣는다.

이렇게 만들어요

3 준비된 나무젓가락을 단단히 쥐고 낙지를 위에서부터 아래로 단단히 감아 풀어지지 않게 고정시킨다.

4 진간장에 파와 마늘을 다져서 넣고 설탕 · 고춧가루 · 참기름 · 깨소금 · 후춧가루도 넣어 양념장을 만든다.

5 석쇠나 프라이팬을 달궈 감아 놓은 낙지를 굽는다. 구울 때는 양념장을 골고루 끼얹고 앞뒤로 뒤집어 가며 타지 않도록 주의하여 익힌다. 마늘도 꼬챙이에 꿰어 낙지와 함께 살짝 구워 낸다.

하나 더 낙지 호롱이란 오징어는 칼집을 넣어서 고추장 양념을 해 두었다가 굽지만 낙지는 다리가 길어서 그대로 구우면 오글오글하므로 처음부터 짚이나 나무젓가락에 다리를 말아 양념을 발라 가며 굽는데, 이것을 전라도 여수에서는 낙지 호롱이라고 한다. 낙지나 오징어 등의 어패류는 센 불에 재빨리 익혀야 한다. 어패류는 수분 함량이 높아 오랜 시간 열을 가하면 질겨지고 맛이 없어진다.

POINT

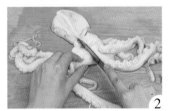

낙지는 먹통과 내장을 떼어 내고 소금으로 주물러 씻은 다음 다리를 하나씩 떼고 머리도 갸름하게 썰어 칼집을 넣는다.

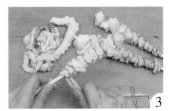

나무젓가락을 준비해 낙지다리를 하나씩 위에서부터 아래로 단단히 감아가면서 고정시킨다.

석쇠나 프라이팬을 달궈 감아 놓은 낙지를 센 불에서 재빨리 익혀 낸다.

해물 바비큐

재료 · 4인분

문어 200g · 낙지 2마리 · 등푸른 생선 2마리 · 스테이크 소스 6큰술 · 소금 적당량 · 후춧가루 약간 · 소금 적당량

이렇게 만들어요

① 낙지는 먹통과 내장을 떼어 내 손질한 다음 소금을 뿌려 손으로 바락바락 주물러 찬물에 깨끗이 씻어 물기를 뺀다.

② 등푸른 생선은 고등어나 전갱이로 준비하여 칼로 옆줄을 떼어 내고 아가미를 통하여 내장을 빼낸 다음 지느러미를 정리해 물에 깨끗이 씻어 손질한다.

③ 생선의 물기가 빠지면 소금을 앞뒤로 솔솔 뿌려 잠깐 재어 놓는다.

④ 문어는 소금물에 씻어, 구울 때 속까지 익도록 뜨거운 물에 살짝 데친다.

⑤ 석쇠를 불에 올린 다음 뜨겁게 달구어 문어와 낙지 · 생선을 가지런히 얹어 스테이크 소스를 앞뒤로 발라 가며 굽다가 소금 · 후춧가루를 뿌려 간을 맞춘다.

얼큰하게 술 맛을 돋울 뿐 아니라 위장도 보호하는 영양 안주

두부 김치

재료 · 4인분

두부 2모 · 배추김치 ½포기 · 붉은고추 1개 · 돼지고기 150g · 파 ½뿌리 · 마늘 1쪽 · 소금, 통깨 약간씩 · 식용유, 참기름 적당량씩

이렇게 준비하세요

1 돼지고기는 살코기로 준비하여 먹기 좋은 크기로 썰고, 김치는 속을 대강 털어 낸 후 3~4㎝ 길이로 썬다.

2 파는 뿌리를 잘라 깨끗이 씻은 다음 어슷썰기하고, 붉은고추도 깨끗이 다듬어 어슷어슷하게 썬다. 마늘은 껍질을 벗기고 곱게 다진다.

이렇게 만들어요

3 프라이팬에 기름을 넉넉히 두르고 달군 다음 다진 마늘을 넣어 잠깐 볶다가 돼지고기를 넣고 소금으로 약하게 간하면서 볶는다.

4 고기가 어느 정도 익었을 때 썰어 놓았던 김치와 파, 붉은고추를 차례로 넣어 맛과 색이 잘 어우러지도록 볶은 다음 참기름과 통깨를 넣어 맛을 돋우고 불에서 내린다.

5 끓는 소금물에 두부를 넣어 살짝 삶아 낸다. 두부를 삶을 때는 물이 팔팔 끓을 때 통째로 넣고 잠깐 동안만 삶는다.

6 삶은 두부는 물기를 뺀 다음 먹기 좋은 크기로 썰어 접시에 담고 김치와 고기 볶은 것도 먹음직스럽게 담는다.

하나더 두부 김치는 두부를 삶는 대신 프라이팬에 노릇노릇하게 지져 곁들여 내기도 한다. 팬에 지질 때는 무거운 것을 눌러 두거나 체에 밭쳐 물기를 빼고 지진다. 먹다 남은 경우에는 김치 볶은 것은 그냥 먹어도 좋고 두부는 지져서 짭짤하게 조리면 된다.

281 Kcal

POINT

프라이팬에 기름을 넉넉히 두르고 달구어 돼지고기를 넣고 볶는다.

돼지고기를 볶다가 어느 정도 익으면 김치와 파 · 붉은고추를 넣어 함께 볶는다.

두부 숙회

재료 · 4인분
두부 2모 · 햄 100g · 소금 약간 · 미나리 10
줄기 · 초고추장(고추장 2큰술, 식초 1큰술,
조청 1큰술)

이렇게 만들어요
① 두부는 끓는 물에 살짝 데쳐 물기를 뺀 후,
3㎝ 길이의 직육면체 모양으로 도톰하게 썬다.
② 햄은 얄팍하게 저며 두부와 같은 크기로 썬다.
③ 미나리는 줄기만 소금을 약간 넣은 끓는 물에 데친다.
④ 두부와 햄을 가지런히 놓고 미나리 줄기로 감아 묶은 다음, 초고추장을 만들어 함께 곁들인다.

식욕을 촉진하는 술

술이 내는 열량은 생각보다 많아 알코올 1g은 무려 7kcal나 열량을 낸다. 그래서 청주 1홉은 180~190kcal, 맥주 1병은 250kcal나 열량을 낸다. 이것은 밥을 한 공기 반쯤 먹어서 얻는 열량과 같은 정도의 열량이다. 그러나 알코올의 열량은 체지방으로 축적되지 않고, 거의 다 몸 안에서 소비되기 때문에 안심해도 된다. 단, 술을 즐겨 마시는 사람이 뚱뚱해지기 쉬운 것은 술이 식욕을 촉진하기 때문이다. 그러므로 안주로는 칼로리가 높지 않은 단백질 식품이나 채소를 먹도록 한다.

중국식 두부 조림

🧑‍🍳 재료 · 4인분

두부 1모 · 돼지고기 200g · 녹말가루 3큰술 · 육수 1컵 · 설탕 1작은술 · 청
강채 150g · 진간장 1큰술 · 소금 약간 · 식용유 6큰술 · 고기 양념(진간장 1
큰술, 청주 1큰술, 소금 ½작은술, 녹말가루 2큰술, 파 1뿌리, 참기름 1큰술)

🧑‍🍳 이렇게 준비하세요

1 돼지고기는 살코기로 준비해 곱게 다진다. 파도 곱게 다져 진간장 ·
소금 · 청주 · 녹말가루 · 참기름과 함께 돼지고기에 넣고 젓가락으로
저어 양념한다.
2 두부는 소금을 넣고 끓는 물에 잠깐 데쳐서 5×4cm 크기로 도톰하
게 썰어 둔다.
3 두부 중앙을 숟가락으로 파내고 녹말가루를 뿌린다. 청강채는 깨끗
이 씻어 물기를 빼놓는다.

🧑‍🍳 이렇게 만들어요

4 두부의 파낸 부분에 돼지고기를 넣어 채운다.
5 프라이팬에 기름을 두르고 달구어 고기 채운 두부를 얹어 노릇노릇
하게 지진다.
6 깊은 팬에 육수를 붓고 설탕 · 진간장으로 조미한 다음 두부를 넣고
조리다가 녹말가루를 물에 개어 넣는다.
7 팬에 기름을 넣고 달구어 청강채를 넣고 소금을 뿌려 지져서 두부와
함께 담는다.

P O I N T

다진 돼지고기에 갖은 양념을 넣고 골고루
섞는다.

두부는 소금을 넣고 살짝 데쳐서 도톰하게
썬다.

두부의 가운데를 숟가락으로 파내고 녹말
가루를 뿌린다.

두부의 파낸 부분에 양념한 돼지고기를 채
워 넣는다.

고기 채운 두부를 기름 두른 팬에 넣어 노
릇노릇하게 지진다.

소금을 뿌려 볶아 낸 청강채를 두부와 함께
담는다.

> 하나 더 두부에는 물이 많이 함유되어 있으므로 프라이팬에 지지거나 튀길 때는 체
> 에 밭치거나 무거운 것으로 눌러 물기를 빼야 한다. 또 두부를 삶을 때는
> 소금을 조금 탄 물에 삶아야 두부의 부드러움을 그대로 유
> 지할 수 있다. 두부를 반 갈라서 삶으면 좀더
> 빨리 두부 속까지 뜨겁게 할
> 수 있다.

255 Kcal

맑고 깨끗한 술인 청주·약주에 어울리는 깔끔한 맛의

문어 초회

 재료 · 4인분

문어다리 2개 · 미역 80g · 오이 ½개 · 당근 약간 · 레몬 ½개 · 무 적당량 ·
고춧가루 약간 · 실파 2뿌리 · 소금 약간 · 초간장(가다랭이 국물 또는 다시마
나 멸치 우린 물 5큰술, 진간장 3큰술, 식초 4큰술)

이렇게 만들어요

1 문어다리는 소금으로 박박 문질러 깨끗이 씻은 뒤 끓는 물에 넣고
삶아 낸다.

2 미역은 생것으로 준비해 줄기를 잘라 내고 끓는 물에 살짝 데친 뒤
4cm 길이로 썬다.

3 오이는 소금으로 문질러 씻은 뒤 껍질의 오톨도톨한 부분을 벗겨 내
고 통째로 얇게 썰어 소금에 절인다. 당근은 얇게 통썰기해 꽃 모양을
내고, 레몬은 깨끗이 씻어 4등분한다.

4 무는 껍질을 벗겨 강판에 곱게 갈아 물기를 가볍게 짜 낸 후 고춧가
루를 넣어 버무리고, 실파는 송송 썬다.

5 삶아 놓은 문어다리를 한입에 먹기 좋은 크기로 썬다.

6 그릇에 초간장을 담고 준비해 놓은 문어다리와 미역을 각각 넣어 맛
이 배도록 잘 무친다.

7 접시에 문어다리 무친 것과 미역 무친 것을 보기 좋게 담고 초간장
을 끼얹은 뒤, 오이·레몬·당근과 실파·무 간 것을 곁들인다.

89 Kcal

화려한 담음새와 담백한 맛이 술 맛을 더욱 돋우는

대합 찜

 재료 · 4인분

대합 20개 · 다시마 10×40cm · 쑥갓 50g · 당근 ¼개 · 레몬 ½개 · 가다랭
이 국물(또는 다시마, 멸치 우린 국물) ½컵 · 소금 2큰술 · 청주 4큰술

이렇게 만들어요

1 대합은 싱싱하고 큰 것으로 준비해 박박 문질러 씻은 뒤 소금물에
담가 해감을 토하게 한다.

2 쑥갓은 씻어 물기를 뺀다. 당근은 얇게 통썰기하여 꽃 모양의 틀로
찍어 낸 뒤 끓는 물에 살짝 데친다. 레몬은 씻어 4등분해 놓는다.

3 가다랭이 국물을 그릇에 담고 소금(1큰술)을 넣어 잘 저어 녹인다.

4 다시마를 물에 깨끗이 씻어 접시에 깔고 대합을 얹되 1인분씩 따로
따로 접시에 담는다.

5 대합 위에 소금(1큰술)을 골고루 솔솔 뿌리고 그 위에 청주를 끼얹
고 가다랭이 국물도 끼얹은 뒤 쑥갓을 얹는다.

6 접시째 김이 오르는 찜통에 넣어 찐다.

7 한쪽 껍데기를 떼어 낸 뒤 다시 하나하나 새로 모양을 맞추어서 담
고 준비해 놓은 당근과 레몬 1조각씩을 곁들여 상에 낸다.

83 Kcal

279

독특한 향의 미나리와 담백한 복어가 어울려 뒷맛이 개운한

복어 초무침

 재료 · 4인분

복어 껍질 2마리분 · 미나리 100g · 무 적당량 · 고춧가루 적당량 · 깻잎 3장 · 레몬 ⅓개 · 진간장 3큰술 · 식초 2큰술 · 설탕 1큰술

 이렇게 준비하세요

1 복어는 흐르는 물에 대고 깨끗이 손질해 껍질을 벗긴 뒤 껍질에 있는 가시를 없앤다.

2 가시를 없앤 복어 껍질은 다시 한 번 씻어 끓는 물에 데친 뒤 차게 식힌다.

3 미나리는 줄기만 골라 깨끗이 손질해 흐르는 물에 씻은 다음 물기를 뺀다. 깻잎은 흐르는 물에 씻어 물기를 빼고 레몬도 깨끗이 씻는다.

4 무는 껍질을 벗겨 강판에 곱게 갈아 가볍게 물기를 짠 다음 고춧가루를 넣어 버무린다.

 이렇게 만들어요

5 준비된 복어 껍질을 잘게 채썬다.

6 미나리는 복어 껍질과 같은 길이로 썰고 레몬은 약간 두껍게 통썰기 한다.

7 썰어 놓은 복어 껍질과 미나리를 오목한 그릇에 담고 고춧가루에 버무린 무를 넣은 다음, 진간장 · 식초 · 설탕을 섞어서 넣고 간이 배게 뒤섞는다.

8 접시에 준비해 놓은 깻잎을 깔고 복어 껍질과 미나리 무친 것을 담은 뒤 레몬으로 장식한다.

POINT

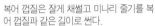

복어 껍질은 잘게 채썰고 미나리 줄기를 복어 껍질과 같은 길이로 썬다.

복어 껍질과 미나리에 고춧가루에 버무린 무 · 진간장 · 식초 · 설탕을 넣고 섞는다.

두부 야채 찜

재료 · 4인분

두부 2모 · 당근 ½개 · 표고버섯 3개 · 시금치 5줄기 · 녹말가루 5큰술 · 통깨, 소금 약간씩 · 양념장(진간장 2큰술, 깨소금 약간)

이렇게 만들어요

① 두부는 도마 위에 놓고 칼로 으깬 뒤 깨끗한 헝겊에 싸서 물기를 짠다.

② 표고버섯은 물에 불려 기둥을 떼어 낸 뒤 가늘게 채썰고, 당근도 채썬다. 시금치는 끓는 물에 소금을 약간 넣고 잠깐 데쳐 헹군 다음 잘게 썬다.

③ 그릇에 당근 · 시금치 · 표고버섯과 으깬 두부를 넣고 섞은 뒤 녹말가루와 통깨 · 소금을 넣어 골고루 버무린다. 버무린 두부를 도톰하고 네모나게 만들어 젖은 천에 싸 모양을 잘 다듬은 다음 찜통에 넣고 찐다. 잘 익으면 꺼내어 식힌 뒤 모양 좋게 썰어 그릇에 담고 양념장을 곁들여 낸다.

72 Kcal

소라 꼬치 구이

 재료 · 4인분

소라 8개 · 메추리알 10개 · 진간장 4큰술 · 미림(혹은 청주) 4큰술 · 식용유 2큰술 · 설탕 1작은술

 이렇게 준비하세요

1 소라는 들어 보아 묵직하고 신선한 것으로 선택하여 살을 빼낸다. 소라의 살을 빼낼 때는 칼끝을 깊숙이 넣어 천천히 돌리면서 빼내는 것이 좋다. 빼낸 살은 딱지를 떼어 내고 깨끗이 씻어 먹기 좋은 크기로 썰어 놓는다.

2 냄비에 진간장 · 미림 · 설탕을 넣어 약한 불에서 끓여 양념장을 만든 다음 식혀서 손질해 놓았던 소라살에 넣고 버무려서 간이 잘 배어 들도록 재어 둔다.

3 메추리알은 삶아 내서 껍질을 벗긴다.

 이렇게 만들어요

4 소라살에 간이 잘 배어 들면 꼬챙이에 꿰는데, 소라살 2개를 먼저 꿰고 메추리알을 1개 꿰어 모양을 가지런하게 한다.

5 팬에 기름을 두르고 불에 올려 뜨겁게 달구어지면 꼬챙이에 꿴 재료들을 얹어 노릇노릇하게 굽는다. 이 때 양념장 남은 것을 2, 3차례 고루 발라 주면서 먹음직스러운 색이 나도록 앞뒤로 뒤집으며 굽는다.

6 먹음직스럽게 구워진 꼬치를 접시에 가지런히 담아 뜨거울 때 상에 올린다.

232 Kcal

양지머리 편육

재료 · 4인분

양지머리 800g · 대파 2뿌리 · 마늘 2통 · 소금 2작은술 · 초장(진간장 2작은술, 식초 1큰술, 설탕 1작은술, 잣 ½큰술)

이렇게 만들어요

① 양지머리는 되도록 두께가 고른 것을 준비하여 반듯하게 한 덩어리로 자른 다음 찬물에 넣어 씻는다.

② 파는 껍질을 벗겨 말끔히 씻은 다음 6~7㎝ 길이로 큼직하게 토막내고, 마늘은 껍질을 벗겨 내고 깨끗이 씻어서 그대로 통마늘로 준비한다.

③ 냄비에 물을 5컵 정도 붓고 양지머리와 파 · 마늘을 넣은 다음 불을 세게 해서 끓인다. 불에 올려 끓기 시작한 지 20분 정도가 지나면 불을 줄여 고기가 푹무를 때까지 뭉근한 불에서 삶는다. 고기가 충분히 물렀을 때쯤 소금을 넣어 잠시 더 끓인 다음 고깃덩어리를 건져 식힌다.

④ 식힌 양지머리는 깨끗한 베보자기에 싸서 무거운 도마 같은 것으로 눌러 놓는다. 고기가 잘 눌러졌으면 얄팍하게 썰어 접시에 가지런히 담고 상추 등으로 장식하여 상에 낸다.

POINT

3 진간장 · 미림 · 설탕으로 만든 양념장에 손질한 소라살을 넣어 잰다.

6 팬에 꼬치를 얹어 앞뒤로 뒤집어 가며 노릇노릇하게 굽는다.

 영양 식품, 소라

소라는 단백질 · 철분 · 비타민 B_2 · 비타민 A 등이 풍부한 영양 식품이다. 겨울에서 봄, 특히 3월 초순경이 성수기이므로 이 시기의 소라가 가장 맛있고 영양가가 높다. 소라를 선택할 때는 껍데기가 단단하고, 탄력이 있으며 손으로 들어 보아 묵직한 것을 구입하는 것이 좋다. 칼끝을 껍데기 속에 집어 넣고 살며시 돌려 살을 빼낸 다음 잘게 썰어서 양념하여 굽거나 살만 발라 내어 젓을 담기도 한다. 신선도가 높은 것은 날것으로 회나 초무침에 이용해도 좋다.

신선한 야채와 해산물을 색스럽게 꿰어 익혀 보기도 좋고 먹기도 좋은

해물 꼬치 양념 구이

🍳 재료 · 4인분

새우 8마리 · 패주 4개 · 전복 4개 · 대파 2뿌리 · 느타리버섯 150g · 소금 1 작은술 · 후춧가루 약간 · 식용유 4큰술 · 양념장(진간장 3큰술, 참기름 1큰술, 실파 2뿌리, 마늘 4쪽, 깨소금 1큰술, 후춧가루 약간)

🍳 이렇게 준비하세요

1 새우는 머리를 떼고 깨끗이 씻어서 오그라들지 않도록 꼬챙이를 찔러 끓는 물에 데친 다음 껍질을 벗기고 내장도 빼낸다.

2 전복과 패주는 깨끗하게 손질하여 한입에 먹기 좋은 크기로 살을 저며 썬 다음 가로 세로로 2, 3번 정도씩 칼집을 넣고 끓는 물에 잠깐 데친다.

3 느타리버섯은 깨끗이 씻어서 끓는 물에 데친 다음 찬물에 헹구어 굵직하게 찢는다. 대파는 5cm 길이로 썰고 양념으로 쓸 실파와 마늘은 다진다.

🍳 이렇게 만들어요

4 준비된 새우 · 전복 · 패주 · 대파 · 느타리버섯에 소금 · 후춧가루를 뿌려 밑간한다.

5 다진 실파와 마늘에 진간장 · 참기름 · 깨소금 · 후춧가루를 넣고 양념장을 만든다.

6 밑간했던 새우 · 전복 · 패주 · 대파 · 느타리버섯을 대꼬챙이에 번갈아 꿴다.

7 프라이팬에 기름을 두르고 뜨겁게 달구어 해물 꼬치에 양념장을 발라 가며 서서히 구워 익힌다.

162 Kcal

POINT

새우는 손질하여 껍질 안쪽에 꼬챙이를 찔러 데친다.

1

전복과 패주는 한입 크기로 썰어 끓는 물에 잠깐 데친다.

2

꼬챙이에 준비한 재료를 번갈아 꿴다.

6

쇠고기 송이 산적

청주와 약주 안주로는 담음새도 깔끔하고 맛도 담백한 구이나 편육류가 좋다.

재료 · 4인분

송이버섯 15개 · 쇠고기 200g · 소금, 참기름 약간씩 · 잣 1큰술 · 양념장(진간장 2큰술, 파 $\frac{1}{2}$뿌리, 마늘 2쪽, 설탕 1작은술, 깨소금, 참기름, 후춧가루 약간씩)

이렇게 만들어요

① 송이버섯은 살살 씻어 흙을 없앤 후 검은 부분을 조금씩만 긁어 내어 손질한 다음 길이로 2, 3등분하여 소금 · 참기름으로 가볍게 무친다.

② 쇠고기는 도톰하게 저며 썬 다음 1.5cm 폭으로 길게 썰고, 파 마늘을 다져 넣고 양념장을 만들어 재워 둔다.

③ 꼬챙이에 송이버섯과 쇠고기를 번갈아 꿴 다음 달군 석쇠에 놓아 향이 달아나지 않도록 살짝 구워 잣가루를 솔솔 뿌려 낸다.

달콤하면서도 짭잘한 양념이 입맛을 돋우는 스태미너 안주

장어 구이

재료 · 4인분

장어 2마리 · 생강 1½쪽 · 진간장 6큰술 · 청주 4큰술 · 설탕 4큰술

이렇게 준비하세요

1 장어는 깨끗이 씻어서 도마 위에 단단한 꼬챙이나 송곳으로 머리를 찔러 고정시킨 다음 등 쪽에 칼을 넣고 꼬리 부분까지 쭉 갈라 편편하게 펴서 내장을 빼 버리고 뼈와 가시를 발라 낸다.

2 손질한 장어의 머리와 꼬리를 잘라 버리고 큰 것은 3, 4토막, 작은 것은 2토막으로 잘라 놓는다.

3 생강은 껍질을 벗겨 강판에 갈아 즙을 만들어 놓는다.

이렇게 만들어요

4 석쇠에 쿠킹 포일을 깔고 불에 올려 뜨겁게 달군 다음 껍질 쪽이 아래로 가도록 하여 장어를 올려 놓고 서서히 굽는다.

5 냄비에 진간장 · 생강즙 · 청주 · 설탕을 넣고 양념장을 만든 다음 잠깐 동안 끓인다.

6 장어의 표면이 반쯤 익으면 끓인 양념장을 솔로 발라 가며 먹음직스러운 갈색이 되도록 굽는다.

7 구운 장어를 접시에 담고 초절이한 야채를 곁들여 상에 낸다.

하나 더 양념장 구이

양념장 구이는 양념 맛이 생선에 골고루 배야 맛이 있다. 칼집을 깊숙이 넣고 또 양념장을 뿌린 후에는 양념이 충분히 배게 두었다가 구워야 맛있게 된다. 또 프라이팬에 먼저 살짝 익힌 후에 양념을 발라 구워야 모양이 흐트러지지 않고 타지도 않는다. 양념을 발라 바로 구우면 양념 때문에 익기도 전에 표면이 너무 빨리 타버리게 된다.

POINT

쿠킹 포일을 깐 석쇠에 장어를 놓아 살짝 굽는다.

진간장 · 생강즙 · 청주 · 설탕을 섞어 끓여 양념장을 만든다.

반쯤 익은 장어에 양념장을 골고루 발라 가며 굽는다.

278 Kcal

술을 마신 후에는

숙취를 풀려면 알코올 성분을 체외로 배출시켜야 하는데, 이는 수분을 공급해 줌으로써 가능해진다. 흔히 술을 마신 후 갈증이 심하게 나는 것은 바로 이 때문인데, 찬물을 많이 마시면 위나 장에 장애를 주므로 좋지 않다.

우유는 술 마시기 전에 마시는 것은 좋지만, 술 마신 후에는 갈증을 더 심하게 하므로 마시지 않는 것이 좋다. 꿀물도 당분을 공급한다는 점에서는 좋지만, 너무 많이 마시면 혈액 중의 중성 지방을 증가시키므로 적당히 마시는 것이 좋다. 숙취를 푸는 데 좋은 음료로는 설탕을 탄 보리차 · 주스 · 구기자차 · 유자차 · 인삼차 등이다. 특히 비타민 C가 많은 차는 입맛도 돋운다.

국 종류로는 얼큰한 것보다는 담백한 북어국이나 대구국 · 조기국이 좋으며 시래기국도 좋다. 그리고 무엇보다도 술을 마신 날은 충분한 수면을 취해야 하며, 해장술은 절대 금물이다.

튀긴 닭고기를 밤과 함께 조려 파삭하고 부드러운 맛이 일품인

닭고기 밤 조림

328 Kcal

🧑‍🍳 재료 · 4인분

닭고기 400g · 밤 20개 · 파 2뿌리 · 생강 3쪽 · 진간장 5큰술 · 청주 1큰술 · 설탕 2큰술 · 식용유 3컵 · 녹말가루 1큰술 · 참기름 1큰술

🧑‍🍳 이렇게 준비하세요

1 닭고기는 깨끗이 손질하여 먹기 좋은 크기로 적당히 썬다.
2 밤은 속껍질까지 깨끗이 벗겨서 찬물에 담갔다가 건져 놓는다.
3 파와 생강은 손질하여 곱게 다진다.

🧑‍🍳 이렇게 만들어요

4 썰어 놓은 닭고기에 다진 파와 생강을 넣고 진간장도 넣어 밑간을 한 다음 튀김 냄비에 식용유를 붓고 가열하여 밑간해 둔 닭고기를 튀겨 낸다.
5 냄비에 튀긴 닭고기와 밤을 담고, 닭고기를 재웠던 진간장과 청주 · 설탕, 3컵의 물을 넣어 밤이 익을 만큼 끓인다. 처음엔 불을 좀 세게 하여 끓이다가 불을 줄여서 뭉근하게 오랫동안 끓여야 밤이 푹 무르고 양념 맛이 잘 배어든다.
6 녹말가루를 같은 분량의 물에 개어서, 닭과 밤이 거의 다 조려졌을 때 넣고 뒤적여서 음식에 윤기가 돌게 한다. 마지막으로 참기름 1큰술을 넣고 뒤섞은 다음 불에서 내린다.

POINT

1
손질된 닭고기를 한입에 먹기 좋은 크기로 자른다.

4
튀김 냄비에 식용유를 붓고 가열하여 밑간해 둔 닭고기를 기름에 튀겨 낸다.

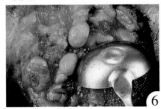
6
닭고기와 밤을 냄비에 넣고 무르도록 푹 끓인다.

닭날개 소스 찜

재료 · 4인분
닭날개 10개, 버터 2큰술, 청주 2큰술, 소금 약간, 후춧가루 약간, 파슬리 1줄기, 토마토 소스(양파 1개, 마늘 3쪽, 버터 2큰술, 토마토 케첩 ½컵, 육수 1컵, 고춧가루 1작은술, 소금 약간, 후춧가루 약간)

이렇게 만들어요
① 닭날개는 소금으로 문질러 씻어 껍질을 포크로 군데군데 찔러 간이 잘 배도록 한 다음 소금 · 후춧가루를 뿌려 밑간을 한다.
② 양파와 마늘, 파슬리는 곱게 다진다.
③ 프라이팬에 버터를 녹이고 달구어 밑간해 둔 닭날개를 넣어서 노릇노릇해지도록 지진다.
④ 다시 프라이팬을 달구어 버터를 녹인 다음 다진 마늘과 양파를 넣고 볶다가 양파와 마늘이 말갛게 볶아지면 토마토케첩과 고춧가루를 넣고 잘 어우러지면 육수를 붓고 뭉근한 불에서 끓인 다음 소금과 후춧가루를 넣어 소스를 만든다.
⑤ 토마토 소스가 끓으면 먼저 지져 놓았던 닭날개를 다시 넣고 청주를 뿌려 골고루 섞은 다음 뚜껑을 덮어 은근하게 불에서 조린다.
⑥ 소스가 자작자작해질 만큼 조려지면 그릇에 담아 파슬리를 뿌려 상에 낸다.

손님 오는 날 내놓으면 화려한 모양새가 특히 돋보이는

중국 요리

중국 요리

풍성하고 화려한 요리로 온 가족과
손님들을 즐겁게 해주세요

화려한 모양새와 풍부한 영양소, 감칠맛으로
우리 입맛을 돋우어 주는 중국 요리. 같은 재
료라도 조리법이 달라지면 색다른 맛을 내는
중국 요리는 손님상과 식탁을 화사하고 풍요
롭게 꾸며 주는 데 빼놓을 수 없는 음식으로
누구에게나 인기가 높다.

양상피 잡채

🍳 중국 요리의 특징

• 다양한 재료의 이용
먹을 수 있는 것은 무엇이든지 요리에 이용되
는 것이 중국 요리다. 돼지고기 하나만 보더라
도 고기는 말할 것도 없고 뼈·귀·내장 등에
이르기까지 가리지 않고 이용한다. 그 중에서
도 가장 두드러진 것은 건조 재료이다. 말린
버섯·말린 새우를 비롯해 상어 지느러미·사
슴 아킬레스건·해삼·제비집처럼 다양한 재
료를 사용한다.

• 복잡한 조리와 간단한 조리 기구
중국 요리의 조리법은 기본적으로 볶는 것, 튀
기는 것, 조리는 것, 찌는 것인데 튀긴 후 볶거
나 찐 후 조리는 등 조리법이 함께 쓰이는 경
우가 많다. 또 똑같은 볶음 요리라고 해도 그

방법은 다양하다. 이처럼 조리는 복잡하지만
사용되는 기구는 도마·칼·냄비·국자·밀
대와 밀방망이 등으로 의외로 적다.

• 기름을 많이 사용한다

중국 요리에는 기름을 사용한 요리가 많다.

중국 요리의
대부분이 기
름에 튀기거
나 조리거나
볶거나 지진
것이라고 할
수 있을 만큼
기름이 많이
이용된다. 그만큼 적은 재료로 많은 칼로리 원
을 얻을 수 있어 합리적이라고 할 수 있다.

• 조미료와 향신료의 종류가 풍부하다
중국 요리에 쓰이는 조미료와 향신료의 종류
가 다양하고 그것을 적절히 이용하는 조리법
은 다른 나라 요리에서 볼 수 없을 만큼 풍부
하다.

• 외양이 풍요롭고 화려하다
중국 요리에서는 몇 인분이라는 말이 없다. 한
사람 앞에 얼마씩을 따로 담아 내는 것이 아니
라 한 그릇에다 한 가지 요리를 전부 담아 낸
다. 따라서 먹을 사람이 많아지면 한 가지 요
리의 양을 늘리는 것이 아니라 요리의 가짓수
를 늘리는 것이 원칙이다. 그만큼 한 그릇에
담겨진 하나하나의 요리는 풍요롭다.

🍳 중국 요리의 조미료
중국 요리에 사용되는 조미료는 100종류 이상
이나 되는데 단독으로 쓰이지 않고 여러 종류
를 섞어 씀으로써 중국 요리의 독특한 맛을 낸
다. 그리고 맛내기의 기본이 되는 간장과 같이
발효시켜 가공한 조미료가 많으며 그 향기나
감칠맛이 조미의 포인트다.

• 두지(된장콩)
마늘콩 소스. 삶은 대두에 밀가루·소금·씨
감자를 넣어 발효시킨 후 말린 것으로 고기와
생선의 조림 요리나 볶음 요리에 사용되면 향
기를 돋운다. 흑갈색이 좋은 품질로 마늘콩 소
스라고도 한다.

• 두반장(고추된장)
누에콩으로 만든 된장에 고추나 향신료를 넣
은 것으로 독특한 매운 맛과 향기가 난다. 우
리 나라 된장이나 고추장 같은 역할을 하며 마

파 두부 등의 쓰촨 요리에는 뺄
수 없는 소스로 무침·볶음·조
림에 골고루 사용된다. 라면을
먹을 때 곁들여도 좋다. 콩 알갱
이가 남아 있는 것을 고추 된장,
완전히 으깬 것을 고추장이라고 한다.

• 지마장(참깨된장)
흰깨를 빻아서 기름에 탄 것이다. 냄비 요리나
볶음 요리, 녹말을 끼얹은 요리, 무침 요리에
이용되며 영양이 많은 조미료다.

• 하장(새우된장)
작은 새우를 소금에 절여서 발효시킨 것으로
다소 비린내가 나긴 하지만 독특한 풍미가 있
으며 짜고 맵다. 냄비 요리의 국물에, 볶음 요
리에 풍미를 내는 데 조금씩 사용한다. 하유
(새우기름)라고 해서 간장 상태의 것도 있다.

• 라유(고추기름)
참기름에 다홍고추를 넣고 가열해 매운 맛을
기름에 옮긴 것으로 매운 맛을 낼 때 가장 많
이 사용되는 소스다. 라조기 같은 음식에서는
아예 조리할 때 넣지만, 교자의 국물이나 식탁
용 조미료 등 곁들여 내는 양념으로도 많이 사
용된다.

• 부유(삭힌 두부)
두부에 향신료를 넣어서 소금물 속에서 발효
시킨 것이다. 매우 맵고 짜며 냄새가 강하고,
조림과 볶음, 냄비 요리의 국물 등에서 사용된
다. 남유·장두부라고도 불리며, 빨간색과 흰
색 두 종류가 있다.

• 굴 소스(호유)
생굴을 소금물에 담가 발효시켜서 위의
맑은 물을 떠 내고 간장 상태로 만든
것. 향기와 감칠맛을 내기 때문에 조림
요리, 볶음 요리에 자주 사용된다. 적
은 양으로도 향기와 감칠맛을 낸다. 물
만두 소를 만들 때 간장 대신 넣어도
좋고 야채를 살짝 데쳐 찍어 먹어도 좋다.또
수프에 간장 대신 넣으면 색과 맛을 더할 수
있다.

• 매실 소스
매실로 만든 새콤달콤한 소스. 어느 양념장에
나 조금씩 들어가는 독특한 향의 소스로 보통
의 다른 여러 가지 소스들과 함께 섞어 개운한
맛을 내는 데 사용한다.
탕수육 등 단 음식을 만들 때 조금씩 넣으면

맛과 향을 더할 수 있고 고기를 찍어 먹어도 맛있다.

• 차소장(바비큐 소스)

중국 전통 간장이라 할 수 있는 소스. 닭고기나 오리 고기, 칠면조 같은 고기류를 잴 때 사용하며 두부나 생선 요리에 사용해도 좋다.

• 해선장

콩과 향료가 주재료로 고소한 맛과 향이 좋다. 볶음 요리에 주로 사용되며, 특유의 향긋한 맛이 좋아 음식을 찍어 먹는 곁들이장으로 내기도 한다.

👨‍🍳 중국 요리의 향신료
팔각이나 정향·산초처럼 건조시킨 것과 양파와 생강·마늘처럼 향미 야채가 있다. 전자가 그대로 조림 요리에 넣거나 가루로 만들어 쓰는데 비해 향미 야채는 기름에 향기가 배게 해서 사용하는 경우가 많다.

• 계피(桂皮)
육계라고도 불리며 계수나무의 껍질을 벗겨서 건조시킨 것으로 분말 형태도 있다. 자극성의 단맛과 매운 맛이 나며 조림 요리나 과자류의 향기를 내는 데 쓰인다.

• 산초(山椒)
산초의 열매를 껍질째 건조시킨 것으로 향기가 짙게 난다. 알갱이 상태와 가루 상태로 빻은 것이 있는데 고기 냄새를 없애 주며 절임 요리나 간식 등의 향기를 내는 데 사용된다. 춘권 등에 곁들여지는 산초 소금은 볶은 소금과 가루 소금을 반반 섞은 것이다.

• 마른 고추(紅辣椒)
고추 기름을 만들거나 볶아서 기름에 매운 맛과 풍미가 배어 들도록 한다. 절임과 조림에 주로 쓰인다.

• 생강(薑)
은근한 맛을 내며 냄새를 없애는 데 빼놓을 수 없는 재료다. 칼로 잘게 으깨서 사용하면 풍미가 난다.

• 오향가루(五香粉)
진피(귤껍질을 말린 것)·산초·팔각·회향·계피·정향 등을 가루로 만들어서 합친 중국 요리 특유의 향신료며, 고기나 생선, 내장 등의 조림 요리에 넣어 냄새나 비린내를 없앤다.

• 팔각(八角)
회향 풀의 씨를 건조시킨 것으로 중국 요리 특유의 향기를 낸다. 팔각의 껍질에 열매가 들어 있는데 향기는 껍질에서 나온다. 고기나 생선 요리의 맛을 부드럽게 하고 조림이나 절임 요리에 주로 사용된다.

• 정향(丁香)
꽃망울이 질 때 따서 말린 것으로 짠맛, 단맛, 어느 쪽이나 다 어울리며 고기나 생선의 조림 요리, 간식 등에 폭 넓게 사용된다. 향기가 매우 강하므로 너무 많이 넣지 않도록 한다.

중국요리에 쓰이는 향신료

계피가루　팔각
생강　계피　정향
오향가루　산초　마른 고추

👨‍🍳 CHECK CHECK

중국 요리 재료 상가
서울에서는 옛날 시경 자리 뒤편(조흥은행 남대문 지점 뒤쪽)에서 시작되는 북창동 골목으로 가면 중국 재료 상가가 많이 있다. 이곳에서는 정향이나 팔각과 같은 향신료와 조미료는 물론 말린 해삼이나 전복을 비롯한 특수 재료, 튀김 팬과 프라이 팬·국자·찜통 등의 조리 기구 등 없는 게 없다. 그외에 딤섬이나 춘권·물만두·냉동 꽃빵·면 등의 기성 식품들도 많아 그대로 찜통에 찌거나 삶거나 튀기면 된다.

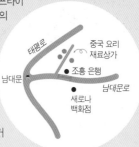
태평로
중국 요리 재료상가
남대문　조흥 은행
남대문로
새로나 백화점

중국 요리를 손쉽게 할 수 있는 조리 기구

튀김 팬: 베이징 냄비라고도 하는 편수 냄비로 중국 요리를 할 때 자주 사용하는 기본 냄비다. 강한 열이 냄비 전체에 골고루 퍼져 빠르게 재료를 익힐 수가 있어 튀김은 물론 다양한 조리법에 골고루 쓰이는 만능 조리 기구다.

중국 냄비: 냄비 전체가 둥글고 입구가 넓적해 재료를 섞거나 볶을 때 자주 사용된다. 재질은 기름이 잘 먹고 견고하며 두꺼운 철제가 좋다.

찜통: 끓는 물을 넣은 중국 냄비에 얹어 사용하는 나무로 된 찜통. 밑바닥이 대나무발로 되어 있어 몇 단이라도 겹쳐서 사용할 수 있다. 뚜껑도 대나무 망으로 엮어져 있어 김이 적당히 빠지므로 물방울이 떨어지지 않아 찜의 모양이 예쁘게 된다.

볶음·튀김 국자: 튀김 팬과 같은 모양에 바닥이 얇고 작으며, 바닥에 작은 구멍이 나 있어 재료를 튀김이나 데친 것을 건질 때 빼놓을 수 없는 조리 도구다. 쇠망으로 된 체로도 대신할 수 있다.

국자: 국물을 떠올릴 때뿐만 아니라 섞거나 볶을 때, 요리한 음식을 떠내고 담을 때 이것 하나로 여러 가지로 쓴다. 철제로 된 것을 많이 쓰며 자루가 긴 것이 쓰기 편하다.

국자에 작은 구멍이 나 있는 것은 재료만 건져 올릴 때 사용하면 편하다.

칼: 기본 모양은 직사각형으로 칼끝이 직선으로 된 것과 활 모양으로 약간 굽은 것이 있다. 칼이 묵직하고 칼날이 예리하여 어떤 모양의 재료도 마음대로 자르고 저밀 수 있다.

나무로 된 찜통　튀김 국자　중국 냄비　볶음 국자　칼　튀김 팬

다양한 해산물과 야채를 화려하게 담아 입맛을 살리는 냉채 요리

양장피 잡채

283 Kcal

 재료 · 4인분

돼지고기 200g · 오징어 ½마리 · 새우 100g · 해삼(말린 것) 2마리 · 표고버섯 4개 · 양장피 3장 · 당근 1개 · 양파 ½개 · 오이 ½개 · 중국부추 50g · 붉은고추 1개 · 달걀 1개 · 진간장 1큰술 · 참기름 1큰술 · 소금 1작은술 · 식용유 적당량 · 양장피 양념(진간장 1큰술, 식초 2큰술, 설탕 1큰술, 마늘 4쪽, 소금 1작은술, 참기름 1작은술) · 겨자 소스(겨잣가루 2큰술, 식초 3큰술, 설탕 3큰술, 소금 약간, 진간장 약간, 참기름 약간)

 이렇게 준비하세요

1 돼지고기는 살코기로 준비해 100g은 끓는 물에 넣어 속까지 완전히 익도록 무르게 삶아 채썰고, 나머지는 그대로 채썬다.
2 오징어는 잘게 칼집을 넣어 끓는 물에 데친 뒤 채썰고, 새우는 손질해 끓는 물에 데친다. 해삼은 물에 불렸다가 삶은 뒤 채썬다.
3 표고버섯은 물에 불려 기둥을 떼고 채썰어 살짝 볶는다. 당근 · 오이 · 양파 · 붉은고추는 채썰고, 중국부추는 당근 길이로 썬다.
4 달걀은 지단을 부쳐 채썰고, 양장피는 끓는 물에 데쳤다가 찬물에 헹궈 굵게 채썬다.

 이렇게 만들어요

5 넓은 접시에 양파 · 중국부추 · 붉은고추를 제외한 모든 재료들을 돌려 담는다.
6 데친 양장피는 물기를 빼고 진간장 · 식초 · 설탕 · 소금 · 참기름, 다진 마늘을 넣고 섞어 접시에 담는다.
7 팬에 기름을 두르고 뜨겁게 달구어 채썬 돼지고기를 볶다가 진간장 · 소금으로 간한다. 다시 양파 · 중국부추 · 붉은고추와 당근의 일부를 넣어 볶은 뒤 참기름을 섞어 맛을 낸 뒤 양장피 위에 얹는다.
8 겨잣가루에 식초 · 설탕 · 소금 · 진간장 · 참기름을 넣고 겨자 소스를 만들어 곁들인다.

하나 더 해삼이나 표고버섯 · 패주 · 가리비 · 상어지느러미 등 말린 재료를 사용할 때는 반드시 물에 담가 부드럽게 불려서 써야 한다. 특히 해삼의 경우 3일 이상 불려야 하는 경우도 있다. 시간이 부족하면 끓는 물에 살짝 데쳐서 불리기도 하는데, 해물류를 데칠 때는 술이나 파 · 생강을 조금 넣으면 비린내가 생기지 않는다.

POINT

5

접시에 채썬 당근 · 오이 · 새우 등의 재료를 돌려 담는다.

6

양장피에 진간장, 소금, 다진 마늘 등을 넣고 골고루 섞는다.

7

볶은 돼지고기와 야채를 양장피 위에 얹고 겨자 소스를 곁들인다.

 손님상에 내놓으면 좋은 양장피 잡채

양장피 잡채는 해물과 야채가 많이 들어가 화려해 보이고 겨자 소스로 무쳐 먹는 매콤한 맛이 입맛을 살리므로 손님 초대상에는 특히 잘 어울린다. 또 재료는 많이 들어가지만 조리법은 간단해 누구나 쉽게 만들 수 있다. 종잇장처럼 생긴 양장피는 고구마 전분으로, 그대로 끓는 물에 넣어 투명하고 부드러워질 때까지 끓여 찬물에 씻어 물기를 빼 두면 된다. 단, 너무 오래 삶으면 양장피가 불어서 맛이 없어지므로 유의한다. 상에 낼 때는 야채와 해물의 길이를 맞추어 썰어 가지런히 담는 것이 포인트로 재료를 차게 두었다가 낸다.

오색 냉채

 재료 · 4인분

피단 2개 · 쇠고기(양지머리) 200g · 전복 2개 · 대하 8마리 · 오이 1개 · 청주 2큰술 · 파 ½뿌리 · 마늘 3쪽 · 진간장 2큰술 · 소금 적당량 · 후춧가루 약간 · 식초 1큰술 · 마늘 소스(육수 5큰술, 식초 2큰술, 설탕 2큰술, 레몬즙 1큰술, 마늘 5쪽, 진간장 2큰술, 소금 1큰술, 참기름 1큰술)

이렇게 준비하세요

1 대하는 껍질을 벗기고 내장을 빼낸다. 전복은 숟가락으로 살을 떼어 내면서 내장을 제거하고 깨끗이 씻는다.

2 오이는 깨끗이 씻어 놓고, 파는 손질하여 길쭉하게 썬다. 마늘은 3쪽은 통째로 준비하고 소스용 5쪽은 곱게 다진다.

3 파 · 통마늘 · 진간장 · 청주 · 후춧가루를 넣은 끓는 물에 고기를 넣고 삶는다.

이렇게 만들어요

4 대하는 소금 · 청주를 넣은 끓는 물에 데치고, 전복은 청주를 뿌려서 찜통에 찐다. 전복이 익으면 먹기 좋게 썬다.

5 도마에 나무젓가락 2개를 나란히 놓고 그 사이에 오이를 놓은 다음, 잘게 칼집을 넣고 나서 한입 크기로 썬다. 오이에 소금 · 식초를 넣고 절였다가 물기를 눌러 짠다.

6 삶은 고기는 베보자기에 싸서 눌러 두었다가 얇게 썰고, 피단은 껍질을 벗기고 도톰하게 썬다.

7 마늘 소스 재료를 섞어 소스를 만들어 준비된 재료들과 함께 낸다.

해파리 냉채

재료 · 4인분

해파리 200g · 오이 1개 · 해파리 양념(마늘 4쪽, 진간장 1작은술, 소금 1작은술, 식초 3큰술, 참기름 1작은술, 육수 1큰술) · 마늘 소스(마늘 6쪽, 소금 약간, 식초 3큰술, 설탕 3큰술, 진간장 약간, 참기름 약간, 육수 1큰술)

이렇게 만들어요

① 해파리는 깨끗이 비벼 씻어서 물에 담가 하룻밤 정도 불린다. 물에 불린 해파리를 뜨거운 물에 살짝 데쳐서 찬물에 헹군 다음 돌돌 말아서 조금 굵게 채썰어 물기를 꼭 짠다.

② 오이는 손질하여 채썬 뒤 물에 담갔다 건져 물기를 뺀다.

③ 마늘은 껍질을 벗기고 씻어 잘게 다진 다음 분량의 양념을 넣어 각각 마늘 소스와 해파리 양념을 만든다.

④ 채썬 해파리에 해파리 양념을 넣고 함께 섞는다.

⑤ 해파리와 오이 섞은 것을 접시에 담고 위에 마늘 소스를 끼얹어 상에 낸다.

P O I N T

끓는 물에 넣고 삶은 고기는 얇게 썰고, 피단은 껍질을 벗겨 도톰하게 썬다.

마늘 소스 재료들을 섞어 소스를 만들어 준비된 재료들과 함께 낸다.

전채 요리에 많이 쓰이는 피단

피단은 집오리의 알을 소금 · 석회 · 재 · 왕겨 등을 섞은 진흙으로 싸서 장기간 보관한 것이다. 진흙을 털고 씻어서 껍질을 벗긴 다음 잠시 그대로 두어 냄새를 없애고 썰어서 전채에 쓴다. 중국 요리 재료상에 가면 구입할 수 있는데, 텐진산이 상품으로, 흰자가 검고 투명하지 않은 것, 노른자가 딱딱한 것은 질이 떨어지는 것이다.

221Kcal

영양가가 뛰어난 부추의 독특한 향미가 식욕을 돋우는

부추 잡채

143 Kcal

여러 가지 중국 음식에 이용되는 중국부추

중국부추는 카로틴과 비타민 B, C가 풍부하고 특히 세포의 노화 방지에 효과가 있다. 중국부추는 우리 나라 부추보다 길이가 길고 쉽게 물러지지 않으며 향기가 적고 단맛이 약간 난다. 재래 시장에서도 쉽게 구할 수 있는데 잎이 선명하게 푸르며 상한 데가 없고 탄력 있는 것을 고른다. 다듬을 때는 흰뿌리 부분의 껍질을 벗기고 깨끗이 다듬어 씻어서 소쿠리에 건져 물기를 빼 둔다. 가지런히 해 놓고 씻어야 썰기 쉽고 요리하기 편하다. 기름에 볶을 때는 불을 세게 해서 재빨리 볶아야 모양과 맛이 그대로 산다.

재료 · 4인분

돼지고기 200g · 중국부추 200g · 파 ½ 뿌리 · 마늘 4쪽 · 식용유 1컵 · 소금 1작은술 · 진간장 1큰술 · 참기름 1큰술 · 돼지고기 양념(청주 2작은술, 소금 1작은술, 녹말가루 2작은술)

이렇게 준비하세요

1 돼지고기는 살코기로 준비해 5cm 길이로 가늘게 채썬 뒤, 청주 · 소금과 녹말가루를 넣고 버무려 20분 이상 재어 둔다.

2 중국부추는 다듬어 깨끗이 씻어서 가지런히 모아 흰 줄기 부분과 푸른 잎 부분을 따로 구분해서 5cm 길이로 썬다.

3 파는 손질해 채썰고, 마늘은 껍질을 벗겨 씻은 다음 얇게 저민다.

이렇게 만들어요

4 팬에 기름을 넉넉히 두르고 달군 뒤, 밑간해 둔 돼지고기를 넣어 센 불에서 살짝 볶는다.

5 팬에 다시 기름을 두르고 달군 뒤, 준비해 놓은 파 · 마늘을 넣고 볶아 향이 기름에 배게 한다.

6 파 · 마늘 볶은 것에 볶아 놓은 돼지고기를 넣고 진간장과 소금으로 간을 하여 계속 볶는다.

7 돼지고기에 썰어 놓은 중국부추를 넣고 볶은 뒤, 참기름을 넣고 뒤적여 접시에 담아 낸다. 중국부추를 팬에 볶을 때는 흰 부분을 먼저 넣고 푸른 부분은 나중에 넣어 숨이 죽지 않게 센 불에서 재빨리 볶아야 볼품이 있다. 중국부추 대신 피망을 가늘게 채썰어서 볶거나 매운 맛을 살리려면 풋고추와 피망을 함께 볶아도 좋다.

POINT

돼지고기는 가늘게 채썰어 청주 · 소금 · 녹말가루를 넣고 버무려 재워 둔다.

중국부추는 깨끗이 씻어서 흰 부분과 푸른 부분을 나누어 5cm 길이로 썬다.

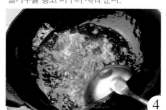

팬에 기름을 두르고 센 불에서 돼지고기를 넣고 살짝 볶는다.

살짝 볶은 돼지고기에 중국부추를 넣고 볶은 뒤 참기름을 넣고 뒤적인다.

자장 고기

재료 · 4인분

돼지고기 300g · 파 2뿌리 · 식용유 1컵 · 중국 된장(자장) 2큰술 · 설탕 2작은술 · 돼지고기 양념(진간장 1큰술, 녹말가루 1큰술)

이렇게 준비하세요

1 돼지고기는 4㎝ 길이로 가늘게 채썰어서 진간장 · 녹말가루와 물 2큰술을 넣고 고루 섞어 잠시 재어 둔다.

2 파는 돼지고기와 같은 길이로 채썰어 상에 낼 접시에 담는다.

이렇게 만들어요

3 팬에 기름을 넉넉히 두르고 달군 후 재어 놓은 돼지고기를 넣고 볶아 낸다.

4 팬에 다시 기름을 두르고 뜨겁게 달구어 중국 된장(자장)을 넣어 윤이 나도록 볶다가 설탕과 물 1큰술을 넣고 섞는다.

5 볶아 놓은 고기를 넣고 뜨거운 기름 1큰술을 넣어 섞은 뒤 파 위에 얹어 상에 내고 중국식 빵을 곁들인다.

중국 요리에 빠지지 않는 녹말

녹말가루는 물과 기름을 융합시키는 역할을 한다. 즉, 녹말의 끈기가 국물을 엉기게 해 국물과 기름이 분리되어 맛과 영양이 손실되는 것을 막아 준다. 따라서 녹말을 넣으면 음식에 윤기가 나고 먹을 때 감촉이 매끄럽고 음식이 잘 식지 않고 맛도 변하지 않는다. 소스 등의 국물을 만들 때는 가루 상태로 직접 넣고, 밑간할 때는 다른 양념과 함께 넣기도 한다. 마지막 위에 끼얹을 때는 녹말가루 1큰술에 물 1큰술을 넣어 잘 푼 다음에 사용한다. 단, 국물이 끓을 때 넣고 잘 저어서 다시 한소끔 끓여야 국물이 투명해지고 농도가 생긴다.

POINT

3 돼지고기는 가늘게 채썰어서 진간장 · 녹말가루와 물 2큰술을 넣고 재어 두었다가 센 불에서 볶아 낸다.

4 팬에 기름을 두르고 중국 된장을 넣어 윤이 나도록 볶다가 볶아 놓은 고기를 넣고 뜨거운 기름 1큰술을 넣어 섞는다.

중국식 빵

재료 · 4인분

밀가루(중력분) 3컵 · 설탕 ⅜컵 · 베이킹 파우더 2작은술 · 식용유 3컵 · 이스트 2작은술 · 돼지기름(라드) 1컵

이렇게 만들어요

① 밀가루는 따뜻한 물(1⅓컵)에 녹인 이스트를 넣고 반죽하여 젖은 천을 덮어 둔다. 반죽이 부풀어 오르면 도마 위에 올려 넣고 베이킹 파우더를 묻혀 윤이 날 때까지 주무른 다음 2등분한다.

② 2등분한 반죽 중 한 덩어리를 5조각낸 뒤 각각 지름 7㎝ 정도로 둥글게 밀어 빵 껍질을 만든다. 나머지 한 덩어리는 얇고 넓게 밀어 설탕을 섞은 돼지기름을 발라 돌돌 만 뒤 가늘게 썰어 빵의 속을 만든다.

③ 껍질에 속을 놓고 양쪽을 아물린 다음, 20분쯤 두었다가 찜통에 넣고 센 불에서 30분간 찐다. 팬에 기름을 붓고 가열하여 노릇노릇하게 튀겨 낸다.

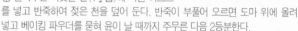

220 Kcal

고추장과 비슷한 맛의 두반장을 넣어 매콤하게 볶아 밥반찬으로 좋은

돼지고기 두반장 볶음

재료 · 4인분

돼지고기 300g · 죽순 2개 · 목이버섯 5개 · 마늘 4쪽 · 생강 1쪽 · 파 1뿌리 · 식용유 1컵 · 식초 1큰술 · 진간장 1큰술 · 두반장 1큰술 · 청주 ½큰술 · 설탕 1작은술 · 소금 1작은술 · 녹말가루 1작은술 · 참기름 1작은술 · 후춧가루 약간 · 돼지고기 양념(진간장 1큰술, 녹말가루 1큰술)

이렇게 준비하세요

1 돼지고기는 5cm 길이로 가늘게 채썬다. 마른 목이버섯은 1개씩 떼어 따뜻한 물에 부들부들해질 때까지 불려서 사이사이에 낀 지저분한 것들을 말끔히 씻어 낸 다음 채썬다. 죽순도 채썰고 파 · 마늘 · 생강은 손질해 다진다.
2 돼지고기에 진간장 · 녹말가루를 넣고 버무린 뒤 재어 둔다.

이렇게 만들어요

3 팬에 기름을 넉넉히 두르고 돼지고기를 넣어 중불에서 볶은 다음 꺼낸다.
4 팬에 기름을 두른 뒤 마늘과 생강을 넣고 볶아서 기름에 향이 배게 한다.
5 채썰어 둔 죽순 · 목이버섯을 넣고 볶는다.
6 죽순이 어느 정도 익으면 돼지고기와 진간장 · 식초 · 청주 · 설탕 · 소금 · 녹말가루 · 참기름 · 후춧가루 · 파를 넣어 볶다가 두반장을 끼얹어 재빨리 볶아 약간 걸쭉하게 되면 접시에 담아 낸다.

POINT

돼지고기는 살코기로 준비하여 5cm 길이로 가늘게 채썬다.

돼지고기에 진간장 · 녹말가루를 넣고 버무린 뒤 재어 둔다.

팬에 기름을 넉넉히 두르고 돼지고기를 넣어 중불에서 볶아 꺼내 누린내를 없앤다.

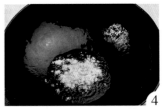
다시 팬에 기름을 두른 뒤 마늘과 생강을 넣고 볶아 기름에 향이 배게 한다.

채썬 죽순과 목이버섯을 넣고 볶는다.

돼지고기와 준비해 둔 양념을 넣어 볶다가 두반장을 넣어 재빨리 볶아 낸다.

242 Kcal

돼지고기 완자를 노릇노릇하게 지져 소스를 끼얹어 내는

난젠 완쯔

재료 · 4인분

돼지고기 300g · 파 1뿌리 · 마늘 4쪽 · 피망 1개 · 육수 1컵 · 표고버섯 2개 · 죽순(통조림) ½개 · 붉은고추 1개 · 식용유 3컵 · 청주 1큰술 · 진간장 1큰술 · 참기름 1큰술 · 녹말가루 1큰술 · 돼지고기 양념(파 ½뿌리, 생강 1쪽, 진간장 ½큰술, 소금 약간, 달걀 ½개, 녹말가루 1큰술, 참기름 ½큰술)

이렇게 준비하세요

1 돼지고기는 살코기로 준비해 곱게 다진다.

2 파는 ½뿌리는 다지고 1뿌리는 어슷어슷 썬다. 생강은 껍질을 벗긴 뒤 깨끗이 씻어 다진다. 마늘은 얄팍하게 저민다.

3 피망은 반으로 갈라 속을 뺀 뒤 네모나게 썰고, 표고버섯은 미지근한 물에 불렸다가 기둥을 떼어 내고 피망과 같은 크기로 썬다. 죽순은 뜨거운 물을 끼얹은 뒤 2등분하여 얇게 썬다. 붉은고추는 약간 굵게 어슷썰기한 뒤 씨를 털어 낸다.

이렇게 만들어요

4 돼지고기 다진 것에 다진 파 · 생강과 진간장 · 소금 · 달걀 · 녹말가루 · 참기름을 넣고 잘 섞어 여러 번 치댄다. 고기에 끈기가 생기면 적당량씩 떼어 내어 동글납작한 반대기를 빚는다.

5 팬에 기름을 붓고 뜨겁게 가열하여 빚어 놓은 반대기를 넣고 겉면을 바삭하게 익힌 다음 불을 약하게 하여 노릇노릇하게 튀긴다.

6 팬에 기름을 두르고 달구어 파 · 마늘을 넣어 기름에 향이 배게 한 뒤 청주와 진간장을 넣고 섞는다. 표고버섯 · 죽순을 넣고 볶다가 육수를 부어 끓이고, 재료가 익으면 튀긴 돼지고기와 피망 · 붉은고추를 넣는다. 녹말가루를 같은 양의 물에 풀어 넣고 참기름을 넣어 섞는다.

돼지고기 청강채 볶음

재료 · 1인분

돼지고기 50g · 청강채 150g · 표고버섯 2개 · 대파 ½뿌리 · 생강 ½쪽 · 청주 1작은술 · 식용유 1작은술 · 소금 약간 · 양념장(육수 3큰술, 청주 ½큰술, 설탕 약간, 진간장 2작은술)

이렇게 만들어요

① 돼지고기는 얇게 저며 한입 크기로 썬다. 표고버섯은 물에 불렸다가 기둥을 떼고 물기를 짠 후 적당하게 저민다. 청강채는 소금을 약간 넣은 끓는 물에 데쳐 헹구어 물기를 꼭 짜고 길이로 4등분한다. 대파는 어슷썰기하고 생강은 즙을 낸다.

② 돼지고기에 청주와 생강즙을 넣고 잠시 잰 다음 프라이팬에 기름을 두르고 달군 뒤 돼지고기를 넣어 볶다가 어느 정도 익으면 표고버섯 · 청강채 · 대파를 넣고 양념장을 부어 볶는다.

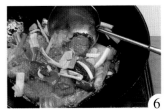

4 다진 돼지고기를 끈기가 생길 때까지 여러 번 치댄 다음, 반죽을 손바닥 위에 놓고 동글납작하게 빚어 기름에 튀겨 낸다.

6 팬에 기름을 두르고 파 · 마늘을 넣고 청주와 진간장 · 표고버섯 · 죽순 · 튀긴 돼지고기 · 피망 · 붉은고추 순으로 넣어 볶는다.

238 Kcal

오향 가루로 양념한 섬세하고 담백한 맛의 돼지고기 요리

오향장육

🍳 재료 · 4인분

돼지고기 600g · 중국 된장 2큰술 · 진간장 3큰술 · 청주 1큰
술 · 팔각 회향 1개 · 계핏가루 1큰술 · 얼음 설탕 1개 · 파
약간

🍳 이렇게 만들어요

1 돼지고기는 살코기로 준비해 중국 된장(자장)에
버무려 2~3시간 동안 잰다.
2 냄비에 중국 된장에 잰 돼지고기를 넣고 진간장 · 청
주 · 팔각 회향 · 계핏가루를 넣어 끓이다가 끓는 물 2컵을
붓고 약한 불에서 뭉근하게 끓인다. 어느 정도 끓으면 얼음 설
탕을 넣고 약한 불에서 1시간 정도 조린다.
3 냄비의 국물이 ½컵 정도가 되면 고기를 건져서 식힌 뒤, 얇게 저며
접시에 담고 파슬리로 장식한다.
4 고기 끓인 국물에 파를 약간 썰어 넣고 그릇에 담아 내어 고기를 먹
을 때 끼얹는다.

210 Kcal

하나 더 고기를 푹 삶을 때
고기를 삶을 때는 압력솥을 이용하면 편하다. 덩어리살을 넣고 뚜껑을 덮어 놓으
면 짧은 시간에 속까지 골고루 익으므로 뒤적이는 번거로움없이 조리할 수 있다.

고추 · 파 · 마늘을 넣어 매콤하게 볶은 닭고기 요리

깐 풍 기

🍳 재료 · 4인분

닭고기 300g · 마른 고추 2개 · 파 1뿌리 · 설탕 약간 · 마늘 4쪽 · 달
걀 1개 · 녹말가루 1큰술 · 청주 3큰술 · 소금 약간 · 식용유 3컵
· 진간장 1½큰술 · 후춧가루 약간 · 참기름 적당량

🍳 이렇게 만들어요

1 닭고기는 가슴살로 준비해 조금 작게 썰어 청주
(1큰술)와 소금으로 버무려 잰다. 다른 부위라도 살
로만 준비하면 된다.
2 마른 고추는 반으로 갈라 씨를 뺀 뒤 송송 썬다. 젖
은 고추는 매운 맛이 덜 하다. 파는 손질해 잘게 썰고,
마늘은 껍질을 벗기고 다진다.
3 달걀은 잘 풀고, 녹말가루도 같은 양의 물에 푼다.
4 재어 둔 닭고기에 풀어 놓은 달걀과 녹말가루를 넣고 버무린
뒤 기름에 노릇하게 튀겨 낸다.
5 팬에 다시 기름을 두르고 센 불에서 재빨리 마른고추 · 파 · 마늘을
넣어 볶다가 바로 진간장 · 청주(2큰술) · 후춧가루 · 설탕 등과 튀긴
닭살을 넣어 볶는다. 마지막에 참기름을 넣어 살짝 버무린다.

224 Kcal

닭고기를 양념해 튀겨 내 마른 고추로 매운 맛을 낸

라 조 기

 재료 · 4인분

닭고기 300g · 표고버섯 2개 · 죽순(통조림) 1개 · 피망 1개 · 마른 고추 2개 · 파 1뿌리 · 마늘 3쪽 · 식용유 3컵 · 고추기름 2큰술 · 육수 1컵 · 녹말가루 1큰술 · 참기름 약간 · 진간장 1큰술 · 청주 1큰술 · 닭고기 양념(녹말가루 1큰술, 진간장 1큰술, 청주 1큰술, 달걀 1개)

이렇게 준비하세요

1 닭고기는 한입에 먹기 좋은 크기로 썰어 진간장 · 청주 · 녹말가루를 넣고 잠시 잰 다음 달걀을 풀어 넣고 버무려 둔다.

2 표고버섯은 물에 불려 기둥을 뗀 뒤 적당한 크기로 썰고, 죽순은 뜨거운 물을 끼얹은 다음 얇게 썬다.

3 피망은 반을 갈라 속을 빼낸 후 표고버섯과 같은 크기로 썰고, 마른 고추도 씨를 빼고 조금 크게 어슷썰기한다.

4 파는 손질해 길게 반으로 갈라 3cm 길이로 썰고, 마늘은 손질해 얇게 저민다.

이렇게 만들어요

5 팬에 기름을 붓고 가열한 뒤 재어 놓은 닭고기를 넣고 갈색이 돌게 튀겨 낸다.

6 다시 팬에 기름을 두르고 고추기름과 마른 고추 · 파 · 마늘을 넣어 기름에 향이 배게 한다.

7 향이 밴 기름에 표고버섯 · 죽순 · 피망을 넣어 볶다가 청주 · 진간장으로 간을 한다. 튀긴 닭고기와 육수를 넣고 조리다 녹말가루를 같은 양의 물에 풀어 넣고 걸쭉해질 때까지 끓인다. 마지막에 참기름을 두르고 불에서 내린다.

POINT

한입 크기로 썬 닭고기에 진간장 · 청주 · 녹말가루를 넣고 잠시 재어 둔다. **1**

팬에 기름을 붓고 가열한 뒤 재어 놓은 닭고기를 넣고 갈색이 돌게 튀겨 낸다. **5**

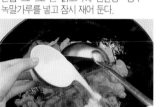

향이 밴 기름에 튀긴 닭고기와 육수를 넣고 조리다 녹말가루를 풀어 넣는다. **7**

 중국식으로 볶음 요리를 잘 하려면
재료의 크기와 모양을 일정하게 한다
중국 요리 가운데 가장 많이 이용되는 조리법이 바로 볶음이다. 우선 볶음 요리를 할 때는 재료의 크기와 모양을 비슷하게 썰어 준비해야 익는 속도가 일정하다.
볶는 기름에 향이 배게 한다
볶을 때는 식물성 기름을 두르고 여기에 파 · 붉은고추 · 생강 · 마늘 등의 양념을 볶아 기름에 향이 배게 한 후, 주재료를 넣는다. 냄비나 팬에 1~2큰술의 식물성 기름을 두르고 중불에 달군 후, 양념을 넣어 저으면 독특한 향기가 배어 나오는데, 이 때 주재료를 넣는다.
짧은 시간에 볶는다
주재료를 볶을 때는 프라이팬을 가열하여 기름을 넣은 다음 기름에 연기가 날 정도로 끓여 재료를 짧은 시간에 조리한다. 어떤 요리든지 약 2~3분 정도면 충분한데, 잘 익지 않는 것은 미리 데쳐 두어 동시에 볶아 낼 수 있게 한다. 또 가열한 기름에 재료를 넣어 재빨리 한 번 데쳐 낸 후 조리하면 재료의 수분이 안 나와 본래의 맛을 살릴 수 있으며 육류는 누린내도 없어진다.

269 Kcal

바삭바삭한 튀김에 레몬 소스의 새콤달콤한 맛이 배어 입맛을 당기는

레몬 닭고기 튀김

🧑‍🍳 재료 · 4인분

닭고기 300g · 레몬 2개 · 식용유 3컵 · 밀가루 3큰술 · 녹말가루 5큰술 · 체리 6개 · 닭고기 양념(소금 약간, 청주 ½큰술, 진간장 ½큰술, 후춧가루 약간, 녹말가루 1큰술) · 소스(식용유 2큰술, 레몬 1개, 설탕 3큰술, 육수 3큰술, 소금 약간, 녹말가루 2작은술, 참기름 1작은술)

🧑‍🍳 이렇게 준비하세요

1 닭고기는 껍질을 벗긴 가슴살로 준비해 한입에 먹기 좋은 크기로 얇게 저민다. 부위별로 손질해서 파는 것을 사면 훨씬 편리하다.

2 저민 닭고기에 소금 · 청주 · 진간장 · 후춧가루를 넣고, 녹말가루도 같은 양의 물에 풀어서 넣은 다음 뒤섞어 잠시 재어 둔다.

3 레몬은 깨끗이 씻어 2개는 얇게 통썰기하고, 1개는 즙을 내 놓는다. 체리는 2등분해 둔다.

🧑‍🍳 이렇게 만들어요

4 팬에 기름을 붓고 가열한 뒤 재어 놓은 닭고기에 밀가루와 녹말가루를 섞어서 고루 묻혀 넣고 튀겨 낸다.

5 레몬즙 · 설탕 · 육수 · 소금 · 녹말가루 · 참기름과 물을 섞어, 기름 두른 팬에 넣고 끓여 소스를 만든다. 불에서 내리기 직전에 뜨거운 기름을 1큰술 정도 넣어 섞으면 소스에 윤기가 돌고 음식이 빨리 식지 않아서 좋다.

6 상에 낼 접시에 튀겨 놓은 닭고기를 담고 소스를 끼얹은 다음, 준비해 놓은 레몬과 체리로 예쁘게 장식하여 상에 낸다.

331 Kcal

P O I N T

닭고기는 기름이 없는 가슴살로 준비해 한입에 먹기 좋은 크기로 얇게 저민다.

팬에 기름을 붓고 가열한 뒤 재어 놓은 닭고기에 튀김옷을 묻히고 튀겨 낸다.

소스 재료를 기름 두른 팬에 넣고 끓이다가 뜨거운 기름을 1큰술 넣어 소스를 만든다.

상에 낼 접시에 튀겨 놓은 닭고기를 담고 소스를 끼얹은 다음 레몬과 체리로 장식한다.

바나나 튀김

재료 · 4인분

바나나 3개 · 식용유 3컵 · 밀가루 약간 · 튀김옷(달걀 1개, 밀가루 5큰술, 녹말가루 3큰술) · 시럽(식용유 2큰술, 설탕 ½컵)

이렇게 만들어요

① 바나나는 껍질을 벗기고 조금 굵게 어슷썰기하여 밀가루를 묻혀 놓는다.

② 달걀은 잘 푼 뒤, 밀가루 · 녹말가루와 물을 조금 넣고 섞어 튀김옷을 만든다.

③ 팬에 기름을 붓고 뜨겁게 가열해 밀가루 묻힌 바나나에 튀김옷을 적당히 입혀 넣어서 노릇노릇하게 튀겨 낸다.

④ 다시 팬에 기름(2큰술)을 두르고 달군 뒤, 설탕을 넣고 거의 다 녹으면 연갈색이 될 때까지 저어 시럽을 만든다.

⑤ 시럽을 불에서 내리지 않은 채 튀긴 바나나를 넣고 재빨리 뒤섞어 시럽을 고루 묻힌다. 시럽 묻힌 바나나를 찬물에 담갔다가 꺼내면 바삭바삭해져 후식이나 간식으로 좋다.

양배춧잎에 자장 소스를 발라 당면 튀김과 야채 볶은 것을 싸먹는

닭고기 모듬쌈

POINT

잘게 썬 닭고기와 돼지고기에 양념을 넣고 버무려 재어 둔다.

표고버섯은 물에 불려 기둥을 뗀 뒤 잘게 썰고, 양파와 당근도 잘게 썬다.

팬에 기름을 붓고 가열하여 쌀당면을 넣고 튀겨 낸 다음 잘게 부순다.

팬에 기름을 두르고 야채를 넣고 볶다가 닭고기와 돼지고기를 넣어 센 불에서 볶는다.

재료 · 4인분

닭고기 200g · 돼지고기 100g · 양파 ½개 · 표고버섯 2개 · 죽순(통조림) 1개 · 당근 적당량 · 완두 4큰술 · 양상춧잎 10장 · 식용유 3½컵 · 쌀당면 100g · 진간장 1작은술 · 소금 1작은술 · 참기름 약간 · 후춧가루 약간 · 고기 양념(진간장 1큰술, 설탕 약간, 달걀노른자 1개분, 녹말가루 1큰술)

이렇게 준비하세요

1 닭고기는 가슴살로 준비해 잘게 썰고, 돼지고기는 살코기로 준비해 잘게 썬다.

2 잘게 썬 닭고기와 돼지고기에 진간장 · 달걀노른자 · 녹말가루 · 설탕을 넣고 버무려 재어 둔다.

3 표고버섯은 물에 불려 기둥을 뗀 뒤 잘게 썰고, 양파와 당근은 껍질을 벗기고 깨끗이 씻어 잘게 썬다.

4 죽순은 통조림으로 준비해 뜨거운 물을 끼얹은 뒤 잘게 썰고, 완두는 소금물에 살짝 삶아 물기를 뺀다.

5 양상춧잎은 1장씩 떼어 흐르는 물에 씻은 뒤 물기를 빼고 동그랗게 오린다.

이렇게 만들어요

6 팬에 기름(3컵)을 붓고 가열하여 쌀당면을 넣고 튀겨 낸 다음 잘게 부순다.

7 팬에 기름을 두르고 달구어 재어 놓은 닭고기와 돼지고기를 넣어 센 불에서 볶아 낸다.

8 팬에 다시 기름을 두르고 달구어 양파를 넣어 볶다가 표고버섯 · 죽순 · 당근 썰어 놓은 것을 넣고 볶는다. 야채가 어느 정도 볶아지면 닭고기와 돼지고기 볶은 것과 완두도 넣어 볶고, 진간장 · 소금 · 참기름 · 후춧가루로 양념한 뒤 센 불에서 잠깐 볶는다.

9 접시 가운데에 부숴 놓은 쌀당면을 소복이 담고, 그 위에 볶은 재료를 올려 놓은 뒤, 양상추를 접시 가장자리에 돌려 담아 상에 낸다. 쌀당면과 볶은 재료를 양상추로 싼 다음 자장으로 간하여 먹는다.

양념한 고기를 기름에 잘 데치려면
중국 요리에서 볶음 요리를 잘 하려면 기름에 부드럽게 데치는 것이 중요하다. 고기를 데치기 전에 밑간을 해서 재어 두고, 이 때 녹말가루를 조금씩 꼭 넣는다. 또 데칠 기름의 양은 재료의 두 배 정도가 적당한데 기름이 너무 적으면 재료가 기름 속에 뭉쳐져 녹말가루가 떨어지므로 재료들이 기름 속에서 움직일 수 있을 정도가 적당하다.
　기름의 온도 역시 중요한데 데칠 때 기름 온도가 너무 높으면 들어가는 순간 표면에 붙은 녹말 옷들이 한데 뭉쳐 지저분해지기 쉽다. 따라서 중온 정도의 기름에 넣고 국자나 젓가락으로 재료들을 풀어 주면서 바로 불을 세게 해서 단시간에 데쳐야 부드럽다.

229 Kcal

양념에 재어 두었다가 기름에 살짝 볶아 매콤하고 부드러운

마른고추 쇠고기 볶음

🧑‍🍳 재료 · 4인분

쇠고기 300g · 마른 고추 5개 · 요과(혹은 땅콩) 4큰술 · 마늘 2쪽 · 생강 ½
쪽 · 식용유 2컵 · 진간장 1큰술 · 청주 2작은술 · 설탕 2작은술 · 참기름 1
작은술 · 녹말가루 1작은술 · 산초 적당량 · 쇠고기 양념(청주 1작은술, 녹말가
루 2작은술, 진간장 1큰술)

🧑‍🍳 이렇게 준비하세요

1 쇠고기는 얇게 저며 청주 · 녹말가루 · 진간장과 물 4큰술을 넣고 버
무려 잠시 잰다.

2 마른 고추는 깨끗이 씻어 씨를 뺀 뒤 가위로 큼직하게 썬다. 인도산
땅콩인 요과는 껍질을 벗기고, 마늘과 생강은 다진다.

🧑‍🍳 이렇게 만들어요

3 팬에 기름을 넣고 기름 온도가 중온 정도가 되면 양념한 쇠고기를
넣고 불을 세게 해서 국자로 저으면서 살짝 익을 정도로만 볶는다.

4 다시 팬에 기름을 붓고 가열하여 요과를 쇠망에 담아 튀긴다.

5 쇠망에 산초를 담아 기름 두른 팬에 넣어 향을 낸 뒤, 마른 고추와
다진 마늘 · 생강을 넣어 다시 향을 낸다.

6 향을 낸 기름에 쇠고기와 요과, 진간장 · 청주 · 설탕 · 참기름을 볶
다가 같은 양의 물에 갠 녹말가루를 끼얹어 살짝 뒤섞는다.

해나 더 **중국요리의 기본은 재료의 밑간**

기름에 데치거나 튀기기 전, 또 생선이나 해물, 고기로 찜을 할 때도 반드시 밑간을 해
서 재어 두었다가 조리를 해야 맛이 좋다. 밑간 양념은 주로 술과 소금, 또는 간장, 녹
말가루다. 흰색이 나는 요리나 깔끔한 음식은 소금으로 간을
하고 그외의 음식은 진간장으로 간을 한다.

POINT

쇠고기는 결대로 얇게 저며 청주 · 녹말가
루 · 진간장 · 물 4큰술을 넣고 밑간을 한다.

마른 고추는 깨끗이 씻어 씨를 뺀 뒤 가위로
큼직하게 썬다.

팬에 기름을 넣고 중온 정도로 달궈 쇠고기
를 넣고 살짝 익힌다.

다시 팬에 기름을 붓고 가열하여 요과를 쇠
망에 담아 튀긴다.

산초와 마른 고추 · 다진 마늘 · 생강을 넣
어 기름에 향이 배게 한다.

향을 낸 기름에 쇠고기와 요과 · 양념을 넣
고 볶다가 마지막에 녹말가루를 끼얹는다.

276 Kcal

감칠맛과 독특한 향이 나는 굴 소스로 볶아 만든 색다른 쇠고기 요리

쇠고기 굴 소스 볶음

 재료 · 4인분

쇠고기 400g · 양상추잎 6장 · 파 2뿌리 · 생강 2쪽 · 식용유 1컵 · 굴 소스 2
큰술 · 육수 2큰술 · 설탕 2작은술 · 녹말가루 1작은술 · 참기름 1작은술 ·
소금 약간 · 청주 2작은술 · 쇠고기 양념(진간장 1큰술, 설탕 1작은술, 녹말가루
1큰술, 육수 3큰술, 중조 약간)

 이렇게 준비하세요

1 쇠고기는 한입에 먹기 좋은 크기로 얇게 저며 진간장 · 설탕 · 녹말
가루 · 육수 · 중조를 넣고 고루 버무린 후 잠시 잰다.

2 양상추는 1잎씩 떼어 흐르는 물에 씻어서 물기를 뺀 후, 손으로 적
당히 찢는다.

3 파는 손질해 반으로 갈라 2.5cm 길이로 썰고, 생강은 껍질을 벗기고
씻어서 얇게 저민다.

 이렇게 만들어요

4 팬에 기름을 두르고 달구어 센 불에서 양상추를 살짝 볶은 뒤 청
주 · 소금 · 설탕(1작은술)으로 간하여 상에 낼 접시에 담는다.

5 팬에 기름을 넉넉히 두르고 달구어 쇠고기를 넣고 재빨리 볶아 꺼낸
다음 기름을 뺀다.

6 팬에 다시 기름을 두르고 파 · 생강과 볶은 쇠고기를 넣고 센 불에서
빨리 볶는다. 굴 소스 · 육수 · 설탕(1작은술) · 녹말가루 · 참기름을
넣어 양념한 뒤 양상추 위에 얹는다.

233 Kcal

POINT

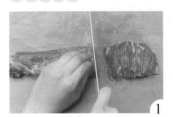

1 쇠고기는 한입에 먹기 좋은 크기로 얇게 저
며 양념으로 고루 버무린 후 잠시 잰다.

4 팬에 기름을 두르고 양상추를 살짝 볶은 뒤
양념으로 간하여 상에 낼 접시에 담는다.

5 팬에 기름을 넉넉히 두르고 달구어 쇠고기
를 넣고 재빨리 볶아 낸다.

쇠고기 숙주나물 볶음

재료 · 4인분

쇠고기 200g · 숙주나물 100g · 파 ½ 뿌리 · 붉
은고추 1개 · 녹말가루 1큰술 · 소금 약간 · 식용
유 4큰술 · 양념장(진간장 1큰술, 다진 파 약간,
육수 2큰술, 참기름 약간, 굴 소스 1작은술, 식
초 1큰술, 고추기름 2작은술, 설탕 2작은술)

이렇게 만들어요

① 쇠고기는 살코기로 준비해 얇게 저민 후 같은 양의 물에 푼 녹말가루와 소금
을 넣고 버무려서 잠시 잰다.

② 숙주나물은 머리와 꼬리를 떼고 씻은 다음 물기를 뺀다.

③ 파는 깨끗이 다듬어 채썰고, 붉은고추도 반으로 갈라 씨를 빼고 채썬다.

④ 팬에 기름 2큰술을 두르고 달구어 숙주나물을 볶는다.

⑤ 냄비에 물 2겁을 붓고 끓기 시작하면 기름 2큰술을 넣은 뒤 재어 놓은 쇠고
기를 넣어 센 불에서 데쳐 낸다.

⑥ 진간장에 다진 파를 약간 넣고 분량의 양념을 넣고 양념장을 만든다.

⑦ 접시에 숙주나물 · 붉은고추 · 파를 담고 쇠고기를 얹은 뒤 양념장을 곁들인다.

탕수육

343 Kcal

재료 · 4인분

돼지고기 300g · 표고버섯 2개 · 오이 1개 · 당근 1개 · 죽순(통조림) 1개 · 마늘 3쪽 · 식용유 적당량 · 튀김옷(녹말가루 1컵, 달걀 1개) · 돼지고기 양념(생강즙 ½작은술, 설탕 1큰술, 간장 1작은술, 소금 2작은술, 청주 1큰술, 후춧가루 2작은술) · 소스 양념(녹말가루 1큰술, 토마토케첩 3큰술, 간장 2작은술, 식초 2작은술, 청주 2작은술, 설탕 약간)

이렇게 준비하세요

1 돼지고기는 얄팍하게 저며 너비 2cm, 길이 4cm 크기로 썬 후 밑간 양념을 넣고 조물조물 주물러 30분 정도 재 둔다.

2 표고버섯은 깨끗이 손질하여 기둥을 떼어 낸 후 4등분하고, 오이 · 당근은 손질하여 적당한 크기로 썬다. 죽순은 빗살 모양을 살려 도톰하게 썰고, 양파는 2cm 너비로 채썬다. 마늘과 생강은 얇게 저며 둔다.

3 녹말은 물에 갠 뒤 냉장고에 3시간 이상 놓아 둔다. 앙금이 가라앉고 맑은 윗물이 생기면 윗물을 조심스럽게 따라 내 불린 녹말을 만든다. 소스용 녹말가루 1큰술은 같은 양의 물에 넣고 잘 휘저어 녹말물을 만들어 둔다.

이렇게 만들어요

4 불린 녹말에 달걀 1개를 깨뜨려 넣어 고루 버무려 튀김옷을 만든 다음 밑간한 돼지고기에 입힌다.

5 팬에 기름을 넣고 중온(170~180℃)으로 가열해, 튀김옷을 입힌 돼지고기를 하나씩 넣어 서로 엉기지 않도록 젓가락으로 저어 주면서 표면이 익을 정도로 튀겨 낸 후 기름을 뺀다. 먹기 직전에 다시 한번 센 불에서 더 튀기면 훨씬 바삭하게 튀겨진다.

5 팬에 기름을 넉넉히 두르고 얇게 저며 둔 마늘과 생강을 볶다가 향이 우러나면 당근 · 양파 · 오이 · 표고버섯 · 죽순을 넣어서 볶는다.

6 야채가 익으면 토마토 케첩 · 간장 · 식초 · 청주 · 설탕을 넣고 끓이다가, 녹말물을 조금씩 부으면서 덩어리가 생기지 않도록 저어 소스를 만든다. 소스만 따로 그릇에 담아 찍어 먹거나 즉석에서 부어 먹어도 좋다. 주재료로 쇠고기를 이용하거나 야채 대신 파인애플 통조림을 넣어도 색다른 산뜻한 맛을 낸다.

POINT

2

돼지고기는 분량의 양념을 넣고 밑간해 두었다 중온에서 튀기고, 표고버섯 · 오이 · 죽순 · 당근은 손질하여 볶는다.

6

야채가 익으면 정량의 토마토 케첩 · 간장 · 식초 · 청주 · 설탕을 넣고 휘저어 준 다음 녹말물을 넣어 걸쭉한 탕수 소스를 만든다.

튀김을 맛있게 하려면

중국 요리에서는 튀김옷으로 불린 녹말을 사용한다. 녹말가루에 물을 넉넉히 부어 잘 저어서 3시간 이상 두어 밑에 앙금이 단단히 가라앉으면 윗물을 가만히 따라 버리고 가라앉은 앙금을 뭉쳐 튀김옷으로 사용한다. 따를 때 앙금이 같이 흐르면 덜 불린 상태다. 단, 튀김옷을 입히다 달걀 양이 너무 많이 들어가서 반죽이 질 때는 불린 녹말을 넣으면 더 질어지므로 이 때는 녹말가루를 섞는 게 좋다. 불린 녹말은 많이 만들어서 냉장고에 넣고 써도 된다.

매콤하고 달콤한 맛의 케첩 소스로 맛을 낸 별미 새우 요리

새우 토마토 케첩 조림

재료 · 4인분

새우 300g · 양파 ½개 · 완두 2큰술 · 당근 ⅓개 · 설탕 3큰술 ·
소금 약간 · 식용유 3컵 · 고추기름 1큰술 · 토마토 케첩 4큰술 ·
새우 양념(청주 1큰술, 소금 약간, 녹말가루 3큰술, 달걀 1개)

이렇게 만들어요

1 새우는 등에 칼집을 내어 대꼬챙이로 내장을 제거한
뒤, 껍질을 벗기고 깨끗이 씻어 물기를 빼 둔다.
2 양파는 다지듯이 잘게 썰고, 당근도 손질해 양파 크기로
잘게 썬다.
3 완두는 끓는 물에 소금을 약간 넣고 살짝 데친 후 물기를 뺀
다.
4 손질한 새우에 청주·소금·녹말가루와 달걀을 잘 풀어서 넣고 맛
이 고루 배도록 뒤섞어 잠시 잰다.
5 팬에 기름을 붓고 가열하여 재어 놓은 새우를 넣고 노릇노릇하게 튀
겨 낸 다음, 쇠망으로 건져 기름을 빼둔다.
6 팬에 기름을 두르고 달구어 고추기름과 썰어 놓은 양파를 넣어 기름
에 향이 배게 한 뒤 준비한 당근과 완두를 넣고 볶는다.
7 볶은 야채에 토마토 케첩과 설탕을 넣어 맛을 낸 다음 튀겨 놓은 새
우를 넣고 골고루 버무린다.

280 Kcal

부드럽고 향기로운 굴 맛을 그대로 살린

굴 볶음

재료 · 4인분

굴 300g · 두지(마늘콩 된장) 적당량 · 소금 약간 · 파 2뿌리 ·
마늘 5쪽 · 생강 1쪽 · 녹말가루 1작은술 · 식용유 적당량 ·
진간장 2큰술 · 굴 소스 ½큰술 · 참기름 약간

이렇게 만들어요

1 굴은 소금물에 흔들어 씻어 물기를 뺀 뒤 껍데
기와 지저분한 것을 없앤 다음 끓는 물에 넣어 살
짝 데쳐 물기를 빼 둔다.
2 파는 다듬어서 송송 썰고, 마늘과 생강은 손질해
다진다.
3 녹말가루는 같은 양의 물에 잘 풀어 놓는다.
4 팬에 기름을 두르고 달구어 마늘·생강 다진 것과 두지를
넣어 기름에 향이 배게 한 뒤 굴을 넣고 볶는다.
5 진간장과 굴 소스를 넣어 간한 뒤 송송 썬 파를 넣는다. 물에 풀어
놓은 녹말가루를 넣고 참기름도 넣어 뒤섞는다.

129 Kcal

고기와 해물, 야채가 골고루 들어가 영양 만점인 일품 요리

해물 볶음 국수

🍳 재료 · 4인분

닭고기 50g · 새우 150g · 해삼(말린 것) 2마리 · 피망 1개 · 표고버섯 2개 · 죽순(통조림) 1개 · 국수 300g · 파 ½뿌리 · 생강 1쪽 · 마늘 5쪽 · 식용유 적당량 · 청주 1큰술 · 진간장 1큰술 · 소금 1작은술 · 설탕 1작은술 · 육수 1컵 · 녹말가루 1큰술 · 닭고기와 새우 양념(청주 2큰술, 생강 1쪽, 녹말가루 2큰술)

🍳 이렇게 준비하세요

1 닭고기는 살코기로 준비해 저미고, 새우는 머리를 떼어 내고 껍질을 벗겨 먹기 좋게 손질한다.

2 해삼은 물에 불렸다가 손질해 저미고, 죽순 · 피망 · 표고버섯은 각각 손질해 적당히 썬다. 파는 3cm 길이로 썰고, 마늘은 저민다. 생강은 1쪽은 즙을 내고 1쪽은 저민다.

🍳 이렇게 만들어요

3 닭고기와 새우는 청주 · 생강즙 · 녹말가루에 잠시 재어 두었다가, 팬에 식용유를 넉넉히 두르고 약한 불에서 볶아 낸다.

4 국수는 삶아 건져서 팬에 기름을 두르고 볶아 접시에 담는다.

5 팬에 기름을 두르고 달구어 파 · 마늘 · 생강으로 기름에 향을 배게 한 뒤, 닭고기 · 새우 · 해삼 · 죽순 · 피망 · 표고버섯을 넣어 넣어 볶는다. 청주 · 진간장 · 소금 · 설탕으로 간한 뒤 육수를 붓고, 마지막에 물에 푼 녹말가루를 넣어 농도가 알맞게 걸쭉해지면 한소끔 끓인다.

6 볶은 국수에 끓인 재료들을 끼얹는다.

P O I N T

닭고기는 얇게 저미고, 새우는 머리와 껍질을 떼어 내고 깨끗이 씻어 둔다.

죽순은 뜨거운 물을 끼얹어 미끈거리는 것을 없애고 적당한 크기로 썬다.

밑간해 둔 닭고기와 새우는 팬에 식용유를 넉넉히 두르고 약한 불에서 볶아 낸다.

국수는 삶아 팬에 기름을 두르고 달구어 볶아 접시에 담는다.

팬에 기름을 두르고 달구어 야채와 고기를 넣고 센 불에서 볶는다.

볶은 국수 위에 기름에 볶아 낸 재료들을 끼얹는다.

399 Kcal

양념으로 향을 낸 기름에 튀겨 조린 향긋하고 고소한

병어 조림

재료 · 4인분

병어 1마리 · 마른 붉은고추 3개 · 파 1뿌리 · 생강 1쪽 · 마늘 4쪽 · 진간장 5
큰술 · 식초 1작은술 · 설탕 1작은술 · 참기름 약간 · 청주 2큰술 · 팔각 회향
1개 · 후춧가루 약간 · 식용유 5큰술

이렇게 준비하세요

1 병어는 아가미에 살짝 칼집을 넣어 그 사이로 젓가락을 넣어 내장과
아가미를 빼내고 손질해 물에 씻어 어슷어슷하게 칼집을 넣는다.
2 마른 붉은고추는 꼭지를 떼고 씨를 대강 털어 낸 다음 2㎝ 정도의
폭으로 어슷어슷 썰고, 생강과 마늘은 껍질을 벗겨 다듬은 후 얄팍하
게 저며 썬다.
3 파는 굵직한 것으로 준비하여 뿌리를 잘라 내고 다듬어 씻은 다음
길이로 반을 갈라 3~4㎝ 길이로 썬다.

이렇게 만들어요

4 볶음용 팬에 기름을 둘러 뜨겁게 달군 다음 손질해 놓았던 병어를
넣어 앞뒤로 살짝 지진 후 한쪽으로 밀어 놓고, 준비해 놓은 파 · 마
늘 · 생강 · 마른 붉은고추 · 팔각 회향을 넣어 볶다가 병어와 섞는다.
5 진간장 · 청주 · 설탕 · 후춧가루 · 식초를 병어에 넣고 조린 후 참기
름을 몇 방울 떨어뜨려 접시에 담고 고추 · 파 등을 얹는다.

161 Kcal

POINT

병어는 아가미에 칼집을 넣어서 그 사이로
젓가락을 넣어서 아가미와 내장을 빼낸다.

팬에 기름을 두르고 뜨겁게 달궈 병어를 넣
어 살짝 지진 후 양념을 넣어 볶는다.

중국의 식사 예절

중국의 식탁은 둥글고 중심 부분이 약간 높은 회전대로 되어 있는데 1개 탁
자에 앉는 사람은 8~10명이 기본이다. 앉는 순서는 우리 나라와 마찬가지
로 입구에서 먼 곳이 상석으로, 주빈의 자리가 된다. 이어서 양쪽에 그 상대
역되는 손님들이 앉고 주인은 입구에 가까운 위치에서 주빈과 마주보는 자리
에 앉는다.
요리는 한꺼번에 식탁에 내지 않고 한 가지씩 낸다. 요리 코스는 첸차이 · 다
차이 · 뎬신으로 구성되어 있으며 차가운 것에서 따뜻한 것으로, 물기가 없는
것에서 물기가 있는 것으로 메뉴가 진행된다. 먹을 때는 각 요리를 큰 접시에
담아서 조미료와 함께 회전대 위에 놓고, 이것을 돌리면서 각자가 작은 접시
에 조미료를 담고, 개인 접시에 요리를 덜어 먹으면 된다. 중국 요리는 젓가
락을 사용해서 먹기 때문에 한국 요리의 식사 예절과 크게 다르지 않다.

부추말이 튀김

재료 · 4인분

중국부추 200g · 소금 약간 · 식용유 약간 ·
튀김옷(밀가루 ½컵, 소금 ½작은술, 녹말가
루 2큰술, 달걀 1개) · 양념장(진간장 3큰
술, 설탕 ½큰술, 고추장 ½큰술, 마늘 5쪽)

이렇게 만들어요

① 중국부추는 깨끗이 씻어 물기를 빼고 10줄기 정도는 끓는 물에 데친다. 3줄
기씩 가지런히 모아 8㎝ 길이로 서너 번 접은 뒤, 데친 중국부추 1줄기로 가운
데 부분을 감아서 남은 끝을 부추 묶음 사이로 집어 넣어 정리한다.
② 튀김옷은 묽거나 되지 않도록 물을 천천히 조금씩 넣어 반죽을 한다.
③ 팬에 기름을 붓고 가열한 뒤 중국부추에 튀김옷을 묻혀 노릇노릇하게 튀겨
낸 다음 어슷어슷하게 2등분하여 썬 뒤 양념장을 곁들여 낸다.

끓는 기름을 끼얹어 파의 향기가 은은하게 퍼지는

우럭찜

204 Kcal

중국식 생선 요리 맛내기

중국식으로 생선을 조릴 때는 먼저 생선을 기름에 노릇하게 지지고 나서 파·생강·마늘·고추 등으로 향을 낸 기름에 간장 양념을 해서 조리면 고소하다. 또 생선을 조릴 때 식초를 조금만 넣으면 비린내가 없어진다. 또 팬이 완전히 달구어지기 전에 생선을 넣으면 껍질이 벗겨지므로 충분히 뜨거워진 다음 조린다. 자주 뒤집지 말고 한쪽 면이 노릇해진 다음 한 번만 뒤집어서 익히고, 딱딱해지지 않도록 너무 오래 가열하지 않도록 한다.

찜을 할 때는 살아 있는 생선이나 싱싱한 생선을 선택해야 한다. 또 불의 세기와 조리 시간도 조절을 잘 해야 한다. 강한 불에 찜통을 올려 김이 나기 시작할 때 생선을 넣어야 살이 무르지 않고 고르게 쪄진다. 찌기 전에 생강과 청주 등으로 재어 두면 생선 특유의 비린내를 없앨 수 있다.

재료 · 4인분

우럭 1마리 · 파 2뿌리 · 생강 1쪽 · 청주 1큰술 · 식용유 3큰술 · 소금 약간 · 후춧가루 약간 · 소스(식용유 2큰술, 청주 1큰술, 진간장 4큰술)

이렇게 준비하세요

1 우럭은 냉동되거나 신선하지 않은 것은 찜의 맛이 살아나지 않으므로 싱싱한 것으로 고른다. 우럭의 비늘을 제거하고 아가미에 칼집을 내어 내장을 빼낸 뒤 흐르는 물에 속까지 깨끗이 씻어 물기를 없앤다.
2 손질해 놓은 우럭은 간이 잘 배고 살을 떼어 먹기 편하게 양쪽에 3cm 간격으로 깊숙이 칼집을 넣고 청주와 소금을 뿌려 둔다.
3 파는 깨끗이 손질해 1뿌리는 5cm 길이로 가늘게 채썰고, 1뿌리는 5cm 길이로 썬다.
4 생강은 껍질을 벗기고 깨끗이 씻어 채썬다.

이렇게 만들어요

5 찜통에 넣을 수 있는 접시에 5cm 길이로 썬 파를 담고, 그 위에 준비한 우럭을 놓은 뒤 채썬 생강을 얹어 김이 나는 찜통에서 10분 정도 찐다.
6 찐 우럭을 상에 낼 접시에 담고 채썰어 놓은 파를 얹은 뒤 후춧가루를 뿌린다.
7 팬에 기름을 넣어 연기가 날 정도로 뜨겁게 가열한 후 우럭 위에 뿌린다.
8 다시 팬에 기름을 넣고 가열한 뒤 청주와 진간장으로 간을 맞추어 소스를 만든다.
9 소스를 우럭 위에 끼얹어 뜨거울 때 상에 내고 생선 살을 발라서 접시에 깔린 소스를 조금 묻힌 다음 파채와 함께 먹는다.

하나더 생선 비늘 벗기기
생선 비늘을 벗길 때 주위에 비늘이 튀기는 것을 막으려면 쓰다 남은 무를 이용하면 좋다. 무를 어슷하게 썰어 비죽하게 나온 앞부분을 비늘에 대고 꼬리 쪽에서 머리로 가볍게 누르듯이 문지르면 비늘이 깨끗하게 벗겨진다. 칼을 사용할 때처럼 비늘이 사방에 튀지않아 뒤처리도 편하다.

POINT

우럭은 싱싱한 것으로 골라 비늘을 벗기고 내장을 빼낸 다음 먹기 편하도록 3cm 간격으로 칼집을 넣는다.

우럭을 김이 나는 찜통에 접시째 넣어 10분간 찐 다음 꺼내 뜨겁게 가열한 기름을 위에 끼얹는다.

탕수 도미

재료 · 4인분

도미 1마리 · 소금 적당량 · 청주 적당량 · 식용유 3컵 · 소스(식용유 2큰술, 고추기름 1큰술, 양파 ½개, 당근 ¼개, 피망 ½개, 토마토 케첩 4큰술, 설탕 4큰술, 녹말가루 1큰술, 참기름 1작은술)

이렇게 준비하세요

1 도미는 싱싱한 것으로 준비해 비늘을 긁고 아가미에 칼집을 넣어 내장을 빼낸 뒤 흐르는 물에 깨끗이 씻는다. 3cm 간격으로 양쪽에 깊게 칼집을 넣고 소금과 청주를 적당량씩 뿌려 둔다.

2 당근은 껍질을 벗기고 깨끗이 씻어 5cm 길이로 채썰고, 양파도 손질해 같은 길이로 썬다. 피망은 반으로 갈라 속을 빼낸 뒤 당근과 같은 길이로 채썬다.

3 녹말가루를 같은 양의 물에 잘 푼다.

이렇게 만들어요

4 팬에 기름을 붓고 달구어 도미를 넣고 노릇노릇하게 튀겨 낸다.

5 팬에 기름과 고추기름을 넣고 끓으면 양파를 넣어 볶다가 토마토 케첩과 당근 · 피망도 넣어 볶는다. 야채가 어느 정도 볶아지면 물 ½컵과 설탕을 넣어 끓이고, 불에서 내리기 직전에 물에 푼 녹말가루와 참기름을 넣어 잘 섞는다.

6 튀겨 놓은 도미를 상에 낼 접시에 담고, 만들어 놓은 소스를 끼얹어 상에 낸다.

POINT

도미는 비늘을 긁고 내장을 빼낸 뒤 양쪽 3cm 간격으로 칼집을 넣고 밑간을 해둔다.

팬에 기름을 붓고 달구어 준비해 놓은 도미를 넣고 노릇노릇하게 튀겨 낸다.

튀겨 놓은 도미 위에 기름에 볶은 야채와 소스를 끼얹어 낸다.

초고 청강채 굴 소스 볶음

초고(草芸)는 중국산 버섯으로, 자루버섯이라고도 하며 볶음이나 찌개 · 수프 등에 주로 이용된다. 중국 식품점에 가면 수입된 통조림을 구할 수 있다.

재료 · 4인분
청강채 5포기 · 초고(통조림) 150g · 파 ½뿌리 · 마늘 5쪽 · 녹말가루 1큰술 · 식용유 적당량 · 굴 소스 2큰술 · 청주 1큰술 · 육수 1컵 · 참기름 약간

이렇게 만들어요
① 청강채는 손질해서 2등분한 뒤 끓는 물에 살짝 데쳐 내고, 초고는 뜨거운 물을 끼얹어 물기를 뺀 뒤 길이로 2등분한다. 파는 어슷어슷 썰고, 마늘은 얇게 저민다.
② 팬에 기름을 두르고 준비해 놓은 파 · 마늘을 넣고 볶아 기름에 파 · 마늘의 향이 배게 한 뒤, 초고와 청강채를 넣고 청주와 굴 소스로 간한다.
③ 육수를 붓고 같은 양의 물에 잘 풀어 놓은 녹말가루도 넣어 볶은 다음, 참기름을 넣고 섞어 접시에 담아 낸다.

224 Kcal

매콤한 두반장으로 볶아 내 우리 입맛에 특히 잘 맞는

마파 두부

269 Kcal

재료 · 4인분

두부 1모 · 돼지고기 100g · 붉은피망 1개 · 실파 2뿌리 · 마늘 4쪽 · 두반장 1큰술 · 진간장 2작은술 · 청주 1큰술 · 소금, 설탕, 후춧가루 약간씩 · 녹말가루 1큰술 · 참기름 약간 · 육수 ½컵 · 식용유 5큰술

이렇게 준비하세요

1 두부는 찌개나 부침용의 단단한 두부를 준비해 깨끗한 헝겊에 싸서 살짝 눌러 물기를 뺀 다음 1.5×1.5㎝ 크기로 깍둑썰기한다.
2 돼지고기는 기름이 적은 부위를 선택해 다지듯이 잘게 썬다.
3 붉은피망은 씨를 털어 잘게 썰고, 실파도 깨끗이 손질하여 잘게 썬다. 마늘은 곱게 다진다.

이렇게 만들어요

4 두부는 프라이팬에 식용유를 두르고 미리 한 번 볶아 낸다.
5 다시 프라이팬에 식용유를 두르고 다진 돼지고기를 넣어 볶다가 두반장 · 마늘 · 실파 · 붉은 피망을 넣어 볶는다.
6 재료들이 적당히 볶아지면 진간장 · 소금 · 청주 · 설탕 · 후춧가루를 넣어 간을 맞추고 볶은 두부를 넣고 육수를 부어 은근하게 조린다.
7 국물이 자작해지고 재료가 잘 어우러지면 같은 양의 물에 갠 녹말가루를 넣어 걸쭉하게 만든다. 마지막으로 참기름을 뿌려 담아 낸다.

탕수 두부

재료 · 2인분
두부 1모 · 식용유 3컵 · 당근 ¼개 · 완두 2큰술 · 양파 ⅓개 · 소금, 후춧가루 약간씩 · 식초 1큰술 · 녹말가루 3큰술 · 육수 5큰술 · 설탕 2큰술 · 붉은고추 1개 · 실파 1뿌리

이렇게 만들어요
① 두부는 깨끗한 천으로 싸서 도마 위에 올리고 평평한 것을 얹어 물기를 뺀 다음 한 변 1.5㎝ 크기의 주사위 모양으로 썰어 소금과 후춧가루로 밑간한다.
② 양파는 손질해 1×1㎝ 크기로 썰고, 당근은 양파 크기로 깍둑썰기한다. 붉은고추와 실파도 송송 썰어 놓는다. 완두는 끓는 소금물에 살짝 데쳐 건져 놓는다.
③ 튀김 냄비에 기름을 붓고 저온(150~160℃) 정도로 가열한 다음 준비해 놓은 두부에 녹말가루를 묻혀서 튀긴다. 한 번 튀겨 낸 두부는 기름기를 살짝 뺀 후 기름의 온도를 처음의 적정 온도까지 높여 한 번 더 튀기는 것이 좋다.
④ 당근과 양파는 프라이팬에 기름을 두르고 살짝 볶는다.
⑤ 두꺼운 프라이팬에 육수를 붓고 녹말가루를 개어 넣은 다음 설탕을 넣고 저어 가며 끓이다가 볶은 당근과 양파, 데친 완두를 모두 넣고 끓인다. 한소끔 끓으면 소금과 식초로 맛을 내어 소스를 만든다.
⑥ 튀긴 두부를 소스에 넣고 섞어 접시에 담고 실파와 붉은고추를 얹어 낸다.

POINT

1

두부는 물기를 빼고 1.5×1.5㎝ 크기로 깍둑썰기해 미리 한 번 기름에 볶는다.

6

다진 돼지고기와 두반장 · 야채 · 양념을 넣어 볶다가 육수를 붓고 두부를 넣어 조린다.

부드러운 두부와 버섯의 향기가 어우러진 찜 요리

표고버섯 두부찜

POINT

두부는 으깨어 물기를 짜고 당근은 잘게 썰고, 자차이도 물에 살짝 씻어 잘게 썬다.

표고버섯은 기둥을 떼어 내고 볶은 재료를 채워 넣은 다음 한가운데 완두를 박는다.

팬에 기름을 두르고 달구어 속 채운 표고버섯을 지진 다음 육수와 양념을 넣어 끓인다.

🍳 재료 · 4인분

표고버섯 12개 · 두부 ⅓모 · 당근 ¼개 · 자차이 30g · 완두(통조림) 2큰술 · 후춧가루 약간 · 소금 적당량 · 설탕 2작은술 · 녹말가루 2큰술 · 식용유 적당량 · 진간장 2큰술 · 육수 3큰술 · 청주 1큰술

🍳 이렇게 준비하세요

1 두부는 물에 살짝 씻어 으깬 뒤 베보자기 등에 싸서 물기를 꼭 짠다. 당근은 손질해 잘게 썰고, 자차이도 물에 살짝 씻어 잘게 썬다. 자차이는 야채를 소금에 절인 것으로 중국 식품 판매점에서 수입된 것을 구입할 수 있다.

2 표고버섯은 물에 불렸다가 기둥을 떼어 내고, 완두는 끓는 물을 끼얹은 후 물기를 뺀다.

🍳 이렇게 만들어요

3 두부 · 당근 · 자차이에 후춧가루 · 소금 · 설탕(1작은술) · 녹말가루(½큰술)를 넣고 잘 섞은 뒤 팬에 기름을 두르고 달구어 볶는다.

4 표고버섯 안쪽에 녹말가루(1큰술)를 바르고, 볶은 재료를 채워 넣은 다음 한가운데에 완두를 박는다.

5 팬에 기름을 두르고 달구어 속 채운 표고버섯을 안쪽이 밑으로 가게 해서 지진다.

6 지진 표고버섯을 안쪽이 위로 가게 뒤집은 뒤 육수를 붓고, 진간장에 설탕(1작은술) · 청주 · 소금을 넣어 한소끔 끓인다. 마지막에 녹말가루(½큰술)를 같은 양의 물에 개어 국물에 넣는다.

하나 더 표고버섯을 물에 불릴 때
말린 표고버섯을 불릴 때는 가볍게 물에 씻어 찰랑찰랑한 물에 30분 정도 담가 둔다. 너무 오래 담가 두면 표고버섯의 맛이 달아나므로 주의한다. 급할 때는 미지근한 물 1컵에 설탕 1큰술을 탄 물에 담그면 빨리 불릴 수 있다. 밑둥을 눌러 보아 부드러워졌으면 다 된 것이다.

102 Kcal

기본 양념

귀에 익숙하지만 막상 요리에 도전하다 보면 의외로 까다로운 것이 바로 양념이다.
음식의 맛을 조절하고 간을 맞출 뿐 아니라 향기를 내주는 양념들의 가장 기본적인 사용법을 다시 한 번 확인해
요리 맛을 살리자. 물론 음식을 만들 때는 항상 양념이 떨어지지 않도록 미리 준비하는 것도 필수이다.

소금

어느 음식에나 빠지지 않고 들어가는 기본 양념. 굵은 소금은 장을 담그거나 음식을 절이는 데 쓰고, 입자가 고운 꽃소금은 음식의 간을 맞추는 데 쓴다. 소금의 짠맛은 단순히 음식의 간을 맞추는 것뿐만 아니라 신맛과 단맛을 약하게 한다. 음식에 들어가는 소금의 양은 국은 재료의 1%, 생선 요리는 2%, 생채나 무침은 3%가 적당하다.

간장

소금과 함께 음식의 간을 맞추는 데 쓰이는 양념. 재래식 간장인 국간장(조선간장, 청장)은 국물 요리나 나물의 간을 맞추고 색을 곱게 하는 데 쓰인다. 집에서 오랫동안 숙성시키는 국간장과는 달리 빠른 시간에 공장에서 발효시킨 진간장(왜간장, 양조 간장)은 약간의 단맛을 내며 조림·볶음·구이의 양념이나 소스 재료로 쓰인다.

설탕

설탕은 맛이 상쾌하고 뒷맛이 좋아 단맛을 내는 데 가장 널리 쓰인다. 김치의 매운 맛을 부드럽게 하고 조림의 재료들을 잘 엉키게 하며 양념이 잘 스미게 해주며 지방의 산화를 방지하고 음식물의 냄새를 없애기도 한다. 하지만 침투력이 약하기 때문에 양념으로 쓸 때는 설탕 → 소금 → 식초 순으로 넣어야 단맛이 산다.

고춧가루·고추

매운 맛을 내는 데나 붉은 색을 내는 데 주로 쓰이는 양념으로 음식의 나쁜 냄새도 없애 준다. 고춧가루는 검은 빛이 도는 것이 좋으며, 너무 고운 빛깔의 선홍색을 띠는 것은 피한다. 국물 요리에는 고운 고춧가루를, 무침에는 입자가 굵은 것을 쓴다. 실고추는 나박김치·장김치·웃고명 등에 쓰이고 붉은고추, 풋고추는 잘게 다져 양념장에 넣는다.

고추장

맵고 얼큰한 맛을 낸다. 그 자체가 반찬이 되기도 하지만 음식의 조미료로도 이용되므로 반찬용·찌개용·장아찌용으로 구분하여 각각 준비한다. 토장국·고추장 찌개의 국물맛을 내고 무

침·조림·구이·생채 등의 맛을 돋우는 양념으로도 쓰인다. 고기나 생선의 냄새를 없애는 데도 한몫을 한다.

된장

우리 고유의 발효식품인 된장. 풍부한 단백질과 구수한 맛이 일품이다. 토장국이나 찌개의 국물맛을 내고 쌈장이나 장떡의 재료로 쓰이며 생선이나 돼지고기의 냄새를 없앨 때 빠지지 않는 양념이다. 메주에 소금물을 타서 두면 간장이 되고, 간장을 떠내고 남은 것은 된장이 된다. 이때 간장을 떠내지 않고 메주가루에 보리·쌀 등 곡물가루를 섞어 질게 버무려 익히면 막장이 된다.

참기름·들기름

참깨를 볶아서 짠 참기름은 고소한 맛과 향을 지니고 있으며 음식에 윤기를 돌게 한다. 들기름은 참기름에 비해 고소한 맛이 덜하지만 맛과 향이 오래 가는 장점이 있다. 양념 중 가장 마지막에 넣어야 향이 그대로 산다.

식초

톡 쏘는 신맛이 식욕을 돋우고 음식의 나쁜 냄새를 없애며 살균·방부 작용도 한다. 또한 단백질을 응고시키기 때문에 생선 요리에 넣으면 생선살이 단단해져 살이 부스러지는 것을 막을 수 있다. 미역이나 잎채소를 누렇게 변색시키므로 먹기 바로 전에 넣어야 한다.

파

국이나 무침·볶음·전 양념 등에 두루 쓰이는 양념, 특히 국물 요리에 넣으면 시원하고 달큰한 맛을 내준다. 대파와 쪽파는 기본 양념으로, 실파는 파김치용으로 쓰인다. 파의 흰 부분은 다지거나 채썰어 양념으로 쓰고, 파란 부분은 채 또는 크게 썰어 찌개나 국에 넣는다. 굵고 단단하면서 흰 부분이 많은 것이 좋고, 불에서 내리기 직전에 넣어야 향이 산다.

마늘

식탁에서 빠질 수 없는 기본 양념으로 육류와 생선의 비린내를 없애 주고 살균 작용까지 한다. 쪽 하나하나가 통통하게 여물고 단단하며 껍질이

붉고 잘 벗겨지지 않는 것이 좋다. 밭마늘이 논마늘보다 상품이며 육질이 더 단단하고 육쪽 마늘을 최상으로 친다. 미리 많이 다져서 1회분씩 랩에 싸 냉동시키면 사용할 때마다 다지지 않아도 되므로 편리하다.

술

주로 육류와 어패류에 많이 쓰인다. 누린내와 비린내를 없애면서 육질을 부드럽게 한다. 요즘은 미림이나 미향 등의 조리용 맛술도 나오는데 고기를 연하게 하고 누린내를 없앤다. 술 종류는 끓으면 알코올이 날라가기 때문에 조리의 맨 마지막 과정에 넣어 준다.

생강

매운 맛과 향기가 있어서 고기·생선·닭 요리와 특히 돼지고기 요리에 꼭 쓰이는 조미료다. 어패류나 육류 요리에 쓸 때는 처음부터 넣지 말고 어느 정도 익은 후에 넣는 것이 좋다. 음식에 따라 즙을 내기도 하고 다지거나 채썰어서 사용한다.

깨소금

고소하면서도 짭짤한 맛을 낸다. 참깨에 물을 조금 부어 비벼 씻어 물기를 뺀 다음 볶는다. 깨알이 팽창되고 손끝으로 부숴 보아 잘 부숴질 정도가 되면 뜨거울 때 소금을 약간 넣은 뒤 반쯤 부서지게 빻아 쓴다.

겨자

매콤하게 톡 쏘는 맛의 양념. 갓의 씨앗을 갈아 가루로 만든 것으로 건조할 때는 매운 맛이 없지만 더운 물에 여러 번 개면 매운 맛이 우러난다. 또 따뜻한 곳에 두어야 매운 성분의 분해가 빨리 된다.

후춧가루

통후추를 빻아 가루로 만든 것으로 향기와 자극성이 많아 고기·생선 요리에 넣으면 누린내나 비린내가 없어지고 식욕을 돋우어 준다. 검은 후춧가루는 육류와 색이 진한 음식에, 흰 후춧가루는 흰살 생선·채소류 등에 쓰인다. 통후추는 육류를 삶거나 육수를 만들 때 주로 쓰인다.

2

양념장

조리의 즐거움을 더해 주는 양념장은 종류도 많고 맛도 여러 가지.
여러 음식에 두루 쓰이는 기본 양념장 만드는 법을 알아두고 시간날 때마다 미리 만들어 두면 좀더 빠르고
맛깔스럽게 음식을 만들어 낼 수 있다.

초고추장

고추장 2큰술·설탕 1큰술(꿀이나 물
엿 1큰술)·식초 2큰술(너무 되면 콜
라 또는 사이다 1큰술을 넣고 푼다.
또 다진 마늘 1작은술·생강즙 ½작은
술·통깨·맛술·레몬즙이나 유자즙·참기름
을 첨가하면 좋다.)

고추장 볶음

고추장 1컵·물 ½컵·꿀 3큰술·다진
쇠고기 ¼컵(쇠고기 밑간용: 다진 파
½큰술·다진 마늘 ½작은술·간장 1
작은술·참기름 ½큰술)

쌈장

1 다진 파 1작은술·깨소금 1작은술·
참기름 ½작은술
2 된장 5큰술·고추장 2큰술·풋고
추 2개·양파 ¼개·깨소금 1큰술·
참기름 1큰술

맛된장

된장 1컵·물 1컵·멸칫가루 1큰술·
다진 마늘 1작은술(물 1컵 대신 육수
나 멸치 국물을 이용하면 훨씬 구수하
고 진한 맛의 맛된장을 만들 수 있다.)

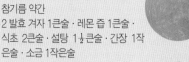

겨자장

1 발효겨자 1큰술·물 1큰술·식초 1
큰술·간장 1작은술·소금 ½큰술·
참기름 약간
2 발효 겨자 1큰술·레몬 즙 1큰술·
식초 2큰술·설탕 1½큰술·간장 1작
은술·소금 1작은술

초간장

간장 1큰술·식초 1큰술·물 1큰술·
설탕 ½큰술(만두 같은 음식을 먹을
때는 고춧가루·깨소금·잣가루를 넣
기도 한다.)

양념간장

간장 3큰술·다진 파 1작은술·고운
고춧가루 1작은술·다진 마늘 1큰
술·깨소금 2작은술·참기름 1작은술
(묵 무침 등에 사용한다.)

흰살 생선용 조림 간장

간장 1컵·설탕 ½큰술·양파즙 1큰
술·맛술 3큰술·다진 마늘 ½큰술·
생선 100g에 간장 ½큰술씩(모든 양
념을 골고루 잘 풀어 준다.)

야채 겉절이장

간장 2큰술·식초 2큰술·설탕 2큰
술·멸치액젓 2큰술·고춧가루 1큰
술·깨소금 1큰술·다진 파 2큰술·다
진 마늘 1큰술

불고기 양념장

간장 5큰술·설탕 2큰술·배즙 2큰
술·파 1뿌리·다진 마늘 1큰술·깨소
금 1큰술·참기름 ½큰술·잣가루 ½
큰술·후춧가루, 식용유 조금씩(쇠고기
600g)

갈비 양념장

간장 4큰술·설탕 2큰술·다진 파 2큰
술·깨소금 2큰술·배즙 3큰술·다진
마늘 1큰술·참기름 1큰술·후춧가루
1작은술·녹말가루 약간(쇠갈비 600g)

돼지불고기 양념장

고추장 2큰술·간장 1큰술·술 2작은
술·생강 다진 것 2작은술·다진 파 2
큰술·다진 마늘 1큰술·설탕 2큰술·
후춧가루 2작은술·물 2큰술(돼지고기
600g)

닭도리탕 양념장

고추장 2큰술·간장 2큰술·고춧가루
1큰술·깨소금 1큰술·참기름 1작은
술·다진 파 2큰술·다진 마늘 1큰술·
생강 ½큰술

다진 양념장

1 맑은 전골용 다진 양념장
고춧가루 2큰술·소금 1작은술을 육
수나 물에 갠다.
2 진한 국물용 다진 양념장
고춧가루 1큰술·물(육수) 1큰술·국간장 1
큰술
3 비빔·찌개용 다진 양념장
다진 고추 1큰술·고춧가루 1큰술·
간장 ½큰술·참기름, 다진 파, 마늘,
후춧가루, 깨소금, 설탕, 고추장 약간씩

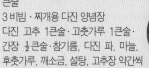

요리 전 체크 포인트

요리 만드는 방법과 순서를 파악한다

익숙한 요리가 아닌 경우에는 요리 책 등을 보고 조리의 순서를
미리 머릿속에서 그린다. 그 다음 요리를 시작해야 조리 과정에
타이밍을 놓치거나 실수를 하는 일이 없게 된다.

필요한 조리 도구를 갖춘다

요리를 할 때 필요한 조리 도구는 많다. 조리하는 도중에 꺼내다
보면 재료를 다듬는 도중이라 타이밍을 놓치거나 어디에 있는지
를 몰라 당황하게 되는 경우도 종종 있다. 재료의 분량에 맞는 냄
비와 프라이팬을 꺼내 놓고, 국자나·뒤집개·튀김젓가락 같은
것도 미리 갖추어 놓는다.

밑준비를 미리 해둔다

요리는 본조리에 앞서서 손질해야 할 일이 많다. 파와 마늘을 다
지는 것부터 고기의 핏물을 뺀다든가 조개류의 해감을 시킨다든
가 국물을 내놓는 것까지 시간이 걸리는 일이 많으므로 미리 체
크해서 준비를 해놓는다.

재료와 양념을 준비한다

요리에 들어가는 재료와 양념은 한 곳에 모아 놓고 점검해 본다.
특히 여러 요리를 동시에 만들 때는 각각의 요리 재료와 양념을
나누어 모아서 준비한다. 소금·설탕·식초·간장·다진 파·다
진 마늘처럼 항상 쓰이는 양념은 언제나 떨어지지 않도록 한곳에
모아 정리해 둔다.

작업이 같은 것끼리 모아서 한다

조리 시간을 줄이려면 같은 작업은 몰아서 하는 것이 좋다. 파와
마늘, 양파 같은 양념 다듬기, 야채를 모아서 씻고 쓰임새대로 다
듬고 썰어 두는 일, 고기와 생선 손질하기 등을 한꺼번에 몰아서
한다. 그 다음에 불 위에서의 작업으로 넘어간다.

조리하고 남은 재료를 정리한다

요리를 하고 남은 재료는 바로 손질해서 냉장고의 야채실과 신선
실, 냉동실에 넣어 둔다. 고기와 생선류는 한 번에 쓸 만큼씩 나
누어서 정리해 두면 다음에 꺼내 쓰기가 한결 편하다. 단, 한 번
해동시켰던 고기류나 생선류는 다시 냉동시키면 맛이 떨어지므
로 그때그때 다 사용하도록 한다. 야채류는 물을 살짝 뿌려 신문
지나 랩 등에 싸서 야채실에 보관한다.

테이블 세팅을 한다

조리 도중 틈틈이 테이블 위에 숟가락·젓가락·물컵 등을 놓고
김치·밑반찬도 차려 놓으면 요리 후에 바로 먹을 수가 있다.

썰기

반듯하고 모양 좋게 썬 재료로 만든 음식은 보기에도 좋고 먹기에도 좋다.
하지만 마음먹은 대로 되지 않는 것이 초보 요리사의 칼 솜씨. 일류 요리사처럼 능숙하게 칼질을 하려면
우선 칼의 기능을 알고 사용법을 익혀 실전에서 충분히 연습을 해야 한다.

칼을 사용할 때는

검지손가락을 칼등에 얹듯 대고 다른 손가락은 편하게 느껴지도록 칼자루를 잡은 다음 가볍게 힘을 주어 칼을 든다. 무엇보다도 칼을 쥘 때는 힘을 주지 않는 것이 포인트이다.

칼을 쓸 때는 칼을 잡지 않은 다른 손으로 재료를 누르고 썬다. 재료를 잡은 손은 손가락 끝을 안쪽으로 구부린 채 손가락의 첫째 마디를 칼에 대는 듯하게 하고 몸 전체에 리듬을 주는 듯한 동작으로 부드럽게 썬다. 이 때 몸은 왼쪽을 약간 앞으로 오게 하고 오른쪽이 약간 뒤로 물러선 듯한 자세를 취한다.

칼 쓰기 기본 동작

· 잡아당겨 썰기

칼의 안쪽은 들어올리고 재료에 비스듬히 칼끝을 댄 채 잡아당기듯 하며 써는 것이다. 오징어를 채썰 때 이 방법을 사용한다. 재료는 썰어진 채로 그대로 있으므로 그 밑으로 칼을 뉘어서 넣고 살짝 들어서 그릇으로 옮겨 담으면 된다.

· 밀어 썰기

샌드위치나 김밥처럼 속에 재료가 들어 있을 때는 썰 때 무조건 힘을 주어 눌러 썰면 속재료가 삐져 나와 지저분해진다. 우선 칼끝을 재료의 앞쪽에 밀듯이 가볍게 넣고 미끄러지듯 단번에 썬다.

· 눌러 썰기

다져 써는 방법의 하나로 왼손으로 칼끝을 가볍게 누르고 오른손을 상하좌우로 움직여 누르듯이 썰면 된다. 재료가 흩어질 염려가 적으며, 흩어진 것을 다시 모아 같은 동작

잡아당겨 썰기　　　밀어 썰기

눌러 썰기　　　저며 썰기

을 반복한다.

· 저며 썰기

재료의 왼쪽 끝에 왼손을 얹고 오른손으로는 칼을 뉘어서 재료에 넣은 다음 안쪽으로 잡아당기는 듯한 동작으로 얇게 써는 것이다.

칼과 도마

부엌칼은 고기칼·생선칼·채소칼·빵칼·파일칼 등 재료와 용도에 맞게 구분해서 이용한다. 쇠고기·돼지고기·닭고기 등 육류를 다질 때는 무거운 칼이 좋고, 채썰 때는 칼날이 얇아야 채가 곱게 된다. 칼은 항상 습기가 차므로 녹이 슬지 않는 스테인리스 제품이 가장 무난하나 자르는 효과가 강철에 비해 뒤떨어진다. 강철 제품은 사용 후에는 매일 한 번씩 주방용 세제로 날과 손잡이를 문

질러 닦은 후, 뜨거운 물로 씻는다. 물기를 깨끗이 닦은 다음 불에 한 번 살짝 그을려 보관하면 물기도 없어지고 녹도 잘 슬지 않는다.

도마는 나무와 플라스틱제가 많은데 나무 도마는 칼이 닿는 감촉이 좋아서 쓰기에는 편하나 불결해지기 쉽고, 플라스틱 도마는 위생상으로는 좋지만 칼이 닿는 감촉이 딱딱하고 써는 소리가 나는 결점이 있다. 도마는 야채용과 어육용으로 구분해서 사용하는 것이 위생적이다. 건조한 도마에 식품을 놓고 썰면 식품의 냄새와 색깔이 도마에 배어들어 씻어도 잘 없어지지 않으므로 쓰기 전에 물에 헹군 다음 깨끗한 행주로 닦아서 쓴다. 사용 후에는 솔에 세제를 묻혀 닦은 후 흐르는 물에 말끔히 씻어 낸다. 이 때 더운 물로 씻으면 냄새가 스며들므로 찬물에 헹구어 햇볕에 건조시킨다.

기본 썰기의 여러가지 방법

나박 썰기 무나 오이 등을 썰 때 사각형으로 납작하게 썬다.

반달 썰기 고구마·감자 등을 반으로 잘라 반달 모양이 되게 썬다.

어슷 썰기 가늘고 길쭉한 재료를 어슷어슷하게 썬다.

깍뚝 썰기 무·두부 등을 막대썰기한 다음 주사위 모양으로 썬다.

통썰기 오이·당근·연근 등을 둥글고 얇게 썬다.

막대썰기 원하는 길이로 재료를 토막내 1×1㎝의 굵기로 썬다.

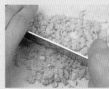

다져 썰기 재료를 채썬 다음 가지런히 모아 직각으로 잘게 썬다.

채썰기 얄팍하게 썬 재료를 비스듬히 포개 놓고 가늘게 썬다.

부분별 칼 사용하기

칼끝 가늘고 뾰족하므로 섬세한 작업을 할 때 이용된다. 파일이나 야채의 속을 도려내거나 칼집을 얕게 넣을 때 이용한다.

칼등 날카롭게 썰 필요가 없는 우엉 껍질 긁기, 마늘이나 생강 짓이기기, 스테이크용 고기 두들기기 등에 편리하다.

중앙 칼질을 할 때 가장 안정되게 할 수 있는 부분. 통썰기부터 다지기까지 대부분의 썰기가 가능하다.

밑둥의 각진 부분 감자나 무, 당근 등의 싹이나 흠을 도려 낼 때 이용하면 편하다.

밑둥 감자나 무처럼 둥근 야채 껍질을 빙글빙글 돌려 벗길 때 편리하다. 힘을 주기 쉬운 부분이기도 하므로 닭이나 생선 뼈 같이 단단한 것을 자를 때도 쓰인다.

기본 국물

모든 요리에 골고루 쓰이는 기본 국물은 쉬운 듯하면서도 제맛내는 것이 까다로운 편.
하지만 포인트를 꼼꼼히 알아두면 문제가 없다. 요리 시간도 덜고 음식에 감칠맛도 더해 주는 기본 국물들은
미리 만들어 병이나 우유 팩에 담아 냉장실이나 냉동실에 보관하자. 필요할 때마다 꺼내 쓰기 좋다.

멸치 국물

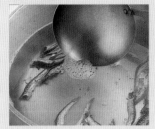

비릿하면서도 맛이 강해 맛이 진한 요리와 잘 어울린다. 국·찌개는 물론 조림·볶음 요리에 넣으면 부드러운 맛이 더 살고 무침이나 조림 요리를 할 때도 한결 산뜻한 맛을 낼 수 있다.

멸치 국물을 낼 때 끓어 오르는 거품은 숟가락으로 말끔히 걷어 내야 산뜻한 국물 맛을 낼 수가 있다.

·이렇게 준비하세요
국물을 내는 멸치는 조금 크고 넓적한 것으로 전체적으로 연한 색을 띠며 푸르스름한 것으로 고른다. 반듯한 것보다는 등이 약간 꺾인 것이 더 신선하다. 배 쪽의 내장은 끓이면 쓴맛이 나므로 반드시 발라 내고 머리에서는 맛있는 성분이 많이 나오므로 그냥 둔다. 물 5컵 기준으로 멸치 10마리쯤이면 적당하다.

·이렇게 만들어요
1 마른 냄비에 멸치를 넣어 살짝 볶아 비린내를 없앤다.
2 냄비에 찬물을 붓고 멸치를 넣어 끓인다. 끓어오르면서 생기는 거품은 걷어 낸다.
3 끓기 시작해서 10~15분 후에 체로 멸치를 건져 낸다. 그 이상 끓이면 오히려 국물이 텁텁해진다. 맑은 국물을 원하면 체에 헝겊을 깔고 밭친다. 좀더 시원한 맛을 내려면 무를 함께 넣어 끓이면 좋다.

다시마 국물

시원한 맛을 내며 비린내가 없어 응용의 폭이 넓다.
국물이 진한 것은 아니지만 감칠맛이 있어 맑은 찌개·전골·찜·조림에 특히

다시마 국물은 오래 우려 내면 오히려 끈끈한 점액질이 빠져 나와 맛을 해치므로 물이 끓기 직전에 다시마를 건져 낸다.

잘 어울린다. 다시마만 따로 국물을 내거나 멸치 또는 무와 함께 우려 낸다.

·이렇게 준비하세요
다시마는 지방이 없으므로 오래 두어도 괜찮다. 표면에 흰 가루가 많을수록 상품이며 얇은 것보다는 도톰한 것이 더 좋다. 다시마는 젖은 행주나 종이 타월로 깨끗이 닦아 표면의 지저분한 것을 닦는다. 물 5컵에 10×10㎝ 정도면 적당하다. 미리 사방 10㎝ 정도로 잘라 밀폐 용기에 넣어 보관하면 편리하다.

·이렇게 만들어요
1 찬물에 잠시 다시마를 담갔다가 약한 불에서 끓인다. 멸치와 같이 끓일 때는 멸치를 먼저 끓이다가 다시마를 넣는다.
2 물이 끓기 직전에 거품이 올라오는 정도가 되면 다시마를 젓가락으로 꺼낸다. 그대로 두면 다시마의 끈끈한 점액질이 나와 비릿한 맛이 난다. 5~10분이면 충분하므로 오래 끓이지 말 것.
3 다시마를 건진 후에는 불을 조금 세게 해서 중간불에서 충분히 끓인다.

가다랭이 국물

가다랭이(가츠오부시)는 참다랑어를 찐 것으로 보통 얇게 썰어서 말린 것이 판매된다. 가다랭이 국물은 단맛이 강하고 향기가 있어 여러 가지 음식에 사용된다. 특히 전골이나 맑은국처럼 국물이 있는 음식은 물론 조림 요리에도 좋다.

단맛이 강해 전골 등에 좋은 가다랭이 국물은 물을 팔팔 끓인 다음 넣어야 맛을 제대로 살릴 수가 있다.

·이렇게 준비하세요
주로 백화점의 식품 상가 등에서 파는 가다랭이는 기름기가 많아 쉽게 상하므로 살 때는 유효 기간을 확인한다. 시간이 지날수록 가다랭이의 향이 달아나므로 작은 포장으로 된 것을 구입하고 개봉한 후에는 가능한 한 빨리 먹는다. 냉동실에 넣어 두면 약 1~2개월 정도 보관이 가능하다. 물 5컵 정도에 가다랭이포 20g 정도면 충분한데, 많이 넣을수록 맛이 더 좋다.

·이렇게 만들어요
1 냄비에 물을 넣어 팔팔 끓인 다음 가다랭이를 넣고 불을 끈다.
2 5~6분을 두었다가 국물이 푸른 빛을 띠면 체나 헝겊에 밭친다. 너무 오래 두면 떫은 맛이 나므로 주의한다.

조개 국물
생선이나 해물 찌개에는 새우나 조개 국물이 시원하다. 조개류 특유의 감칠맛과 시원하고 담백한 맛이 있기 때문. 새우 국물은 마른 새우를 물에 불려 칼로 곱게 다져 냄비에 참기름을 두르고 볶다가 물을 부어 뽀얀 국물이

나올 때까지 푹 끓이면 된다.

·이렇게 준비하세요
국물을 내는 데는 모시조개나 소합처럼 작은 것이 좋으며 홍합이나 새우의 껍질 또는 머리 등을 함께 넣고 끓여도 좋다. 단 끓이기 전에 반드시 해감을 시킨다.

조개 국물은 껍질째 조개를 우려 내므로 깨끗이 씻어 엷은 소금물에 넣어 어두운 곳에서 해감을 충분히 시킨다.

·이렇게 만들어요
1 조개를 깨끗이 껍질째 박박 문질러 씻어 엷은 소금물에 담가 해감시켜 냄비에 담고 찬물을 부어 끓인다.
2 국물이 희게 우러 나고 조개가 입을 벌릴 때까지 끓인다. 끓이면서 생기는 거품은 숟가락으로 걷어 낸다.
3 맑은 국물을 만들려면 체에 헝겊을 깔고 밭친다.

쇠고기 국물

육수는 어느 음식에나 잘 어울리는데 맑은국은 물론 된장 찌개에도 넣으면 좀더 진한 맛을 낼 수 있다.
조림이나 찜에도 구수한 맛을 더해 준다.

육수를 낼 때는 양지머리나 사태를 찬물에 담가 핏물을 뺀 다음 끓인다. 파와 통마늘을 함께 넣고 끓이면 누린내를 없앨 수 있다.

·이렇게 준비하세요
많은 양의 국물을 내는 데는 양지머리나 사태처럼 덩어리 고기가 적당하며 작은 양일 때는 기름기가 약간 있는 등심을 잘게 썰어 볶아 물을 부어 끓이면 된다. 덩어리 고기로 끓일 때는 찬물에 담가 충분히 핏물을 빼야 누린내가 나지 않는다. 물 15컵 정도에 고기 600g이 적당하다.

·이렇게 만들어요
1 양지머리나 사태살을 찬물에 1~2시간 정도 담가 핏물을 뺀다.
2 냄비에 쇠고기를 넣고 물을 부은 뒤 파와 통마늘을 넣고 끓인다.
3 끓이는 도중에 생기는 거품은 걷어 내고 한소끔 끓으면 불을 줄여 은근하게 푹 곤다.
4 고기가 부드럽게 익으면 고기는 건져 수육으로 사용하고 국물을 맑게 걸러 놓는다.

index

index

index

index

index